Diercke
Praxis

Arbeits- und Lernbuch
Einführungsphase

Herausgeber:
Wolfgang Latz

Autorinnen und Autoren:
Frank Böning
Andreas Bremm
Ursula Brinkmann-Brock
Rolf Brück
Erik Elvenich
Guido Hoffmeister
Dr. Norma Kreuzberger
Christine Kreuzberger
Wolfgang Latz
Dr. Lars Schmoll
Björn Schray
Wolfgang Stark
Silke Weiß

westermann

Ⓦ **Wahlaufgaben**
Je nach Interesse kann hier eine Teilaufgabe wahlweise bearbeitet werden.

Ⓩ **Ergänzungsaufgaben**
Die Aufgaben festigen das vorhandene Wissen und können zusätzlich zu den vorangehenden Aufgaben bearbeitet werden.

M1* **Impulse und Hilfen** zu komplexen Materialien. Tipps zur Auswertung und Interpretation der mit * gekennzeichneten Materialien finden Sie im Anhang.

→ wichtige **Grund- und Fachbegriffe**

www.diercke.de
D1-175   Durch Eingabe des Web-Codes unter der Adresse **www.diercke.de** gelangt man auf die passende Doppelseite im Diercke Weltatlas. Dort erhält man Hinweise zu ergänzenden Atlaskarten mit Informationen zu den Karten sowie weiterführende Materialien.

Auf verschiedenen Seiten dieses Buches befinden sich Verweise (Links) auf externe Internet-Adressen.
Haftungshinweis: Trotz sorgfältiger inhaltlicher Kontrolle wird die Haftung für die Inhalte der externen Seiten ausgeschlossen. Für den Inhalt dieser externen Seiten sind ausschließlich deren Betreiber verantwortlich. Sollten Sie bei dem angegebenen Inhalt des Anbieters dieser Seite auf kostenpflichtige, illegale oder anstößige Inhalte treffen, so bedauern wir dies ausdrücklich und bitten Sie, uns umgehend per E-Mail unter www.westermann.de davon in Kenntnis zu setzen, damit beim Nachdruck der Verweis gelöscht wird.

© 2014 Bildungshaus Schulbuchverlage
Westermann Schroedel Diesterweg Schöningh Winklers GmbH, Braunschweig
www.westermann.de

Druck A³ / Jahr 2015
Alle Drucke der Serie A sind im Unterricht parallel verwendbar.

Redaktion: Malin Schneider-Pluppins, Witten; Lektorat Eck, Berlin; Steffen Stierhof
Umschlaggestaltung und Layoutkonzept: JANSSEN KAHLERT Design & Kommunikation GmbH, Hannover
Satz und Seitengestaltung: Yvonne Behnke, Berlin
Druck und Bindung: westermann druck GmbH, Braunschweig

ISBN 978-3-14-114940-1

Anmerkung zu den Materialien

Die *DIERCKE PRAXIS* besteht zu großen Teilen aus Original-Materialien. Diese stammen aus einer Vielzahl analoger und digitaler Veröffentlichungen unterschiedlichster Autorinnen und Autoren, Institute und Forschungsgruppen. Daher weichen einige Materialien in Ihrer Aussage zu bestimmten Sachverhalten auch voneinander ab oder sind sogar widersprüchlich. So werden zum Beispiel die Steppen der USA von unterschiedlichen Wissenschaftlern unterschiedlich abgegrenzt. Selbst so sicher scheinende Angaben wie die Bevölkerungszahl oder die Wirtschaftskraft eines Raumes differieren von Quelle zu Quelle. Diese Unterschiede wurden durch die Autorinnen und Autoren bewusst nicht beseitigt, da dies eine Verfälschung der Quellen wäre. (Siehe dazu auch S. 216 "Daten kritisch hinterfragen").

Geographie = Erd-Kunde

Geographie in der Sekundarstufe II

Geographie – ein neues Fach?

Nein! Erdkunde hatten Sie ja schon bis zu Klasse 9. Und der Unterricht der Sekundarstufe II baut auf dem der letzten Jahre auf. In der S II werden Sie zwar auf viele Ihnen schon bekannte Themen stoßen – aber Sie werden sehr viel mehr selbst erarbeiten. Dabei werden Sie die in der S I erworbenen Kompetenzen nutzen und vor allem fachwissenschaftlich tiefer in die Themenbereiche der Geographie eindringen.

Was sind diese Themenbereiche?

Was kommt auf Sie in der Einführungsphase (M2) und schließlich in der Qualifikationsphase (M1) zu?

M2   Themen der Einführungsphase

Lebensgrundlage Wasser

Themen der Qualifikationsphase

- Landwirtschaftliche Produktion im Spannungsfeld von Ernährung und Versorgung einer wachsenden Weltbevölkerung
- Markt- und exportorientiertes Agrobusiness als zukunftsfähiger Lösungsansatz?
- Wirtschaftsregionen im Wandel – Einflussfaktoren und Auswirkungen
- Förderung von Wirtschaftszonen – notwendig im globalen Wettbewerb der Industrieregionen?
- Globale Disparitäten – ungleiche Entwicklungsstände von Räumen als Herausforderung
- Bevölkerungsentwicklung und Migration als Ursache räumlicher Probleme
- Ähnliche Probleme, ähnliche Lösungsansätze? Strategien und Instrumente zur Reduzierung von Disparitäten in unterschiedlich entwickelten Räumen
- Dienstleistungen in ihrer Bedeutung für periphere und unterentwickelte Räume
- Städte als komplexe Lebensräume zwischen Tradition und Fortschritt
- Metropolisierung und Marginalisierung – unvermeidliche Prozesse im Rahmen einer weltweiten Verstädterung?
- Die Stadt als lebenswerter Raum für alle? – Probleme und Strategien einer zukunftsorientierten Stadtentwicklung
- Moderne Städte – ausschließlich Zentren des Dienstleistungssektors?
- Waren und Dienstleistungen – immer verfügbar? Bedeutung von Logistik und Warentransport

Quelle: Ministerium für Schule und Weiterbildung NRW

M1   Themen des Geographieunterrichts in der SII

Geographie

„Die Geographie als ‚Wissenschaft der Erde' analysiert die räumlichen Strukturen und die dafür relevanten Prozesse aus den Bereichen der Natur- und Sozialwissenschaften. […] Die Physische Geographie beschäftigt sich mit den dynamischen Kräften und deren Wechselwirkungen, die die Gestaltung der Erdoberfläche bestimmen, und umfasst damit vor allem Geologie, Geomorphologie, Vegetation und Klima. Bei der Anthropogeographie, auch Humangeographie genannt, liegt der Fokus auf der Betrachtung sozialer und ökonomischer Systeme wie Bevölkerung, Wirtschaft und Stadt."

Quelle: www.ph-heidelberg.de/geographie, 29.1.2014

M3* Geographie – die Wissenschaft der Erde

„Die Geographie […] ist eine klassische Wissenschaft, die sich mit der Landschaftshülle der Erde beschäftigt. Die Landschaft wird integrativ betrachtet, das heißt, physische, biotische und anthropogene Sachverhalte werden als ein Wirkungsgefüge gesehen, die sich im Laufe der Zeit auf den heutigen Zustand hinentwickelte, dessen zukünftige Entwicklungstendenzen ebenfalls von der Geographie untersucht werden. […]

Quelle: H. Leser, Wörterbuch allgemeine Geographie, 2011

M4* Geographie – eine Definition

Zwischen Ökumene und Anökumene

Leben mit endogenen Kräften der Erde

IV

Förderung und Nutzung fossiler Energieträger

V

Neue Fördertechnologien

VI

Regenerative Energien

VII

Klima im Wandel

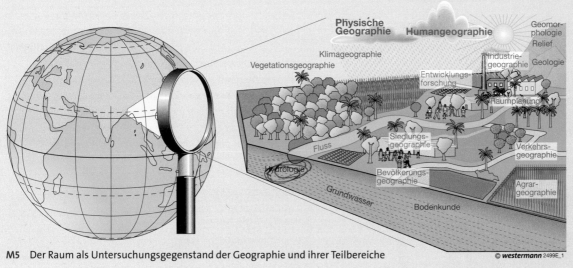

Physische Geographie   Humangeographie

Klimageographie
Vegetationsgeographie

Geomor-phologie
Relief
Geologie

Industrie-geographie
Entwicklungs-forschung
Raumplanung

Fluss
Hydrologie
Siedlungs-geographie
Bevölkerungs-geographie
Verkehrs-geographie
Agrar-geographie

Grundwasser
Bodenkunde

M5   Der Raum als Untersuchungsgegenstand der Geographie und ihrer Teilbereiche   © *westermann* 2499E_1

Der Raum ist die Bezugsgröße und der Forschungsgegenstand der Geographie. Die Grö-ße des Raumes kann sehr unterschiedlich sein: die Erde, ein Kontinent, ein Land, eine Landschaft oder auch nur ein Bach. Dabei untersucht die Geographie nicht nur die im Raum wirkenden Faktoren (z. B. Klima, Vegetation, Bevölkerung, Wirtschaft), sondern vor allem auch ihr Zusammenwirken.

Ⓦ **1.** **a)** Die Geographie ist eine Raumwissenschaft. Erklären Sie (M3 – M5).

    b) Ordnen Sie die Fotografien den Teilbereichen der Geographie zu (M2/ M5).

    c) Nennen Sie je drei eigene konkrete Beispiele für Themen, mit denen sich die Physische Geographie und die Anthropogeographie beschäftigen (M5).

    d) Nennen Sie fünf aktuelle Nachrichtenmeldungen, die in den Bereich der Geographie fallen (M5).

  2. Informieren Sie sich über eines der Themen in der Qualifikationsphase näher und erläutern Sie es anhand von Beispielen (M1).

Ⓩ **3.** „System Erde" – was ist damit gemeint? Erkläre Sie (M4).

Unsere Erde – schützenswert!

Astronautinnen und Astronauten, die die Erde einmal aus weiter Entfernung bewundern konnten, waren immer tief beeindruckt von der Schönheit, aber auch der augenscheinlichen Verletzlichkeit unseres Heimatplaneten.
Viel zu selten machen wir uns bewusst, dass wir nur ein kleiner Teil des großen Ökosystems Erde sind.
Was bedeutet das für unser tägliches Handeln?
Was bedeutet das für unser Verhalten im Raum, für unser Verhalten in unserem Wohnort, auf der Erde?

1. Immer wieder setzten sich Menschen, die im Weltall waren, in ganz besonderer Weise für nachhaltige Politik, für nachhaltiges Handeln ein. Erklären Sie.
2. Nachhaltigkeit beschränkt sich nicht nur auf den Umweltschutz. Erläutern Sie jeden der drei Teilbereiche an einem konkreten Beispiel (M4).
(W) 3. Ein Eingriff in das Ökosystem (in das Wirkungsgefüge) einer Landschaft hat zahlreiche Folgen (M1/ M4).
   A Stellen Sie diese in einem Wirkungsgefüge dar.
   B Verfassen Sie zu einem möglichen Eingriff einen Zeitungsbericht.
(Z) 4. Wichtigstes Ziel des Geographieunterrichtes ist es, raumbezogene Handlungskompetenz zu vermitteln. Wichtigstes Prinzip dabei ist das der Nachhaltigkeit. Erklären Sie (→ Definitionen).
(Z) 5. Da sagt der eine Planet zum anderen:
   „Du siehst so krank aus! Was hast Du?"
   Sagt der andere: „Ich hab' Menschen!"
   Sagt der erste: „Das vergeht wieder!"
   Erklären Sie diesen Scherz.

→ Nachhaltigkeit, Ökosystem, Wirkungsgefüge

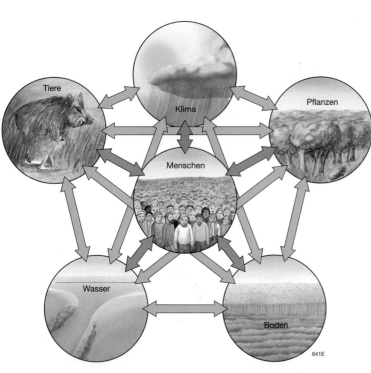

M1* Modell eines Ökosystems – die „Landschaft als Wirkungsgefüge"

„Die Erde erinnerte uns an eine in der Schwärze des Weltraums aufgehängte Christbaumkugel. Mit größerer Entfernung wurde sie immer kleiner. Schließlich schrumpfte sie auf die Größe einer Murmel – der schönsten Murmel, die du dir vorstellen kannst. Dieses schöne, warme, lebende Objekt sah so zerbrechlich aus, als ob es zerkrümeln würde, wenn man es mit dem Finger anstieße."

James Irwin, USA,
Pilot der Mondlandefähre der Apollo 15-Mission 1971

M2 „Die Erde geht auf"

→ Wirkungsgefüge
Die Landschaft wird integrativ betrachtet, d.h. physische, biotische und anthropogene Sachverhalte werden als ein Wirkungsgefüge gesehen, die sich im Laufe der Zeit auf den heutigen Zustand hin entwickelte, dessen künftige Entwicklungstendenzen ebenfalls von der Geographie untersucht werden (...).
Quelle: H. Leser, Wörterbuch der Allgemeinen Geographie, 2005

→ Nachhaltigkeit
Nachhaltige Entwicklung heißt, Umweltgesichtspunkte gleichberechtigt mit sozialen und wirtschaftlichen Gesichtspunkten zu berücksichtigen. Zukunftsfähig wirtschaften bedeutet also: Wir müssen unseren Kindern und Enkelkindern ein intaktes ökologisches, soziales und ökonomisches Gefüge hinterlassen. Das eine ist ohne das andere nicht zu haben.
Quelle: Rat für nachhaltige Entwicklung,
www.nachhaltigkeitsrat.de, 29.1.2014

Zukunftsfähig handeln ...

Die Vereinten Nationen haben die Jahre 2005 bis 2014 zur Weltdekade „Bildung für nachhaltige Entwicklung" (BNE) ausgerufen. (...) Damit sollen allen Menschen Bildungschancen eröffnet werden, die es ihnen ermöglichen, sich Wissen und Werte anzueignen sowie Verhaltensweisen und Lebensstile zu erlernen, die für eine lebenswerte Zukunft und die Gestaltung einer zukunftsfähigen Gesellschaft erforderlich sind."
Quelle: www.kmk.org

M3 Bericht an die Kultusministerkonferenz vom 13.12.2012

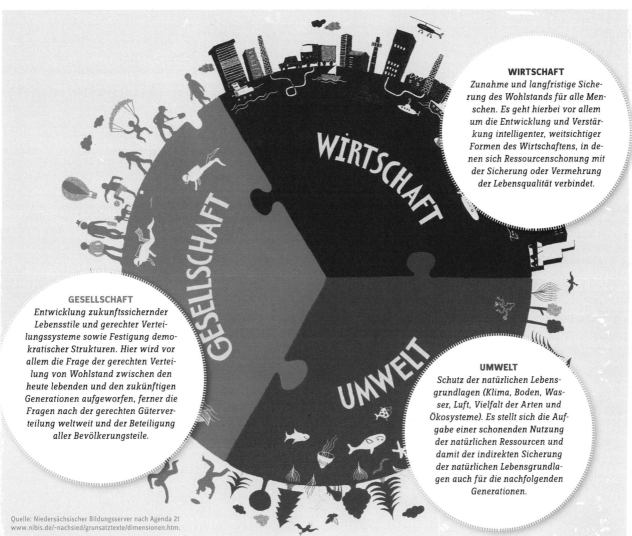

WIRTSCHAFT
Zunahme und langfristige Sicherung des Wohlstands für alle Menschen. Es geht hierbei vor allem um die Entwicklung und Verstärkung intelligenter, weitsichtiger Formen des Wirtschaftens, in denen sich Ressourcenschonung mit der Sicherung oder Vermehrung der Lebensqualität verbindet.

GESELLSCHAFT
Entwicklung zukunftssichernder Lebensstile und gerechter Verteilungssysteme sowie Festigung demokratischer Strukturen. Hier wird vor allem die Frage der gerechten Verteilung von Wohlstand zwischen den heute lebenden und den zukünftigen Generationen aufgeworfen, ferner die Fragen nach der gerechten Güterverteilung weltweit und der Beteiligung aller Bevölkerungsteile.

UMWELT
Schutz der natürlichen Lebensgrundlagen (Klima, Boden, Wasser, Luft, Vielfalt der Arten und Ökosysteme). Es stellt sich die Aufgabe einer schonenden Nutzung der natürlichen Ressourcen und damit der indirekten Sicherung der natürlichen Lebensgrundlagen auch für die nachfolgenden Generationen.

Quelle: Niedersächsischer Bildungsserver nach Agenda 21
www.nibis.de/~nachsied/grunsatztexte/dimensionen.htm.

M4   Nachhaltigkeit auf allen Ebenen

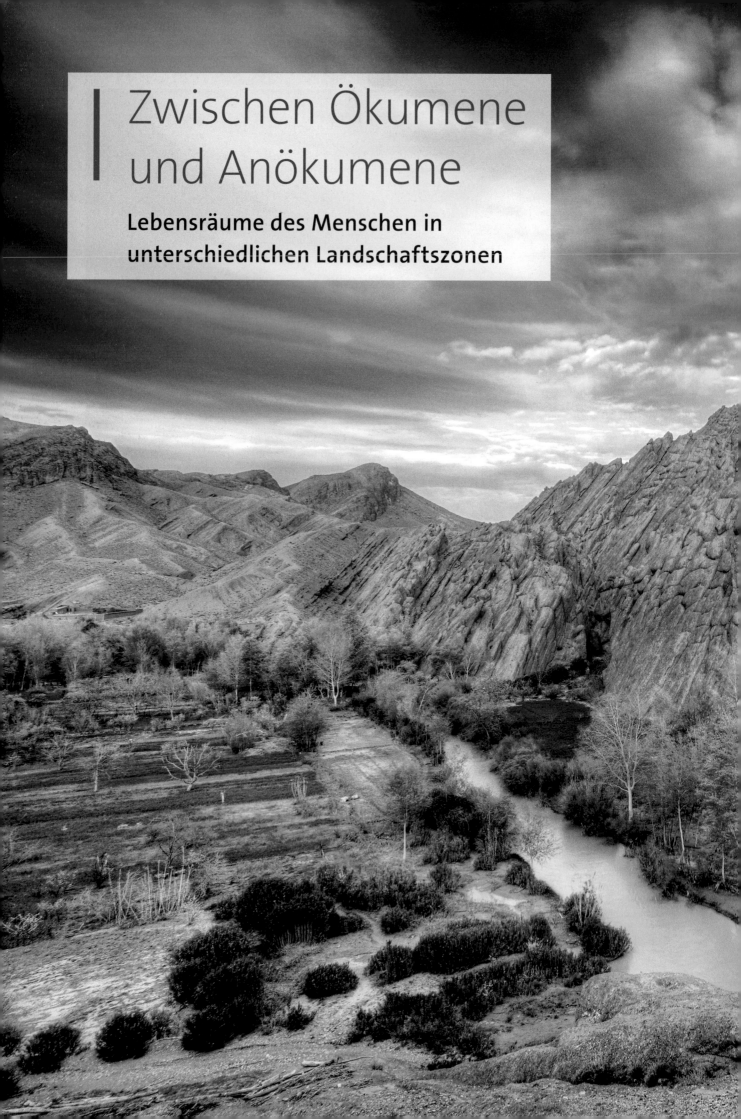

Zwischen Ökumene und Anökumene

Lebensräume des Menschen in unterschiedlichen Landschaftszonen

Das „Dades Valley" in Marokko. In dem Tal wechseln sich von Trockenheit geprägte Landschaften mit grünen, fruchtbaren Oasen ab.

Die zonale Gliederung der Erde

Landschaftszonen und deren Nutzung als Lebensräume

Auf der Erde können viele verschiedene natürliche Teilräume, die Landschaften, unterschieden werden. Dabei bestimmen Geofaktoren wie Klima, Boden, Wasser oder Vegetation in ihrem Zusammenwirken die Ausprägung einer Landschaft. Ähnlich ausgestattete Landschaften bilden zusammen die Landschaftszonen – die naturlandschaftlichen Großräume der Erde.

Doch was genau bestimmt die einzelnen Landschaftszonen, wie wirken Geofaktoren zusammen. Welche Möglichkeiten ergeben sich für den Menschen, in den verschiedenen Landschaftszonen zu leben und zu wirtschaften? Welche Gunst- und Ungunstfaktoren bestimmen das Leben in den verschiedenen Zonen? Kann der Mensch natürliche Grenzen überwinden und in ursprünglich unwirtlichen Regionen leben und wirtschaften?

M3 Sommergrüner Laub- und Mischwald der gemäßigten Breiten

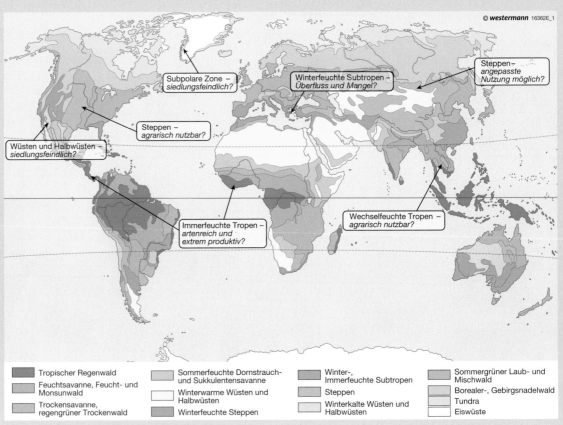

© *westermann* 16362E_1

Subpolare Zone – siedlungsfeindlich?

Winterfeuchte Subtropen – Überfluss und Mangel?

Steppen – angepasste Nutzung möglich?

Steppen – agrarisch nutzbar?

Wüsten und Halbwüsten – siedlungsfeindlich?

Immerfeuchte Tropen – artenreich und extrem produktiv?

Wechselfeuchte Tropen – agrarisch nutzbar?

Tropischer Regenwald	Sommerfeuchte Dornstrauch- und Sukkulentensavanne
Feuchtsavanne, Feucht- und Monsunwald	Winterwarme Wüsten und Halbwüsten
Trockensavanne, regengrüner Trockenwald	Winterfeuchte Steppen

Winter-, Immerfeuchte Subtropen	Sommergrüner Laub- und Mischwald
Steppen	Borealer-, Gebirgsnadelwald
Winterkalte Wüsten und Halbwüsten	Tundra
	Eiswüste

M1 Vegetationszonen (generalisiert) der Erde – weitgehend übereinstimmend mit den Landschaftszonen

Gestein	Boden	Relief	Klima	Wasser	Vegetation	Tierwelt

MENSCH ALS LANDSCHAFTSNUTZER

M2 Geofaktoren und menschliches Handeln

M4 Tropischer Regenwald

M6 Eiswüste in der polaren Zone

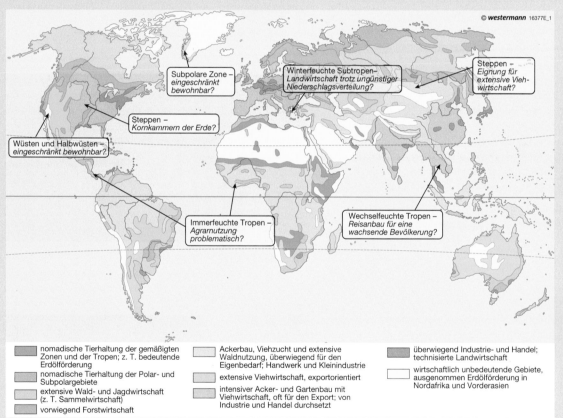

© **westermann** 16377E_1

Subpolare Zone – eingeschränkt bewohnbar?

Winterfeuchte Subtropen– *Landwirtschaft trotz ungünstiger Niederschlagsverteilung?*

Steppen – *Eignung für extensive Viehwirtschaft?*

Steppen – *Kornkammern der Erde?*

Wüsten und Halbwüsten – *eingeschränkt bewohnbar?*

Immerfeuchte Tropen – *Agrarnutzung problematisch?*

Wechselfeuchte Tropen – *Reisanbau für eine wachsende Bevölkerung?*

nomadische Tierhaltung der gemäßigten Zonen und der Tropen; z. T. bedeutende Erdölförderung

nomadische Tierhaltung der Polar- und Subpolargebiete

extensive Wald- und Jagdwirtschaft (z. T. Sammelwirtschaft)

vorwiegend Forstwirtschaft

Ackerbau, Viehzucht und extensive Waldnutzung, überwiegend für den Eigenbedarf; Handwerk und Kleinindustrie

extensive Viehwirtschaft, exportorientiert

intensiver Acker- und Gartenbau mit Viehwirtschaft, oft für den Export; von Industrie und Handel durchsetzt

überwiegend Industrie- und Handel; technisierte Landwirtschaft

wirtschaftlich unbedeutende Gebiete, ausgenommen Erdölförderung in Nordafrika und Vorderasien

M5 Nutzungszonen der Erde

→ Ökumene/ Anökumene

Die Gebiete der Erde, die dauerhaft von Menschen besiedelt und bewirtschaftet werden, werden als Ökumene bezeichnet. Gebiete, die nicht dauerhaft von Menschen bewohnt werden, gehören zur Anökumene. Sie sind zu kalt, zu trocken oder liegen zu hoch.

1. Zeigen Sie an Beispielen auf, wie Klima und Vegetation die Ausprägung einer Landschaft bestimmen (M1).
2. Überlegen Sie, welche Regionen der Erde besonders
   a) siedlungsfeindlich sein könnten (M1, M5),
   b) sich als Lebensraum für Menschen besonders eignen könnten (M1, M5).
3. Nennen Sie Möglichkeiten, wie der Mensch Trockenheit oder Kälte überwinden kann.

Wärme und Niederschlag im Überfluss – die immerfeuchten Tropen

Der tropische Regenwald in Costa Rica – artenreich und extrem produktiv

Der tropische Regenwald – Urlaubsziel im Trend
Ökotourismus ist eine Zukunftsbranche. Reiseunternehmen verzeichnen zweistellige Zuwachsraten in diesem Sektor. Es werden verschiedenste Ziele angeboten – unter anderem der tropische Regenwald.
Die Reiseveranstalter werben mit beeindruckenden Bildern und attraktiven Ausflugsangeboten. Die Feedback-Seiten der Veranstalter sind voller begeisterter Zuschriften. Was ist so einzigartig am tropischen Regenwald?

1. Lokalisieren Sie Golfito, Costa Rica (Atlas).
2. Nennen Sie mögliche Gründe, die Menschen bewegen, eine Reise in den tropischen Regenwald zu unternehmen (M1–M5).
3. Beschreiben Sie die Situation am Boden des Waldes und oberhalb von 25 m Höhe (M4 – M6).
Ⓦ 4. Die extrem hohe Produktivität des tropischen Regenwaldes beruht auf dem Prinzip des kurzgeschlossenen Nährstoffkreislaufs.
   A Erläutern Sie dieses Prinzip (M6/ M7).
   B Erklären Sie die besondere Rolle, die den Mykorrhiza-Pilzen im kurzgeschlossenen Nährstoffkreislauf zukommt (M6 – M9).
Ⓩ 5. Erstellen Sie eine kurze Werbebroschüre, in der Sie Touristen die Einzigartigkeit des tropischen Regenwaldes erklären (M1– M9, S. 124/ 125).

→ Biodiversität, kurzgeschlossener Nährstoffkreislauf, Mykorrhiza, Stockwerkbau, tropischer Regenwald

M2 Regenwaldtourismus in Costa Rica

Tropenstation und Öko-Lodge bei Golfito
⬠ Biologische Forschungsstation (Universität Wien)
⌂ Bungalowsiedlung für Regenwald-Touristen
▨ tropischer Regenwald
≈ Wanderwege (Trails zur Erkundung von Tier- und Pflanzenwelt)

M3 Lodges im tropischen Regenwald, Golfito, Costa Rica

Als erstes und wichtigstes Merkmal des tropischen Regenwalds muss der Artenreichtum (Biodiversität) genannt werden. So sind z. B. im Amazonasbecken auf wenigen Hektar mehr Pflanzen- und Insektenarten gefunden worden, als bisher in der gesamten europäischen Flora und Fauna bekannt sind. 70 Prozent aller Regenwaldarten unter den Pflanzen gehören zu den Bäumen. Die Schätzungen für Baumarten belaufen sich auf 10 000 bis 30 000 Arten. [...] Bis zu 100 verschiedene Baumarten sind auf einem Hektar gezählt worden. Von einer für die Tropen besonders charakteristischen Pflanzenfamilie, den Palmen, sind heute etwa 3 500 Arten bekannt. Viele Wissenschaftler gehen davon aus, dass etwa die Hälfte aller Pflanzen- und Tierarten in der immerfeuchten, tropischen Regenwaldzone lebt. Viele davon sind gar nicht erfasst und beschrieben.

Quelle: K. Müller-Hohenstein, F.-D. Miotke: Die geoökologischen Zonen der Erde (1997), In: Girndt, T. et al., Raummodul Lateinamerika, 2012

M1 Biodiversität des tropischen Regenwaldes

M4 Baumwipfelpfad in rund 25 m Höhe – hier ist die Zone der höchsten Artenvielfalt im tropischen Regenwald

M5 Blick vom Baumwipfelpfad in die obere Baumschicht

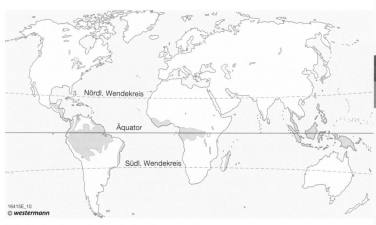

M8 Verbreitung des tropischen Regenwaldes

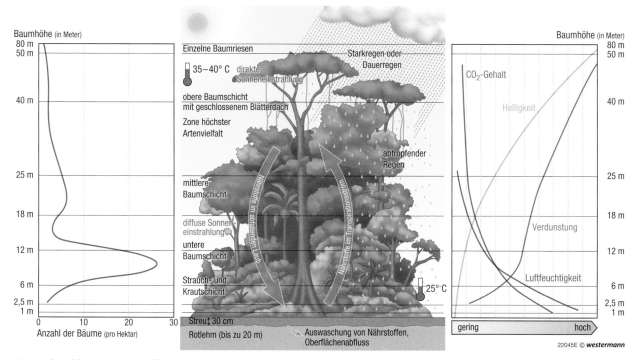

M6* Stockwerkbau und Nährstoffkreislauf des tropischen Regenwaldes

Wie kann die dünne Humusschicht des tropischen Regenwaldes ein so üppiges Wachstum hervorbringen?

Die Wurzeln der Baumriesen im tropischen Regenwald sind sehr kräftig aber wenig tiefgründig (max. 40 cm). Alle Nährstoffe (z. B. Phosphat, Stickstoff, Calcium, Kalium etc.) beziehen sie aus der dünnen Humusschicht des Waldes. Dies ist vor allem durch ein sehr dichtes, weit verzweigtes Wurzelsystem möglich.

Zusätzlich gehen die dünnen Wurzelhärchen eine Symbiose mit Mykorrhiza-Pilzen ein. Diese Pilze leben im Boden und verfügen über unzählige, mikroskopisch fein verästelte Härchen, mit denen sie Nährstoffe aufnehmen und an den Baum abgeben können (Nährstofffallen). Im Gegensatz zu Pflanzen können Pilze jedoch keine Photosynthese betreiben. Sie sind also auf Nahrung (z. B. Zucker, Stärke) angewiesen, die der Baum ihnen liefert.

Fast 99 Prozent der Nährstoffe werden so aus der abgebauten Laubstreu, der Humusschicht und dem Sickerwasser gefiltert und sofort in den Nährstoffkreislauf zurückgeführt.

M7 Der kurzgeschlossene Nährstoffkreislauf

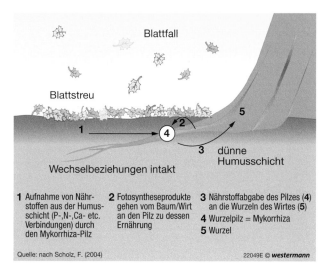

M9 Funktion der Mykorrhiza im kurzgeschlossenen Nährstoffkreislauf

Wärme und Niederschlag im Überfluss – die immerfeuchten Tropen

Das Klima im tropischen Regenwald – Grundlage für ein einzigartiges Ökosystem

Die bemerkenswerte Artenvielfalt, die der tropische Regenwald hervorbringt, ist auf der Erde einzigartig. Sie stellt eine Anpassung an die speziellen klimatischen Bedingungen der Tropen dar.
Welches Klima hat den tropischen Regenwald hervorgebracht? Warum herrscht dieses Klima nur in Äquatornähe?

Ⓦ 1. **A** Beschreiben Sie die weltweite Verbreitung des tropischen Regenwaldes (Atlas).

  B Erstellen Sie eine Tabelle, in der Sie Länder mit tropischem Regenwald (geordnet nach Kontinenten) darstellen. Beziehen Sie auch die Breitenlage der Länder ein.

2. Beschreiben Sie das Klima der immerfeuchten Tropen (M2– M5).

3. M4 zeigt ein Tageszeitenklima. Kennzeichnen Sie Eigenschaften dieses Klimas (M4/ M5, → Definition). Erklären Sie, warum man bei uns von Jahreszeitenklima spricht.

4. Vergleichen Sie Strahlung und Temperatur der Tropen mit unseren Breiten, ca. 50° N und am Polarkreis. Begründen Sie, welche Rolle das Klima für das üppige Pflanzenwachstum im tropischen Regenwald spielt (M1 – M5).

Ⓦ 5. Das Land-Seewind-System (M6/ M9) und das Experiment (M10) zeigen beispielhaft, wie Wind entsteht.

  A Erläutern Sie das Landwind-System (M6).

  B Skizzieren und erläutern Sie die Situation in der Nacht, wenn sich das Land schneller abkühlt als das Meer (M6).

6. Übertragen Sie Ihre Erkenntnisse aus Aufg. 5 über die Entstehung von Wind auf die Hadley-Zirkulation (M7).

Ⓩ 7. Christoph Kolumbus reiste auf einer sehr direkten Route von Europa in die Karibik. Überlegen Sie, warum Kolumbus gerade von Gomera zu den Bahamas sehr zügig voran kam (Atlas, M8/ M9). Zeichnen Sie die Route in eine Kartenskizze ein und ergänzen Sie diese um die relevanten Windströmungen (Internet, Atlas).

→ Beleuchtungszone, Hadley-Zirkulation, ITCZ (Innertropische Konvergenzzone), Passat, Tages-/Jahreszeitenklima, Thermoisoplethendiagramm

M3 Feuchtigkeitsgesättigte Luft über dem immergrünen tropischen Regenwald

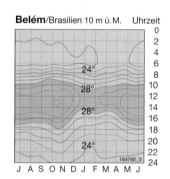

M4 Thermoisoplethendiagramm Belém

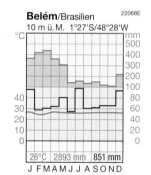

M5 Klimadiagramm Belém, Brasilien

→ Thermoisoplethendiagramm, Tages-/Jahreszeitenklima
Thermoisoplethendiagramme stellen den Jahres- und Tagesgang der Temperatur dar. So ist es möglich, Klimate mit großen Temperaturschwankungen zwischen Tag und Nacht von solchen zu unterscheiden, die große jahreszeitliche Schwankungen aufweisen. Je gleiche Temperaturwerte sind durch Linien miteinander verbunden (vergleichbar den Höhenlinien in einer topographischen Karte). In der Senkrechten lässt sich der Verlauf der Temperatur an einem bestimmten Tag im Jahr ablesen, in der Waagerechten der Jahresgang zu einer bestimmten Uhrzeit.

M1 Einfallswinkel der Sonnenstrahlen am 21. Juni

M2 Strahlung und Temperatur im Zusammenhang zur geographischen Breite

	Einstrahlungswinkel am 21.3. und 23.9	Tageslänge in Stunden 21.6. 21.3. 21.12. / 23.9.			Mittagshöhe der Sonne höchster Wert	niedrigster Wert	Temperatur im Jahresdurchschnitt	Durchschnittliche Strahlungsenergie Breitengrad KJ/cm²/Tag	
Nördlicher Polarkreis	–	24	12	0	23,5°	–	-23 °C	90°	1,52
	23,5°	24	12	0	47°	0°	-7 °C	80°	1,58
Nördlicher Wendekreis	40°	16	12	8	63,5°	16,5°	+6 °C	70°	1,74
	66,5°	13,5	12	10,5	90°	43°	+24 °C	60°	2,09
Äquator	90°	12	12	12	90°	66,5°	+26 °C	50°	2,52
	66,5°	10,5	12	13,5	90°	43°	+22 °C	40°	2,91
Südlicher Wendekreis	40°	8	12	16	63,5°	16,5°	+4 °C	30°	3,24
	23,5°	0	12	24	47°	0°	-8 °C	20°	3,48
Südlicher Polarkreis	–	0	12	24	23,5°	–	-33 °C	10°	3,63
								0°	3,67

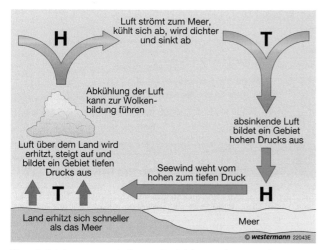

M6 Entstehung von Wind am Beispiel des Land-Seewind-Systems am Tag

Das Land-Seewind-System ist ein lokal begrenztes Windsystem, das an heißen Tagen vor allem in tropischen oder subtropischen Gebieten auftritt. Dennoch lassen sich daran wichtige Prinzipien der Entstehung von Wind ableiten:

- Temperaturunterschiede führen zu Druckunterschieden.
- Druckunterschiede werden durch Luftströmung – Wind – ausgeglichen.
- Je stärker die Druckunterschiede, desto stärker ist der Wind.
- Kalte Luft am Boden ist mit Hochdruck verbunden. Über dem Hochdruck herrscht eine absinkende Luftbewegung.
- Warme Luft am Boden ist mit Tiefdruck verbunden. Über dem Tiefdruck herrscht eine aufsteigende Luftbewegung (Konvektion).
- Winde werden immer nach ihrer Herkunftsrichtung bezeichnet (Landwind vom Land, Westwind aus Westen).

Nach: W. Latz (Hrsg.), Diercke Geographie, 2012

M9 Erkenntnisse aus dem Land-Seewind-System

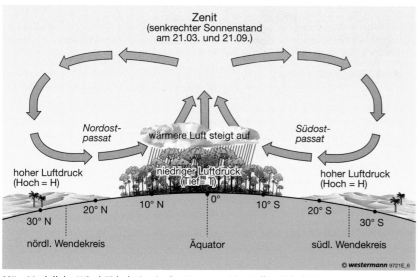

M7 Modell der Wind-Zirkulation in den Tropen – Die Hadley-Zirkulation

Experiment

- Zünden Sie acht Teelichter an und ordnen Sie sie in einem Kreis mit ca. 20 cm Durchmesser an. Achten Sie auf das Verhalten der Flammen.
- Skizzieren Sie den Versuchsaufbau und die Beobachtungen.
- Beschriften Sie Ihre Skizze mit den Begriffen Hochdruck und Tiefdruck und erläutern Sie die Vorgänge.
- Übertragen Sie Ihre Erkenntnisse auf die Situation an der Küste an einem heißen Sommertag und auf die Situation am Äquator (M7).

M10 Experiment

Die Passatwinde entstehen durch den Aufstieg von Luftmassen in Äquatornähe: Infolge der intensiven Sonnenstrahlung heizen sich die Erdoberfläche und die bodennahen Luftschichten, die große Mengen an Wasserdampf enthalten, stark auf. Die Erwärmung führt dazu, dass sich die feuchten Luftmassen ausdehnen und aufsteigen (Konvektion). Das Aufsteigen der Luftmassen führt zu einem Abfall des Luftdrucks in Bodennähe. Die aufsteigende Luft kühlt sich ab. Es kommt zu Wolkenbildung und heftigen tropischen Niederschlägen.

Etwa in 16 bis 18 km Höhe steigt die Luft nicht weiter auf, sondern der Luftstrom teilt sich und fließt in nördlicher und südlicher Richtung ab. Etwa auf Höhe der Wendekreise wird die Luft zum Abstieg gezwungen. Dabei werden bodennahe Hochdruckgebiete – die subtropisch-randtropischen Hochdruckzellen – erzeugt. Das Luftdruckgefälle zwischen dem Hochdruckgebiet im Bereich der Wendekreise und dem Tiefdruckgebiet in Äquatornähe führt zu einer Ausgleichsströmung in Richtung Äquator – dem Passatwind.

Die Erdrotation führt dazu, dass die Luftströmung nicht direkt zum Äquator fließt, sondern abgelenkt wird und zwar auf der Nordhalbkugel nach rechts und auf der Südhalbkugel nach links (Corioliskraft). So bildet sich auf der Nordhalbkugel der Nordostpassat und auf der Südhalbkugel der Südostpassat aus. Die innertropische Konvergenzzone (ITCZ oder ITC) bezeichnet den Bereich, in dem die beiden Passatströmungen aufeinandertreffen. Dieser Strömungskreislauf wird als Hadley-Zirkulation bezeichnet.

Die Hadley-Zirkulation bestimmt nicht nur die Windverhältnisse in den Tropen und Randtropen, sondern auch die Niederschlagsverteilung. Im äquatornahen Bereich, in der ITCZ, bilden sich infolge der Konvektion weit in die Höhe reichende Wolkentürme, aus denen es ergiebig regnet. Wenn die trockeneren Luftmassen im Bereich der Wendekreise absinken, erwärmen sie sich. Die Wolken lösen sich auf und die Luft kann der Umgebung große Mengen von Wasser entziehen. Diese Regionen sind daher besonders niederschlagsarm.

Weil die ITCZ mit dem Zenitstand der Sonne wandert, verschiebt sich auch die Position der nördlichen und südlichen Hadley-Zelle, was wiederum Auswirkungen auf die Richtung der Passatwinde hat.

Nach: A. Siegmund u. P. Frankenberg (Hrsg.): Diercke Spezial. Klimakunde, 2013

M8 Der Einfluss der Hadley-Zirkulation auf das Klima der Tropen

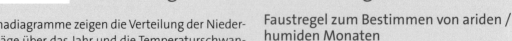

METHODE   Klimadiagramme themenbezogen auswerten

Klimadiagramme zeigen die Verteilung der Niederschläge über das Jahr und die Temperaturschwankungen im Laufe des Jahres. Darüber hinaus geben sie Auskunft über den Jahresniederschlag und die Jahresdurchschnittstemperatur. Aus einigen Klimadiagrammen lässt sich auch die potenzielle Landschaftsverdunstung (M2) ablesen.

Alle Werte in Klimadiagrammen sind Durchschnittswerte, die über einen Zeitraum von 30 Jahren ermittelt wurden. Ein Klimadiagramm beschreibt also den typischen Zustand der erdnahen Atmosphäre an einem Ort. Damit ist das Klimadiagramm nur sehr eingeschränkt zur Wettervorhersage zu gebrauchen, denn das Wetter beschreibt den augenblicklichen Zustand der erdnahen Atmosphäre an einem Ort. Um Wetter und Klima zu beschreiben, werden die Klimaelemente (M2) herangezogen. Die Klimaelemente werden weltweit unter anderem von 9 000 nationalen Messstationen erfasst und an Wetterdienste übermittelt. Dies bildet die Grundlage für Wettervorhersage und für die langfristige Beobachtung des Klimas.

Man kann mithilfe der Klimadiagramme den Jahresgang von Temperatur und Niederschlag beschreiben. Aussagefähig werden Klimadiagramme jedoch erst, wenn man sie auswertet und zur jeweils gegebenen Fragestellung in Beziehung setzt.

→ arid, humid, Klima, Klimadiagramm, Klimaelement, Klimafaktor, potenzielle Landschaftsverdunstung (pLV), Vegetationsperiode, Verdunstung, Wetter

Darstellungsarten von Klimadiagrammen

Es gibt mehrere unterschiedliche Darstellungsarten von Klimadiagrammen. Bei vielen Diagrammen werden die Temperatur- und Niederschlagswerte auf den beiden senkrechten Achsen im Verhältnis 1 : 2 einander gegenübergestellt (z. B. M1 oder das der Wissenschaftler Walter/ Lieth, S. 216). 10 °C auf der Temperaturachse entsprechen demnach 20 mm auf der Niederschlagsachse. Man geht also davon aus, dass bei 10 °C 20 mm Wasser verdunsten. Auf diese Weise kann man ungefähre Angaben dazu machen, ob mehr Niederschlag fällt, als verdunstet oder ob weniger Niederschlag fällt, als bei den vorherrschenden Temperaturen verdunsten kann – also Wassermangel herrscht.

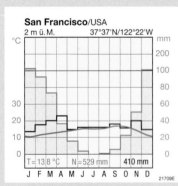

M1   Klimadiagramm San Francisco, USA

Faustregel zum Bestimmen von ariden / humiden Monaten

Als Faustregel gilt: Wenn die Niederschlagssäule unterhalb der Temperaturkurve endet, handelt es sich um einen ariden (trockenen) Monat, wenn die Niederschlagssäule über der Temperaturkurve endet, handelt es sich um einen humiden (feuchten) Monat.

Verschiedene Faktoren bestimmen die Verdunstung

Bei dieser Faustformel nimmt man an, dass die Verdunstung nur durch die Temperatur bestimmt wird. In Wirklichkeit hängt das Maß der Verdunstung auch von anderen Faktoren ab. So ist die Verdunstungsrate von Wasserflächen höher als von Landflächen, von Getreidefeldern höher als von unbewachsenem Ackerboden oder von Wiesen höher als von Wäldern. Darüber hinaus spielen Wind, Luftfeuchtigkeit oder Sonnenscheindauer eine wichtige Rolle.

Potenzielle Landschaftsverdunstung

Die tatsächlich stattfindende Verdunstung wird als aktuelle Landschaftsverdunstung bezeichnet.

Darüber hinaus ist es wichtig zu wissen, wie viel Wasser verdunsten könnte, wenn stets ausreichend Wasser zur Verfügung stünde. Dieser Maximalwert wird als potenzielle Landschaftsverdunstung (pLV) bezeichnet.

Wenige Klimastationen verfügen über Messvorrichtungen zur Landschaftsverdunstung, weshalb Klimaforscher versuchen, die Verdunstungswerte mithilfe einer Kombination verschiedener Klimaparameter zu berechnen.

Setzt man den Niederschlag mit der pLV in Beziehung, gilt ein Monat als arid, wenn der Niederschlagswert (in mm) kleiner ist als die potenzielle Landschaftsverdunstung. Sind Niederschlag und pLV gleich groß oder liegt der Niederschlagswert über der pLV, gilt der Monat als humid.

---

1. Stellen Sie an zwei Beispielen dar, wie Klimafaktoren Klimaelemente beeinflussen (M5).
2. Erläutern Sie den Begriff potenzielle Landschaftsverdunstung.
3. Erstellen Sie anhand der Auswertung des Klimadiagramms von Belém eine „Checkliste" oder eine Muster-Gliederung zum Auswerten von Klimadiagrammen (M2/ M3/ M6).
4. Werten Sie das Klimadiagramm von Athen mithilfe Ihrer Checkliste und der Informationen auf dieser Seite aus (M4).
Ⓩ 5. Werten Sie ein weiteres Klimadiagramm aus diesem Buch aus. Nennen Sie mögliche Gründe für die Ausprägung einiger Klimaelemente (Buch, Atlas).
Ⓩ 6. Klassifizieren Sie das Klima der auf dieser Seite genannten Klimastationen mithilfe des Atlas.

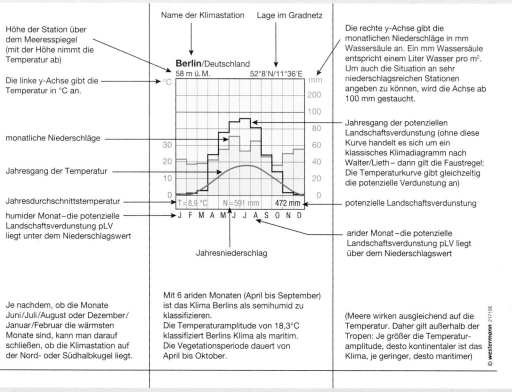

Höhe der Station über dem Meeresspiegel (mit der Höhe nimmt die Temperatur ab)

Die linke y-Achse gibt die Temperatur in °C an.

Name der Klimastation

Lage im Gradnetz

Die rechte y-Achse gibt die monatlichen Niederschläge in mm Wassersäule an. Ein mm Wassersäule entspricht einem Liter Wasser pro m². Um auch die Situation an sehr niederschlagsreichen Stationen angeben zu können, wird die Achse ab 100 mm gestaucht.

Berlin/Deutschland
58 m ü. M.   52°8'N/11°36'E

monatliche Niederschläge

Jahresgang der Temperatur

Jahresgang der potenziellen Landschaftsverdunstung (ohne diese Kurve handelt es sich um ein klassisches Klimadiagramm nach Walter/Lieth – dann gilt die Faustregel: Die Temperaturkurve gibt gleichzeitig die potenzielle Verdunstung an)

Jahresdurchschnittstemperatur

humider Monat – die potenzielle Landschaftsverdunstung pLV liegt unter dem Niederschlagswert

T = 8,9 °C   N = 591 mm   472 mm

J F M A M J J A S O N D

potenzielle Landschaftsverdunstung

arider Monat – die potenzielle Landschaftsverdunstung pLV liegt über dem Niederschlagswert

Jahresniederschlag

Je nachdem, ob die Monate Juni/Juli/August oder Dezember/Januar/Februar die wärmsten Monate sind, kann man darauf schließen, ob die Klimastation auf der Nord- oder Südhalbkugel liegt.

Mit 6 ariden Monaten (April bis September) ist das Klima Berlins als semihumid zu klassifizieren.
Die Temperaturamplitude von 18,3°C klassifiziert Berlins Klima als maritim. Die Vegetationsperiode dauert von April bis Oktober.

(Meere wirken ausgleichend auf die Temperatur. Daher gilt außerhalb der Tropen: Je größer die Temperaturamplitude, desto kontinentaler ist das Klima, je geringer, desto maritim)

© *westermann* 21710E

M2   Elemente des Klimadiagramms

Belém/Brasilien
10 m ü. M.   1°27'S/48°28'W

T = 26 °C   N = 2893 mm   851 mm
J F M A M J J A S O N D   21707E

M3   Klimadiagramm ▷ Belém, Brasilien

Athen/Griechenland
15 m ü. M.   37°54'N/23°44'O

T = 18,4°C   N = 371 mm   765 mm
J F M A M J J A S O N D   21706E

M4   Klimadiagramm ▷ Athen, Griechenland

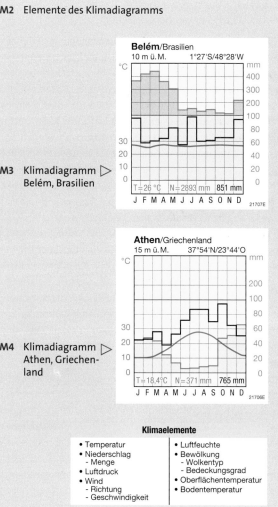

Klimaelemente

• Temperatur	• Luftfeuchte
• Niederschlag - Menge	• Bewölkung - Wolkentyp
• Luftdruck	- Bedeckungsgrad
• Wind - Richtung - Geschwindigkeit	• Oberflächentemperatur • Bodentemperatur

Klimafaktoren

• Geographische Breite	großräumig
• Lage zum Meer	
• Höhenlage	
• Exposition	
• Wind	kleinräumig
• Sonne	
• Bodenbedeckung	© *westermann* 21677E

M5*   Klima- ▷ elemente und -fak- toren

Auswertungsbeispiel

Belém liegt im Nordosten Brasiliens an der Mündung des Amazonas und des Tocantins in einem flachen, teils sumpfigen Gebiet (Verweis auf eine geeignete Atlaskarte), 10 m über NN (Lage im Gradnetz: 1° 27′ S / 48° 28′ W).

In Belém ist es ganzjährig heiß. Die Jahresdurchschnittstemperatur in Belém beträgt 26 °C. Die monatlichen Durchschnittstemperaturen sind nahezu konstant. Mit 24,5 °C ist der Februar der kälteste Monat, der wärmste Monat ist der April mit 26,7 °C. Der Jahresniederschlag Beléms ist sehr hoch. Er beträgt 2 893 mm. Die Niederschlagswerte sind ganzjährig hoch, schwanken jedoch deutlich. So liegen die Niederschläge von Januar bis Mai stets über 300 mm pro Monat mit einem Maximum im März von 440 mm. Von Juni bis Dezember sind die monatlichen Niederschläge geringer, zwischen 110 und 220 mm, mit einem Minimum von 110 mm im November. Die potenzielle Landschaftsverdunstung schwankt. Mit einem Maximum von 95 mm im Juli und einem Minimum von 54 mm im Juni liegt sie unter der Niederschlagsmenge. Das Klima Beléms ist also humid.

Mit ganzjährig hohen Temperaturen und Niederschlägen ist das Klima Beléms eindeutig als feucht-tropisch zu klassifizieren.

Für die landwirtschaftliche Nutzung ergeben sich daraus Gunst- und Ungunstfaktoren. Das ganzjährig feucht-heiße Klima ermöglicht ganzjährig Pflanzenwachstum. Es mangelt weder an Wärme noch an Feuchtigkeit liegen im Mangel vor. Andererseits müssen bei den zu vermutenden heftigen Niederschlägen (z. B. 440 mm im März – Vergleich: der feuchteste Monat in Essen, Deutschland ist der Dezember mit 90 mm) die möglichen Gefahren von Überschwemmungen und Bodenerosion infolge von Starkregen in Betracht gezogen werden. Eine weitere Vermutung, die anhand des Klimadiagramms angestellt werden kann – für die es aber wichtig ist, weitere Belege zu finden – ist die, dass die Böden durch die heftigen Niederschläge ausgewaschen und nährstoffarm werden können.

M6   Auswertung eines Klimadiagramms am Beispiel einer Klausur, die sich mit der möglichen landwirtschaftlichen Nutzung der Gegend um Belém beschäftigt.

Wärme und Niederschlag im Überfluss – die immerfeuchten Tropen

Tropische Böden und Agroforstwirtschaft

In vielen Regionen der immerfeuchten Tropen ist der Nutzungsdruck auf den tropischen Regenwald extrem groß. Die dort lebenden Menschen brauchen Ackerland, Weideflächen und Feuerholz. Jedoch können scheinbar fruchtbare Tropenwaldgebiete kurz nach der Rodung die Menschen schon nicht mehr ernähren – es müssen neue Gebiete gerodet werden.
Über die kleinbäuerliche Nutzung hinaus wird der Regenwald zudem großflächig für den Anbau von Cash Crops und als Viehweide genutzt. Daher ist es fast unmöglich, den Regenwald komplett vor Abholzung zu schützen. Bodenerosion und extreme Verschlechterung der Bodenqualität sind die Folge dieser Rodungen. Gibt es eine Möglichkeit, den tropischen Regenwald landwirtschaftlich zu nutzen, ohne ihn zu zerstören?

1. Nennen Sie Eigenschaften eines fruchtbaren Bodens. Erklären Sie in diesem Zusammenhang die Bedeutung der Kationenaustauschkapazität (M3/ M4).
2. Stellen Sie in einem Wirkungsgefüge die Gründe für die Ertragsrückgänge dar, mit denen die Landwirtschaft in den inneren Tropen konfrontiert ist (M3 – M8).
Ⓦ 3. Agroforstwirtschaft (Ecofarming) ist eine Nutzungsform, die versucht, den Nährstoffkreislauf und den Aufbau des Ökosystems Regenwald nachzuahmen. M5 und M8 zeigen schematisch, wie verschiedene Agrarpflanzen nach dem Prinzip der Agroforstwirtschaft angebaut werden.
   A Erstellen Sie ein Wirkungsgefüge, das die Wirkungsweise der in M5 dargestellten Agroforstwirtschaft verdeutlicht.
   B Beschreiben Sie das in M5 dargestellte System der Agroforstwirtschaft und erläutern Sie, wie hier Ertragsrückgänge vermieden werden können.
4. Nicht nur im Bereich der kleinbäuerlichen Landwirtschaft, sondern immer öfter auch beim marktorientierten Anbau, z. B. von Kakao, werden Prinzipien der Agroforstwirtschaft angewandt (M8).
   Beschreiben Sie die Wachstumsbedingungen des Kakaobaums und bewerten Sie die Eignung von Agroforstsystemen für den Kakaoanbau.
Ⓩ 5. Bewerten Sie die in M8 dargestellten Anbauformen vor dem Hintergrund der Nachhaltigkeit.

→ Agroforstwirtschaft, Bodenfruchtbarkeit, Huminstoffe, Humus, Kationenaustauschkapazität (KAK), Tonminerale

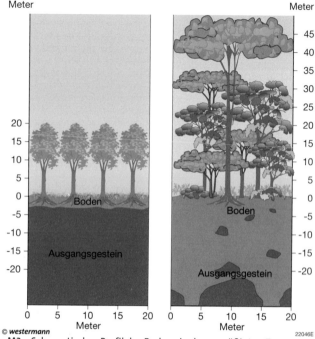

© *westermann*   22046E
M3 Schematisches Profil des Bodens in der gemäßigten Zone (links) und in den Tropen (rechts)

Die Bodenfruchtbarkeit ist die Fähigkeit eines Bodens, Pflanzen Nährstoffe zur Verfügung zu stellen. Wenn der Boden dünn ist, können diese Nährstoffe direkt aus der Gesteinsschicht unter dem Boden kommen, dem Ausgangsgestein. Wenn der Boden zersetzt wird (verwittert), können die freigesetzten Mineralien direkt von den Pflanzen genutzt werden. Darüber hinaus ist für die Bodenfruchtbarkeit entscheidend, wie gut der Boden Nährstoffe binden, vor Auswaschung schützen und bei Bedarf wieder abgeben kann. Diese Fähigkeit wird durch die Kationenaustauschkapazität (KAK) bestimmt. Ein guter Boden mit einer hohen KAK ist wie ein Schwamm, der die Kationen an sich bindet, damit vor Auswaschung bewahrt und erst dann wieder abgibt, wenn die Pflanze sie braucht.
Für die KAK eines Bodens sind Tonminerale von besonderer Bedeutung: Bei der Verwitterung des Ausgangsgesteins entstehen nicht nur Minerale, die die Pflanze direkt als Nährstoffe nutzen kann, sondern es werden auch neue Minerale, Tonminerale, gebildet. Sie können besonders gut Wasser und mineralische und organische Nährstoffe binden (adsorbieren) und damit die KAK des Bodens erhöhen.
Die Tonminerale werden nach ihrem Aufbau in Zwei-, Drei- und Vierschichttonminerale unterteilt. Drei- und Vierschichtminerale können nicht nur an ihrer Außenseite, sondern auch zwischen den Schichten Kationen und Wasser anlagern (M2) und sind so für die Bodenfruchtbarkeit wertvoller als Zweischichttonminerale (M1).
Ein anderer, für die Bodenfruchtbarkeit wichtiger Bestandteil des Bodens ist Humus. Als Humus bezeichnet man die abgestorbenen pflanzlichen und tierischen Bestandteile des Bodens. Die organischen Bestandteile des Bodens werden ähnlich wie die Gesteinsmaterialien umgebaut. Sie können direkt von den Pflanzen als Nährstoffe genutzt werden. Außerdem entstehen aus Humus Huminstoffe. Diese haben ähnliche Eigenschaften wie Tonminerale. Sie haben eine sehr große innere Oberfläche und können Pflanzennährstoffe binden und bei Bedarf wieder abgeben. Ein hoher Humusgehalt erhöht also die KAK. Darüber hinaus können Huminstoffe Wasser speichern.
Nach: D. Engelmann, F. Scholz, Diercke Spezial, 2009

M1 Das Zweischichtton-mineral Kaolinit unter dem Mikroskop

M2 Das Dreischichttonmineral Montmorillonit unter dem Mikroskop

M4 Bodenfruchtbarkeit

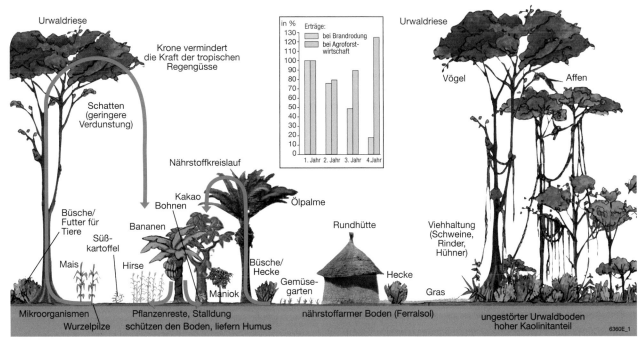

M5* Bodenschutz durch nachhaltiges Wirtschaften im tropischen Regenwald

Der Kakaobaum ist ein langer, dünner Unterholzbaum, der im Schatten größerer tropischer Bäume wächst, da er keine direkte Sonne verträgt. Er kann zehn bis 15 m hoch werden, wird auf Plantagen aber auf zwei bis vier Meter gestutzt. Die Pfahlwurzeln des Baumes dringen etwa einen Meter tief in den Boden ein. Der Baum hat große, glatte, schwertartige Blätter und ist das ganze Jahr über grün. Direkt an dem nur etwa 20 cm dicken Stamm und den größeren Ästen sitzen die Blüten. Die Blüten entspringen dem älteren Holz und bringen über das ganze Jahr hindurch Früchte hervor. Der Kakaobaum bildet erst im Alter von zwei bis drei Jahren Blüten. Die größte Anzahl an Blüten – bis zu 100 000 pro Jahr – erreicht er im Alter von zehn bis zwölf Jahren.

Der Kakaobaum braucht für einen optimalen Ertrag Temperaturen von etwa 25 °C im Jahresmittel. Er ist sehr empfindlich gegenüber starken Temperaturschwankungen. So sollten die Temperaturen stets zwischen 16 °C und 35 °C liegen und selbst nachts nicht zu stark sinken. Der Niederschlag sollte zwischen 1250 und 2 000 mm pro Jahr liegen und sich möglichst gleichmäßig über das ganze Jahr verteilen. Der Niederschlag pro Monat sollte nicht unter 100 mm liegen. Liegt der Niederschlag für mehr als zwei Monate unter 60 mm, beginnen die Kakaofrüchte zu welken, was sich auf die Erntemengen sehr negativ auswirkt. Der Anbauboden muss feucht, reich an organischen Stoffen und tiefgründig sein.

Nach: www.theobroma-cacao.de, 06.11.2013

M6 Der Kakaobaum

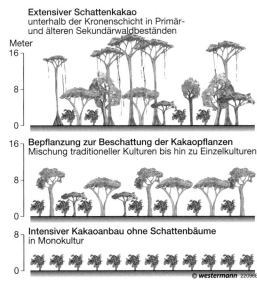

M8* Kakao-Agroforstsysteme

Der beherrschende Bodentyp der immerfeuchten Tropen sind die Ferralsole. Wie der Name andeutet, sind Eisen (Fe) und Aluminium (Al) die Hauptbestandteile, nachdem durch die intensive chemische Verwitterung die anderen, leichter löslichen Minerale, z. B. Kalk, Silicium, weitgehend abgebaut wurden. Aluminium ist für Wurzeln und Bodenorganismen giftig. Die Böden sind durch das Eisenoxid rötlich-gelb gefärbt. Die vorherrschende Tonminerale sind Zweischichttonminerale wie Kaolinit. Der Boden kann also Nährstoffe – natürliche vorkommende oder Kunstdünger – kaum speichern.

Selbst wenn im intakten Regenwald ständig Pflanzenreste auf den Boden fallen, ist die Humusschicht dünn, da – bedingt durch die klimatischen Verhältnisse – die organische Substanz sehr schnell abgebaut wird (etwa fünf bis zehnmal so schnell wie in den gemäßigten Breiten). Die für die Rückgewinnung von Nährstoffen unverzichtbare Mykorrhiza (siehe S. 14/15) braucht längere Zeit, um sich neu zu bilden, nachdem die Vegetation abgebrannt oder der Boden umgepflügt wurde.

M7 Ferralsole – typische Böden der immerfeuchten Tropen

M9 Bodenprofil Ferralsol, Brasilien

Regen- und Trockenzeiten – die wechselfeuchten Tropen

Vom Äquator zu den Wendekreisen

Verlässt man die tropischen Regenwälder des Äquators, so schließen sich polwärts Graslandschaften an, die weltweit fast ein Viertel der Landesfläche bedecken. Die Spanier nannten diese Landschaft „sabana", was Grasebene bedeutet, woraus sich der heutige Name „Savanne" ableitet. Durchquert man diese Landschaft, so stellt man jedoch große Unterschiede fest, je nach Zeitpunkt im Jahr, aber auch nach Entfernung vom Äquator. Wie lassen sich diese Unterschiede erklären?
Warum kann das Gras in manchen Gebieten bis zu fünf Meter hoch werden (Elefantengras), manchmal jedoch nur kniehoch?

Ⓦ **1. A** Lokalisieren Sie die Orte Abéché, Birao, Bangui und Bobo Dioulasso und beschreiben Sie jeweils die Niederschlagsverteilung (M1/ M4).

   B Erläutern Sie die Ursachen für den Wechsel von Regen- und Trockenzeiten und deren unterschiedliche Dauer (M5/ M8).

2. Erstellen Sie eine Übersicht zu den einzelnen Savannentypen (Klima und Vegetation). Ordnen Sie das jeweils passende Klimadiagramm und Foto zu (M1–M4, M7).

3. Erläutern Sie am Beispiel des Affenbrotbaumes (Baobab) die Anpassung der Pflanzen an den Wechsel von Regen- und Trockenzeiten (M7, Internet).

4. Beschreiben Sie die Verbreitung der verschiedenen Savannentypen weltweit (M6).

Ⓩ **5.** Beschreiben Sie das Klimadiagramm von Kisangani und erläutern Sie die Ursachen für die zwei Niederschlagsspitzen (M1/ M5/ M8).

→ Passat, Regenzeit, Savanne (Feucht-, Trocken-, Dornstrauchsavanne), Trockenzeit, Zenitstand

M2   Savanne mit Schirmakazien

Feuchtsavanne	Trocken-savanne	Dornstrauch-savanne
>1000 mm Niederschlag	ca. 500–1000 mm Niederschlag	< 500 mm Niederschlag
regengrüne, tropische Wälder, die in der Trockenzeit ihr Laub abwerfen	Grasland (60 cm bis 1,5 m hoch)	Gräser maximal kniehoch, im Gegensatz zur Halbwüste Grasdecke noch geschlossen
Sträucher und niedrige Bäume, die das ganze Jahr über ihr Laub behalten	lichter Baumbestand	vereinzelt Bäume
breitblättriges, 2–5 m hohes Elefantengras, entlang der Flüsse Galeriewälder aufgrund einer ganzjährigen Wasserversorgung, z.T. immergrün		Dornsträucher und Akazien

M3   Savannentypen

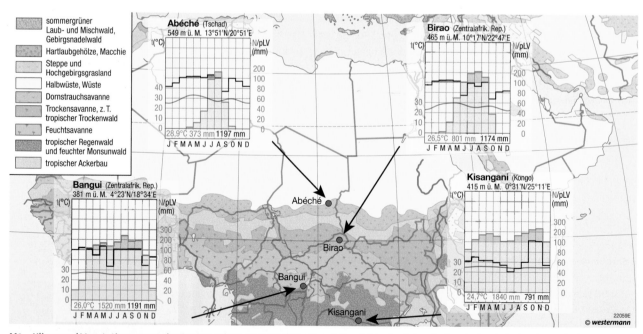

Legende:
- sommergrüner Laub- und Mischwald, Gebirgsnadelwald
- Hartlaubgehölze, Macchie
- Steppe und Hochgebirgsgrasland
- Halbwüste, Wüste
- Dornstrauchsavanne
- Trockensavanne, z. T. tropischer Trockenwald
- Feuchtsavanne
- tropischer Regenwald und feuchter Monsunwald
- tropischer Ackerbau

Abéché (Tschad)
549 m ü. M. 13°51'N/20°51'E
28,9°C 373 mm 1197 mm
J F M A M J J A S O N D

Birao (Zentralafrik. Rep.)
465 m ü. M. 10°17'N/22°47'E
26,5°C 801 mm 1174 mm
J F M A M J J A S O N D

Bangui (Zentralafrik. Rep.)
381 m ü. M. 4°23'N/18°34'E
26,0°C 1520 mm 1191 mm
J F M A M J J A S O N D

Kisangani (Kongo)
415 m ü. M. 0°31'N/25°11'E
24,7°C 1840 mm 791 mm
J F M A M J J A S O N D

22059E
© *westermann*

M1   Klima und Vegetationszonen der Savannen. Die ursprüngliche Vegetation ist in den intensiv (tropischer Ackerbau) agrarisch genutzten Gebieten weitgehend nicht mehr vorhanden.

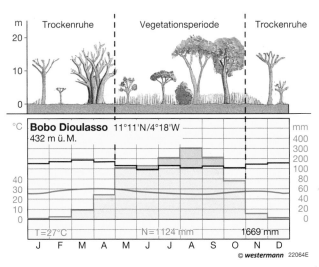

M4 Savanne: Klima und Vegetation

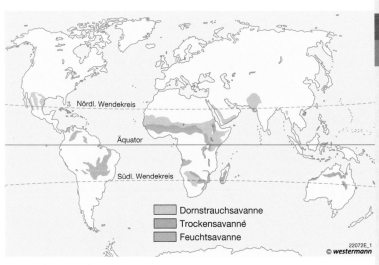

M6 Verbreitung der Savannen

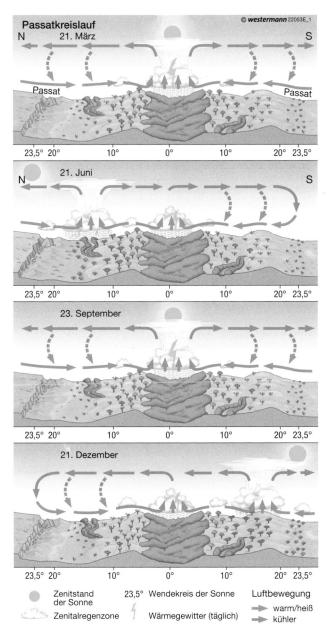

M5* Passatkreislauf (s. auch Hadley-Zirkulation, S. 17)

M7 Baobab (Affenbrotbaum) in der afrikanischen Savanne (Tansania). Während der Regenzeit kann der Stamm bis zu 120 000 Liter Wasser aufnehmen. Der Stamm kann sich dabei um mehrere Zentimeter verdicken. Kleine, gefiederte Blätter, die am Ende der Regenzeit abgeworfen werden, verringern die Verdunstungsfläche.

Jahreszeitliche Verlagerung des Passatkreislaufs

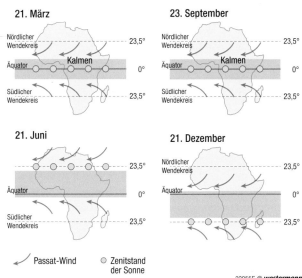

M8 Jahreszeitliche Verlagerung des Passatkreislaufs

Regen- und Trockenzeiten – die wechselfeuchten Tropen

Reisanbau in Südostasien

Reis ist das Grundnahrungsmittel für mehr als die Hälfte der Weltbevölkerung. In einigen Ländern Asiens macht der Reis sogar mehr als 80 Prozent der gesamten Nahrung aus. Doch wie gelingt es in diesen Ländern, in denen die Bevölkerungszahl häufig sogar noch stark wächst, die Menschen mit dem derzeit wichtigen Grundnahrungsmittel Reis ausreichend zu versorgen?

1. Beschreiben Sie die Standortansprüche der Reispflanze und untersuchen Sie die weltweite Verbreitung des Reisanbaus (M1–M6, M9, Atlas).

Ⓦ 2. **A** Vergleichen Sie die Reisproduktion in den Jahren 2002 und 2012 in den einzelnen Ländern (M6) .

   B Stellen Sie M6 als Kreisdiagramm dar und formulieren Sie die Kernaussage dieser Abbildung.

3. Der Grünen Revolution ist es zu verdanken, dass die wachsende Bevölkerungszahl in Südostasien mit Reis versorgt werden konnte. Erläutern Sie (M6–M10).

4. Stellen Sie dar, warum sich die Schwemmlandebenen des Mekong zu einem weltweit bedeutenden Reisanbaugebiet entwickelten (M3/ M4/ M5/ M8/ M9).

Ⓩ 5. Im Khmer-Reich (9.–14. Jh., heutiges Kambodscha) entstanden Städte und Bauwerke (z. B. Tempelkomplex Angkor Wat), die für das Europa der damaligen Zeit undenkbar waren. Die Hauptstadt Angkor Thom gilt mit damals mehr als 1 Mio. Einwohnern als größte Stadt des Mittelalters. Recherchieren Sie (M8/ M9), wie es gelang, so viele Menschen zu ernähren und warum die damals angewandte Wirtschaftsweise heute kaum noch praktiziert wird.

→ Grüne Revolution, Hochertragssorte (HYV), Monsun

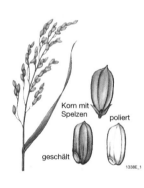

Reisanbau wird in Ländern Asiens, wie z. B. China oder Thailand, schon seit mehr als 5000 Jahren betrieben. Die Reispflanze Oryza sativa umfasst viele Tausend Sorten, von denen sich viele den Artengruppen Oryza sativa indica und Oryza sativa japonica zuordnen lassen. Der Reis ist eine Pflanze mit hohen Temperaturansprüchen. Die Keimung erfolgt bei Indica-Sorten ab 18°C, bei Japonica-Sorten ab 10°–12°C. Beide brauchen zum Wachstum mindestens 20°C, optimal sind bis zu 30–32°C. Während der Wachstumszeit von 120–180 Tagen braucht Reis mindestens 800 mm Niederschläge, günstiger sind 1200–1500 mm. Die ökologisch bedeutsamste Eigenschaft von Reis ist die Fähigkeit, unter Wasser zu keimen und über oberirdische Organe Sauerstoff aufzunehmen. Auf diese Weise können auch überschwemmte Talauen genutzt werden. Reis gehört zu den wenigen Nutzpflanzen, die in einer Fruchtfolge nicht mit anderen Nutzpflanzen abgewechselt werden müssen. Dies ermöglicht mehrere Ernten im Jahr.

Nach: Diercke Weltwirtschaftsatlas Rohstoffe, Agrarprodukte, 1981; Geographie heute, H. 187.

M1   Wachstumsbedingungen der Reispflanze

M2   Die Reisterrassen im Dorf Batad (Luzon/Philippinen)

M3*   Sommerliche Monsunzirkulation (Schema): Während der Wintermonsun mit dem NO-Passat identisch ist, ändert der Sommermonsun bei Überschreiten des Äquators als Folge der Corioliskraft seine Richtung

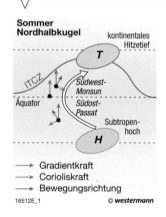

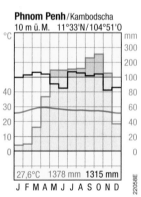

M5   Klimadiagramm von Phnom Penh

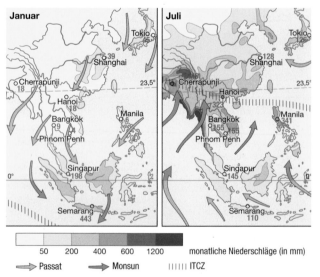

M4   Jährlich zweimal wechselnde Windrichtungen bestimmen das Klima Südostasiens

Länder	Erntemenge in Mio. t 2002	Erntemenge in Mio. t 2012
China VR	174,5	204,3
Indien	107,7	152,6
Indonesien	51,5	69,0
Vietnam	34,5	43,6
Thailand	27,9	37,8
Bangladesch	37,6	34,2
Myanmar	21,8	33,0
Philippinen	13,3	18,0
Brasilien	10,5	11,4
Pakistan	6,7	9,4
Kambodscha	3,8	9,3
USA	9,6	9,0
Japan	11,1	8,5
Ägypten	6,1	6,5
Korea, Republik	6,7	6,4
Nepal	4,1	5,1
Nigeria	2,9	4,8
Madagaskar	2,6	4,0
Welt	5 71,4	718,3

Quelle: FAOSTAT 2013

M6 (führende) Reisanbauländer

	1967	2012	Wachstum (in %)
Kambodscha	1 216	3 000	146,7
Indonesien	1 759	5 139	192,1
Laos	845	3 736	342,1
Malaysia	2 017	4 000	98,3
Philippinen	1 380	3 845	178,6
Thailand	1 750	3 000	71,4
Vietnam	1 916	5 631	193,9
Zum Vergleich			
Australien	7 407	8 910	20,3

Quelle: FAOSTAT 2013

M7 Reisertrag in den Ländern Südostasiens (in kg/ha)

M9 Reisanbau in Südostasien

Trockenreis (auch Bergreis)	Nassreis	Nassreis	Nassreis
Wird ohne natürliches oder künstliches Anstauen von Wasser angebaut. In der Wachstumszeit benötigt er aber mindestens 200 mm Niederschlag im Monat. Verbreitet ist der Trockenreis in den immerfeuchten Tropen, allerdings sind die Erträge gegenüber dem Nassreisanbau deutlich geringer.	Überflutung in der Hauptwachstumszeit durch Regenstau (kleinere Wälle um die Felder, die Regen zurückhalten)	Überflutung durch Hochwasser in Tiefländern der Flüsse	Künstliche Bewässerung (Stauteiche, Kanäle, Brunnen)

M8 Typen des Reisanbaus

Bis weit in die 1960er-Jahre bestand in vielen Ländern Asiens die Befürchtung, dass die Ernährung der stark wachsenden Bevölkerung mit dem Grundnahrungsmittel Reis nicht mehr gewährleistet sei. Revolutionär erwies sich aber die Einführung neuer Hochertragssorten (HYV = High Yielding Varieties) während der Grünen Revolution. Durch Kreuzungen war es dem International Rice Research Institute (Philippinen) gelungen, in einer Reissorte (HYV-IR8) positive Eigenschaften traditioneller Sorten durch Kreuzungen zu kombinieren. Durch Nutzung des Hochertragssaatguts, einer angepassten Düngemittelzufuhr, Pflanzenschutz, einer ausreichenden und kontrollierten Bewässerung sowie einer sorgfältigen Saatbeetvorbereitung konnte eine Ertragssteigerung erreicht werden.

Nach: K. Vorlaufer, Südostasien, 2009

M10 Die Grüne Revolution

Ganzjährige Trockenheit – die Wüsten und Halbwüsten

Las Vegas – unbegrenztes Stadtwachstum in der Wüste?

„Welcome to Fabulous Las Vegas", so begrüßt die Stadt der Superlative ihre Besucher. Sie folgen dem Versprechen, die prunkvollsten Hotels, die exklusivsten Shows und die höchste Dichte an Spielcasinos zu erleben. Das abendliche Lichtermeer und die Wasserspiele vor den Hotels lassen die Besucher schnell vergessen, dass sie sich mitten in der Wüste befinden. 1910 zählte Las Vegas gerade einmal 1500 Einwohner, heute sind es rund 400-mal mehr. Wie kann die Stadt inmitten der Wüste mit Wasser versorgt werden und vor allem: Kann sie auch in Zukunft noch weiter wachsen? Oder hat Las Vegas seine Grenzen erreicht?

1. Beschreiben Sie die Lage von Las Vegas und kennzeichnen Sie das Klima (Atlas, M1/ M12).
2. a) Stellen Sie die räumliche Entwicklung des Stadtgebietes und die Einwohnerentwicklung der Stadt dar (M1/ M5/ M9).
   b) Untersuchen Sie die Entwicklung der Besucherzahlen (M11).
3. a) Untersuchen Sie die Entwicklung und die Art des Wasserverbrauchs (M6/ M7/ M10).
   b) Erläutern Sie die Wasserversorgung der Stadt und die Folgen der Wassergewinnung (M1/ M3/ M7/ M10).
W 4. Quo vadis, Las Vegas?
   A Erörtern Sie Probleme und zeigen Sie mögliche Zukunftsperspektiven auf (M7/ M9/ M10).
   B Erstellen Sie ein Plakat, das die Probleme der Wasserversorgung in Las Vegas verdeutlicht.
Z 5. Vergleichen Sie die Einwohner- und Besucherzahlen (M9/ M11)

→ artesische Quelle

M2   Mitten in der Wüste

Artesische Quelle

Als 1829 eine Karawane ca. 160 km nördlich der heutigen Stadt in Wassernot geriet, stießen die ausgesandten Kundschafter nach einem tagelangen Ritt auf Wasser. Sie entdeckten eine artesische Quelle, die Las Vegas Springs. Aus artesischen Quellen kommt durch Überdruck Grundwasser an die Oberfläche.

M3*   Wasser aus der Wüste

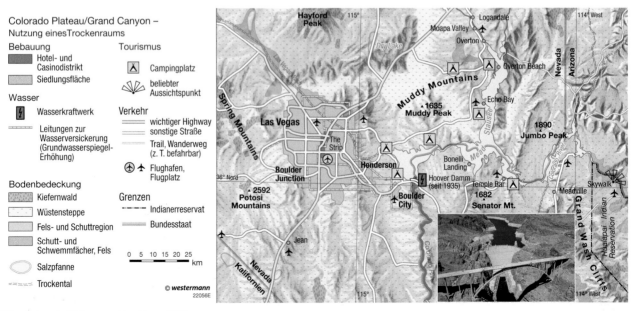

Colorado Plateau/Grand Canyon – Nutzung eines Trockenraums

Bebauung
- Hotel- und Casinodistrikt
- Siedlungsfläche

Wasser
- Wasserkraftwerk
- Leitungen zur Wasserversickerung (Grundwasserspiegel-Erhöhung)

Bodenbedeckung
- Kiefernwald
- Wüstensteppe
- Fels- und Schuttregion
- Schutt- und Schwemmfächer, Fels
- Salzpfanne
- Trockental

Tourismus
- Campingplatz
- beliebter Aussichtspunkt

Verkehr
- wichtiger Highway
- sonstige Straße
- Trail, Wanderweg (z. T. befahrbar)
- Flughafen, Flugplatz

Grenzen
- Indianerreservat
- Bundesstaat

M1   Colorado Plateau und Las Vegas 2010

M4 Las Vegas – Hotelkomplex

M8 Las Vegas

Las Vegas –
Stadtwachstum

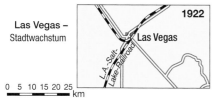

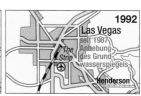

0 5 10 15 20 25 km

M5 Las Vegas – Stadtwachstum

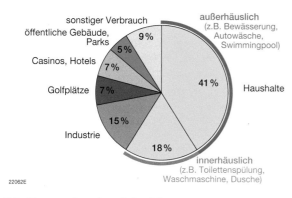

M6 Wasserverbrauch nach Bereichen

M9 Las Vegas: Einwohnerentwicklung

Besucherzahlen	
1970	6 787 650
1980	11 941 524
1990	20 954 452
2000	35 849 691
2005	38 566 717
2010	37 335 436
2011	38 928 708
2012	39 727 022

M11 Las Vegas:
Besucher-
entwicklung

Der vom Hoover Damm aufgestaute Lake Mead wird durch den Colorado River gespeist und versorgt Las Vegas mit Trinkwasser und elektrischer Energie. Überdurchschnittliche Niederschläge sorgten noch in den 1970er- und 1980er-Jahren für Höchststände im Stausee. In den letzten Jahren ist sein Wasserspiegel um 30 Meter gesunken. Das zeigt sich an den weißen Streifen am Ufer: Krusten von Mineralsalzen. Wassermangel im Colorado River ist der Grund für den niedrigen Wasserstand im Lake Mead. Trockenperioden, weniger Schneefall in den Rocky Mountains und höhere Temperaturen machen dem Fluss zu schaffen. Die beiden bisherigen Entnahmerohre sind inzwischen nur noch wenige Meter unter der Wasseroberfläche. Seit 2007 arbeitet man an einer dritten Entnahmestelle, die das Wasser vom Grund des Sees abpumpen soll, das heißt, so lange der Colorado River in den Lake Mead fließt, so lange kann über dieses Rohr auch Wasser nach Las Vegas fließen. 2014 soll der „Dritte Strohhalm" fertiggestellt sein.

Nach: PG, H. 3/2006, PG H. 1/2009 , www.ingenieur.de, 1.12.2013

M7 Wasserverfügbarkeit

Jahr	Flusswasser-zufuhr	Grundwasser-entnahme
1922	0 m³ (keine Flusswasser-zufuhr)	21 Mio. m³ (Grundwasser-spiegel bei -5 bis -20m)
1952	20 Mio. m³ (Mead Stausee/ Colorado River)	42 Mio. m³ (Grundwasser-spiegel bei -26m)
1972	80 Mio. m³ (Mead Stausee/ Colorado River)	85 Mio. m³ (Grundwasser-spiegel bei -40m)
1992	338 Mio. m³ (Mead Stausee/ Colorado River)	84 Mio. m³ (Grundwasser-spiegel bei -51m)
2010	526 Mio. m³ (Mead Stausee/ Colorado River)	82 Mio. m³ (Grundwasser-spiegel bei -45m)

M10 Flusswasserzufuhr und Grundwasserentnahme

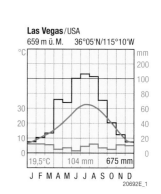

M12 Klimadiagramm von Las Vegas

Ganzjährige Trockenheit – die Wüsten und Halbwüsten

Ursachen für die Entstehung von Wüsten

Wüsten bedecken rund 15–20 Prozent der Landoberfläche der Erde. Wüsten können einen felsigen, steinigen, salzigen oder sandigen Untergrund haben, spärliche Vegetation zeigen oder komplett vegetationslos sein. Allen Wüsten ist jedoch der extreme Wassermangel gemeinsam. Sowohl Tiere und Pflanzen als auch Menschen, die in der Wüste leben, müssen Strategien entwickeln, sich dem Wassermangel anzupassen. Was sind die Ursachen für die Wüstenbildung? Warum ist es in Wüsten so trocken?

1. Erstellen Sie eine Tabelle, in der Sie die Namen der in M9 eingezeichneten Wüsten sowie ihre Lage (z. B. Kontinent, Länder) eintragen (Atlas).
2. Charakterisieren Sie das Klima in Timbuktu (M1/ M2).
3. Begründen Sie die Änderungen der relativen Luftfeuchte in Timbuktu (M1 – M4).
4. Die Luftmassen über Passatwüsten (z. B. Sahara) sind so trocken, dass sie der Umgebung einen Großteil der Feuchtigkeit entziehen. Erläutern Sie mithilfe der Begriffe „absolute Feuchte", „Kondensation", „Taupunkt", „relative Feuchte", „Verdunstung" und „Wolkenauflösung" die Vorgänge, die dazu führen, dass die über der Sahara absinkende Luft extrem trocken ist und zur Entstehung der größten heißen Wüste der Welt führt (M3 – M5).
Ⓦ 5. **A** Vergleichen Sie die Vorgänge, die zur Entstehung von Küstenwüsten und Leewüsten führen, mit Ihren Erkenntnissen aus Aufg. 4 (M6/ M7).
   B Ordnen Sie die in Aufg. 1 benannten Wüsten einem der drei Wüstentypen (Passat-, Küsten-, Leewüste) zu.
Ⓩ 6. Berechnen Sie, welche Temperatur ehemals feuchte (100 % relative Feuchte), 20 °C warme Luft hat, nachdem sie eine ca. 2 000 m hohe Bergkette überquert hat, und erläutern Sie die Folgen für die Gebiete im Luv und im Lee der Bergkette (M6).

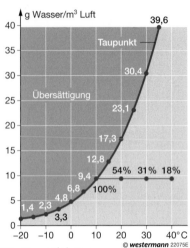

M3   Taupunktkurve

Die Menge des in der Luft enthaltenen Wasserdampfes wird in g/m³ angegeben und heißt absolute Feuchte. Wie viel Wasserdampf von der Luft maximal aufgenommen werden kann (maximale Feuchte), hängt von der Temperatur ab und lässt sich aus der Taupunktkurve (M3) entnehmen. Der Taupunkt ist diejenige Temperatur, bei der Wasserdampf kondensiert. Das Verhältnis von absoluter zu maximaler Feuchte wird als relative Feuchte bezeichnet und in Prozent angegeben. Beim Erreichen des Taupunktes beträgt die relative Feuchte 100 Prozent – die Luft kann keinen zusätzlichen Wasserdampf mehr aufnehmen. Je geringer die relative Feuchte, desto mehr Wasser kann die Luft noch aufnehmen.

In den heißen Wüsten der Erde ist die relative Luftfeuchte extrem gering. Ein Grund dafür sind die hohen Temperaturen – die Sonneneinstrahlung ist durch die fehlende Wolkendecke oft intensiver als am Äquator. Noch wichtiger ist jedoch, dass die Luftmassen über den Wüsten besonders trocken sind, da sie ihre Feuchtigkeit schon in anderen Gebieten verloren haben.

M4   Wasser in der Atmosphäre – relative und absolute Feuchte

→ absolute Feuchte, Küstenwüste, Leewüste, Passatwüste, relative Feuchte, Taupunkt

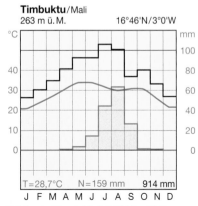

M1   Klimadiagramm und Veränderung der relativen Luftfeuchtigkeit über den Tag (Juli), Timbuktu, Mali

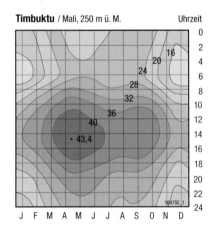

M2*   Thermoisoplethendiagramm Timbuktu, Mali

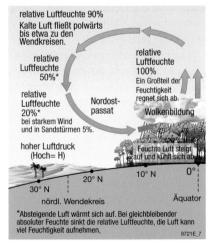

M5   Entstehung von Wendekreiswüsten

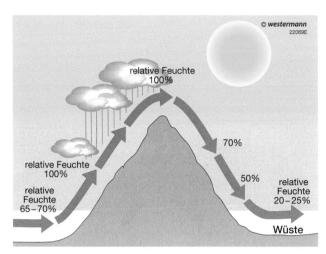

M6 Entstehung von Leewüsten

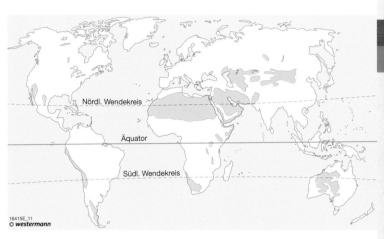

M9 Verbreitung der Wüsten und Halbwüsten

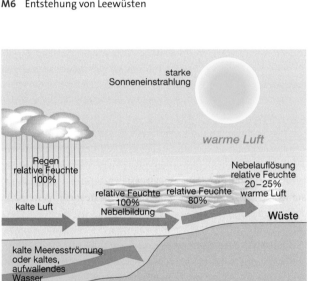

M7 Entstehung von Küstenwüsten

Jeder, der nach dem Schwimmen friert, kennt den kühlenden Effekt verdunstenden Wassers. Das Kondensieren von Wasser – der Übergang von Wasserdampf zu flüssigem Wasser – hingegen setzt Wärme frei. Diese Vorgänge spielen bei der Entstehung von Wüsten eine wichtige Rolle.

Beim Aufsteigen und Abkühlen der Luft kondensiert das in ihr enthaltene Wasser. Bei der Kondensation wird Energie in Form von Wärme frei. Als Faustregel gilt, dass sich aufsteigende, trockene Luft um ca. 1 °C pro 100 Höhenmeter Aufstieg abkühlt (trockenadiabatischer Aufstieg). Feuchte Luft hingegen kühlt sich nur um ca. 0,6 °C pro 100 m ab (feuchtadiabatischer Aufstieg), da sie die Wärmeenergie aus der Kondensation des Wasserdampfes bekommt.

Umgekehrt gilt bei absteigender Luft, dass sich trockene, absteigende Luft um ca. 1 °C pro 100 Höhenmeter erwärmt (trockenadiabatischer Abstieg). Feuchte Luft erwärmt sich beim Abstieg langsamer, da ihr ein Teil der Wärmeenergie durch das Verdunsten der Feuchtigkeit entzogen wird. Es kommt daher beim feuchtadiabatischen Abstieg nur zu einer Erwärmung von ca. 0,6 °C pro 100 m.

M10 Der Einfluss von Kondensation und Verdunstung auf die Temperatur

M8 Atacama Wüste, Chile – die trockenste Wüste der Erde

Überfluss und Mangel – die winterfeuchten Subtropen

Wachstum trotz ungünstiger Niederschlagsverteilung – das Beispiel Argolis (Griechenland)

Griechenland

Argolis

0   200 km   22085E

Das Mittelmeergebiet ist im Sommer ein attraktives Reiseziel, garantiert sind lange Perioden mit Sonnenschein und viele aufeinander folgende regenfreie Tage.
Doch wie lässt sich hier trotzdem Landwirtschaft betreiben?
Welche Pflanzen gibt es, die sich für den Anbau eignen? Wie haben sich die Pflanzen an die klimatischen Bedingungen angepasst?

1. Lokalisieren Sie die Region Argolis und beschreiben Sie das Klima (M1). Leiten Sie hieraus Gunst- und Ungunstfaktoren für eine agrarische Nutzung ab.
2. Die Region Argolis wird heute intensiv landwirtschaftlich genutzt. Untersuchen Sie, wie dies gelingen konnte und kennzeichnen Sie die heutige Anbaustruktur (M2–M6/ M8).
(Z) 3. Die Karstquelle in Kiveri ist ein Segen für die Landwirtschaft in der Region Argolis, aber auch eine Besonderheit des Naturraumes. Überlegen Sie, welche anderen Möglichkeiten es allgemein gibt, um Wasser zur Bewässerung zu erhalten.
4. Die Pflanzen der Mittelmeerregion haben sich an die klimatischen Bedingungen angepasst. Erläutern Sie die unterschiedlichen Anpassungsmechanismen charakteristischer Pflanzen des Mittelmeers (M5).

→ Grundwasser, Karst

M1 Klimadiagramm Pyrgella (Griechenland) ▷

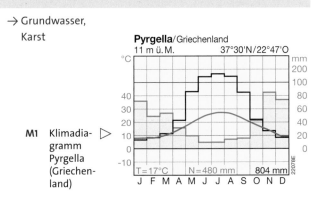

Pyrgella/Griechenland
11 m ü. M.   37°30'N/22°47'O

T=17°C   N=480 mm   804 mm
J F M A M J J A S O N D

In der Ebene rund um die griechischen Orte Argos und Nauplia wurde 1930 nur ein kleiner Bereich mithilfe von Grundwasserpumpen bewässert. Die Bauern produzierten zu dieser Zeit noch vorwiegend für den Eigenbedarf. Doch die ansonsten fruchtbare Ebene leidet unter Wassermangel. Dabei fließt das Wasser sozusagen vor der Tür: Die Hochebenen rund um Tripolis, wo es immer reichlich Niederschläge gibt, haben größtenteils keinen natürlichen Abfluss. Das Wasser sucht sich seinen Weg durch das Karstgestein und tritt einige hundert Meter tiefer entweder an Land oder im Meer wieder zutage. Während die Quellen an Land schon immer genutzt wurden, mussten die Bauern jahrhundertelang zusehen, wie sich das wertvolle Nass in das Meer ergoss.

Ein deutscher Ingenieur machte eine dieser Quellen nahe des Ortes Kiveri, die konstant 13 m³ Wasser pro Sekunde ausschüttet, nutzbar. 1972 wurde die Anlage eingeweiht. Ein Damm umschließt die nur 25 m von der Steilküste entfernt liegende Quelle, damit Süß- und Meerwasser getrennt bleiben. Von mehreren Speicherbecken läuft das Wasser dann über ein offenes Kanalsystem bis auf die andere Seite des Golfs von Nauplia.

Nach: www.argolis.de.htm, 28.8.2013
und Diercke Handbuch, 2006

M3   Süßwasserquelle im Golf von Nauplia und Speicherbecken

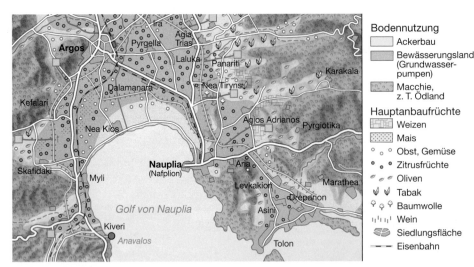

Bodennutzung
☐ Ackerbau
☐ Bewässerungsland (Grundwasserpumpen)
☐ Macchie, z. T. Ödland

Hauptanbaufrüchte
▦ Weizen
▦ Mais
° ° Obst, Gemüse
• • Zitrusfrüchte
⌁ Oliven
Ⴔ Tabak
♀ Baumwolle
ᵢᵢᵢ Wein
⬮ Siedlungsfläche
— Eisenbahn

Anavalos-Bewässerungsprojekt
● untermeerische Karstquelle mit Pumpstation
⊬⊬⊬ Hauptkanal
⊢⊷⊣ Stichkanal
☐ Wasserreservoir

0 1 2 3 4 5 km

22084E © *westermann*

M2   Argolis (Griechenland)

Der Olivenbaum oder auch Ölbaum (Olea europaea) stammt aus dem östlichen Mittelmeerraum oder aus Vorderasien. Er ist dort als eine der bedeutendsten Wirtschaftspflanzen schon seit dem 3. Jahrtausend v. Chr. in Kultur genommen. Olivenzweige galten im Altertum als Zeichen des Sieges und des Friedens. Der knorrige, oft bizarre Baum erreicht ein hohes Alter. 800–1 000 Jahre alte Bäume sind nicht selten.

Der Olivenbaum gedeiht bei mittleren Temperaturen von 15–22 °C, in frostfreier Lage und bei 500–700 mm Niederschlag optimal. Der Ölbaum entwickelt ein bis zu 6 m tief- und bis zu zwölf Meter weitreichendes Wurzelwerk, sodass der Baum auch mit 200 mm Niederschlag und weniger günstigen Bodenverhältnissen auskommt. Sein immergrünes Blattwerk ist an die sommerliche Trockenheit angepasst.

Nach: M. Geiger: Apfelsinenbaum und Ölbaum, In: PG, H. 11/ 1990

M4 Der Olivenbaum

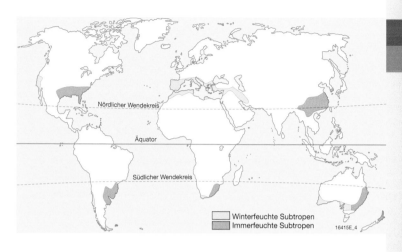

M7 Verbreitung der winterfeuchten und immerfeuchten Subtropen

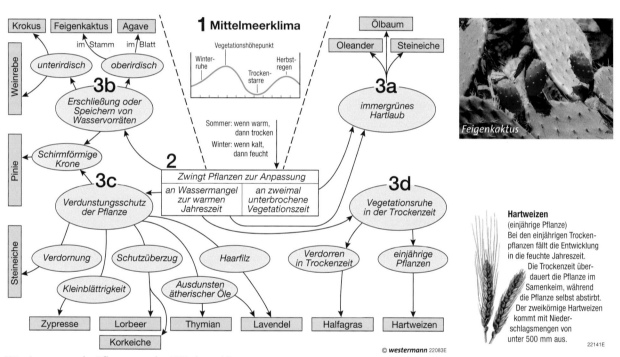

M5 Anpassung der Pflanzen an das Mittelmeerklima

M6 Der Orangenbaum

Der Orangenbaum (Citrus sinensis) hat seine Heimat im südlichen China, wo er bereits im 2. Jahrhundert v. Chr. bekannt war. Aus der niederländischen Bezeichnung „appelsien" = „Äpfel aus China" leitet sich die Bezeichnung Apfelsine für den Orangenbaum ab.

Der Orangenbaum benötigt eine hohe Sonneneinstrahlung, warmes Klima mit Temperaturen von 17–20 °C im Jahresmittel, gleichmäßig verteilte, reichliche Niederschläge von mindestens 1 200 mm im Jahr. Der immergrüne Baum treibt dreimal im Jahr neue, große, lorbeerähnliche glänzend-ledrige Blätter. Der Frühjahrstrieb ist der stärkste und blütenreichste und ergibt im Herbst/Winter die reichste Ernte. Die weißen Blüten duften sehr gut. Aus ihnen bilden sich als Früchte große Beeren, deren wachsüberzogene Schale ätherische Öle enthält. Das Fruchtfleisch wird von schwammigen Saftsäcken gebildet, die in häutige Keilwände eingelagert sind.

Nach: M. Geiger: Apfelsinenbaum und Ölbaum,
In: PG, H. 11/ 1990

M8 Wasserbedarf einer Orangenkultur im Mittelmeerraum

Überfluss und Mangel – die winterfeuchten Subtropen

Überwindung der Trockenheit durch Bewässerung

Bewässerung ermöglicht Landwirtschaft in Gebieten, die sonst zu trocken wären. Das benötigte Wasser wird meist entweder aus Oberflächengewässern wie Flüssen oder (Stau-)seen gewonnen oder Grundwasser wird an die Erdoberfläche gepumpt.

Neben der Gefahr der Übernutzung von Wasser – verbunden mit Nutzungskonflikten zum Beispiel zwischen der lokalen Bevölkerung, den Landwirten und Tourismuseinrichtungen wie Hotels oder Golfplätzen – ist mit Bewässerungslandwirtschaft die Gefahr der Bodendegradation (Verschlechterung der Böden bis hin zur Unbrauchbarkeit) verbunden. So stellt sich die Frage: Ist nachhaltige Bewässerungslandwirtschaft in ariden Räumen überhaupt möglich?

1. Beschreiben und vergleichen Sie die dargestellten Bewässerungsverfahren (M1/ M4/ M5/ M7/ M8).
Ⓦ 2. **A** Erläutern Sie die Vorgänge, die zur Bodendegradation durch Versalzung führen (M3/ M6, Experiment).
   B Erstellen Sie ein Wirkungsgefüge, das zeigt, wie Bewässerung zur Versalzung der Böden und damit zur Bodendegradation führt (M3/ M6, Experiment).
3. Sowohl die Installation von Entwässerungsgräben als auch die Tröpfchenbewässerung stellen Lösungen dar, mithilfe derer Versalzung vermieden werden kann.
   Beschreiben Sie die jeweiligen Techniken und erläutern Sie, wie die Bodenversalzung vermieden wird (M1/ M5/ M10)
4. Bewerten Sie die Techniken vor dem Hintergrund des Wassersparens und des Einsatzes in kleinbäuerlicher und industrieller Landwirtschaft.
5. Diskutieren Sie vor dem Hintergrund von Wasserknappheit und der Gefahr der Versalzung, welche Bewässerungsmethoden in der Region Argolis (S. 30/31) sinnvoll angewendet werden können.
Ⓩ 6. Überprüfen Sie, ob der Anbau salztoleranter Pflanzen eine Lösung des Problems sein könnte (M9, Internet).

→ Bodenversalzung, -degradation, Bewässerungsfeldbau

Quelle: www.unwater.org   22089E

M2 Verteilung des weltweiten Süßwasserverbrauchs auf Haushalte, Industrie und Bewässerungslandwirtschaft

Bodenversalzung im Grand Valley des Colorado, USA

Bodenversalzung ist ein Problem gigantischen Ausmaßes. Die Versalzung der Böden hat zur Folge, dass das Pflanzenwachstum stark eingeschränkt ist. Viele Pflanzen können auf salzhaltigen Böden gar nicht mehr wachsen, sodass die Böden für die Landwirtschaft nicht mehr nutzbar sind.

Schätzungen ergeben, dass bereits heute ungefähr 10–15 Prozent der bewässerten Flächen in Trockengebieten von Versalzung betroffen sind. Für einige Länder sind die Zahlen deutlich höher, so werden 20 Prozent für Australien angegeben, für Ägypten 30 Prozent und für den Irak sogar 50 Prozent. Die Tendenz ist weltweit steigend.

Nach: C. O. Stockle. Environmental impact of irrigation: a review, www.swwrc.wsu.edu, 25.8.2013

M3 Bodenversalzung – ein Problem globalen Ausmaßes

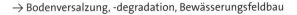

	Oberflächenbewässerung	Beregnung	Tröpfchenbewässerung ggf. kombiniert mit Folientunneln
Technik	Flächen werden mithilfe von Furchen oder Kanälen überstaut.	Flächen werden beregnet (z. B. mit Sprinkleranlagen).	Durch Schläuche mit kleinen Düsen werden geringe Wassermengen direkt über bzw. an die Wurzeln der Pflanze gebracht.
Verdunstungsverluste	hoch	hoch	gering
Versickerungsverluste	mittel	gering	gering
Wassernutzungseffizienz	40–50 Prozent	60–70 Prozent	80–90 Prozent
Installationskosten	gering	hoch	sehr hoch
Ansprüche an Boden und Untergrund	schwere, nicht sandige Böden, evtl. Planieren nötig	alle Böden, kein oder sehr geringes Gefälle	alle Böden, jedes Gefälle
weitere Merkmale	arbeitsintensiv, nicht kapitalintensiv	kapitalintensiv (Installation und Betrieb), Dünger und Pflanzenschutzmittel können mit dem Wasser aufgebracht werden, windempfindlich	kapitalintensiv (v. a. Installation), arbeitsintensiv (Wartung, Wasserzufuhr muss genau geregelt werden), Dünger und Pflanzenschutzmittel können mit dem Wasser gegeben werden.
geeignete Kulturen	stauwassertolerante Arten (z. B. Reis,) oder Arten, die nur temporäre Bewässerung brauchen (z. B. Zitrusfrüchte)	v. a. einjährige Pflanzen (z. B. Alfalfa, Gemüse, Getreide)	v. a. Dauerkulturen, aber auch Gemüsebau

M1 Vergleich verschiedener Bewässerungsverfahren

M4 Beregnung

M7 Furchenbewässerung

M5 Tröpfchenbewässerung

M8 Anbau unter Plastikfolie (Kombination mit Tröpfchenbewässerung)

Schüssel
Löffel
Wasser
Erde
Salz

22079E

Experiment zur Versalzung von Böden

- Sie benötigen ca. 500 ml Erde, 3 El Salz und Wasser.

- Geben Sie die Erde und das Salz in die Schüssel und vermischen Sie beides gut. Anschließend wässern Sie die Mischung gründlich und stellen sie für einige Tage an einen warmen trockenen Ort.

- Skizzieren oder fotografieren Sie das Ergebnis und notieren Sie Ihre Beobachtungen.

- Erläutern Sie die Folgen, die Ihre Beobachtungen für die Landwirtschaft in ariden Gebieten haben.

Salz-tolerante Pflanzen	Mäßig salz-tolerante Pfanzen	Pflanzen mit gerin-ger Salz-toleranz
Dattelpalme	Weizen	Erbse
Gerste	Tomate	Bohne
Zuckerrübe	Hafer	Orange
Baumwolle	Alfalfa	Apfel
Spargel	Reis	Pflaume
Spinat	Mais	Mandel
	Olive	
	Wein	

M9 Pflanzen unterschiedlicher Salztoleranz

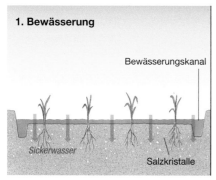

1. Bewässerung

Bewässerungskanal

Sickerwasser

Salzkristalle

2. Versalzung

© westermann
22081E

Verdunstung

Salzkruste

M6 Bodendegradation durch Bewässerung in ariden Gebieten

3. Entwässerung

© westermann
22082E

Entwässerungskanal

Ausspülung und Abführung des Salzes

M10 Entwässerung als Maßnahme zur Vermeidung von Bodenversalzung

Kalte Winter, heiße Sommer – die trockenen Mittelbreiten

Nomadische Weidewirtschaft in der Mongolei

Steppengebiete, die Grasländer außerhalb der Tropen, boten traditionell Lebensraum für riesige Viehherden. In Nordamerika folgten in den 1870er-Jahren Indianer den weidenden Büffelherden, die einen Bestand von über 60 Mio. Tieren gehabt haben sollen. Auch in anderen Steppengebieten wie in der Mongolei wurden Tiere gejagt oder geweidet. Dabei waren es vor allem Nomaden, also Menschen, die eine nicht sesshafte Lebensweise führen, die in den Steppen ihre Viehhaltung betrieben.

Was ist heute aus diesen Lebensräumen geworden? Gibt es sie noch, die Viehhirten, die mit ihren Tieren in unterschiedliche Weidegebiete wandern? Was kennzeichnet den Natur- bzw. Kulturraum?

Ⓦ **1. A** Lokalisieren Sie die Verbreitung der Steppen weltweit und beschreiben Sie die unterschiedlichen Steppentypen (M8, → Definiton, Atlas).

    B Erstellen Sie eine Tabelle, in der Sie die Verbreitung der Steppen nach Ländern und Steppentypen auflisten (M8, → Definiton, Atlas).

2. Zeigen Sie die Verbreitung der Vegetationszonen in der Mongolei unter Berücksichtigung der klimatischen Bedingungen auf (M1/ M10, → Definiton, Atlas).

3. a) Erläutern Sie die traditionelle Wirtschaftsweise der mongolischen Nomaden (M1 / M4/ M5).

    b) Zeigen Sie die heutige Bedeutung der nomadischen Wirtschaftsweise auf (M3/ M9).

4. Erörtern Sie das Ausmaß und die Folgen extremer Witterungsverhältnisse für die mongolischen Nomaden (M6/ M7/ M9).

Ⓩ **5.** Erläutern Sie die Gründe für den Anstieg des Bestandes an Ziegen für die Kaschmirproduktion und stellen Sie damit verbundene Probleme dar (M6/ M9).

→ Nomadismus, Steppe

M2   Nomade in der Mongolei

	Mongolei	Deutschland
Einwohner (2012)	2 796 000	81 890 000
Besiedlungsdichte	2 Einw. pro km²	229 Einw. pro km²
Hauptstadt (2010/2012)	Ulan Bator, 1 144 954 Einw.	Berlin, 3 460 725 Einw.
Landesfläche (in km²)	1 564 100	357 121
Mongolei		
Weideland (in ha)	112 970 500 (72 % des Gesamtterritoriums)	
Ackerland (in ha)	315 300 (0,4 % des Gesamtterritoriums	
Haushalte insgesamt	742 300	
Nomadische Haushalte	160 265 (22 % aller Haushalte)	
Nomadische Haushalte mit Autos	44 600 (28 % aller nomadischen Haushalte)	

Quellen: Fischer Weltalmanach, 2014; K. Zoritza u. a., Landwirtschaft und Ernährungssicherung in der Mongolei, In: GR, H. 12/2012.

M3   Daten zur Mongolei 2010, 2012

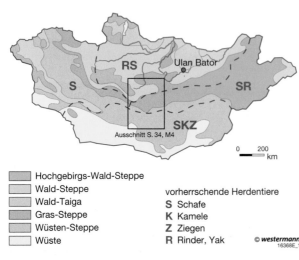

Hochgebirgs-Wald-Steppe
Wald-Steppe
Wald-Taiga
Gras-Steppe
Wüsten-Steppe
Wüste

vorherrschende Herdentiere
S Schafe
K Kamele
Z Ziegen
R Rinder, Yak

© *westermann*
16368E_1

M1   Mongolei – Vegetationszonen und Beweidung

16369E_1
© *westermann*

Traditionelle Wanderungen der Tierhalter (nach Tierart)
— Kamele
— Rinder
— Pferde
— Schafe
— Ziegen

Natürliche Vegetationszonen
Hochgebirgs-Wald-Steppe
Wald-Steppe
Gras-Steppe
Wüsten-Steppe
Wüste

● Winterlager
○ Frühjahrslager
● Sommerlager
● Herbstlager

Grenze des Uwurchangai-Aimag*

*Aimag: Bezeichnung für eine Verwaltungseinheit in der Mongolei

Vor 1921 betrug der Anteil der Nomaden an der Gesamtbevölkerung ca. 98%. Über 90% der landwirtschaftlichen Nutzfläche waren Naturweiden.

M4   Traditionelle Wanderung der Nomaden

M5 In der mongolischen Steppe

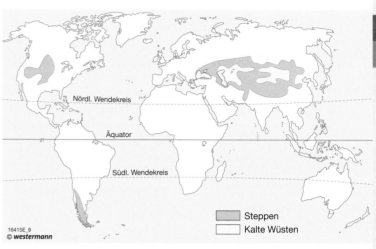

M8 Verbreitung der Steppen und kalten Wüsten

Ein Problem stellt der im Winter oft auftretende Dzud (schneereiche, sehr kalte Periode) dar. Im Winter 2009/2010 sank das Thermometer in 19 der 21 Provinzen unter -40 Grad Celsius. Aufgrund des tiefen Schnees finden die Tiere keine Nahrung auf den Winterweiden. Allein im Winter 2009/2010 haben über 40 000 nomadische Haushalte mehr als die Hälfte ihrer Tiere verloren. Der Tierbestand ging von 44 Mio. (2009) auf knapp 33 Mio. (2010) zurück.

Die Erhöhung des Tierbestandes erfolgte vor allem durch die Zunahme der Kaschmirziegen, deren Wolle an chinesische Textilunternehmen verkauft wird.

Kaschmirziegen, die ursprünglich in Tibet beheimatet waren, reißen beim Fressen im Unterschied zu Schafen das Gras mit der Wurzel aus.

Nach: K. Zoritza, GR, H. 12/2012; www.radio-utopie.de

M6 Dzud – extrem kalte Winter

→ Steppengebiete

Als Steppen bezeichnet man die Grasländer der Mittelbreiten. Hier haben sich je nach Wasserverfügbarkeit unterschiedliche Typen ausgebildet:

Langgrassteppe oder **Feuchtsteppe** mit bis zu zwei Meter hohen Gräsern (z. B. Pampa, Argentinien)

Mischgrassteppe als Übergangsbereich zwischen Langgras- und Kurzgrassteppe (z. B. Great Plains, USA)

Kurzgrassteppe oder **Trockensteppe** (z. B. Mongolei) mit bis zu 40 cm hohen in Büscheln vorkommenden Gräsern. Neben Gräsern finden sich auch Kräuter und niederwüchsige Sträucher.

Neben den drei Steppentypen im Kernbereich der großen Grasländer Nordamerikas und Eurasiens hat sich jenseits der Feuchtsteppe eine **Waldsteppe** und jenseits der Trockensteppe eine **Wüstensteppe** ausgebildet.

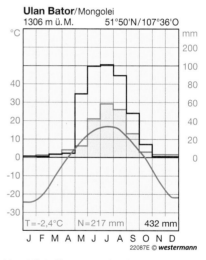

M10 Klimadiagramm Ulan Bator

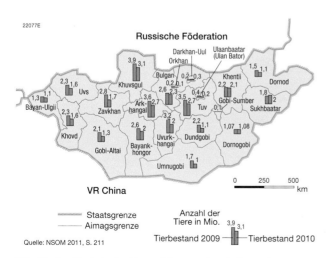

M7 Tierbestände in der Mongolei vor und nach dem extrem kalten Dzud 2009/2010

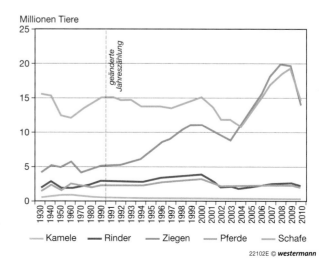

M9 Entwicklung der Tierbestände von 1930 – 2010

Die feuchten Mittelbreiten

Steppengebiete – Kornkammern der Erde

Anders als in der Mongolei ist in Nordamerika die nomadische, extensive Weidewirtschaft fast gänzlich verschwunden. Intensive Agrarwirtschaft hat in den feuchteren Steppenzonen die traditionellen Wirtschaftsweisen verdrängt. In den Gebieten der Feuchtsteppen liegen heute die wichtigsten Kornkammern der Erde.
Was hat dazu geführt, dass diese Steppengebiete Agrarlandschaften gewichen sind? Die Veränderungen blieben nicht folgenlos!

1. a) Beschreiben Sie die Ausprägung und Verbreitung der verschiedenen Steppentypen in den USA (M1/ M2/ M4).
   b) Erläutern Sie die Zusammenhänge zwischen den jeweiligen klimatischen Bedingungen und der Ausprägung der Vegetation (M1 – M4).
2. Erläutern Sie, warum die feuchteren Steppengebiete intensiv agrarisch genutzt werden (M1/ M6) und untersuchen Sie die heutige Nutzung in den USA (Atlas).
Ⓦ 3. Zeigen Sie am Beispiel der Great Plains das Gefährdungspotenzial und die Auswirkungen der intensiven Landnutzung auf (M1/ M4/ M5/ M7/ M9).
   A Erarbeiten Sie die wesentlichen Materialaussagen und fassen Sie sie prägnant zusammen (Schlüsselbegriffe).
   B Fertigen Sie ein Wirkungsgefüge an.
Ⓦ 4. Informieren Sie sich (M7, Internet)
   A über die Ereignisse in den Great Plains in den 1930er-Jahren („Dust Bowl").
   B über die Ausmaße und Folgen der Dürre im Jahr 2012.
Ⓩ 5. Beschreiben Sie die Verbreitung und heutige Nutzung der verschiedenen Steppentypen in der Ukraine (M1, Atlas).

→ agronomische Trockengrenze, Bodenerosion, Niederschlagsvariabilität, Prärie, Schwarzerde, Steppe

M2   Kurzgrassteppe in Colorado (USA)

→ Bodenerosion
Abtragung des Bodens durch Wasser oder Wind, die über den Umfang der natürlichen Abtragungsprozesse hinausgeht und durch die Bodenbewirtschaftung begünstigt oder ausgelöst wird.

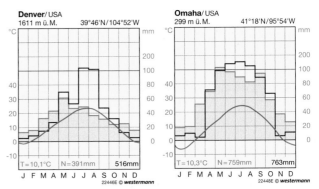

M3   Klimadiagramme von Denver und Omaha

→ Agronomische Trockengrenze
Grenze des Regenfeldbaus. In den Prärien liegt die Trockengrenze bei ca. 500 mm Niederschlag im Jahr.

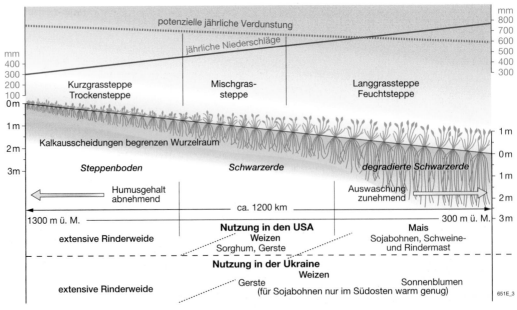

M1   Schematisches Profil von der Trockensteppe zur Feuchtsteppe

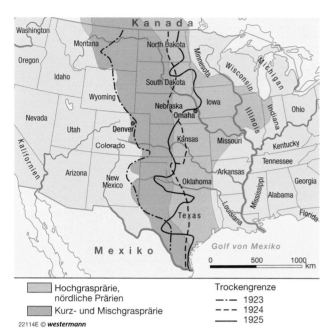

Hochgrasprärie, nördliche Prärien

Kurz- und Mischgrasprärie

22114E © *westermann*

Trockengrenze
—·— 1923
– – – 1924
······ 1925

M4* Hoch- und Kurzgrassteppe in den Great Plains. Prärie: Bezeichnung für die Steppen Nordamerikas

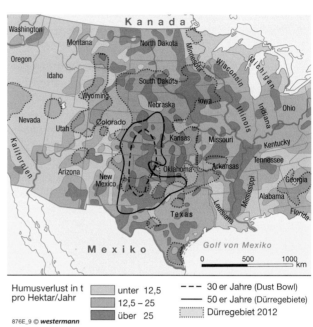

Humusverlust in t pro Hektar/Jahr

unter 12,5

12,5 – 25

über 25

876E_9 © *westermann*

– – – 30 er Jahre (Dust Bowl)
——— 50 er Jahre (Dürregebiete)
······ Dürregebiet 2012

M7* Bodenerosion in den Great Plains

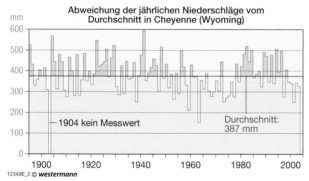

M5 Jahresniederschlagsvariabilität in der Steppe

M8 Weizenfarm in den USA

M6 Bodentyp Schwarzerde

Die Schwarzerden (russ. Tschernosem) besitzen einen sehr humusreichen, bis zu einem Meter mächtigen Oberboden. Diese gehen auf die hohe Produktion an Biomasse zur Zeit ihrer Entstehung zurück (bis vor ca. 10 000 Jahren). Die Pflanzen wurden von zahlreichen Bodentieren tief in den Boden verbracht, wegen des ungünstigen Kontinentalklimas (winterliche Kälte, sommerliche Trockenheit) aber nur teilweise mineralisiert. Eine hohe Austauschkapazität und ein ständiger Nährstoffnachschub aus dem lösshaltigen Ausgangsgestein machen die Schwarzerde zu einem der fruchtbarsten Böden weltweit.

Nach: W. Latz (Hrsg.), Diercke Geographie, 2010

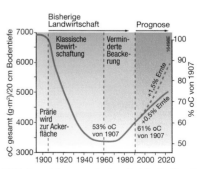

M9* Auswirkungen der Landwirtschaft auf den Humusgehalt von Steppenökosystemen am Beispiel Great Plains (oC = Organischer Kohlenstoffgehalt)

Lange Winter, extreme Kälte – die polare und subpolare Zone

Siedlungen am Rande der Eiswüste – Grönland

In der polaren und subpolaren Zone herrschen extreme klimatische Bedingungen. Die polwärtigen Regionen gehören zu den polaren Eiswüsten und sind ständig mit Eis bedeckt.

Die extremen Lebensbedingungen lassen in den polaren Eiswüsten eine dauerhafte Besiedlung nicht zu. Dagegen gehört das „baumlose Hügelland" in der subpolaren Zone, die Tundra, zu den Wohn- und Wirtschaftsräumen der Erde.

Doch was sind die klimatischen Besonderheiten dieses Lebensraumes und mit welchen Einschränkungen leben die Menschen? Ein Beispiel: Seit 1755 leben Menschen in Saqqaq (Westgrönland) am Rand der Eiswüste.

1. Lokalisieren Sie Saqqaq und beschreiben Sie Ihre ersten Eindrücke anhand des Fotos (M6/ M7).
2. **a)** Erläutern Sie die klimatischen Bedingungen und die Lichtverhältnisse in Saqqaq und in Grönland (M1 – M3, M1/ M2 auf S. 16).
   b) Benennen Sie die Folgen für die Vegetation, das Leben und die wirtschaftlichen Aktivitäten der Menschen (M5).
3. Stellen Sie die infrastrukturelle und wirtschaftliche Situation in Saqqaq dar (M5/ M7/ M9).
(W) 4. Saqqaq, eine Siedlung mit Zukunft?
   Seit Mitte der 1990er-Jahre liegt die Bevölkerungszahl in Saqqaq bei ca. 200 Einwohnern. Doch was kann langfristig aus solch einer kleinen Siedlung werden?
   A Erörtern Sie Zukunftsperspektiven aus der Sicht unterschiedlicher Bewohner (z. B. Jugendliche, Ältere, Supermarktbesitzer, Fischer).
   B Sollte der Staat Unterstützungen zahlen, um die Siedlung zu erhalten? Sammeln Sie Pro- und Kontra-Argumente.
(Z) 5. Erstellen Sie eine Tabelle, in der Sie für die in M2 eingetragenen grönländischen Orte jeweils die Anzahl der Tage mit Polarnacht und -tag eintragen.

→ polare Zone, Polarnacht, Polartag, subpolare Zone

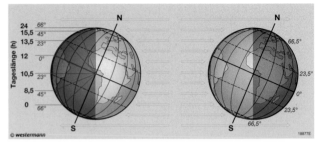

M3 Beleuchtungssituation der Erde zur Sommer- und Wintersonnenwende

Februar/März:
Durchschnittstemperatur: ca. -20°C
Minimumtemperatur: < - 40°C
Sommermonate:
Durchschnittstemperatur: ca. 5°–8°C
Maximumtemperatur: 20°–25°C
Nach: R. Brodmann, M. Willeke, PG 12/ 2011

◁ **M4** Klimadaten von Saqqaq

Im Sommer wird Saqqaq einmal wöchentlich von einem Postschiff aus Ilulissat und unregelmäßig verkehrenden Versorgungsschiffen, die notwendige Güter befördern, angelaufen. Im Winter ist Saqqaq nur mit dem Hubschrauber erreichbar. Fahr- und Gehwege sind nicht befestigt. Die Bewohner gehen zu Fuß oder fahren meist Quad. Ein zentraler Generator versorgt alle Häuser mit Elektrizität. Die Wasserversorgung erfolgt über mehrere zentrale Zapfstellen im Ort. Die Bewohner transportieren das Wasser mit Kanistern in die Wohnhäuser. Die meisten Männer arbeiten als Fischer und Jäger. Neben dem Fischfang werden Robben und Rentiere zur Selbstversorgung und als Futter für die Schlittenhunde und zur Pelzgewinnung gejagt. In der staatlichen Fischfabrik von „Royal Greenland" sind fünf männliche Arbeiter beschäftigt.
Nach: R. Brodmann, M. Willeke, PG 12/ 2011

M5 Saqqaq – Infrastruktur und Wirtschaft.

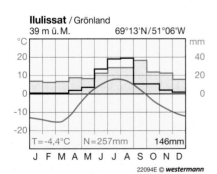

M1 Klima von Ilulissat (Grönland)

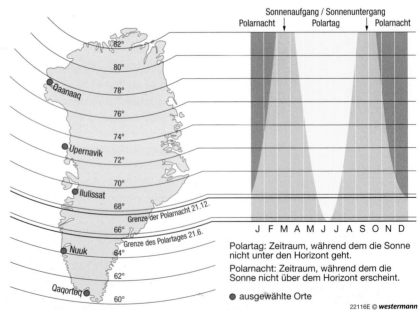

Polartag: Zeitraum, während dem die Sonne nicht unter den Horizont geht.
Polarnacht: Zeitraum, während dem die Sonne nicht über dem Horizont erscheint.

● ausgewählte Orte

22116E © *westermann*

M2 Grönland – Lichtverhältnisse

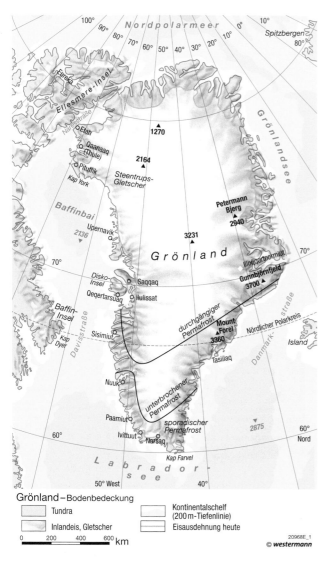

Grönland – Bodenbedeckung

- Tundra
- Inlandeis, Gletscher
- Kontinentalschelf (200 m-Tiefenlinie)
- Eisausdehnung heute

0   200   400   600 km

20968E_1
© westermann

M6   Grönland

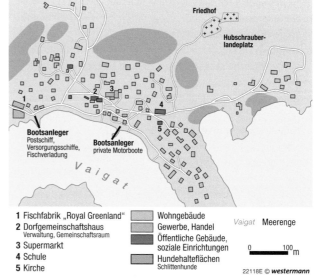

- Eiswüsten
- Tundren und Frostschuttgebiete
- Boreale Zone

16415E_1

M8   Verbreitung der subpolaren und polaren Zonen

M9   Saqqaq – Gebäudenutzung

1 Fischfabrik „Royal Greenland"
2 Dorfgemeinschaftshaus
  Verwaltung, Gemeinschaftsraum
3 Supermarkt
4 Schule
5 Kirche

- Wohngebäude
- Gewerbe, Handel
- Öffentliche Gebäude, soziale Einrichtungen
- Hundehalteflächen
  Schlittenhunde

Vaigat   Meerenge

0   100 m

22118E © westermann

M7   Saqqaq – Blick auf die Siedlung von Norden

Lange Winter, extreme Kälte – die polare und subpolare Zone

Leben mit und auf dem Permafrost

Permafrost, tiefgründig, ganzjährig gefrorener Untergrund, ist in der polaren und subpolaren und auch noch in der borealen Zone ein wesentlicher begrenzender Faktor des Naturraumpotenzials. Die Permafrostgebiete umfassen fast ein Viertel der Festlandsflächen der Erde. Welche Auswirkungen hat der Dauerfrostboden auf den Lebens- und Wirtschaftsraum des Menschen?

1. **a)** Beschreiben Sie die Verbreitung der Permafrostgebiete (M2).
   b) Untersuchen Sie die Mächtigkeit (Dicke der Schicht) des Permafrosts (M1).
Ⓦ 2. **A** Erläutern Sie die Bedingungen für das Pflanzenwachstum in der subpolaren Zone.
   B Beschreiben Sie die Verbreitung und die Kennzeichen der Tundra. Berücksichtigen Sie hierbei auch die Bedeutung des Reliefs für das Pflanzenwachstum (M1/ M7).
3. Die Zerstörung der Tundrenvegetation kann weitreichende Folgen haben. Erläutern Sie (M5).
4. Erläutern Sie Probleme bei Baumaßnahmen im Permafrost und technische Möglichkeiten zu ihrer Überwindung (M4 – M6).
5. Untersuchen Sie, wie und in welchem Umfang der Permafrost die Lebens- und Wirtschaftsweise der Menschen auf Grönland beeinflusst (M6, S. 38–39).
Ⓩ 6. Nennen Sie Orte (Nordhalbkugel), die in Gebieten mit Permafrost liegen (M2, Atlas).

→ Permafrost, polare Zone, Tundra

M3   Oberirdische Rohrleitungen auf Permafrost

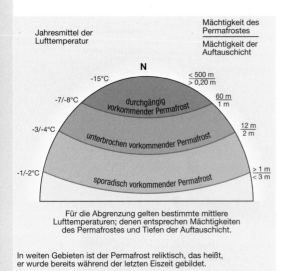

M1   Schema der Permafrostzonierung

Jahresmittel der Lufttemperatur

Mächtigkeit des Permafrostes
Mächtigkeit der Auftauschicht

N

-15°C — durchgängig vorkommender Permafrost — < 500 m / > 0,20 m — 60 m / 1 m

-7/-8°C

-3/-4°C — unterbrochen vorkommender Permafrost — 12 m / 2 m

-1/-2°C — sporadisch vorkommender Permafrost — > 1 m / < 3 m

Für die Abgrenzung gelten bestimmte mittlere Lufttemperaturen; denen entsprechen Mächtigkeiten des Permafrostes und Tiefen der Auftauschicht.

In weiten Gebieten ist der Permafrost reliktisch, das heißt, er wurde bereits während der letzten Eiszeit gebildet.

© *westermann* 12479E_2

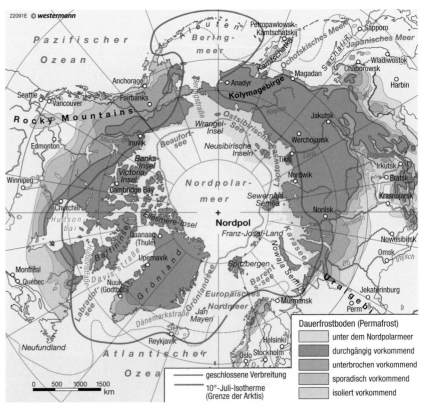

Dauerfrostboden (Permafrost)
- unter dem Nordpolarmeer
- durchgängig vorkommend
- unterbrochen vorkommend
- sporadisch vorkommend
- isoliert vorkommend

geschlossene Verbreitung
10°-Juli-Isotherme (Grenze der Arktis)

0 500 1000 1500 km

M2   Nordpolargebiet: Eisbedeckung und Permafrost

Gebäude

a) aktive Kühlsysteme

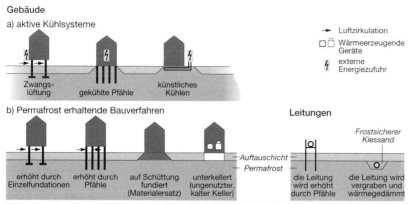

Zwangs-   gekühlte Pfähle   künstliches
lüftung   Kühlen

→ Luftzirkulation
☐⬚ Wärmeerzeugende Geräte
ϟ externe Energiezufuhr

b) Permafrost erhaltende Bauverfahren

Leitungen

Frostsicherer Kiessand

— Auftauschicht —
— Permafrost —

erhöht durch   erhöht durch   auf Schüttung   unterkellert   die Leitung   die Leitung wird
Einzelfundationen   Pfähle   fundiert   (ungenutzter,   wird erhöht   vergraben und
         (Materialersatz)   kalter Keller)   durch Pfähle   wärmegedämmt

Kühlsysteme beeinflussen die Temperatur im Untergrund, um die Mächtigkeit der Auftauschicht stabil zu halten oder zu verringern. Aktive Kühlsysteme benötigen eine externe Energiezufuhr, während passive Kühlsysteme ohne zusätzliche Energie auskommen.

22100E

M4   Bauverfahren auf Permafrost

Alle Bauprojekte in Permafrostgebieten sind unmittelbar mit den Problemen des gefrorenen Untergrundes konfrontiert.

▌ Permafrost ist sehr empfindlich gegenüber thermischen (durch Wärme verursachten) Veränderungen.

▌ Permafrost ist relativ undurchlässig für Feuchtigkeit. Auf gefrorenem Boden bildet sich Staunässe.

▌ Permafrost reagiert unterschiedlich je nach Eisgehalt und Substrat. Gefrorener Fels, Geröll und Sand enthalten gewöhnlich wenig Eis, aber gefrorene feinkörnige Materialien wie Ton oder Torf enthalten viel Eis und sind anfällig für Frostprozesse.

M6   Permafrost und Nutzung ▷

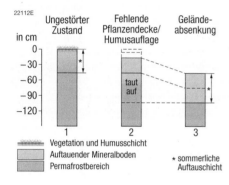

22112E

Ungestörter   Fehlende   Gelände-
Zustand   Pflanzendecke/   absenkung
         Humusauflage

in cm

taut auf

* sommerliche Auftauschicht

〰〰 Vegetation und Humusschicht
☐ Auftauender Mineralboden
▨ Permafrostbereich

Beispiel: Boden unter einer Moostundra

1. Vegetation und Humusschicht intakt: Permafrostbereich enthält 50 % Bodeneis (Annahme). Mächtigkeit der Auftauschicht: 45 cm

2. Humusschicht/Pflanzendecke (15 cm) entfernt: 60 cm Permafrostschicht tauen zusätzlich auf.

3. Mächtigkeit der Auftauschicht wächst auf insgesamt 60 cm an, Gelände senkt sich ab.

Diese Absenkung kann sich noch weiter verstärken:

Zerstörung der Vegetation über eisreichem Permafrostboden
↓
Einschränkung der Wärmeisolierung
↓
Vertiefung der Auftauschicht
↑   Absacken des Geländes im Maße des Schmelzens von Bodeneis
oberfächliche Wasseransammlung durch zusammemfließendes („warmes") Schmelzwasser

Quelle: M. Geiger, 1991

22099E

M5   Folgen einer Zerstörung der Tundrenvegetation

Die Tundra ist baumlos. Die Vegetationsdecke wird bestimmt durch Zwergsträucher, Zwergblütenpflanzen oder kriechende Bodenpflanzen. Die Tundra ist nördlich des Polarkreises verbreitet. Für den Baumbewuchs ist die Vegetationszeit in den subpolaren Gebieten zu kurz (<100 Tage mit > 4°C), der Sommer zu kalt und die schneearmen Winter zu frostig. Die meisten Tundrenflächen sind mit Zwergbirken und Zwergweiden, Wollgräsern, Moosen und Flechten bewachsen. Das Wachstum der Pflanzen ist sehr langsam, die Regenerationsfähigkeit der Pflanzendecke ist gering und benötigt lange Zeit. Schäden an der Vegetation sind oft irreversibel. Die Fahrzeugspur eines schweren Fahrzeugs kann man noch jahrzehntelang in der Tundra sehen. Die Verbreitung der Tundrenvegetation ist auch abhängig vom Relief. Während die Täler, Küstenbereiche und (Hoch-)ebenen Vegetation aufweisen, sind Hänge und Berge meistens nur noch von Frostschutt bedeckt. Mit Frostschutt ist Gesteinsschutt gemeint, der sich nach intensiven Frostverwitterungsprozessen ergibt.

Nach: Westermann Lexikon d. Geographie „Tundra"

M7   Tundra

Landschaftszonen der Erde

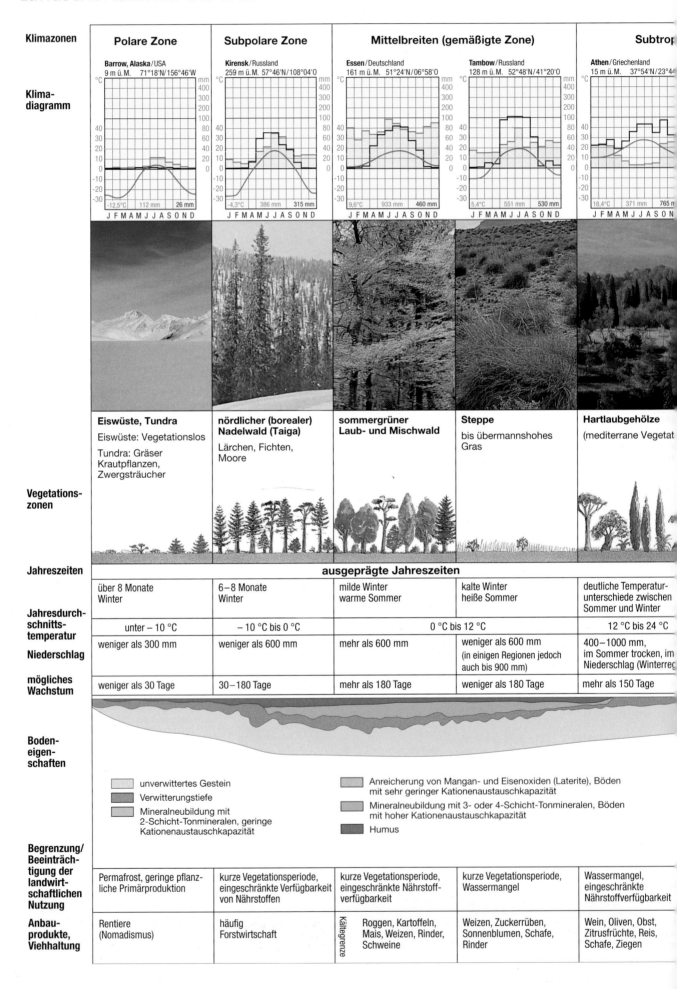

Klimazonen	Polare Zone	Subpolare Zone	Mittelbreiten (gemäßigte Zone)		Subtrop
Klima-diagramm	Barrow, Alaska/USA 9 m ü.M. 71°18'N/156°46'W −12,5°C 112 mm 26 mm	Kirensk/Russland 259 m ü.M. 57°46'N/108°04'O −4,3°C 386 mm 315 mm	Essen/Deutschland 161 m ü.M. 51°24'N/06°58'O 9,6°C 933 mm 460 mm	Tambow/Russland 128 m ü.M. 52°48'N/41°20'O 5,4°C 551 mm 530 mm	Athen/Griechenland 15 m ü.M. 37°54'N/23°4 18,4°C 371 mm 765 n
Vegetations-zonen	**Eiswüste, Tundra** Eiswüste: Vegetationslos Tundra: Gräser Krautpflanzen, Zwergsträucher	**nördlicher (borealer) Nadelwald (Taiga)** Lärchen, Fichten, Moore	**sommergrüner Laub- und Mischwald**	**Steppe** bis übermannshohes Gras	**Hartlaubgehölze** (mediterrane Vegetat
Jahreszeiten			ausgeprägte Jahreszeiten		
	über 8 Monate Winter	6−8 Monate Winter	milde Winter warme Sommer	kalte Winter heiße Sommer	deutliche Temperatur-unterschiede zwischen Sommer und Winter
Jahresdurch-schnitts-temperatur	unter − 10 °C	− 10 °C bis 0 °C	0 °C bis 12 °C		12 °C bis 24 °C
Niederschlag	weniger als 300 mm	weniger als 600 mm	mehr als 600 mm	weniger als 600 mm (in einigen Regionen jedoch auch bis 900 mm)	400−1000 mm, im Sommer trocken, im Niederschlag (Winterreg
mögliches Wachstum	weniger als 30 Tage	30−180 Tage	mehr als 180 Tage	weniger als 180 Tage	mehr als 150 Tage
Boden-eigen-schaften					
Begrenzung/ Beeinträch-tigung der landwirt-schaftlichen Nutzung	Permafrost, geringe pflanz-liche Primärproduktion	kurze Vegetationsperiode, eingeschränkte Verfügbarkeit von Nährstoffen	kurze Vegetationsperiode, eingeschränkte Nährstoff-verfügbarkeit	kurze Vegetationsperiode, Wassermangel	Wassermangel, eingeschränkte Nährstoffverfügbarkeit
Anbau-produkte, Viehhaltung	Rentiere (Nomadismus)	häufig Forstwirtschaft	Roggen, Kartoffeln, Mais, Weizen, Rinder, Schweine	Weizen, Zuckerrüben, Sonnenblumen, Schafe, Rinder	Wein, Oliven, Obst, Zitrusfrüchte, Reis, Schafe, Ziegen

Legende Bodeneigenschaften:
- unverwittertes Gestein
- Verwitterungstiefe
- Mineralneubildung mit 2-Schicht-Tonmineralen, geringe Kationenaustauschkapazität
- Anreicherung von Mangan- und Eisenoxiden (Laterite), Böden mit sehr geringer Kationenaustauschkapazität
- Mineralneubildung mit 3- oder 4-Schicht-Tonmineralen, Böden mit hoher Kationenaustauschkapazität
- Humus

Kältegrenze

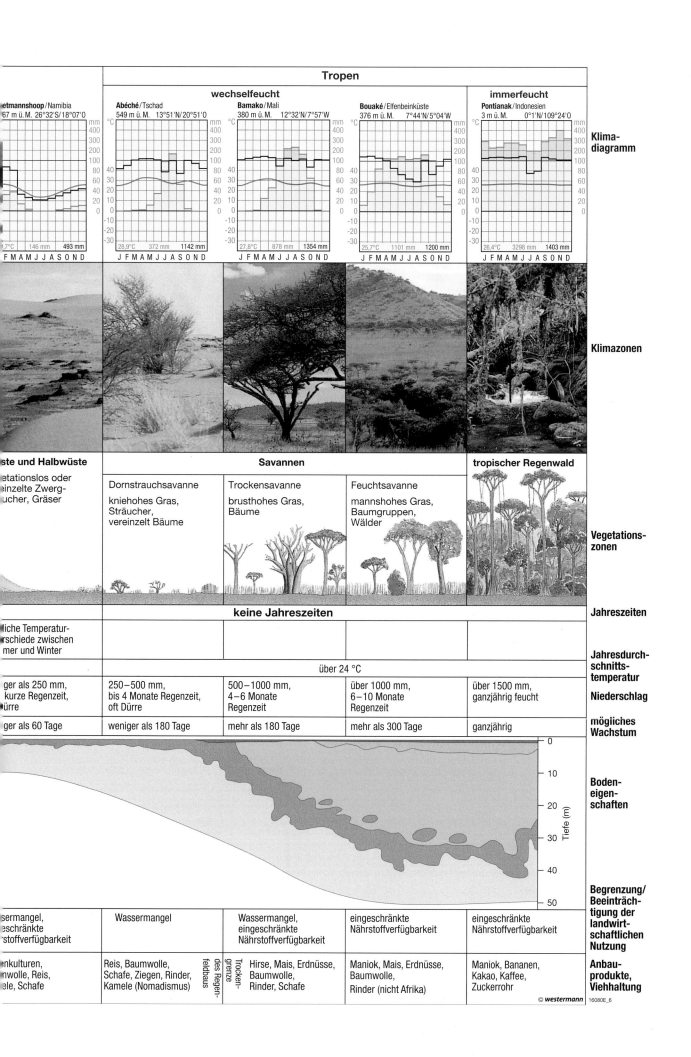

Tropen

	wechselfeucht			immerfeucht	
etmannshoop/Namibia 67 m ü.M. 26°32'S/18°07'O	Abéché/Tschad 549 m ü.M. 13°51'N/20°51'O	Bamako/Mali 380 m ü.M. 12°32'N/7°57'W	Bouaké/Elfenbeinküste 376 m ü.M. 7°44'N/5°04'W	Pontianak/Indonesien 3 m ü.M. 0°1'N/109°24'O	Klimadiagramm
7°C 146 mm 493 mm	28,9°C 372 mm 1142 mm	27,8°C 878 mm 1354 mm	25,7°C 1101 mm 1200 mm	26,4°C 3298 mm 1403 mm	

Klimazonen

ste und Halbwüste	Savannen			tropischer Regenwald	Vegetationszonen
etationslos oder einzelte Zwerg-ucher, Gräser	Dornstrauchsavanne kniehohes Gras, Sträucher, vereinzelt Bäume	Trockensavanne brusthohes Gras, Bäume	Feuchtsavanne mannshohes Gras, Baumgruppen, Wälder		

liche Temperatur-schiede zwischen mer und Winter	**keine Jahreszeiten**				Jahreszeiten
	über 24 °C				Jahresdurchschnittstemperatur
ger als 250 mm, kurze Regenzeit, ürre	250–500 mm, bis 4 Monate Regenzeit, oft Dürre	500–1000 mm, 4–6 Monate Regenzeit	über 1000 mm, 6–10 Monate Regenzeit	über 1500 mm, ganzjährig feucht	Niederschlag
ger als 60 Tage	weniger als 180 Tage	mehr als 180 Tage	mehr als 300 Tage	ganzjährig	mögliches Wachstum

Bodeneigenschaften

sermangel, eschränkte stoffverfügbarkeit	Wassermangel	Wassermangel, eingeschränkte Nährstoffverfügbarkeit	eingeschränkte Nährstoffverfügbarkeit	eingeschränkte Nährstoffverfügbarkeit	Begrenzung/Beeinträchtigung der landwirtschaftlichen Nutzung
nkulturen, nwolle, Reis, le, Schafe	Reis, Baumwolle, Schafe, Ziegen, Rinder, Kamele (Nomadismus)	Hirse, Mais, Erdnüsse, Baumwolle, Rinder, Schafe	Maniok, Mais, Erdnüsse, Baumwolle, Rinder (nicht Afrika)	Maniok, Bananen, Kakao, Kaffee, Zuckerrohr	Anbauprodukte, Viehhaltung

© westermann   16080E_6

Das Wichtigste in Kürze

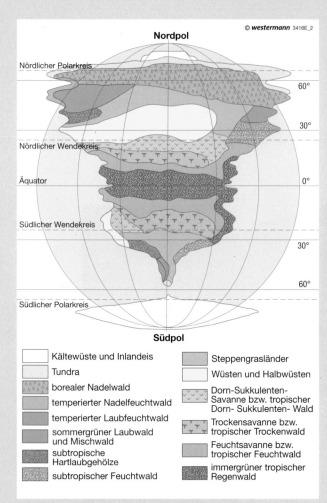

M1 Die Vegetation des „Idealkontinents"

Abbildung M1 zeigt die typische Verteilung der Landschaftszonen auf einem Idealkontinent. Der Idealkontinent ist ein
theoretisches Konstrukt, bei dem die Landmassen aller Kontinente „zusammengeschoben" wurden. Dabei wurde darauf
geachtet, dass die Breitenlage der Regionen nicht verändert
wird. Der Idealkontinent zeigt, wie die typische Vegetation
auf der Erde verteilt ist. Man kann klar erkennen, dass es eine
Abfolge vom Äquator, den immerfeuchten Tropen, zu den
Polen, den kalten Zonen gibt. Gleichzeitig wird deutlich, dass
diese Gliederung zum Teil durchbrochen ist und sich einige
Zonen weiter nach Norden oder Süden ausdehnen, während
andere an der Westseite des Kontinents ganz fehlen.
In diesem Kapitel wurden Gründe für diese Verteilung auf-
gezeigt. So spielen z. B. die Strahlungsverhältnisse – Dauer
und Intensität der Sonneneinstrahlung – eine entscheidende
Rolle. Dieser Effekt wird überlagert z. B. durch den ausgleichenden Einfluss der Ozeane oder den Einfluss des Reliefs.
Die Geofaktoren Temperatur und Niederschlag haben umfassenden Einfluss auf das Leben und Wirtschaften der Menschen auf der Erde. So werden die natürliche Vegetation und
die landwirtschaftliche Nutzbarkeit maßgeblich von diesen
beiden Geofaktoren bestimmt. Ob ein Raum aus menschli-
cher Sicht ein Gunstraum und daher gut zu bewohnen und zu
bewirtschaften ist (Ökumene) oder ob er lebensfeindlich ist
(Anökumene), hängt stark von den Temperatur- und Nieder-
schlagsverhältnissen ab. Die agronomische Trockengrenze,

die Grenze des Regenfeldbaus, und die agronomische Kältegrenze, die Kältegrenze des Ackerbaus, stellen natürliche
Grenzen für die landwirtschaftliche Nutzung dar (M2).
Ähnliches gilt für die Siedlungen in Gebieten der Anökumene
(z. B. in Wüsten oder Polarregionen). Auch hier setzen Geofaktoren Grenzen und führen zu schwierigen Lebensverhältnis-
sen und somit extrem dünner Besiedlung. Wie man am Bei-
spiel der winterfeuchten Subtropen (Argolis) oder der Wüs-
te sieht, kann der Mensch natürliche Grenzen überwinden.
Traditionell gelingt es Nomaden, in Wüsten zu leben, indem
sie in Oasen haltmachen oder mit ihren Tieren den kurzen
Regenzeiten „hinterher" ziehen. Heute wird die agronomische
Trockengrenze vor allem durch Bewässerung überwunden.
Siedlungen, sogar Großstädte, gibt es in der Wüste (z. B. Las
Vegas). Die Nutzung von (gestautem) Flusswasser oder von
Grundwasser macht dies möglich. Gleichzeitig hat dieses
Kapitel gezeigt, dass die Überwindung der Trockengrenze
hohe Kosten verursacht. Die Übernutzung von Flüssen oder
Grundwasserspeichern und die Versalzung von Böden sind
offensichtliche Folgen.
Auch die Kälte begrenzt die Ökumene. Das Leben auf Perma-
frost verlangt besondere Anpassungen und Ingenieurleistun-
gen beim Bau von Häusern, Straßen und Pipelines und bei
der Versorgung der Bevölkerung. Zudem ist das Leben durch
Kälte und Dunkelheit im Winter geprägt.
Weiterhin spielt bei der Bestimmung der Ökumene auch der
Geofaktor Boden eine wichtige Rolle. Es hat sich gezeigt, dass
der tropische Regenwald trotz idealer Bedingungen in Bezug
auf Temperatur und Niederschlag nur unter großen Schwierigkeiten landwirtschaftlich nutzbar ist. Ursache dafür sind
die Böden, die eine sehr große Verwitterungstiefe und somit
keinen Kontakt zum Ausgangsgestein aufweisen. Durch die
extrem schnelle chemische Verwitterung sind die Böden arm
an Humus, Huminstoffen und Mehrschicht-Tonmineralen
und haben somit eine sehr geringe Kationenaustauschkapazität. Landwirtschaftliche Erträge gehen schon nach wenigen
Jahren stark zurück, Düngung hat kaum dauerhafte Wirkung.
Agroforstwirtschaft hat sich als eine Möglichkeit der nachhaltigen, kleinbäuerlichen Nutzung erwiesen.
Obwohl in der heutigen Zeit mithilfe geeigneter Technik fast
alles möglich erscheint – vom Gemüseanbau in Grönland
bis zur Fußballweltmeisterschaft in der Wüste –, prägt nach
wie vor das Klima die Vegetation und das menschliche Leben
und Wirtschaften in den verschiedenen Landschaftszonen.

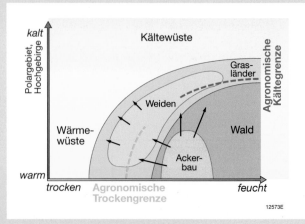

M2 Die Ausdehnung der Landnutzung

Kompetenz-Check

Hier sind alle Kompetenzen, die Sie in diesem Kapitel erwerben konnten, aufgelistet.
Sie können selbst beantworten, ob Sie die Kompetenz sicher beherrschen: *sicher, mäßig oder kaum.*

Sachkompetenz

Kann ich		unsicher? Schlagen Sie nach auf Seite
1.	das Klima der Tropen beschreiben und erklären und den Einfluss auf die Vegetation erläutern (SK1)?	16/17, 22/23
2.	die Anpassung von Pflanzen an die klimatischen Gegebenheiten der verschiedenen Landschaftszonen erläutern (SK1)?	14/15, 20–23, 30/31, 36/37, 40/41
3.	die Möglichkeiten der landwirtschaftlichen Nutzung in den feuchten und wechselfeuchten Tropen erläutern (SK2)?	20/21, 24/25
4.	die Möglichkeiten zur Überwindung der Trockenheit in semiariden und ariden Räumen darstellen (SK2)?	30–33
5.	die naturgeographischen Grenzen für die Besiedlung von Räumen und Möglichkeiten zu deren Überwindung erläutern (SK1, SK2)?	26/27, 38–41
6.	die Landschaftszonen der Erde anhand der Geofaktoren Klima und Vegetation kennzeichnen (SK1, SK6)?	12/13, 42/43

Methodenkompetenz

Kann ich		
7.	mithilfe von physischen und thematischen Karten Landschaftszonen und deren Nutzung als Lebensräume beschreiben und erläutern (MK1)?	12–43
8.	Gunst- und Ungunstfaktoren von Lebensräumen identifizieren und Fragestellungen zur Überwindung der Grenzen zwischen Ökumene und Anökumene entwickeln (MK2)?	12–41
9.	Klimadiagramme lesen und relevante Informationen zur aufgabenbezogenen Kennzeichnung des Klimas eines Ortes entnehmen (MK3)?	18/19, 22–43
10.	unterschiedliche Darstellungs- und Arbeitsmittel wie z. B. statistische Daten, Graphiken und Texte analysieren, um auf dieser Grundlage Fragestellungen zu Lebensräumen des Menschen in verschiedenen Landschaftszonen zu beantworten (MK3)?	14–41
11.	mittels geeigneter Suchstrategien in Bibliotheken und im Internet Informationen z. B. zur „Dust-Bowl" oder zum Passatwind recherchieren und diese fragebezogen auswerten (MK5)?	16/17, 36/37
12.	aus Modellen Kernaussagen zur tropischen Zirkulation und zum Passatkreislauf herausarbeiten (MK4)?	16/17, 22/23
13.	geographische Informationen grafisch beispielsweise als Wirkungsgefüge oder als Kartenskizze darstellen (MK8)?	16/17, 20/21, 36/37

Urteilskompetenz

Kann ich		
14.	die Anpassung landwirtschaftlicher Wirtschaftsweisen an die Bedingungen des Klimas und der Böden beurteilen (UK1)?	20/21, 24/25, 34–37
15.	die Eignung arider Gebiete als Siedlungsraum bewerten (UK1)?	26/27
16.	die Probleme und Möglichkeiten einer Besiedlung am Rande der Ökumene beurteilen (UK1)?	26/27, 38/39, 40/41
17.	verschiedene Bewässerungsverfahren unter ökologischen und ökonomischen Gesichtspunkten bewerten (UK2)?	32/33

Handlungskompetenz

Kann ich		
18.	Arbeitsergebnisse zu Gunst- und Ungunst von Lebensräumen sowie Möglichkeiten zur Überwindung der Grenzen von Ökumene und Anökumene fachsprachlich angemessen und sachbezogen präsentieren (HK1)?	14–41

Klausurtraining – Anfertigung einer Klausur

Obstanbau – ein landwirtschaftlicher Betriebszweig mit Zukunft? – das Beispiel des Kiwi-Anbaus in Neuseeland

1. Lokalisieren Sie Neuseeland und beschreiben Sie die klimatischen Voraussetzungen für den Anbau von Obst und die Verbreitung des Obstanbaus auf Neuseeland.
2. Erläutern Sie unter Berücksichtigung der Standortansprüche der Kiwi-Pflanze die Verbreitung des Kiwi-Anbaus auf Neuseeland sowie die Entwicklung des Anbaus.
3. Beurteilen Sie die Möglichkeiten der Ausweitung des Kiwi-Anbaus auf Neuseeland unter klimatischen und wirtschaftlichen Aspekten.

Diese Materialien benötigen Sie ergänzend zur Lösung der Aufgaben:
M1 Atlaskarten nach Wahl

Die Kiwis sind die Beeren einer strauchartigen Kletterpflanze. Sie bildet bis zu 8 m lange Triebe, hat dichtes Laub und weiße bis rosafarbene Blüten. Der Anbau erfolgt ähnlich dem Weinanbau in Reihen. Fünf Jahre nach dem Pflanzen der Kiwi-Stecklinge trägt die Pflanze zum ersten Mal Früchte.
Die Rebstöcke können eine Höhe von 2,5 m erreichen und bis zu 50 Jahre alt werden, wobei jedes Jahr geerntet werden kann. In Neuseeland blühen die Kiwi-Pflanzen im November, im Mai sind die Früchte erntereif. Kiwi-Pflanzen benötigen einen sehr sonnigen, windgeschützten Standort. Die Kiwipflanze verträgt leichten Frost, nicht jedoch eine längere Frostperiode mit höheren Minustemperaturen. Mit 1000 – 1500 mm Jahresmenge hat die Kiwi einen sehr hohen Wasserbedarf.

Nach: www.saengerhof.de und New Zealand Kiwifruit Marketing Board (nach G. Feller, Kiwi-Anbau in Neuseeland. In: PG, H. 7/8, 2001).

M2 Standortansprüche der Kiwi-Pflanze

Anfertigung einer Klausur – Arbeitsschritte

1. SCHRITT

→ **Lesen Sie das Thema der Klausur genau!**
Aus der allgemeingeographischen Formulierung können Sie bereits die Bearbeitungsrichtung der Klausur entnehmen (hier: Obstanbau – ein landwirtschaftlicher Betriebszweig mit Zukunft?). Weiterhin wird im Thema das Raumbeispiel angegeben, an dem Sie die Aufgabenstellung konkret bearbeiten sollen (hier: Kiwi-Anbau in Neuseeland).

→ **Die – in der Regel drei – Teilaufgaben stellen eine Strukturierungshilfe für die Lösung der Aufgabe dar** (Grobgliederung). Die Arbeitsanweisungen enthalten Operatoren (hier: lokalisieren, beschreiben, erläutern, beurteilen), die Sie leiten (vgl. Operatorenliste, S.223).

→ **Teilen Sie sich Ihre Zeit gut ein:** Planen Sie ausreichend Zeit für die Bearbeitung der Materialien und die abschließende Durchsicht ein.

2. SCHRITT

→ **Ordnen Sie zunächst das Klausurbeispiel räumlich ein** (M1: Atlaskarten nach Wahl, ggf. Informationen weiterer Materialien).

→ **Analysieren Sie nun die Arbeitsmaterialien aufgabengeleitet!** Markieren Sie wichtige Aussagen, nutzen Sie ggf. den Taschenrechner, um Entwicklungen oder Vergleiche anhand statistischer Angaben zu verdeutlichen. Werten Sie thematische Karten und Diagramme entsprechend der Fragestellung gründlich aus. Achten Sie auch auf mögliche Anmerkungen oder Erläuterungen (Fußnoten).

→ **Strukturieren Sie Ihre Ergebnisse sinnvoll.** Zur Beantwortung der Aufgabenstellung ist in der Regel eine Vernetzung der Einzelaussagen der Arbeitsmaterialien erforderlich. Eine Mindmap kann hilfreich sein. (*Vorsicht:* Arbeiten Sie die Informationen der Einzelmaterialien in Ihren Ausführungen nicht nacheinander ab!)

→ **Erst nachdem Sie alle Aufgabenstellungen der Teilaufgaben gedanklich durchdrungen und die Arbeitsmaterialien gründlich ausgewertet haben, beginnen Sie mit der Reinschrift.**
Formulieren Sie eine Einleitung in die Gesamtaufgabe und auch kurze Überleitungen.

→ **Argumentieren Sie materialgestützt,** d. h., Ihre Ausführungen müssen konkrete Materialbelege enthalten. Geben Sie jeweils an, aus welchen Materialien Sie Ihre Angaben beziehen (Mx) am Ende des Satzes bzw. Abschnitts).

→ **Beziehen Sie sich auch in der Teilaufgabe 3,** in der Sie z. B. zur Beurteilung, Stellungnahme oder Bewertung aufgefordert werden, konkret auf das Raumbeispiel. Formulieren Sie ein abschließendes Fazit.

3. SCHRITT

→ **Überprüfen Sie zum Schluss formale Aspekte** (z. B. Rechtschreibung, Zeichensetzung, Seitenzahlen).

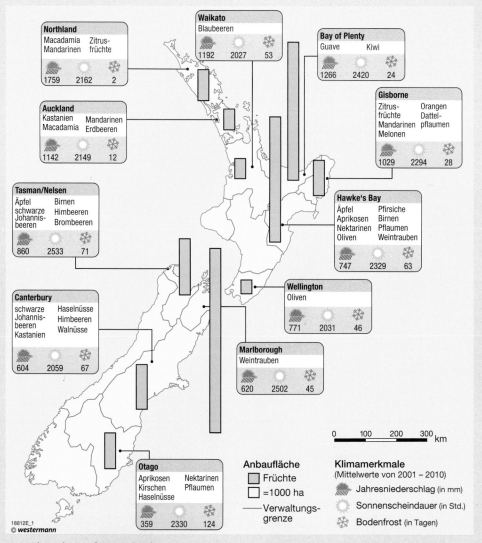

Northland
Macadamia   Zitrus-
Mandarinen   früchte

1759   2162   2

Auckland
Kastanien   Mandarinen
Macadamia   Erdbeeren

1142   2149   12

Waikato
Blaubeeren

1192   2027   53

Bay of Plenty
Guave   Kiwi

1266   2420   24

Gisborne
Zitrus-   Orangen
früchte   Dattel-
Mandarinen pflaumen
Melonen

1029   2294   28

Tasman/Nelsen
Äpfel   Birnen
schwarze   Himbeeren
Johannis-   Brombeeren
beeren

860   2533   71

Hawke's Bay
Äpfel   Pfirsiche
Aprikosen   Birnen
Nektarinen Pflaumen
Oliven   Weintrauben

747   2329   63

Canterbury
schwarze   Haselnüsse
Johannis-   Himbeeren
beeren   Walnüsse
Kastanien

604   2059   67

Wellington
Oliven

771   2031   46

Marlborough
Weintrauben

620   2502   45

Otago
Aprikosen   Nektarinen
Kirschen   Pflaumen
Haselnüsse

359   2330   124

18812E_1
© westermann

0   100   200   300 km

Anbaufläche
☐ Früchte
☐ =1000 ha
— Verwaltungs-
grenze

Klimamerkmale
(Mittelwerte von 2001 – 2010)
Jahresniederschlag (in mm)
Sonnenscheindauer (in Std.)
Bodenfrost (in Tagen)

M3 Obstanbau auf Neuseeland

Tauranga/Neuseeland
4 m ü. M.   37°66'S/176°20'O

14,8°C   1181 mm   442 mm
J F M A M J J A S O N D
22097E

Dunedin/Neuseeland
73 m ü. M.   45°52'S/170°32'O

11,1°C   772 mm   552 mm
J F M A M J J A S O N D
22098E
© westermann

M7 Klimadiagramme

1.	Italien	431 558
2.	Neuseeland	420 231
3.	Chile	237 104
4.	Griechenland	140 400
5.	Frankreich	73 480
6.	USA	34 200

M8 Führende Produktions-
länder von Kiwi-Früchten,
2011 (in t)

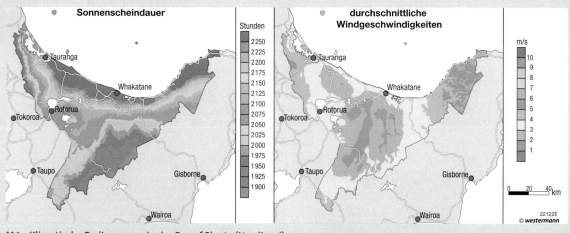

Sonnenscheindauer

Stunden
2 250
2 225
2 200
2 175
2 150
2 125
2 100
2 075
2 050
2 025
2 000
1 975
1 950
1 925
1 900

Tauranga
Whakatane
Tokoroa
Rotorua
Taupo
Gisborne
Wairoa

**durchschnittliche
Windgeschwindigkeiten**

m/s
10
9
8
7
6
5
4
3
2
1

Tauranga
Whakatane
Tokoroa
Rotorua
Taupo
Gisborne
Wairoa

0   20   40 km
22122E
© westermann

M4 Klimatische Bedingungen in der Bay of Plenty (Nordinsel)

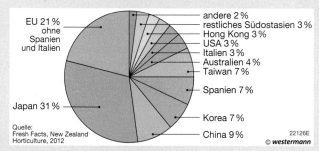

EU 21 %
ohne
Spanien
und Italien

andere 2 %
restliches Südostasien 3 %
Hong Kong 3 %
USA 3 %
Italien 3 %
Australien 4 %
Taiwan 7 %

Spanien 7 %

Korea 7 %

China 9 %

Japan 31 %

Quelle:
Fresh Facts, New Zealand
Horticulture, 2012

22126E
© westermann

M5 Hauptexportmärkte für neuseeländische Kiwis 2012

	2000	2007	2012
verkaufte Kiwi-Früchte (in t)	186 480	288 360	392 760
Ernteertrag (t/ha)	19,1	27,1	31,9
Anbaufläche (ha)	10 234	11 967	12 502
Anzahl Kiwi-Farmer	2 681	2 754	2 662
Verpackungsstationen	118	80	63
Kühlhäuser	106	87	79

M6 Entwicklung des Kiwi-Anbaus auf Neuseeland

II Lebensgrundlage Wasser

Mühsame Arbeit: Brunnen wie dieser, aus dem die Frauen mit einfachen Blecheimern Wasser schöpfen, sind in Trockengebieten häufig die einzige Wasserquelle

Wasser – zwischen Mangel und Überfluss

M1   Ipswich (12.01.2011, westlich von Brisbane)

M2   Semperoper in Dresden (05.06.2013)

Konfliktstoff Wasser: Lebenspender und Risikofaktor

Fluten überschwemmen Bangladesch, Hurrikane verwüsten Landstriche in den USA, Hochwasser gefährden Teile Deutschlands und gleichzeitig herrschen in den Trockenregionen der Erde extreme Dürren. Wie kann das sein?

Für die Menschheit ist Wasser gleichermaßen Lebensspender und Risikofaktor: Einerseits ist Wasser unsere Lebensgrundlage, andererseits erweist es sich immer wieder als Naturgefahr. So warten die Menschen in Bangladesch beispielsweise auf den Monsunregen, weil er für eine gute Ernte unerlässlich ist. Zugleich fürchten sie ihn aber, da er zu Überschwemmungen führen und sich so vom Segen zur Katastrophe entwickeln kann.

Dieses Kapitel widmet sich den unterschiedlichen Facetten der Lebensgrundlage Wasser. In einer allgemeinen Einleitung zum Themenkomplex „Wasser" wird die Bedeutung des Wassers auf der Erde dargestellt. Anschließend wird die Wirkung fehlenden und unsachgemäß genutzten Wassers untersucht. Ein besonderer Fokus liegt dabei auf der Sahelzone, einer Region, die häufig von Dürren heimgesucht wird. „Dürren gehören neben Kriegen und Wirtschaftskrisen zu den kritischen Ereignissen, die Hungerkrisen hervorrufen" *(B. Hornetz, R. Jätzold: Savannen-, Steppen- und Wüstenzonen, 2003).*

Doch nicht nur Hungerkatastrophen, die als Folge von Dürren auftreten, sind ein Problem: Dürren wirken sich auch auf die Wirtschaft der betroffenen Länder aus. Geht die wirtschaftliche Leistung aufgrund von Wassermangel zurück, wird auch die Kaufkraft in dem jeweiligen Land gemindert, sodass sich viele Menschen noch weniger zum Leben leisten können.

Aber nicht nur Wassermangel gefährdet Mensch und Natur. Auch Wasser im Überfluss zeigt die Verwundbarkeit (Vulnerabilität) unserer Lebensräume: „Wenn Flüsse Schicksal spielen – Hochwasser in Bangladesch", „Katastrophenalarm an der Donau – die Hochwasserlage spitzt sich zu" oder „Das

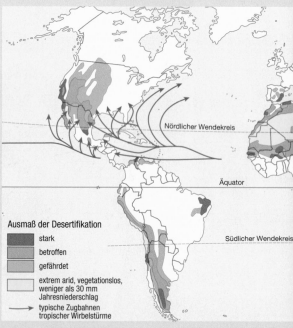

Ausmaß der Desertifikation

- stark
- betroffen
- gefährdet
- extrem arid, vegetationslos, weniger als 30 mm Jahresniederschlag
- → typische Zugbahnen tropischer Wirbelstürme

M3* Von Dürren und Wirbelstürmen gefährdete Regionen

Wasser steigt – Dammbruch droht" sind nur einige Schlagzeilen der Zeitungen aus den letzten Jahren, die zeigen, wie anfällig wir gegenüber Hochwasserereignissen sind. Ereignisse wie das Jahrhunderthochwasser 2013 in Passau oder Katastrophen, die tropische Wirbelstürme wie der Taifun Haiyan im November desselben Jahres auslösten, bringen Wasser im Überfluss und zerstören die Lebensgrundlage Hunderttausender Menschen.

All diesen Beispielen ist gemein, dass sie unsere Verwundbarkeit in Bezug auf Wasser zeigen. Die Vulnerabilität beschreibt die Anfälligkeit bzw. Empfindlichkeit oder auch Verletzbarkeit von Mensch, Gesellschaft und Infrastruktur eines Lebens- und Wirtschaftsraumes. Man spricht von ökologischer, sozialer und technischer Vulnerabilität. Dass diese Ebenen stets im Zusammenhang betrachtet werden müssen, wird an diesen und weiteren Beispielen in diesem Kapitel deutlich.

M4 Lake Faguibine (80 km westlich von Timbuktu)

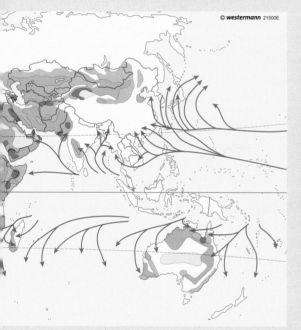

M6 Wirbelsturm Katrina am 29.08.2005

Dürrekatastrophe in Äthiopien

12,6 Millionen Menschen müssen laut UNO derzeit im krisengeschüttelten Äthiopien hungern. Die Dürreperioden haben dort schon fast zyklischen Charakter. Jedoch lassen sich die Katastrophen nicht nur aufs Wetter schieben – sie sind zum Teil hausgemacht.
(17.06.2003, Spiegel online)

Tödliche Wassermassen

Jahrhundertflut im Dürregürtel Afrikas
(21.09.2007, Spiegel online)

Früher Monsun

Mehr als 300 Tote durch Überschwemmungen in Indien
(21.06.2013, Süddeutsche Zeitung)

Dürrekatastrophe am Horn von Afrika

UN befürchten Millionen Hungertote
(21.07.2011, Süddeutsche Zeitung)

M5 Ausschnitte aus Internetmeldungen

Tödliche Wassermassen

Tagelanger Monsunregen im Juli und August 2010 löste in Pakistan eine Jahrhundertflut aus: Ein Fünftel des Landes stand unter Wasser, mehr als 1700 Menschen starben und viele Millionen verloren ihre Häuser. Der Wiederaufbau ist mühsam, der Staat überfordert.
(ohne Datum, Spiegel online)

Ⓦ **1.** Verorten Sie die Bilder (M1/ M2/ M4/ M6) und Meldungen (M5) in der Karte M3:

  A Beschreiben Sie die geographische Lage der Orte auf den Bildern. Nutzen Sie hierfür den Atlas.

  B Finden Sie mithilfe des Atlas die Orte, die auf den Bildern und in den Zeitungsmeldungen aufgeführt sind. Geben Sie Land und Kontinent an und verorten Sie jeweils in M3.

2. Erforschen Sie mit Google Earth den Lake Faguibine (M4). Zoomen Sie in unterschiedliche Bereiche des ehemaligen Sees. Welche Nutzungsformen erkennen Sie? Bestimmen Sie mithilfe des Lineals (in Google Earth) die Ausdehnung des ehemaligen Sees und vergleichen Sie diese mit dem Bodensee.

3. Erläutern Sie den Begriff der Vulnerabilität anhand von Beispielen zum Thema Wasser.

Ⓩ **4.** Recherchieren Sie weitere Hochwasser-, Dürre- und Wirbelsturmkatastrophen. Notieren Sie Überschrift, Internetlink oder Zeitungsausgabe und Stichpunkte zum Ereignis.

Wasser – zwischen Mangel und Überfluss

Wasser – ein viel gefragtes Gut

Wasser ist unser Lebensspender: Ohne Wasser würden wir verdursten. Aber wir hätten auch keine Kleidung am Leib und könnten weder Auto fahren noch am Computer arbeiten. Denn für die Produktion nahezu aller Gegenstände wird sauberes Trinkwasser verwendet, verschmutzt oder verbraucht. Das verwendete Wasser wird als virtuelles Wasser bezeichnet. Doch welche sozialen, ökonomischen, ökologischen und politischen Dimensionen hat die Nutzung des kostbaren und oft raren Gutes?

1. Erläutern Sie den Begriff virtuelles Wasser (M2/ M7).
Ⓦ 2. **A** Beschreiben Sie den Wasserverbrauch in Deutschland und die Zusammensetzung unseres täglichen Verbrauchs (M4/ M5).
   B Setzen Sie M2 in einem Säulendiagramm um.
   C Analysieren Sie den deutschen Wasserverbrauch und setzen Sie ihn mit der Nutzung von virtuellem Wasser in Verbindung. Verknüpfen Sie hierbei M4/ M5, M1/ M7 und M6.
3. Erläutern Sie, wo sich Konflikte rund um den Faktor Wasser ergeben können (M3/ M6).
4. Das Wasservolumen im Größenvergleich: Stellen Sie sich vor, alles Wasser der Erde würde in eine Badewanne passen (140 l). Errechnen Sie mithilfe von M7:
   a) Wie groß ist die Menge an Süßwasser in der Wanne?
   b) Wie groß ist der Anteil an Süßwasser, das in Form von Eis auf der Erde existiert?
Ⓩ 5. Erstellen Sie eine Mindmap zum Konfliktstoff Wasser.
Ⓩ 6. Überprüfen Sie mithilfe des Atlas anhand von je zwei Beispielen pro Kontinent, ob die Verfügbarkeit von Süßwasser auf eine klimatische Gunst/Ungunst oder eine niedrige/hohe Bevölkerungsdichte im Land zurückzuführen ist.

→ Virtuelles Wasser, Wasserverfügbarkeit

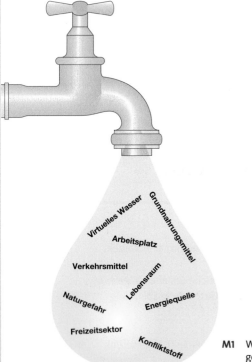

M1 Wasser – ein viel gefragtes Gut

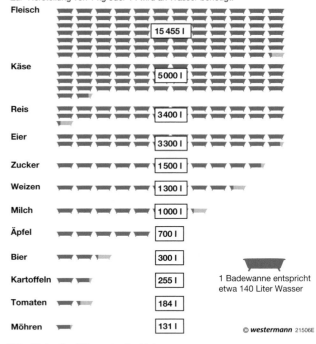

Zur Herstellung von 1 kg oder 1 l wird an Wasser benötigt:

Fleisch	15 455 l
Käse	5000 l
Reis	3400 l
Eier	3300 l
Zucker	1500 l
Weizen	1300 l
Milch	1000 l
Äpfel	700 l
Bier	300 l
Kartoffeln	255 l
Tomaten	184 l
Möhren	131 l

1 Badewanne entspricht etwa 140 Liter Wasser

© *westermann* 21506E

M2 Virtuelles Wasser in der Nahrung

„Water links the local to the regional, and brings together global questions of food security, public health, urbanization and energy. Addressing how we use and manage water resources is central to setting the world on a more sustainable and equitable path."
Quelle: Ban Ki-moon; World Water Development Report 2012

M3 Zitat des UN-Generalsekretärs Ban Ki-moon

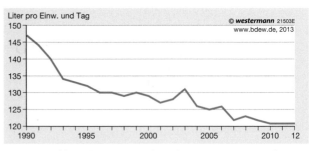

M4 Entwicklung des Wasserverbrauchs in Litern pro Einwohner und Tag in Deutschland

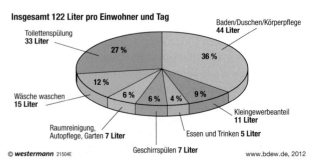

M5 Trinkwasserverwendung im Haushalt 2012

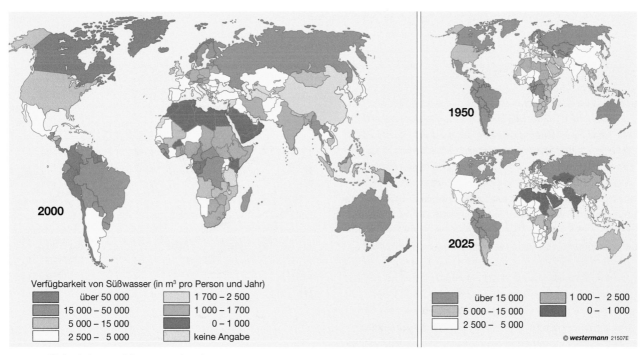

Verfügbarkeit von Süßwasser (in m³ pro Person und Jahr)

über 50 000
15 000 – 50 000
5 000 – 15 000
2 500 – 5 000
1 700 – 2 500
1 000 – 1 700
0 – 1 000
keine Angabe

über 15 000
5 000 – 15 000
2 500 – 5 000
1 000 – 2 500
0 – 1 000

© *westermann* 21507E

M6 Verfügbarkeit von Süßwasser weltweit

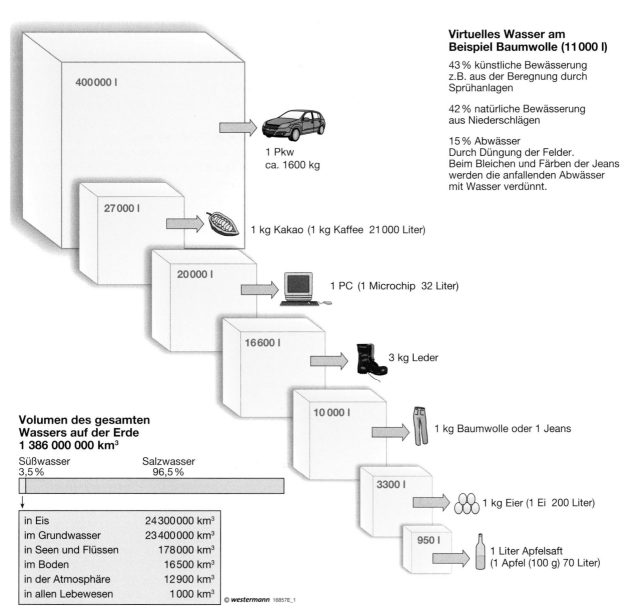

400 000 l — 1 Pkw ca. 1600 kg

27 000 l — 1 kg Kakao (1 kg Kaffee 21 000 Liter)

20 000 l — 1 PC (1 Microchip 32 Liter)

16 600 l — 3 kg Leder

10 000 l — 1 kg Baumwolle oder 1 Jeans

3300 l — 1 kg Eier (1 Ei 200 Liter)

950 l — 1 Liter Apfelsaft (1 Apfel (100 g) 70 Liter)

**Virtuelles Wasser am
Beispiel Baumwolle (11 000 l)**

43 % künstliche Bewässerung
z.B. aus der Beregnung durch
Sprühanlagen

42 % natürliche Bewässerung
aus Niederschlägen

15 % Abwässer
Durch Düngung der Felder.
Beim Bleichen und Färben der Jeans
werden die anfallenden Abwässer
mit Wasser verdünnt.

**Volumen des gesamten
Wassers auf der Erde
1 386 000 000 km³**

Süßwasser 3,5 %
Salzwasser 96,5 %

in Eis	24 300 000 km³
im Grundwasser	23 400 000 km³
in Seen und Flüssen	178 000 km³
im Boden	16 500 km³
in der Atmosphäre	12 900 km³
in allen Lebewesen	1 000 km³

© *westermann* 16857E_1

M7 Wasservolumen weltweit und virtuelles Wasser in Alltagsprodukten

Ursachen der Desertifikation im Sahel

Wenn der Boden weniger wird...

In Nordafrika und Vorderasien leben etwa 7,5 Prozent der Weltbevölkerung. Jedoch verfügen diese Länder nur über 1,2 Prozent der weltweiten Süßwasserressourcen. Die schwierige Wasserversorgung betrifft zudem eine Region, die einen hohen Bevölkerungszuwachs verzeichnet. Diese und weitere Umstände führen dazu, dass die Böden der Region überlastet und jährlich 20 000 – 40 000 km² Fläche unnutzbar werden. Mehr als eine halbe Milliarde Menschen sind von der damit verbundenen Ausweitung der Wüste betroffen. Da der Boden oft nicht regenerationsfähig ist, schrumpft die landwirtschaftliche Nutzfläche. Diese soll allerdings eine immer größer werdende Weltbevölkerung ernähren. Wie lange ist das noch möglich?

1. Notieren Sie, welche der in M1 genannten Umweltprobleme dem Themenfeld der Desertifikation zuzurechnen sind.
2. Beschreiben Sie mithilfe von M3 die Verbreitung der Desertifikation. Suchen Sie zusätzlich im Atlas nach geeigneten Atlaskarten und geben Sie je fünf Beispielländer auf mindestens drei Kontinenten an, die von Desertifikation betroffen sind.
(W) 3. Erläutern Sie die in M4 dargestellte Desertifikationsproblematik.
   A Beschreiben Sie die Abbildung von oben nach unten.
   B Erklären Sie, inwiefern die Wanderungsbewegungen den Desertifikationsprozess am Zielort verschärfen können.
(Z) 4. Interpretieren Sie die Karikatur in M2. Nutzen Sie für die Deutung den in M4 dargestellten Desertifikationsprozess.

→ Desertifikation, Wüste

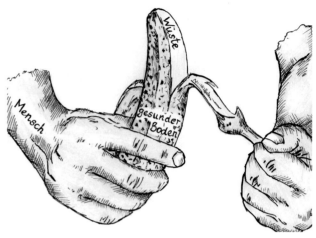

M2   Schülerkarikatur von Johannes M. & Giulia G.

→ Desertifikation

Desertifikation ist der anthropogene Landschaftswandel in Trockengebieten, der zur Wüstenbildung infolge von Übernutzung des Ökosystems führt. Durch soziale, wirtschaftliche und politische Entwicklungen ändern sich Nutzungsstil und Wirtschaftsweise, wobei vom Prinzip der Nachhaltigkeit abgerückt wird. Vordergründig scheinen Naturprozesse die Desertifikation zu bewirken. Durch Anbau oder Weidewirtschaft wird jedoch der Vegetationstyp und in dessen Folge v.a. der Boden- und Wasserhaushalt verändert. Die Desertifikation kann die natürliche Wüstenbildung wesentlich verstärken.

Nach: H. Leser (Hrsg.): Wörterbuch allgemeine Geographie, 2005

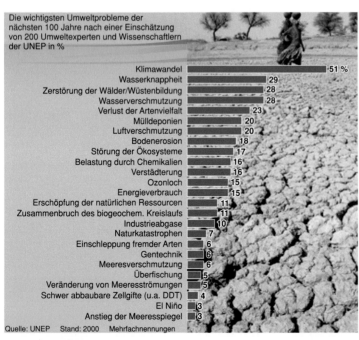

Die wichtigsten Umweltprobleme der nächsten 100 Jahre nach einer Einschätzung von 200 Umweltexperten und Wissenschaftlern der UNEP in %

Umweltproblem	%
Klimawandel	51 %
Wasserknappheit	29
Zerstörung der Wälder/Wüstenbildung	28
Wasserverschmutzung	28
Verlust der Artenvielfalt	23
Mülldeponien	20
Luftverschmutzung	20
Bodenerosion	18
Störung der Ökosysteme	17
Belastung durch Chemikalien	16
Verstädterung	16
Ozonloch	15
Energieverbrauch	15
Erschöpfung der natürlichen Ressourcen	11
Zusammenbruch des biogeochem. Kreislaufs	11
Industrieabgase	10
Naturkatastrophen	7
Einschleppung fremder Arten	6
Gentechnik	6
Meeresverschmutzung	6
Überfischung	5
Veränderung von Meeresströmungen	5
Schwer abbaubare Zellgifte (u.a. DDT)	4
El Niño	3
Anstieg der Meeresspiegel	3

Quelle: UNEP   Stand: 2000   Mehrfachnennungen

M1* Die Umweltprobleme des 21. Jahrhunderts

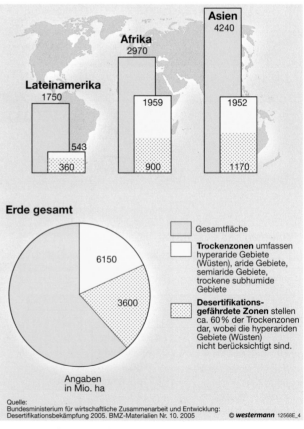

M3   Desertifikationsgefährdete Gebiete

Desertifikation: ein unaufhaltsamer Prozess? – Stationenarbeit

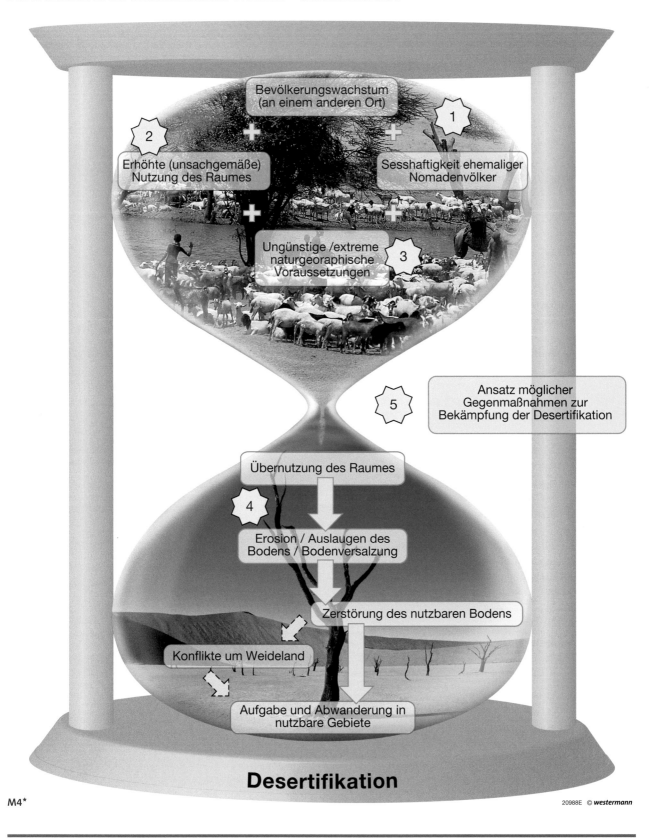

Bevölkerungswachstum (an einem anderen Ort)

1

2

Erhöhte (unsachgemäße) Nutzung des Raumes

Sesshaftigkeit ehemaliger Nomadenvölker

Ungünstige /extreme naturgeographische Voraussetzungen

3

Ansatz möglicher Gegenmaßnahmen zur Bekämpfung der Desertifikation

5

Übernutzung des Raumes

4

Erosion / Auslaugen des Bodens / Bodenversalzung

Zerstörung des nutzbaren Bodens

Konflikte um Weideland

Aufgabe und Abwanderung in nutzbare Gebiete

Desertifikation

M4*

20988E © *westermann*

Zu allen in M4 mit einem Stern gekennzeichneten Inhalten gibt es im folgenden Kapitel je eine Doppelseite. Diese können in als **Lernstationen** bearbeitet werden. Dabei lautet die Leitfrage: *„Desertifikation – ein unaufhaltsamer Prozess?"* Nachdem Sie das Material einer Station bearbeitet haben, legen Sie zunächst eine Mindmap an (siehe Abbildung im Aufgabenblock auf jeder Seite) bzw. vervollständigen Sie diese.

Vorgehen:

1. Teilen Sie sich gleichmäßig auf fünf Stationen auf.
2. Bearbeiten Sie das Material anhand der Arbeitsaufträge. Für schnelle Denker: Suchen Sie im Internet oder in anderen Quellen nach weiteren Fakten zu Ihrer Station.
3. Nach einer festgelegten Zeit wechseln alle die Station (1 zu 2, 2 zu 3, 3 zu 4, 4 zu 5, 5 zu 1).

Ursachen der Desertifikation im Sahel

Bevölkerungswachstum – Zünder des Desertifikationsprozesses im Sahel?

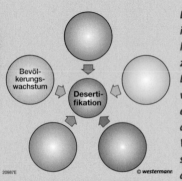

Das rasche Bevölkerungswachstum in den Schwellen- und Entwicklungsländern kann als eine Ursache für die zunehmende Verschlechterung der Ernährungssituation gesehen werden. Welche Auswirkungen hat eine größere und dichtere Bevölkerung auf die Nutzung des Raumes? Welche Räume werden neu erschlossen? Welche Auswirkungen resultieren daraus? Und wie hat sich die Situation bis heute entwickelt?

1. Erläutern Sie, inwieweit das Bevölkerungswachstum eine wesentliche Ursache der fortschreitenden Desertifikation ist (M1/ M4/ M7).

Ⓦ 2. Die demographische Struktur im Sudan wird sich zwischen 2014 und 2034 verändern.

   A Untersuchen Sie die Veränderungen in der Altersstruktur und der Demographie. Kombinieren Sie die von M2 zu M3 zu erkennende mit der in M8 gezeigten Entwicklung.

   B Wandeln Sie M8 in ein Diagramm um. Werten Sie anschließend das Diagramm hinsichtlich der demographischen Strukturen im Sahel aus.

3. Erläutern Sie die landwirtschaftliche Nutzung der Region El Fasher (M5). Erörtern Sie, ob die Nutzung nachhaltig ist.

Ⓩ 4. Erörtern Sie die Problematik zuziehender und sesshaft werdender Nomaden auch in Hinsicht auf das natürliche Bevölkerungswachstum im Sudan (M1/ M5/ M6).

5. Füllen Sie in der Mindmap zur Desertifikation den Ast zum Bevölkerungswachstum weiter aus.

→ Degradation, Demographie, Fertilität, Mortalität

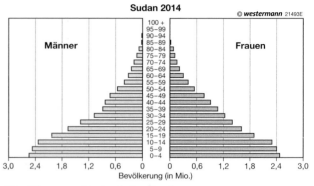

M2   Alterspyramide des Sudans heute

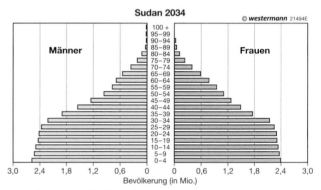

M3   Alterspyramide des Sudan in Zukunft

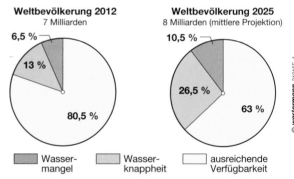

M4   Entwicklung der Weltbevölkerung und Wasserverfügbarkeit

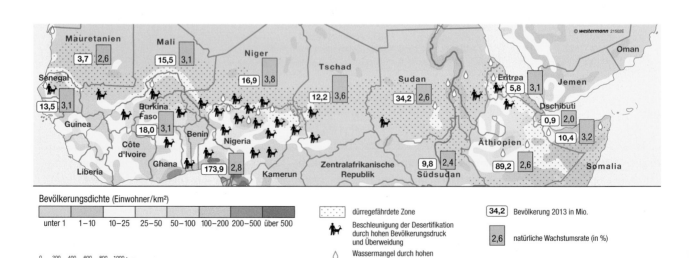

Bevölkerungsdichte (Einwohner/km²)

unter 1 | 1–10 | 10–25 | 25–50 | 50–100 | 100–200 | 200–500 | über 500

0 200 400 600 800 1000 km

⋮ dürregefährdete Zone

🐫 Beschleunigung der Desertifikation durch hohen Bevölkerungsdruck und Überweidung

💧 Wassermangel durch hohen Bevölkerungsdruck

34,2 Bevölkerung 2013 in Mio.

2,6 natürliche Wachstumsrate (in %)

M1* Bevölkerungszuwachs und Wassermangel im Sahel

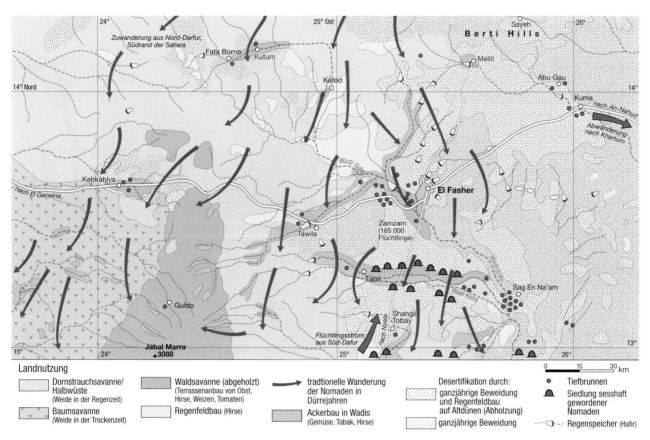

Landnutzung

	Dornstrauchsavanne/ Halbwüste (Weide in der Regenzeit)
	Baumsavanne (Weide in der Trockenzeit)
	Waldsavanne (abgeholzt) (Terrassenanbau von Obst, Hirse, Weizen, Tomaten)
	Regenfeldbau (Hirse)
→	tradtionelle Wanderung der Nomaden in Dürrejahren
	Ackerbau in Wadis (Gemüse, Tabak, Hirse)

Desertifikation durch:
| | ganzjährige Beweidung und Regenfeldbau auf Altdünen (Abholzung) |
| | ganzjährige Beweidung |

• Tiefbrunnen
⌂ Siedlung sesshaft gewordener Nomaden
--◠-- Regenspeicher (Hafir)

0   15   30 km

M5* Landnutzung, Wanderungsbewegungen und Siedlungen in El Fasher (Sudan)

In der Hierarchie der Savannenvölker belegten die Nomaden traditionell eine herausgehobene Position, denen die benachbarten Ackerbauern als Sklaven dienen mussten. Heute ist die Rollenverteilung fast umgekehrt. Bei den meisten Nomadenvölkern zeichnet sich ein steter ökonomischer und sozialer Niedergang ab. Als erstes verloren sie durch den Ausbau der Verkehrsinfrastruktur ihr Transportmonopol: Das Kamel wurde durch den LKW ersetzt. Anhaltendes Bevölkerungswachstum verschärfte die Konkurrenz um die knapper werdenden Ressourcen Land und Wasser. Steigende Personenzahlen führten zwangsläufig zu höheren Tierzahlen, ein Trend, der durch die zunehmende Kommerzialisierung der Tierhaltung („Berufsweidewirtschaft") und durch zahlreiche veterinärmedizinische Projekte noch verstärkt wurde. Schließlich reichte die Futtergrundlage der kargen Weiden nicht mehr aus. Übernutzung, Degradation bis hin zur Desertifikation waren die Folge.
Nach: U. Scholz, 2011

M6 Wandel der Sozialstruktur

Besonders die Dornstrauchsavannenzone ist weitgehend schon so dicht besiedelt, dass Übernutzung und Degradierung stattfinden. Betrachtet man die Bevölkerungsentwicklung in den einzelnen Teilräumen, so kann man einerseits eine starke Zunahme durch das Wachstum der ansässigen Bevölkerung beobachten, andererseits bildeten die anbaufähigen Teile der Trockengebiete bisher wichtige Reserveräume zur Aufnahme überquellender Bevölkerung aus den dicht- bis überbevölkerten humiden Regionen bzw. den nomadisch genutzten Räumen. [...] Bei einem derzeit zwar reduzierten, aber immer noch zu hohen Bevölkerungswachstum von über zwei Prozent werden die noch existierenden Reserveflächen jedoch bis in die stark dürregefährdeten Gebiete im agronomischen Trockengrenzbereich [siehe S. 60/61] aufgesiedelt, und infolge der vorherrschenden Realerbteilung schrumpfen die Betriebsgrößen auch in den Trockengebieten immer mehr bis unter die kritischen Mindestgrößen.
Nach: B. Hornetz, R. Jätzold, 2009

M7 Übernutzung durch dichte Besiedlung

Demographische Indikatoren	1995	2005	2014	2025*
Bevölkerung				
Bevölkerung (in 1 000)	24 517	29 883	35 482	42 733
Wachstumsrate (in Prozent)	2,6	2,6	1,8	1,7
Fertilität				
Fertilitätsrate (Geburten pro Frau)	6,1	5,4	3,9	2,8
Geburtenrate (pro 1 000 Einwohner)	43	39	30	24
Geburten (in 1 000)	1 056	1 162	1 065	1 010
Mortalität				
Lebenserwartung bei Geburt (Jahre)	52	51	63	67
Kindersterblichkeitsrate (pro 1 000 Geburten)	87	83	53	39
Sterberate (pro 1 000 Einwohner)	13	13	8	6
Sterbefälle (in 1 000)	326	399	279	171

*Prognose

Quelle: US Census Bureau

M8 Demographische Entwicklung im Sudan (1995–2025)

Ursachen der Desertifikation im Sahel

Über- und unsachgemäße Nutzung der gefährdeten Sahelzone

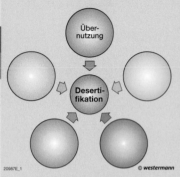

Eine wachsende Bevölkerung und der Anstieg der Tierbestände haben in der Sahelzone deutliche Spuren hinterlassen. Ökowissenschaftler und Agrarplaner können mit diesem Nutzungsdruck bislang nicht in ausreichendem Maße Schritt halten – nachhaltige und ressourcenschonende Konzepte fehlen häufig noch. Trägt das zur Desertifikation in der Region bei? Wie haben sich die Tierbestände entwickelt?

Ⓦ **1.** Analysieren Sie den Nutzungsdruck, der auf der Sahelzone und dabei speziell auf dem Sudan lastet. Zitieren Sie hierfür aus unterschiedlichen Materialien und verknüpfen Sie die Aussagen miteinander.

    A Erläutern Sie den Zusammenhang zwischen der Entwicklung der landwirtschaftlich genutzten Fläche und der Tragfähigkeit des Raumes (M2/ M4 / M5).

    B Schildern Sie, wie sich die Situation aus der Sicht eines Bauern im Sahel darstellt.

    C Finden Sie zu jedem Material die Kernaussage und analysieren Sie diese hinsichtlich des Nutzungsdrucks.

2. Erläutern Sie die Rolle des Faktors Wasser bei der Über- und unsachgemäßen Nutzung des Sahels (M6/ M7).

3. Ziegen sind besonders „umweltschädliche" Tiere, da sie nicht nur Triebe und Krautschicht fressen, sondern auch die Wurzeln mit herausreißen. Außerdem sind sie gute Kletterer. Nutzen Sie diese Information als Start Ihrer Analyse und beziehen Sie diese auf M6.

Ⓩ **4.** In den letzten Jahrzehnten hat die Produktion für den Weltmarkt stark zugenommen, so auch im Sahel.
Ermitteln Sie mithilfe des Atlas, welche Cash Crops im Sahel angebaut werden.

5. Füllen Sie in der Mindmap zur Desertifikation den Ast zur Übernutzung der Sahelzone weiter aus.

→ Cash Crop, Food Crop, Subsistenzwirtschaft, Tragfähigkeit

M1 Ziegenherde an einer Wasserstelle im Sahel

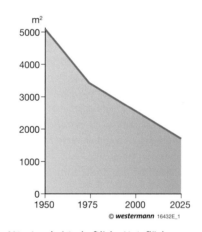

M2 Landwirtschaftliche Nutzfläche weltweit pro Kopf

→ Tragfähigkeit
Der Begriff der Tragfähigkeit bezeichnet allgemein das Fassungsvermögen eines Lebensraumes. Er lässt sich ausdifferenzieren in agrarische, naturbedingte und gesamte Tragfähigkeit (s. auch S. 62).

→ Cash Crop
Ein Cash Crop ist ein für den Markt erzeugtes Agrarprodukt. Cash Crops stehen im Gegensatz zu Erzeugnissen, die der Selbstversorgung (Subsistenzwirtschaft, Food Crops) dienen.

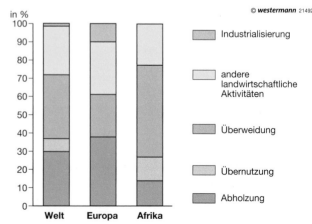

M3 Anthropogene Ursachen der Bodendegradation

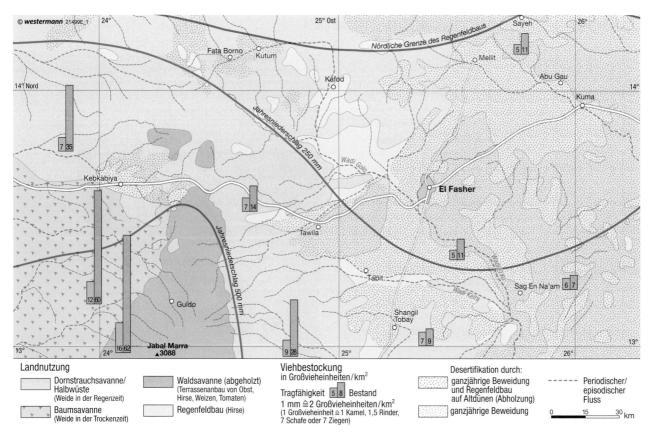

Landnutzung

| | Dornstrauchsavanne/ Halbwüste (Weide in der Regenzeit) | | Waldsavanne (abgeholzt) (Terrassenanbau von Obst, Hirse, Weizen, Tomaten) |
| | Baumsavanne (Weide in der Trockenzeit) | | Regenfeldbau (Hirse) |

Viehbestockung
in Großvieheinheiten/km²

Tragfähigkeit | 5 | 8 | Bestand
1 mm ≙ 2 Großvieheinheiten/km²
(1 Großvieheinheit ≙ 1 Kamel, 1,5 Rinder, 7 Schafe oder 7 Ziegen)

Desertifikation durch:

| | ganzjährige Beweidung und Regenfeldbau auf Altdünen (Abholzung) | ----- | Periodischer/ episodischer Fluss |
| | ganzjährige Beweidung | | |

0   15   30 km

M4* Landnutzung und Tierbestände in El Fasher (Sudan)

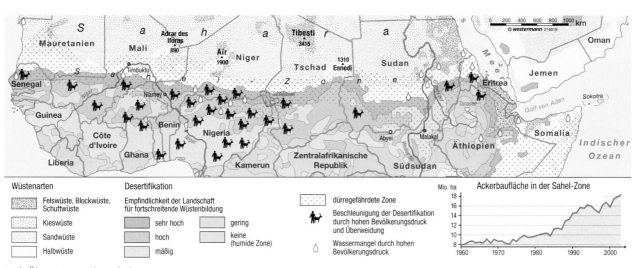

Wüstenarten

	Felswüste, Blockwüste, Schuttwüste
	Kieswüste
	Sandwüste
	Halbwüste

Desertifikation
Empfindlichkeit der Landschaft für fortschreitende Wüstenbildung

	sehr hoch		gering
	hoch		keine (humide Zone)
	mäßig		

	dürregefährdete Zone
	Beschleunigung der Desertifikation durch hohen Bevölkerungsdruck und Überweidung
	Wassermangel durch hohen Bevölkerungsdruck

Ackerbaufläche in der Sahel-Zone

M5* Übernutzung der Sahelzone

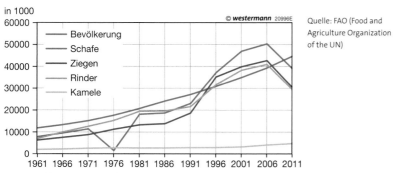

Quelle: FAO (Food and Agriculture Organization of the UN)

M6 Bevölkerungsentwicklung und Tierbestand im Sudan

Wasserverbrauch zur Produktion von 1 kg:

- Weizen: 715–750 l
- Mais: 540–630 l
- Sojabohnen: 1650–2200 l
- Reis: 1550 l
- Rindfleisch: 50000–100000 l
- Gesäuberte Wolle: 170000 l
- Milch (1 l): 1000 l

M7 Wasserverbrauch für Lebensmittel

Ursachen der Desertifikation im Sahel

Ungünstige naturgeographische Voraussetzungen in El Fasher (Sudan)

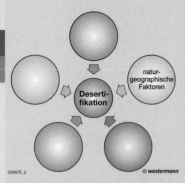

Die Sahelzone liegt in einem Übergangsbereich zwischen agrarischer Gunst hinsichtlich des Wasserverfügbarkeit im Süden und der Vollwüste im Norden. Dies macht diese Zone zu einem fragilen Landschaftsgürtel. Dürren sind nicht vorhersagbar und können ganze Ernten zerstören. Unter dem Einfluss des Klimawandels ist es unklar, wie sich die Dürrewahrscheinlichkeit verändern wird.

W 1. Lokalisieren Sie El Fasher und kennzeichnen Sie die naturgeographischen Voraussetzungen für die landwirtschaftliche Nutzung der Region (M1/ M3–M7).

   A Nutzen Sie auch den Atlas und gliedern Sie die Voraussetzungen anhand der Geofaktoren (vgl. S. 8).

   B Beschreiben Sie die Lage von El Fasher und leiten Sie aus der geographischen Lage auf das Klima in El Fasher über. Beschreiben Sie anschließend Boden, Relief und Vegetation. Überlegen Sie, welche Auswirkungen die Bedingungen für die Nutzung durch den Menschen haben.

2. Erläutern Sie die Dürreproblematik im Sahel und ihre Konsequenzen für die Landnutzung (M2, → Definition).

Z 3. Recherchieren Sie (z.B. Internet) Dürreereignisse und Dürrekatastrophen. Schreiben Sie kurze Steckbriefe zu den Ereignissen.

Z 4. Diskutieren Sie die Vulnerabilität von El Fasher. Wie können die dort lebenden Menschen zukunftsorientiert handeln? Was können wir tun?

5. Füllen Sie in der Mindmap zur Desertifikation den Ast zu den naturgeographischen Faktoren weiter aus.

→ agronomische Trockengrenze, Brache

M1 Bewässerung angepflanzter Sträucher

Phase mit überdurchschnittlichen Niederschlägen	Phase mit unterdurchschnittlichen Niederschlägen
Aufstockung der Herden	Nutzungskonflikte durch in Dürrejahren nach Süden wandernde Nomaden
Vordringen des Hirseanbaus über die Grenze des Regenfeldbaus hinaus	Alternative Einkommensmöglichkeiten werden gesucht: Abholzung von Bäumen zur Herstellung von Holzkohle
Zunahme der Sesshaftigkeit der nomadisch lebenden Bevölkerung	Stärkere Konzentration auf die vorhandenen Tiefbrunnen
	Extreme Dürre: Ausfall der Hirseernte führt zu Hungerkatastrophen

M2 Einfluss der Niederschlagsmengen auf die Landnutzung

→ **Agronomische Trockengrenze**
Die agronomische Trockengrenze ist die Trockengrenze des Regenfeldbaus, die als Trockengrenzzone in den Tropen zwischen der Trockensavanne und der Dornstrauchsavanne bei ca. 8,5 ariden Monaten und in den Subtropen zwischen den Zonen mit Hartlaubvegetation und der Dornbuschsteppe bei etwa 8 ariden Monaten verläuft. Die jährliche Niederschlagsmenge liegt zwischen 250 und 1000 mm, bei sehr hohen Verdunstungsraten.
Hier sind trockenheitstolerante landwirtschaftliche Betriebsformen gerade noch lebensfähig.

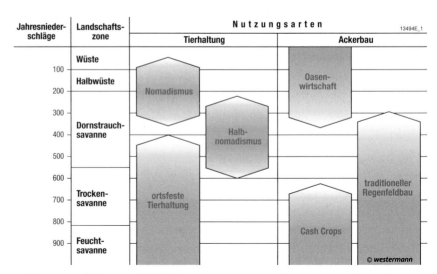

M3* Traditionelle landwirtschaftliche Nutzung in Wüsten- und Savannengebieten in Abhängigkeit von den Niederschlägen (in mm)

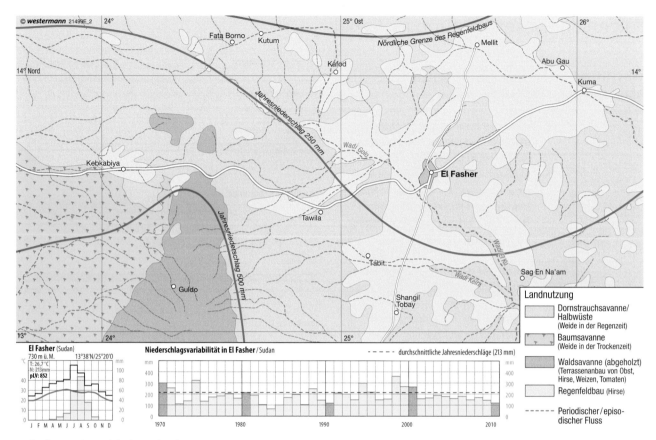

M4* Klimatische Gefährdung El Fashers

Ein Hauptproblem sind die Dürren im Regenfeldbau-Grenzbereich. Selbst in noch relativ sicheren Gebieten wie Nordwestindien fallen in einer Regenzeit 950 mm, in einer anderen nur 20 mm. Reservekulturen wie die […] Knollengewächse, Futterbäume oder -sträucher sind dann überlebenswichtig. Wildfrüchte können auch helfen und Migration ist notwendig. […] Da die Devisensituation sowie die Infrastruktur der meisten Länder nicht ausreichen, um Nahrungsmittelreserven anzulegen, kommt es bei ungünstiger Niederschlagsentwicklung zunehmend zu schweren Nahrungsmitteldefiziten und Hungerkatastrophen.

Nach: B. Hornetz, R. Jätzold, 2003

M5   Dürren im Regenfeldbau

	Tropischer Regenwald	Feuchtsavanne	Trockensavanne	Dornstrauchsavanne	Halbwüste
Niederschlag/ Jahr (mm)	>1 500	1 500–1000	1 000–500	500–100	<100
Intensität der chemischen Verwitterung	extrem stark	stark	mittel	gering	sehr gering
Restmineralgehalt	sehr gering	gering	mittel	hoch	sehr hoch
Versalzungsgefahr	keine	gering	mäßig	groß	sehr groß
Humusauflage	mittel	mittel	gering	sehr gering	fehlt
vorherrschende Tonminerale	Zweischicht-Tonminerale (z. B. Kaolinit)		Dreischicht-Tonminerale (z. B. Montmorillonit)		

M7   Kriterien der Fruchtbarkeit tropischer Böden (vgl. auch Kapitel 1)

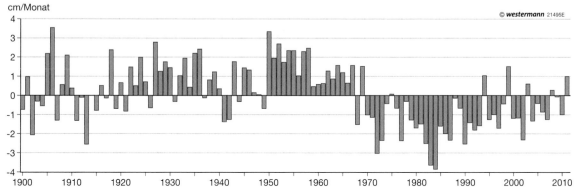

M6   Niederschlagsvariabilität im Sahel

Folgen der Desertifikation im Sahel

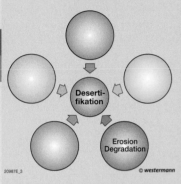

Was richtet die unsachgemäße Nutzung eines gefährdeten Raumes an?

Die starke Bevölkerungszunahme in der Sahelzone hat dazu geführt, dass die Böden der Region in extremem Maß genutzt (und übernutzt) werden. Neue Anbaugebiete wurden erschlossen, die zuvor Rückzugsräume waren. Doch wann herrscht eine Übernutzung des Raumes vor? Welche Konsequenzen ergeben sich aus der Übernutzung der Sahelzone? Welche Auswirkungen hat dies auf die Tragfähigkeit des Raumes?

W 1. Erläutern Sie die Auswirkungen der Übernutzung eines Raumes auf dessen Tragfähigkeitspotenzial.
   A Beschreiben Sie M2 und erklären Sie die Notwendigkeit einer passenden Brachezeit für das Ertragsniveau.
   B Beschreiben Sie M1 und erklären Sie die Auswirkungen der Bevölkerungsentwicklung auf das Tragfähigkeitspotenzial des Raumes.
   C Analysieren Sie die Aussagen im Einführungstext dieser Seite mithilfe von M1, M2 und der → Definition.
2. Analysieren Sie die Auswirkungen der Übernutzung der Sahelzone am Beispiel der Degradation. Verknüpfen Sie passende Materialien für Ihre Aussage.
3. Suchen Sie z. B. im Internet oder in Zeitschriften nach aussagekräftigen Bildern zur Bodendegradation. Notieren Sie den Ort und schlagen Sie im Atlas die Klimazone nach, in der sich der Ort befindet. Arbeiten Sie anhand der Bilder und der geographischen Lage Anhaltspunkte für eine mögliche Vulnerabilität heraus.
Z 4. Ermitteln Sie mit dem Atlas, welche Länder der Sahelzone (M4) in welchem Maße und in welcher Art von Erosion und Bodendegradation betroffen sind.
5. Füllen Sie in der Mindmap zur Desertifikation den Ast zur Erosion und Degradation weiter aus.

→ Degradation, Erosion, Tragfähigkeit

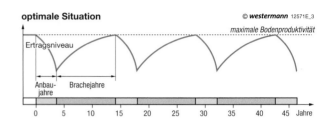

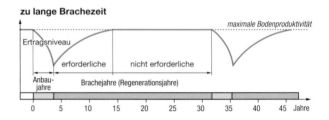

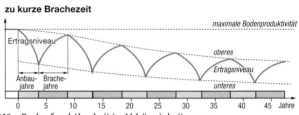

M2 Bodenfruchtbarkeit in Abhängigkeit von Brache- und Anbauzeiten

→ Tragfähigkeit

Der Begriff der Tragfähigkeit bezeichnet allgemein das Fassungsvermögen eines Lebensraumes. Er lässt sich ausdifferenzieren in agrarische, naturbedingte und gesamte Tragfähigkeit. Die agrarische Tragfähigkeit stellt dabei das Fassungsvermögen eines Lebensraumes an Pflanzen und Tieren dar. Dieses hängt von dem Naturraumpotenzial (natürliche T.) ab. Aus dieser agrarischen Tragfähigkeit resultiert ein Leistungsvermögen bzw. eine Aufnahmekapazität des Raumes und seiner Ökosysteme für die menschliche Nutzung. Auch die Anzahl der Menschen in einem Raum entscheidet, ob die Tragfähigkeit überlastet wird. Aus diesen Faktoren ergibt sich eine gesamtwirtschaftliche (gesamte) Tragfähigkeit eines Raumes. Die Tragfähigkeit setzt voraus, dass die Regenerationsfähigkeit des Ökosystems gewahrt wird.

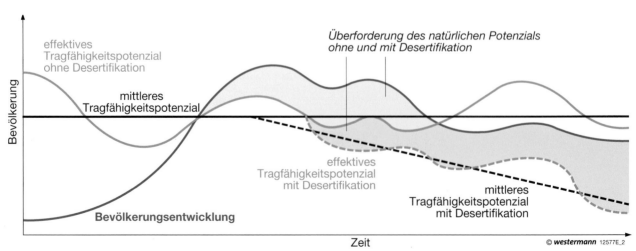

M1* Entwicklung des Tragfähigkeitspotenzials

M3 Erosion im Sahel

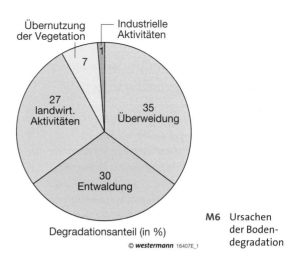

Degradationsanteil (in %)

© *westermann* 16407E_1

M6 Ursachen der Boden-degradation

→ (Boden-)Degradation → Erosion

Erosion ist ein Sammelbegriff für Abtragungsprozesse. Im Wesentlichen ist Erosion durch Niederschlag oder Wind aus-gelöste Ablösung, Transport und Ablagerung von Bodenpartikeln. Damit kann die Erosion physikalisch zur Degradation des Bodens, also der Verringerung der Fruchtbarkeit, beitragen. Die Boden-degradation kann aber auch chemische Ursachen haben (z. B. Bodenversalzung). Die Bodendegradation kann natürliche Ursachen haben, aber auch auf unsachgemäße menschliche Nutzung zurückzuführen sein.

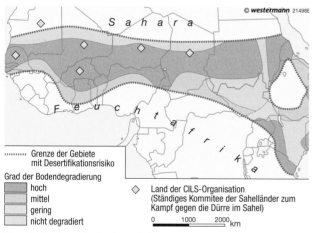

.... Grenze der Gebiete mit Desertifikationsrisiko

Grad der Bodendegradierung
- hoch
- mittel
- gering
- nicht degradiert

◇ Land der CILS-Organisation (Ständiges Kommitee der Sahelländer zum Kampf gegen die Dürre im Sahel)

0 1000 2000 km

M4 Bodendegradation im Sahel

Kontinent	Degradationsanteil	
	absolut[1] (in %)	relativ[2] (in %)
Asien	38,1	20
Afrika	25,2	22
Süd-amerika	12,4	14
Europa	11,1	23
Nord-amerika	8,0	8
Ozeanien	5,2	13

1 bezogen auf die weltweit degradierten Bodenflächen

2 bezogen auf den Anteil der kontinentalen Landfläche

M7 Bodendegradation weltweit

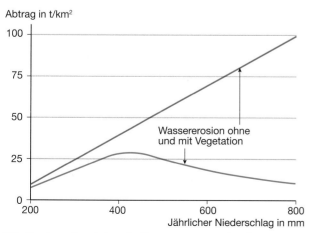

Abtrag in t/km²

Wassererosion ohne und mit Vegetation

Jährlicher Niederschlag in mm

M5 Erosion mit und ohne Bepflanzung

© *westermann* 17591E_1

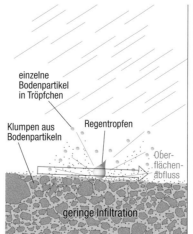

einzelne Bodenpartikel in Tröpfchen

Klumpen aus Bodenpartikeln

Regentropfen

Ober-flächen-abfluss

geringe Infiltration

Bodenbedeckung aus lebenden Pflanzen und abgestorbenem Pflanzenmaterial

Ober-flächen-abfluss

hohe Infiltration

© *westermann* 18798E_1

M8 Erosion mit und ohne Bodenbedeckung

Folgen der Desertifikation im Sahel

Lässt sich die Desertifikation aufhalten? Ansatz möglicher Gegenmaßnahmen

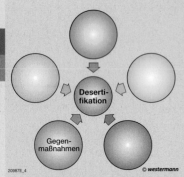

20987E_4   © westermann

Ein vollständig desertifizierter Raum ist für die menschliche Nutzung unwiederbringlich zerstört. Daher gilt es, möglichst früh den Prozess der Desertifikation zu verlangsamen oder sogar aufzuhalten. Über Ländergrenzen hinweg versuchen die Menschen daher, gemeinsam gegen die Wüste anzukämpfen. Doch wie wirksam sind diese Strategien? Und gibt es Möglichkeiten, auch mit wenig Geld zu handeln?

1. Erklären Sie die unterschiedlichen Maßnahmen zur Desertifikationsbekämpfung, die in M2 zu sehen sind (M1–M4).
2. Recherchieren Sie, wie das Mulchsaatverfahren funktioniert und erläutern Sie die Wirksamkeit im Kampf gegen die Desertifikation (M3).
Ⓦ 3. Länderübergreifende Kommunikation und ein globales Bewusstsein sind der Schlüssel zur Desertifikationsbekämpfung.
    A Stellen Sie hierfür die Kernaussagen von Serigne Mbodji dar (M5).
    B Notieren Sie weitere Fragen, die Sie an Serigne Mbodji bzgl. der Bekämpfungsmöglichkeiten der Desertifikation stellen würden (M5).
4. Erläutern Sie die Funktion der FAO im Kampf gegen die Desertifikation (M6).
5. Informieren Sie sich über M5 und M6 hinaus über das Great Green Wall Projekt und erstellen Sie einen Steckbrief dazu.
6. Füllen Sie in der Mindmap zur Desertifikation den Ast zu möglichen Gegenmaßnahmen weiter aus.

→ Erosion, nachhaltige Entwicklung, Nachhaltigkeit

Der Bau von Trockenmauern ist eine Möglichkeit, gegen die Degradation vorzugehen. Die Mauern werden nach Möglichkeit hangparallel errichtet. Dank der Mauer wird das Auswaschen des humusreichen Oberbodens reduziert. Denn es können sich keine großen Sturzbäche bilden, da das ablaufende Regenwasser an den Mauern abgebremst wird. Zusätzlich wirkt eine Trockenmauer wie ein Staudamm. Das mitgeschwemmte Material sammelt sich vor der Mauer.
Die Trockenmauern bestehen aus losen und aufgeschichteten Steinen. Die Hohlräume zwischen den Steinen werden nicht mit Mörtel oder Zement gefüllt, damit das Regenwasser durch die kleinen Spalten ablaufen kann und sich keine Pfützen bei zu viel Regen bilden. Zudem bieten die Fugen und Ritzen einen Lebensraum für kleine Tiere und Pflanzen.
Nach: C. Olehowski, M. Haspel, In Praxis Geographie 06/2009

M1   Trockenmauern als Erosionsschutz

M2   Unterschiedliche Maßnahmen zur Erosionsbekämpfung

Maßnahmen gegen Versalzung und Bodenschutzmaßnahmen:

▪ Drainage zur Ableitung des versickernden Wassers
▪ Anbau salztoleranter Pflanzen (Zuckerrohr, Baumwolle, Hirse)
▪ Tröpfchenbewässerung
▪ Bewässerung in der Nacht
▪ Konservierende Bodenbearbeitungsmethoden
▪ Mulchsaatverfahren
▪ Angepasste Fruchtfolge
▪ Andere, z. B. hangparallele Flurgestaltung
▪ Begrenzung der Hanglängen
▪ Bodenlockerungen und Vermeidung von Bodenverdichtungen
▪ Anlage von Windschutzhecken und -zäunen

M3   Maßnahmen gegen Bodendegradation

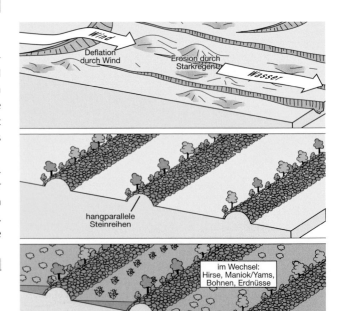

© westermann 13493E_1

M4   Maßnahmen zum Erhalt der landwirtschaftlichen Nutzfläche

Wann startete das Great-Green-Wall-Projekt (GGW)?

Ein erstes Treffen fand am 1./2. Juni 2005 in Ouagadougou, Burkina Faso statt. Heute mobilisiert dieses Projekt elf Länder der Sahara-Sahel-Region: Senegal, Mauretanien, Mali, Burkina Faso, Nigeria, Niger, Tschad, Sudan, Äthiopien, Eritrea und Dschibuti.

Was sind die Hauptziele?

Das GGW-Projekt ist eine Reaktion auf eine der größten Sorgen unseres Kontinents: die Degradation der natürlichen Umwelt und die Dürre. Die Ziele des GGW-Projekts sind die Bekämpfung der Armut, eine gesteigerte und vor allem nachhaltige Entwicklung und ein gesundes Management im Umgang mit den natürlichen Ressourcen und der Umwelt.

Was wurde bislang realisiert?

In sieben Zuchtstationen werden Setzlinge zur Wiederaufforstung gezogen. Jährlich sind es ca. 2 Millionen. Die Wiederaufforstung beläuft sich jedes Jahr auf ca. 5000 ha Fläche. Außerdem wurde die Holzwirtschaft verbessert, um den Schutz und die nachhaltige Entwicklung dieser Ressource zu sichern. Darüber hinaus wurden sogenannte Multi-Purpose-Gardens errichtet. Hier werden nachhaltige Anbaumethoden und das richtige Bewässern implementiert.

Wie groß ist der Erfolg?

Politiker der teilnehmenden Staaten haben eine gute Führungsrolle übernommen. Hinzu kommt, dass den Mitarbeitern der Multi-Purpose-Gardens etwa 110 US-$ pro Monat gezahlt werden, sodass Studenten ihr Studium finanzieren und sogar ihre Eltern unterstützen können. Andere bemerkenswerte Phänomene sind der Rückgang der Migration und ein gesteigertes Interesse an Alphabetisierung.

Wie reagieren die Menschen im Sahel auf diese Veränderungen?

Ernte und Verkauf aus den Multi-Purpose-Gardens fördern vor allem die Frauen, die in diesen Gärten arbeiten. Darüber hinaus haben die Qualität und die abwechslungsreiche Ernährung der Einheimischen durch den Verkauf und Konsum der Ernte (Salat, Kartoffeln, Tomaten) zugenommen. Besonders Farmer sind an der Aufbesserung des Weidelandes für ihr Vieh interessiert.

M5 Interview mit Serigne Mbodji (Mitarbeiter der National Agency for the Great Green Wall im Senegal)

An African partnership to tackle desertification and land degradation
Great Green Wall for the Sahara and the Sahel Initiative

Desertification and land degradation challenge the lives of people in the Sahel and the Sahara, home to the world's poorest populations. In 2007, African Heads of State and Government endorsed the Great Green Wall for the Sahara and the Sahel Initiative to tackle the detrimental social, economic and environmental impacts of land degradation and desertification in the region.

The initiative aims to support the efforts of local communities in the sustainable management and use of forests, rangelands and other natural resources in drylands. In doing so, the initiative seeks to improve the food security and livelihood of the people, while contributing to climate change mitigation and adaptation.

A harmonized strategy for the Great Green Wall was adopted in September 2012 by the African Ministerial Conference on Environment (AMCEN).

According to AMCEN, it is a flagship programme that contributes to the goal of the UN's Conference on Sustainable Development, or Rio+20, of "a land degradation neutral world".

From the initial idea of a line of trees from east to west through the African desert, the vision for a Great Green Wall has evolved into that of a mosaic of interventions addressing the challenges facing the people in the Sahel and Sahara.

The overall goal of the Great Green Wall initiative is to strengthen the resilience of the region's people and natural systems with sound ecosystems management, sustainable development of land resources, the protection of rural heritage and the improvement of the living conditions of the local population.

Nach: www.fao.org, 16.12.2013

M6* Meldung auf der Homepage der Food and Agriculture Organisation of the United Nations (FAO)

METHODE   Concept Map

Die einzelnen Aspekte der Desertifikationsproblematik ergänzen und verstärken sich gegenseitig. Viele Folgen der Desertifikation werden zu neuen Ursachen: So ist eine intensivere landwirtschaftliche Nutzung durch eine wachsende Bevölkerung eine Ursache der Desertifikation. Ist eine bestimmte Bevölkerungsdichte erreicht, so sind die Menschen gezwungen abzuwandern, was andernorts erneut zur Desertifikation führt. Eine Concept Map geht über eine Mindmap hinaus, da Linien mit Erklärungen eingefügt werden. Eine Begriffslandkarte entsteht. Sie dient der Vernetzung Ihres Wissens. Die Concept Map ist kein Präsentationsmedium, sondern eignet sich zur Wiederholung, z. B. vor Klausuren.

Vier Schritte zur Erstellung einer Concept Map

1. SCHRITT

→ Sie benötigen eine leere DIN A3 Seite, kleine Kärtchen mit Begriffen (z. B. die Fachbegriffe des Kapitels), Kleber, Stift und Lineal.

2. SCHRITT

→ Ordnen Sie die Begriffe auf der A3 Seite an.
→ Begriffe, die zueinander passen, legt man näher zusammen.
→ Begriffe, die man nicht einordnen kann, legt man zunächst beiseite.

3. SCHRITT

→ Nach dem Festkleben der Begriffe ziehen Sie Verbindungslinien und beschriften diese.
→ Überlegen Sie, in welche Richtung die Pfeile zeigen. Es müssen nicht alle Begriffe zwingend miteinander verbunden sein.
→ Auch farblich lassen sich bestimmte Begriffsgruppen gliedern (siehe M1).

4. SCHRITT

→ Widmen Sie sich nun den unbekannten Begriffen. Recherchieren Sie diese.

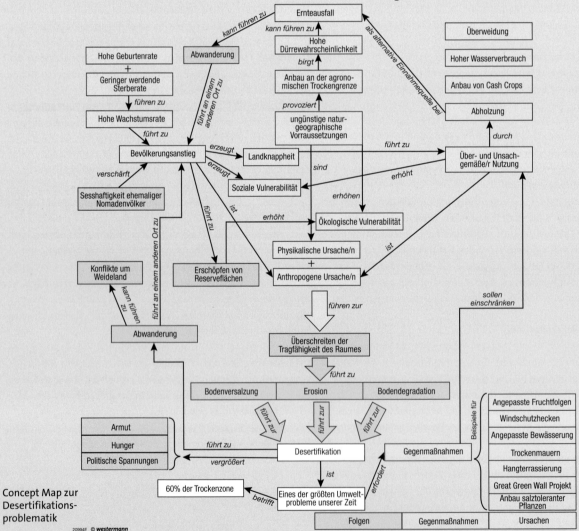

M1   Concept Map zur Desertifikationsproblematik

20994E © *westermann*

---

1. Blättern Sie zurück zu S. 55 und vergleichen Sie: Überprüfen Sie, ob alle Aspekte der Desertifikation (M1) in Ihrer Mindmap vorhanden sind. Ergänzen Sie gegebenenfalls Aspekte. Notieren Sie Fragen, falls etwas unklar geblieben ist und begründen Sie die Darstellung der Problematik als Sanduhr.
2. Verändern Sie Ihre Mindmap zu einer Concept Map, indem Sie Pfeile und Erläuterungen einfügen.

PROJEKT   Internetprojekt Desertifikation

Desertifikation ist ein medial sehr präsentes Thema. In Deutschland wird die Präsenz zudem verstärkt, da das Sekretariat zur Bekämpfung der Wüstenbildung seinen Sitz in Bonn hat. Ein Internetprojekt erlaubt einen genaueren Einblick in die Situation desertifikationsgefährdeter Gebiete. Dieses beinhaltet eine Filmanalyse und eine Projektarbeit, in der Sie individuelle Schwerpunkte setzen können.

M3 Logo der UN-Dekade zur Bekämpfung der Desertifikation (United Nations Decade for Deserts and the Fight Against Desertification)

Arbeitsauftrag zur Filmanalyse

Gehen Sie auf *www.desertifikation.de*, Video „An Boden verlieren".

Während des Films
1. Führen Sie ein Protokoll (M5).

Im Anschluss an den Film:
2. Tauschen Sie sich mit Ihren Mitschülerinnen und Mitschülern über die gezeigten Inhalte aus und vervollständigen Sie Ihre Tabelle.
3. Überprüfen Sie, ob Ihre selbst erstellte Mindmap vollständig ist und erweitern sie diese mit konkreten Beispielen aus dem Film.

Arbeitsauftrag zum Internetprojekt
Recherche
Sichten Sie die in M2 angegebenen Internetseiten, um einen Überblick über Themen und Raumbeispiele zu erhalten.

Schwerpunktsetzung/Projektphase
1. Setzen Sie sich einen Schwerpunkt, den Sie untersuchen möchten. Dieser kann entweder ein räumlicher Schwerpunkt sein (z. B. Ein Land unter der Lupe: Desertifikation in Mali) oder ein thematischer (z. B. Bekämpfung der Desertifikation – Projektbeispiele).
2. Entscheiden Sie sich für eine geeignete Darstellungsform Ihres Projektschwerpunktes (z. B. Plakat, digitale Präsentation, Schaubild, etc.).

Präsentation
Präsentieren Sie Ihr Projekt vor der Gruppe.

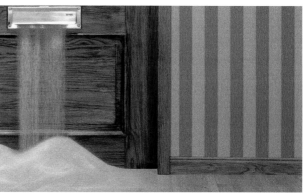

M4 Oben: „Die Wüste. Bald auch bei uns?" Plakat zum weltweiten Jahr der Wüstenbildung.
Unten: Ausschnitt aus dem Film „An Boden verlieren"

„An Boden verlieren" – ein Filmprotokoll			
Ursachen	Folgen	Gegenmaßnahmen	Raum

M5 Anlegen eines Filmprotokolls

Die GIZ ist die Deutsche Gesellschaft für Internationale Zusammenarbeit. Sie handelt im Auftrag des Bundesministeriums für wirtschaftliche Zusammenarbeit und Entwicklung (BMZ).

www.giz.de/fachexpertise
→ *Umwelt und Klima* →
Management von Naturressourcen → *Desertifikationsbekämpfung*
 ▪ Basisseite der Desertifikation bei der GIZ

www.desertifikation.de
 ▪ Video: Hier ist der Film „An Boden verlieren" zu sehen
 ▪ Downloads & Links: Nützliche Fakten

www.bmz.de
→ *Umwelt* → *Boden*

M2 Linksammlung für die Projektphase

Folgende Themen dienen als Anregung für die Formulierung eigener Projekte:
 ▪ „Welche Rolle spielt das BMZ im Kampf gegen die Desertifikation?"
 ▪ „Desertifikationsbekämpfung in Zentralasien – regionale Beispiele"
 ▪ „Auf allen Ebenen gegen die Desertifikation – das Beispiel Brasilien"
 ▪ „Aktiv im Kampf gegen die Desertifikation – das CCD-Projekt Deutschlands"
 ▪ „Organisationen im Kampf gegen die Desertifikation – welche gibt es, wie handeln sie?"
 ▪ „Wie wird auf die Desertifikation aufmerksam gemacht? Deutsche Publikationen & Veröffentlichungen im Überblick"

M6 Themenvorschläge

Klausurtraining – Materialien richtig verknüpfen

Nutzung eines Trockenraumes – das Beispiel der Aralseeregion

1. Verorten Sie den Aralsee und beschreiben Sie die naturräumlichen Gegebenheiten der Aralseeregion unter besonderer Berücksichtigung der landwirtschaftlichen Nutzbarkeit.
2. Erläutern Sie die Entwicklung der Aralseeregion.
3. Nehmen Sie zu dem Vorhaben, den Aralsee mithilfe von Kanälen von anderen Flüssen mit Wasser zu „retten", kritisch Stellung.

Diese Materialien benötigen Sie ergänzend zur Lösung der Aufgaben:

M1 Atlaskarten nach Wahl

M2 Diercke Weltatlas, 2008, Karte: Aralsee – Landschaftswandel 1960/2007, S. 157

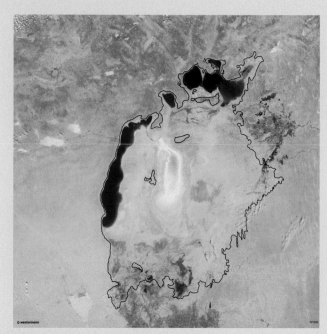

M5   Aralsee 2009 und ehemaliger Küstenverlauf von 1960

Die fruchtbaren Gebiete in Zentralasien sind durch Talsperren und Kanäle landwirtschaftlich nutzbar gemachte Wüsten.

Einer davon ist der Tujamujun-Kanal und seine Stauseen am Amudarja, der in den 1970er-Jahren an der Grenze zwischen Usbekistan und Turkmenistan erbaut wurde. Er besteht aus vier kleineren Stauseen, die der Trinkwasserversorgung, der Wassersammlung und der Steuerung der Abflussmengen dienen. Mit seinem Gesamtfassungsvermögen von 7,8 Mrd. m³ ermöglicht er neben der Wasserversorgung von 500 ha bestehenden Feldern die Erschließung von 500 000 ha zusätzlichem Bewässerungsland. Die Wasserentnahme ist Turkmenistan und Usbekistan zu gleichen Teilen (je 50 %) zugesichert. Turkmenistan ist allerdings mit dem Problem konfrontiert, dass seine Versorgungskanäle durch die Provinz Karakelpakestan (Usbekistan) verliefen. Aufgrund ungenehmigter Wasserentnahme dort erhielten die Bauern der Dashoguz-Region oft nicht die notwendige Wassermenge bzw. stark belastetes Wasser (mit Düngemittel etc.). Deswegen hat Turkmenistan an seiner Uferseite einen Bewässerungskanal gebaut, der das usbekische Territorium umgeht. Dieser Kanal verläuft jedoch unbefestigt durch den Wüstensand, sodass Schätzungen zufolge bis zu 80 Prozent des abgezweigten Wassers durch Infiltration und Verdunstung verloren gehen.

Die Streitigkeiten über diese Wasserentnahme führten schon zu mehreren Auseinandersetzungen und gegenseitiger Sabotage von Pumpstationen.

M3   Konkurrenz und Konflikte – Tujamujun-Stausee

M6   Kanäle zum Aralsee

Jahr	Fläche (km³)	Spiegelhöhe (m)	Salzgehalt (g/l)*²	Wasserzufluss (km³/Jahr)	Fischfang (t)	Bewässerungsfläche (ha) *³
1960	68 000	53	5	56	43 000	4,8 Mio.
1970	60 900	51	11	37	17 000	5,1 Mio.
1980	51 400	45	17	11	0	5,9 Mio.
1990	38 817	39	30	6	0	6,7 Mio.
2000	28 187	35	45	3	0	7,1 Mio.
2020*¹	19 200	31	70	2	0	k.A.

*1 Prognose

*2 zum Vergleich: Nordsee 30-40g/l

*3 Zahlen teilweise geschätzt, da unterschiedliche Erhebungsgrundlagen

M4   Daten zum Wasserhaushalt, Fischfang und zur Bewässerungsfläche

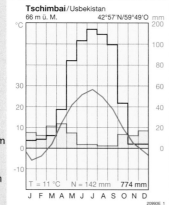

M7 Klimadiagramm von Tschimbai (Lage: 50 km nordöstlich von Nukus)

Aufgabe 1

■ Gliedern Sie die Aufgabe in zwei Hauptteile (Verortung + naturräumliche Gegebenheiten)

■ Gehen Sie bei der Verortung von großmaßstäbig zu kleinmaßstäbig bis hin zu den geographischen Koordinaten vor. Es ist gut, die angrenzenden Länder zu nennen.

■ Gliedern Sie die Bearbeitung der naturgeographischen Voraussetzungen anhand der Geofaktoren (s. Seite 8).

■ Formulieren Sie ein Fazit.

Aufgabe 2

■ Forschen Sie in den Materialien nach Ursachen und Folgen der Aralseekatastrophe.

■ Überlegen Sie, welche im Kapitel angesprochenen Faktoren der Desertifikation hier wieder auftauchen.

■ Haben Sie an Einleitung und Fazit gedacht?

Aufgabe 3

■ Beschreiben Sie zunächst die in der Aufgabe angesprochene Maßnahme.

■ Erörtern Sie aus ökologischer, ökonomischer, politischer und sozialer Sichtweise.

■ Bilden Sie sich abschließend ein Urteil und runden Sie damit die Aufgabenlösung ab.

M8 Tipps zum richtigen Vorgehen

Drei Schritte zur richtigen Materialverknüpfung

1. SCHRITT

→ Schauen Sie sich die Materialien nacheinander an und überlegen Sie, zu welchen Aufgaben sie zu verwenden sind.

→ In der Klausur können Sie die Nummer der Aufgabe neben das Material schreiben.
Aber Achtung: Manche Materialien kann man für mehrere Aufgaben gebrauchen.

2. SCHRITT

→ Legen Sie zu den jeweiligen Aufgaben eine Tabelle an (siehe M9).

→ Achten Sie hierbei besonders darauf, dass Sie nach Verknüpfungen und/oder Widersprüchen zu anderen Materialien suchen.

→ *Tauchen Aussagen mehrfach auf? Widersprechen sich die Materialien?*

3. SCHRITT

→ Gliedern Sie Ihre Tabelle und überlegen Sie, mit welchen Aspekten Sie beginnen wollen.

→ Formulieren Sie jetzt den Text aus.

→ Haben Sie einen Aspekt der Tabelle abgearbeitet, können Sie diesen in der Tabelle abhaken.
So behalten Sie die Übersicht, welche Punkte Sie in Ihre Ausarbeitung integriert haben.

→ Machen Sie auch in Ihren Formulierungen die Zusammenhänge deutlich, z. B.: *„Die Temperatur steigt von -6°C im Januar bis auf 27°C im Juli (M7). Dies liegt an der geographischen Lage in Zentralasien (M1). Es herrscht demnach ein kontinentales Klima."*

Beispiele für die Klausuraufgabe 1:

M	Beschreibung	Verknüpfung mit M... Widerspruch zu M ...	Rückschluss/ Begründung
7	Temperaturkurve geht von -6°C im Januar bis auf 27°C im Juli	**M1** → geographische Lage in Zentralasien	kontinentales Klima
7	142 mm Jahresniederschlag	**M2** → Wüstensignatur (Halb-, Sand- und Salzwüste)	unterhalb der agronomischen Trockengrenze
		M1 → Klimakarte	Wüstenklima
		M5 → karge Landschaft jenseits des Sees, bis auf Deltabereiche	

Beispiele für die Klausuraufgabe 2

M	Beschreibung	Verknüpfung mit M... Widerspruch zu M ...	Rückschluss/ Begründung
2	Fläche des Aralsees schwindet von 1960–2009 immens	**M4** → Wasserzufluss sinkt von 1960 (56 km³/Jahr) bis 2000 (3 km³/Jahr) permanent	Aralsee trocknet in der Wüstenregion aus, da Zuflüsse ausbleiben
2	Zuflüsse münden nicht mehr in den See	**M4** → Steigerung der Bewässerungsfläche von 4,8 Mio. ha (1960) auf 7,1 Mio. ha (2000)	unsachgemäße Nutzung durch Ausweitung der Bewässerungsfläche
		M3 → „die Erschließung von 500 000 ha zusätzlichem Bewässerungsland"	

M9 Beispieltabellen zur Materialauswertung und -verknüpfung

Hochwasser – Naturereignis oder Naturkatastrophe?

Hochwasser in Passau 2013

„Nicht schon wieder!" stöhnt Ludwig Lober. Er wohnt in der Altstadt von Passau und im Juni 2013 wurde sein Haus einmal mehr durch ein „Jahrhunderthochwasser" überflutet. Seit dem letzten „Jahrhunderthochwasser" sind gerade einmal zehn Jahre vergangen. Der Wasserstand erreicht die Rekordhöhe von 12,89 m. Damit wurde das bislang höchste Hochwasser in Passau von 1501 noch übertroffen. Der Schaden wird auf mehrere hundert Millionen Euro geschätzt.

1. Notieren Sie Fragen, die sich Ihnen stellen, wenn Sie die Texte über das „Jahrhunderthochwasser" in Passau lesen. Finden Sie Antworten zu den Fragen bei der Bearbeitung des Kapitels.
2. Erklären Sie, warum Hochwasserereignisse in Passau keine Seltenheit sind (M3).
Ⓦ 3. In Passau wurde aus einem Naturereignis eine Naturkatastrophe
   A Erläutern Sie die Zusammenhänge (M2/ M7/ M9).
   B Stellen Sie die Zusammenhänge in einem Wirkungsgefüge dar (M2/ M7/ M9).
Ⓦ 4. Analysieren Sie den Zeitungsartikel unter der Fragestellung, wie ein Hochwasserereignis durch die Medien zur Hochwasserkatastrophe gemacht wird (M7).
   A Gehen Sie insbesondere auf die Ausdrucksweise ein.
   B Werten Sie den Artikel in Bezug auf den Informationsgehalt aus.
Ⓩ 5. Erläutern Sie anhand einer Karte, welche Gebiete in Deutschland hochwassergefährdet sind (Atlas).

→ Hochwasser, Naturereignis, Naturkatastrophe

→ Hochwasser

Hochwasser sind natürliche Ereignisse. Durch z. B. starke Niederschläge im Quellgebiet eines Flusses erhöht sich der Wasserabfluss in den Flüssen und der Wasserstand steigt an.

→ Naturereignis, Naturkatastrophe

Ein Naturereignis wird zu einer Naturkatastrophe, wenn als Folge große materielle und ökonomische Schäden sowie Störungen des gesellschaftlichen Lebens auftreten. Dies kann bei einem Hochwasser durch die Überschwemmung der besiedelten ufernahen Gebiete der Fall sein.

Das Frühjahr 2013 in Deutschland war besonders nass und trüb. Tiefdruckgebiete zogen in fast kontinuierlicher Abfolge über Deutschland hinweg. Außergewöhnlich war ihre Zugbahn, die in einem Bogen über das Mittelmeer hinweg führte. Es war eine ungewöhnliche Wetterlage, die besonders hohe Niederschläge zur Folge hatte.

In Passau stiegen die Pegel der Flüsse in kurzer Zeit auf Rekordhöhe an, weite Teile der Innenstadt wurden überschwemmt, manche Häuser sogar bis ins erste Stockwerk. Die Strom- und Trinkwasserversorgung wurde eingestellt, das wirtschaftliche Leben der Stadt kam zum Erliegen.

Über 800 Gebäude waren betroffen. Die Einrichtungen von Gaststätten, Hotels und Geschäften waren zerstört und die Waren in den Geschäften unbrauchbar geworden, die Bausubstanz der Häuser war geschädigt.

Auch die Infrastruktur der Stadt war betroffen: Straßen und Bahnlinien waren überflutet.

M2 Hochwasser in Passau 2013

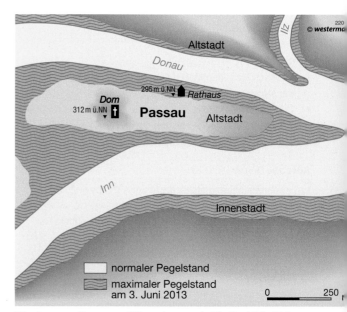

M3 Lage von Passau und überschwemmte Stadtgebiete 2013

M1 Passau vor dem Hochwasser

M4 Hochwasser in Passau 2013

M5 Hochwasser in der Altstadt von Passau

M8 Hilfseinsatz mit Schlauchboot in der Fußgängerzone

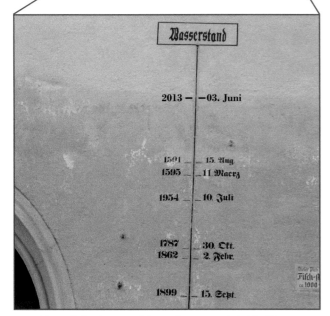

M6 Die noch feuchte Wand des Rathauses und die Markierung zeigen den Hochwasserstand vom Juni 2013 an.

Geschätzte Kosten für Instandsetzung der Infrastruktur (Angaben des Bürgermeisters von Passau)	7,6 Mio. Euro
Geschätzte Kosten für Schäden in Passau insgesamt (Schätzung des Baureferenten der Stadt)	über 100 Mio. Euro
Soforthilfeprogramm für den Landkreis Passau	3 Mio. Euro
Geschätzte Kosten in Bayern insgesamt (Schätzung des Rückversicherers Munich Re)	1,3 Mrd. Euro
Geschätzter volkswirtschaftlicher Schaden deutschlandweit (Schätzung des Rückversicherers Munich Re)	12 Mrd. Euro

* Rückversicherungen sind die Versicherungen der Versicherer.
Sie müssen für einen Teil der Kosten aufkommen, die Versicherungen Flutopfern erstatten.

(Quellen: www.br.de; www.pnp.de; www.freiewelt.net; www.munichre.com)

M9 Geschätzte Folgekosten des Hochwassers 2013

Hochwasser in Passau: „Oh Gott, ich hoffe, es bleibt stehen"

In Passau herrscht blankes Entsetzen. Egal, wie routiniert die Passauer im Umgang mit den Fluten bisher gewesen sein mögen – diese Katastrophe sprengt alle Dimensionen. Das Jahrhunderthochwasser von 2002? Die Flut von 1954? Vergessen. In der Dreiflüssestadt steht das Wasser so hoch wie seit 1501 nicht mehr. Und es steigt weiter.

„Mein Haus ist Baujahr 1870, und es war noch nie überflutet", sagt der Journalist Hubert Denk. „Und jetzt habe ich einen überfluteten Keller und den Fluss vorm Fenster. Wenn der Pegel weiter steigt, drückt's das Wasser hier durch die Bodenbretter."

Quelle: A. Zoch, abendzeitung-muenchen.de, 03.06.2013

Seine Stimme überschlägt sich beim Reden. Er hat eine katastrophale Nacht hinter sich. „Ich habe drei Stunden geschlafen."

Die Trinkwasserversorgung ist unterbrochen. Die Stadtwerke Passau haben die Trinkwasser-Versorgung eingestellt: Das Hochwasser könnte die Brunnen verschmutzen. Ein Krisenstab arbeitet mit Hochdruck an einer Lösung.

Günther Loibl lehnt müde und erschöpft an der Hauswand. Seit Stunden droht dem 45-Jährigen, den Kampf um seine Gaststätte, sein Lebenswerk, zu verlieren. „Toiletten und Kühlraum sind schon über-

schwemmt", sagt der Gastwirt. „Es fehlen nur noch wenige Zentimeter bis zum Schankraum."

Die Feuerwehr pumpt und pumpt – insgesamt 600 Einsatzkräfte und 120 Bundeswehrsoldaten sind in Passau im Einsatz. „Was die hier leisten, ist brutal", sagt Loibl. „Die versuchen, jeden Zentimeter zu retten."

In vielen anderen Fällen sind die Helfer aber auch machtlos: Mehrere Geschäfte in der Innenstadt musste die Feuerwehr aufgeben, weil die Schaufensterscheiben unter dem Druck des Wassers zerborsten sind.

M7* Zeitungsartikel

Das Abflusssystem eines Flusses im Wasserkreislauf

Natürlicher und gestörter Abfluss

Hochwasser sind Naturereignisse, die schnell zur Naturkatastrophe werden können. Weltweit sind Gebiete betroffen, in denen nicht Wassermangel, sondern Wasserüberfluss herrscht. Extreme Hochwasser sind zwar selten, werden aber immer heftiger.

Sogenannte „Jahrhunderthochwasser" treten immer häufiger auf. Durch die Besiedlung von ufernahen Gebieten und die Zunahme der Bevölkerungszahl steigt das Risiko, von Hochwasser betroffen zu sein. Es stellt sich die Frage, inwiefern der Mensch an der Erhöhung des Hochwasserrisikos beteiligt ist und mit welchen Maßnahmen das Hochwasserrisiko verringert werden kann. Dazu muss zunächst untersucht werden, wie der Mensch in das Abflusssystem eines Flusses eingreift.

Welche Eingriffe des Menschen verändern den natürlichen Wasserabfluss?

1. Formulieren Sie Ihre Vermutungen zur Fragestellung (M1/ M2).
2. Beschreiben Sie den natürlichen Abfluss des Wassers (M1).
Ⓦ 3. Das Hochwasserrisiko an einem Fluss hängt von den Eingriffen des Menschen ab.
   A Begründen Sie diese Aussage (M4/ M6).
   B Stellen Sie das Hochwasserrisiko für die dargestellten Eingriffe des Menschen in einer Tabelle dar (M4/ M6).
4. Werten Sie die Karikatur aus und nehmen Sie Stellung (M3).
Ⓩ 5. Untersuchen Sie, warum einige Täler in den Bayerischen Alpen besonders hochwassergefährdet sind (Atlas).

→ Akkumulation, Erosion, Mäander, Mittellauf, Oberlauf, Sedimentation, Unterlauf, Verdunstung, Versiegelung

Das Abflusssystem eines Flusses wird in Oberlauf, Mittellauf und Unterlauf eingeteilt. Vom Quellgebiet bis zur Mündung nimmt das Gefälle ab und es steigt die Wassermenge im Fluss, weil Nebenflüsse zufließen. Ist das Quellgebiet bewaldet, bleibt ungefähr die Hälfte des Wassers, das durch Niederschläge fällt, im Oberlauf des Flusses. Es wird im Boden gespeichert oder geht durch Verdunstung zurück in die Atmosphäre. Im Mittellauf und Unterlauf des Flusses nimmt das Gefälle ab. Die Fließgeschwindigkeit verringert sich. Dadurch kommt es zur Ausbildung von Flussschlingen, sogenannten Mäandern. Der Fluss verlagert häufig sein Bett, weil Sand und Geröll abgelagert werden. Bei großen Wassermengen im Fluss, zum Beispiel nach Starkregen oder Schneeschmelze im Oberlauf, kann es zu Überschwemmungen kommen.

M2 Das natürliche Abflusssystem eines Flusses

M3 Karikatur

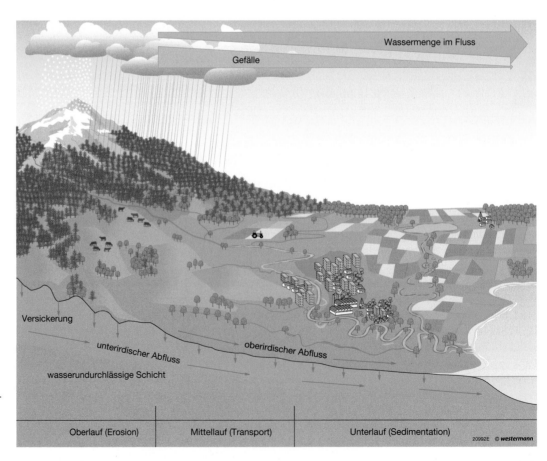

M1* Abflusssystem eines Flusses

| Oberlauf (Erosion) | Mittellauf (Transport) | Unterlauf (Sedimentation) |

20992E © **westermann**

(a) Wald

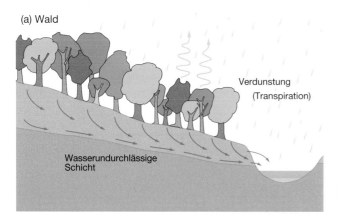

(b) nach Abholzung

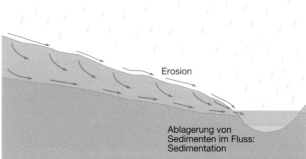

(c) nach Bebauung

(d) bei Nutzung durch Ackerbau

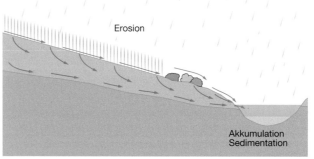

(e) unbegradigter Flusslauf

(f) begradigter Flusslauf

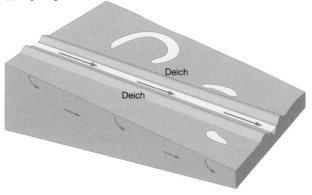

20985E © *westermann*

M4 Eingriffe des Menschen ins Abflusssystem eines Flusses

1991	Bangladesch (Ganges)	138 000 Tote 10 Mio. Menschen obdachlos
1998	China (Jangtsekiang)	3 000 Tote, 14 Mio. Menschen obdachlos
2005	Indien (Mandakini)	1 000 Tote 280 000 Menschen obdachlos
2010	Pakistan (Indus)	2 000 Tote 20 Mio. Menschen obdachlos

M5 Besonders schwere Hochwasserkatastrophen

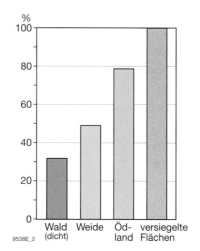

9538E_2

M6 Abfluss des Regenwassers in Flüsse, Bäche und Kanalisation bei verschiedenen Oberflächen

Das Abflusssystem eines Flusses im Wasserkreislauf

Flussbegradigung am Oberrhein

Die „Jahrhunderthochwasser" am Rhein in den Jahren 1926, 1993 und 1995 ließen den Wasserstand im Fluss auf über zehn Meter ansteigen. Rund 260 Mio. Euro gab die Stadt Köln allein für Hochwasserschutzwände aus. 2013 fehlte nur ein Zentimeter und die Altstadt wäre wieder überschwemmt worden. Die Schneeschmelze im Frühjahr in den Quellgebieten des Rheins und seiner Nebenflüsse führt regelmäßig zu Hochwasser im Rhein. Auch die in den letzten Jahrzehnten häufiger auftretenden Starkregen verursachen höhere Flusspegel. Doch das Hochwasserrisiko in Köln wird auch durch Eingriffe des Menschen am Oberrhein erhöht.

1. Beschreiben und begründen Sie die Veränderung des Flusssystems am Oberrhein (M1–M4/ M7).
2. Erklären Sie, warum sich durch diese Eingriffe das Hochwasserrisiko in Köln erhöht hat (M5/ M6/ M8).
3. Stellen Sie die Ursachen und Auswirkungen der Eingriffe des Menschen am Oberrhein in einem Wirkungsgefüge dar.
(W) 4. „Das Hochwasser in Köln 1995 wurde durch die Flussbegradigung am Oberrhein verursacht."
   A Nehmen Sie Stellung zu dieser Behauptung.
   B Schreiben Sie einen Leserbrief zu dieser Aussage aus der Perspektive eines betroffenen Einwohners von Köln oder aus der Perspektive eines Bewohners des Oberrheintals.
(Z) 5. Erstellen Sie eine Mindmap zum Thema Versiegelung.

→ Flussbegradigung, Versiegelung

„Au und Daxland seynd wegen des angrenzenden Rheins in beständiger Gefahr einer Überschwemmung, und zwar Daxland am meisten. 1651 und 1652 war dieser Auslauf so stark, dass in anderthalb Jahren über 20 Häuser seynd mit ihren Fundamenten vom Wasser ausgespielt und zu Grund gericht, mehr denn 100 Äcker unbrauchbar gemacht. Sogar die Kirche, die sonst mitten im Dorf war, von dem Strohm ganz umgeben. Die Särg mit den Todten seynd aus den Gräbern heraus und den Rhein hinuntergeführt worden.".

M1 Urkunde aus dem Jahr 1747 über zwei Gemeinden nahe Karlsruhe

M3 Auenwälder am Oberrhein um 1800 (Gemälde von Peter Birmann)

1812 präsentierte der Wasserbauingenieur Johann Gottfried Tulla dem Großherzog Karl von Baden einen gigantischen Plan zur Beseitigung der Hochwasserprobleme am Rhein. Er schlug vor, über 30 Mäander zu durchstechen und den Fluss durch Uferbefestigungen in ein höchstens 250 m breites Bett zu zwingen.

Die Arbeiten an dieser Flussbegradigung dauerten von 1817 bis 1874. Am Ende war der Flusslauf zwischen Basel und Mannheim um rund 82 km kürzer. Dadurch war natürlich auch das Gefälle stärker geworden. So benötigte das Wasser nach der Begradigung für diese Strecke statt 64 nur noch 24 Stunden.

Die Verkürzung des Flusslaufs brachte auch Vorteile für die Schifffahrt.

M4 Flussbegradigung am Oberrhein

M2 Heutige Situation am Rhein bei Karlsruhe

M5   Hochwasser in Köln

M8   Einzugsgebiet des Rheins und seiner Nebenflüsse

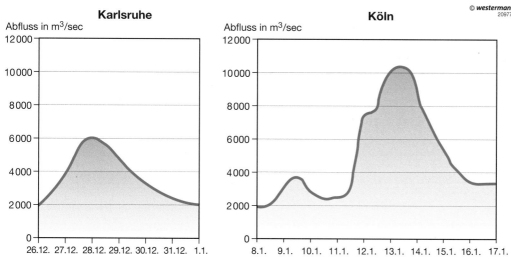

M6* Rheinhochwasser in Karlsruhe und Köln 1994/1995

Hochwasserhinweise
zum Rhein und seinen
Nebenflüssen finden
Sie im Internet:
→ Hochwasser, Rhein

Informationen zu
Gewässern und Wasser-
ständen (Pegelstände) in
NRW liefert das Landes-
umweltamt:
→ Landesumweltamt
NRW, Wasserstände

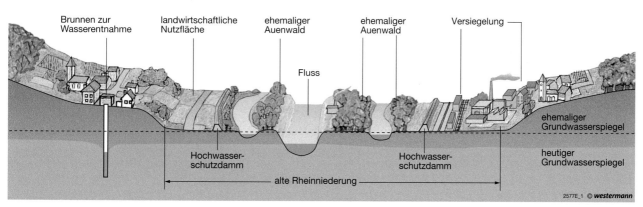

M7   Veränderungen durch die Rheinbegradigung

Maßnahmen der Hochwasservorsorge

Hochwasserschutz an Rhein und Mulde

Maßnahmen zum Hochwasserschutz sind umstritten. In Grimma an der Mulde zum Beispiel konnte keine Einigung erreicht werden. So wurde der Ort 2013 wieder vom Hochwasser der Mulde überschwemmt. 250 Mio. Euro hatte die Beseitigung der Hochwasserschäden in Grimma nach dem Hochwasser 2002 gekostet. Hätte Grimma gerettet werden können? Diese Frage stellen sich viele Bürger der Stadt, denn in Eilenburg (rund 30 km von Grimma entfernt) haben die Hochwasserschutzmaßnahmen gegriffen (Bau einer Hochwasserschutzmauer, streckenweise Rückverlegung des Deiches und Anlage eines Polders). So wurde die Stadt 2013 vom Hochwasser verschont.

1. Erläutern Sie den Interessenkonflikt, der in Grimma in der Diskussion um Hochwasserschutzwände deutlich wird (M6).
2. Erörtern Sie mögliche Hochwasserschutzmaßnahmen und die auftretenden Interessenkonflikte (M1/ M3/ M4/ M6/ M7).
Ⓦ 3. Bei einem Hochwasserereignis gibt es verschiedene Möglichkeiten, Häuser und Anwohner zu schützen.
   A Erklären Sie in einem Text (M7/ M8).
   B Beurteilen Sie die Möglichkeiten (M7/ M8).
4. Überlegen Sie, warum einige Anwohner bei steigendem Grundwasser ihre Keller absichtlich fluten.
   Verfassen Sie ein Flugblatt für die Anwohner, warum sie ihre Keller fluten sollen (M7 A/ M8).
Ⓩ 5. Entwerfen Sie ein Plakat, auf dem Sie Ihre Meinung als Poldergegner bzw. Polderbefürworter darstellen.

→ Deich, Flussaue, Polder, Retentionsfläche

Am Oberlauf des Rheins werden länderübergreifend Schutzmaßnahmen abgestimmt. Die wichtigsten Maßnahmen sind:

- Verstärkung und Ausbau der Rheinhauptdeiche,
- Bau von Hochwasserrückhaltungen (unter Hochwasserrückhaltung versteht man Flächen, auf denen Hochwasser aufgefangen und damit die Scheitelpunkte der Flutwellen abgeflacht werden. Solche Retentionsflächen werden entweder durch Rückverlegung von bestehenden Deichen und Renaturierung oder durch die Anlage von Poldern gewonnen.)

M3 Hochwasserschutzmaßnahmen

Überall dort, wo am Rhein Polder geplant werden, bilden sich Bürgerinitiativen gegen diese Planungen. In den vergangenen Jahrzehnten wurde auch am Oberrhein häufig viel zu nahe am Rhein gebaut und in tief liegenden Gebieten Wohngebiete realisiert. Die Planungsfehler der Vergangenheit holen uns heute ein.
Und dann gibt es natürlich immer noch einige Sportanlagen in den potenziellen Überflutungsgebieten. Angesichts der Schäden, die ein Hochwasser verursacht, ist es unverständlich, warum hier keine großzügigeren Entschädigungen für Vereine angeboten werden. Auch Waldbesitzer und Landwirte müssen entschädigt werden.
Quelle: vorort.bund.net, 27.07.2013

M4 Interessenkonflikt am Rhein

→ Flussaue

Als Flussaue bezeichnet man die ufernahen, niedrigen Gebiete an einem Fluss. Sie werden bei einem Hochwasser überschwemmt.

Im Polder Flotzgrün können fünf Millionen Kubikmeter Wasser gestaut werden. Bei einer bestimmten Hochwassermarke werden die Wehre geöffnet und der Polder wird geflutet. Die Wehre bleiben geöffnet, damit das Wasser bei sinkender Hochwasserwelle aus dem Polder fließen kann.

Der Rhein

─────	um 1800
═════	heute
●●●●●	Trenndeich
⊥⊥⊥⊥⊥	steiler Anstieg
97,9 ●	Höhenangabe in m
▢	Flussaue (zeitweise überschwemmt)
▢	hochwasserfreies Gebiet
▨	Polder fertiggestellt
▧	Polder im Bau

152E_4
© westermann

0 1 2 3 km

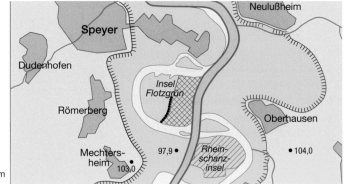

M2 Der Polder Flotzgrün bei Speyer

M1 Der Polder Flotzgrün (links im Bild der Trenndeich)

M5   Bau der Hochwasserschutzmauer in Eilenburg (Mulde)

Nach der Flut ...
... ist vor der Flut – Die Vorsorge gegen Hochwasser bleibt mangelhaft

Grimmas schöne Altstadt ist komplett abgesoffen – und man hätte es verhindern können. Die Eilenburger bauten sich eine Schutzmauer, in Grimma formierte sich Bürgerwiderstand gegen die angeblich hässliche „Einhausung" der alten Stadt. Der Fluss habe auch sein Recht, argumentierten die Gegner einer geplanten Schutzmauer. Natürlich darf der Staat seine Bürger bei wichtigen Bauprojekten nicht entmachten, wie es dem sächsischen Ministerpräsidenten am liebsten wäre. [...] Demokratie und Rechtsstaat funktionierten nicht ohne Widerspruch und Klageweg. Wer es meint, darf auch gegen eine Flutschutzmauer sein. Aber: Ist es wünschenswert und richtig, wenn es eine Mehrheit buchstäblich ausbaden muss, weil einer trotzigen Minderheit der ungetrübte Blick auf den Fluss wichtiger ist als die Sicherheit und das Wohlbefinden vieler? Es ist höchste Zeit, dass auch darüber ernsthaft diskutiert wird.

Natürlich: Mauern sind keine Lösung gegen Fluten, sie sind nur Schadensbegrenzung, ein Hilfsmittel und höchstens ein kleiner Teil einer Lösung. Wenn sich schon Katastrophen nicht verhindern lassen, ist es doch nötig und sinnvoll, ihre Risiken einzugrenzen [...]. Seit Jahrzehnten mahnen Umweltschützer deshalb, dass Flüsse mehr Platz brauchen, Auenwälder nicht gerodet werden dürfen, an Flussufern nicht übermäßig gebaut werden sollte.

Quelle: B. Honnigfort, Kölner Stadt-Anzeiger, 06.06.2013

M6   Kommentar zu Hochwasserschutzmaßnahmen an der Mulde 2013 (Auszug)

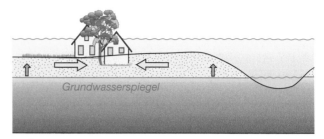

(A)   Gefährdung durch Hochwasser und Grundwasser

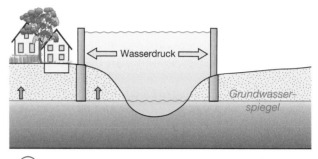

(B)   Hochwasserschutzmauer

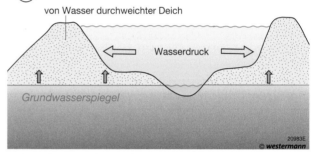

(C)   Deiche

M7*   Hochwasserschutzmaßnahmen

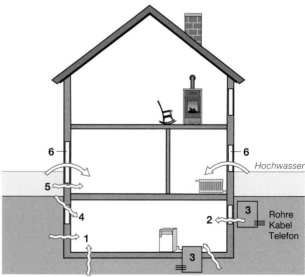

Eindringen des
1   Grundwassers durch Kellerwände und Fußboden
2   Rückstauwassers aus der Kanalisation
3   Grundwassers durch Hausanschlüsse (Rohrwege, Kabel)
4   Oberflächenwassers durch Lichtschächte und Kellerfenster
5   Oberflächenwassers infolge Durchsickerung der Außenwand
6   Oberflächenwassers durch Tür- und Fensteröffnungen

M8   Mögliche Eindringwege des Wassers in Gebäude bei Hochwasser

Maßnahmen der Hochwasservorsorge

Bangladesch – Hochwassergefährdung und Hochwasserschutz

Bangladesch gehört zu den Ländern, die besonders häufig von Überschwemmungen betroffen sind. Hier leben rund 155 Mio. Menschen. Das Land gehört zu den am dichtesten besiedelten Ländern der Erde. Hochwasser tritt zwar nicht nur in Bangladesch regelmäßig auf, doch hier wird das Naturereignis schnell zu einer Naturkatastrophe.

1. Zeichnen Sie eine Kartenskizze des Flusslaufs des Ganges und einiger seiner Nebenflüsse sowie der Länder, durch die er fließt. Tragen Sie auch die Höhenlagen ein (M1/ Atlas).

2. a) Werten Sie das Abflussdiagramm des Ganges aus (M4).
   b) Vergleichen Sie die Niederschlagswerte von Kathmandu mit dem Abflussdiagramm des Ganges und ziehen Sie Schlussfolgerungen in Bezug auf die Hochwassergefährdung von Bangladesch (M4/ M10).

3. (W) Erklären Sie, wie sich die Abholzung in Nepal auf Bangladesch auswirkt (M2).
   A Verfassen Sie einen erklärenden Text.
   B Stellen Sie die Problematik aus zwei Perspektiven dar: Einwohner von Nepal, Einwohner von Bangladesch.

4. Stellen Sie in einem Wirkungsgefüge natürliche und menschliche Ursachen der Hochwassergefahr in Bangladesch dar.

5. Erörtern Sie die Maßnahmen des Flutaktionsplans (M6 – M8).

6. (Z) Erstellen Sie eine Kartenskizze von Bangladesch, die die Flusssysteme und hochwassergefährdeten Gebiete darstellt (Atlas, M9).

→ Abholzung, Akkumulation, Deich, Erosion, Monsun, Naturereignis, Naturkatastrophe, Polder

M3* Erosionsschäden im Gebirge

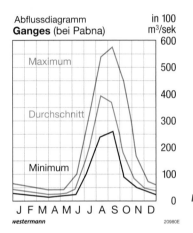

Abflussdiagramm **Ganges** (bei Pabna)   in 100 m³/sek

Maximum — 600, 500, 400
Durchschnitt — 300, 200
Minimum — 100, 0

J F M A M J J A S O N D

westermann   20980E

M4 Abflussdiagramm des Ganges

Die meisten Bewohner des Himalaya sind Bauern. Sie leben von der Landwirtschaft und über 70 Prozent der Menschen heizen mit Holz. Eine allgemeine Stromversorgung außerhalb der großen Städte gibt es nicht. Das war bis vor einigen Jahrzehnten noch kein Problem, doch der massive Anstieg der Bevölkerungszahlen und der Massentourismus haben inzwischen zum Kahlschlag der Wälder geführt. Um die zahlreichen Besucher angenehm beherbergen zu können, werden Unterkünfte meist aus Holz gebaut und auch mit Holz beheizt. In Nepal und Tibet ist laut Greenpeace bereits die Hälfte des Waldbestandes vernichtet. Durch die Abholzung des Waldes geht die natürliche Schutzschicht des Bodens verloren. Das Regenwasser kann nicht mehr aufgenommen werden, Bergstürze und Überschwemmungen sind die Folge. Bodenerosion und wüstenartige Landstriche bilden sich.
Nach: E. Mommsen, Planet Wissen, 10.06.2013.

M2 Abholzung der Bergwälder im Himalaya

Höhe in m — Hochhimalaya
9000, 8000, 7000, 6000, 5000, 4000, 3000, 2000, 1000

Wind, Abfluss, Wind, Abfluss, Gangesebene

Waldgrenze ca. 4000m

Erosion, Bergrutsche, Schlammlawinen   Pokhara (850m)   Kathmandu (1337m)

N   S

9220E_2
© *westermann*

Erosion — oft heftige Regenfälle — *Akkumulation*

Schnee und Gletscher, Quellgebiet vieler Flüsse, steile schroffe Hänge — rasches Anschwellen der Flüsse, Mitführen von Geröll und Boden — Überschwemmungen, Ablagerung von Geröll und Boden — verstärktes Anschwellen der Flüsse, Überschwemmungen, Ablagerung von fruchtbaren Bodenteilchen

M1 Schematisches Nord-Süd-Profil durch das Gangestal

M5   Hochwasser in Bangladesch

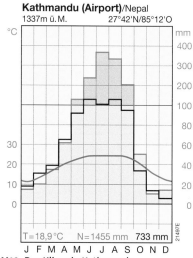

M10   Das Klima in Kathmandu

Der FAP wird heftig diskutiert. Deiche würden natürliche Entwässerungsmuster unterbrechen, was eine erhöhte Ufer-erosion und höhere Wasserstände zur Folge hätte.
Es gäbe Auswirkungen auf die Feuchtgebiete und die in Flüssen und Kanälen betriebene Fischerei. Alle Flüsse müssten letztendlich ein-gedeicht werden, damit sie sicher in den Ozean fließen können. Die Befürworter des FAP verweisen auf den Erfolg in den Niederlanden. Andere Studien erkennen die Notwendigkeit an, Deiche mit anderen Maßnahmen zu kombinieren. Die Menschen aber haben Anpassungs-mechanismen in Anbau und Lebensweise entwickelt, um mit dieser natürlichen Bedrohung zu leben. Jede Eindeichung bedeutet Land-verlust. Keiner hat sie gefragt, ob sie die Deiche wirklich benötigen.
Nach: I. Islam, Journal of Bangladesh Institute of Planners, 2010.

M6   Stellungnahme zum Flutaktionsplan (FAP) von Prof. Islam in einer Fachzeitschrift

Flutaktionsplan (FAP) für Bangladesch
(koordiniert von der Weltbank)

▮ Verstärkung der Küstendeiche
▮ Stärkung des Brahmaputra-Deiches
▮ Eindämmung der Schlammwelle aus dem Himalaya
▮ Anlegen von Poldern
▮ Flutvorhersage und Frühwarn-Projekt.

M8   Auszug aus dem Flutaktionsplan

Die alljährlichen Monsunregen im Sommer erhöhen das Hochwas-serrisiko in Bangladesch. Durch den Klimawandel werden sich diese Nie-derschläge noch verstär-ken. Es wird häufiger zu extremen Starkregen kommen. Außerdem wird das Land immer wieder von tropischen Wirbelstürmen getrof-fen. Auch diese werden vermutlich durch den Klimawandel stärker ausfallen.

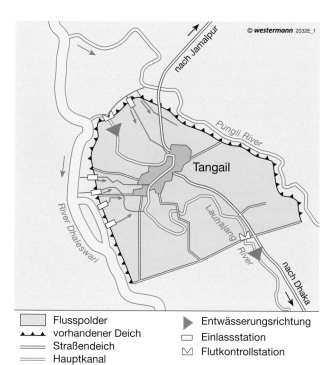

Flusspolder
▲▲▲ vorhandener Deich
════ Straßendeich
════ Hauptkanal
──── Kanal

► Entwässerungsrichtung
▭ Einlassstation
⋈ Flutkontrollstation

M7   Flusspolder im FAP-Projekt Tangail

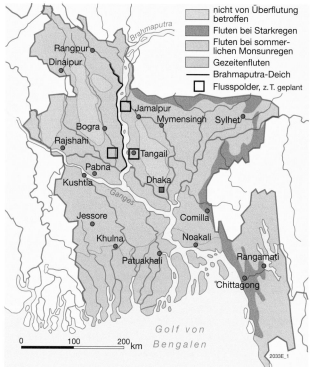

nicht von Überflutung betroffen
Fluten bei Starkregen
Fluten bei sommer-lichen Monsunregen
Gezeitenfluten
──── Brahmaputra-Deich
▢ Flusspolder, z.T. geplant

M9   Von Überflutungen betroffene Gebiete

METHODE   Wie interpretiere ich ein Modell?

Was ist ein Modell?

Verdunstung, Niederschläge und Wasserabfluss hängen zusammen. Dies kann man modellhaft darstellen. Der in M1 skizzierte Wasserkreislaufs ist ein solches Modell.

Allgemein gesehen erleichtern Modelle das Verständnis komplizierter Zusammenhänge. Sie stellen die Wirklichkeit vereinfacht dar. Durch die Vereinfachung sollen Regelhaftigkeiten leichter erkennbar sein.

In einem Modell werden Regelhaftigkeiten dargestellt, die durch Beobachtungen oder wissenschaftliche Untersuchungen festgestellt wurden. Je einfacher ein Modell ist, desto verständlicher und einprägsamer sind die dargestellten Regelhaftigkeiten. Zu allgemeine Darstellungen sind wenig aussagekräftig.

Eine zu starke Vereinfachung der Wirklichkeit kann aber auch problematisch sein: Ist ein Modell zu stark vereinfacht, spiegelt es die tatsächlichen Beobachtungen nicht mehr korrekt wider. Auch eine Übertragbarkeit auf ähnliche Situationen wird dadurch erschwert. Die Übertragbarkeit eines Modells auf ähnliche Gegebenheiten sollte jedoch möglich sein. Ein weiteres Problem liegt darin, dass Modelle durch die reduzierte Darstellung zu einfache Denkmuster hervorrufen können. Zum Beispiel, wenn ein Sachverhalt auf nur zwei gegensätzliche Pole wie Arm und Reich beschränkt wird. Deshalb ist es wichtig, ein Modell wohl überlegt auszuwerten. Bei der Arbeit mit Modellen geht es auch immer darum, den Bezug zur Wirklichkeit herzustellen und an konkreten Fallbeispielen die Übertragbarkeit des Modells zu überprüfen. Will man die Aussage eines Modells auf einen Einzelfall übertragen, dann werden Abweichungen vom „Modellhaften" deutlich. Bei der Arbeit mit Modellen muss man deshalb immer kritisch hinterfragen, ob das Modell auf den Einzelfall übertragbar ist und ob das Modell für den Einzelfall überhaupt anwendbar ist. Möglicherweise stellt man fest, dass das Modell falsch ist und eine Korrektur oder Ergänzung notwendig ist.

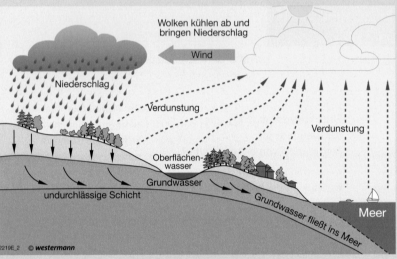

M1   Modell des Wasserkreislaufs

jährliche Verdunstung davon	505 000 km³
über den Ozeanen	434 000 km³
über dem Festland	71 000 km³
Niederschläge insgesamt davon	505 000 km³
über den Ozeanen	398 000 km³
über dem Festland	107 000 km³

www.oekosystem-erde.de

M2   Wasserkreislauf

Wasserreservoire (in km³)	
Atmosphäre	12 900
Ozeane	1 338 000 000
Fließgewässer	2 100
Seen und Sümpfe	102 000
Bodenwasser	16 500
Grundwasser	10 800 000
Biomasse	1 100
Polareis und Gletscher	24 000 000

M3   Globale Wasserreservoire
      (1961–1990)

→ Modell,
   Wasserkreislauf

weblinks

▌ webgeo Wasserkreislauf

▌ Bildungsserver
  Wasserkreislauf

1. Das globale Klima hat sich seit 1990 in zunehmendem Maße geändert. Es ist eine globale Erwärmung festzustellen. Erläutern Sie, was dies für die Wasserreservoire und den Wasserkreislauf bedeutet (M2/ M3).
2. Werten Sie das Modell zum Niederschlag und Wasserabfluss bei einem Tropensturm aus (M4). Berücksichtigen Sie dabei die Aufnahmekapazität des Bodens.
3. Stellen Sie in einer Tabelle die Vor- und Nachteile von Modellen gegenüber.

Sechs Schritte zur Auswertung eines Modells

1. SCHRITT
Das Thema
→ Wie heißt das Thema des Modells? (Was? Wann? Welcher Raum?)

2. SCHRITT
Die Kernaussagen
→ Welche Zusammenhänge sind wie dargestellt?
→ Wie lauten die wichtigsten Aussagen?

3. SCHRITT
Die Erklärung
→ Wie sind die im Modell dargestellten Zusammenhänge und Kernaussagen zu erklären?

4. SCHRITT
Die Anwendbarkeit
→ Welche Schlussfolgerungen können gezogen werden?
→ Welche Probleme werden verdeutlicht?
→ Für wen könnte das Modell eine Hilfe sein?

5. SCHRITT
Die Grenzen des Modells
→ Wo verallgemeinert das Modell so stark, dass bei der Untersuchung eines Einzelraums weitere Informationen hinzugenommen werden müssen? (Grad der Generalisierung, Übertragbarkeit)

6. SCHRITT
Die Kritik
→ Wann ist das Modell falsch, nicht aktuell, unzureichend, ausbaufähig?
→ Erfüllt das Modell seine Funktion als Denkhilfe?

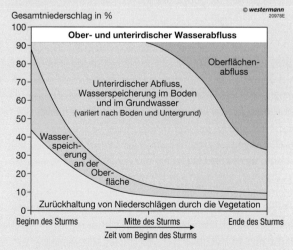

M4 Modell zum Verhältnis von Niederschlag und Wasserabfluss während eines tropischen Wirbelsturms

Auswertungsbeispiel

1. SCHRITT
Es handelt sich um ein Modell, das den globalen Wasserkreislauf verdeutlichen soll, also die Verteilung des Wassers in der Atmosphäre und auf der Erde, sowie den Wasseraustausch darstellt.

2. SCHRITT
Für die Darstellung wurden eine idealtypische Landschaft, Pfeile und Beschriftung gewählt. Die Kernaussagen sind die, dass das Wasser auf der Erde in seiner Gesamtmenge aber konstant ist und dass es in einem Wasserkreislauf zirkuliert.

3. SCHRITT
Über dem Meer und auf dem Land verdunstet Wasser. Es geht vom flüssigen Zustand in den gasförmigen Zustand über, es bilden sich Wolken. Die Luftmassen werden durch Winde transportiert. Steigen sie auf, kühlen sie ab, und es kommt zur Kondensation, Niederschlag fällt. Ein Teil des Niederschlagswassers versickert und fließt unterirdisch als Grundwasser ab, der andere Teil fließt oberirdisch in Bächen und Flüssen zum Meer ab. Der Wasserkreislauf ist geschlossen.

4. SCHRITT
Der globale Wasseraustausch erfolgt in einem Kreislauf von Verdunstung und Niederschlag. Die Sonneneinstrahlung und der Wind sind Teil des Wasserkreislaufes und beeinflussen diesen. Klimaforscher können das Modell nutzen, wenn sie zum Beispiel überlegen, wie sich die Menge des verdunsteten Wassers ändert, wenn sich die Erde stärker erwärmt, und wie sich die Änderung des gesamten Wasserkreislaufs auf die einzelnen Bereiche des Wasserkreislauf wie z.B. den Niederschlag auswirkt.

5. SCHRITT
Das Modell zeigt eine idealtypische Landschaft, mit deren Hilfe der globale Wasserkreislauf verdeutlicht wird. Je nach Landschaftstyp (Wüste/Wald usw.) verändert sich die Verdunstung auf dem Land. Vegetation, Gewässer oder versiegelte Fläche beeinflussen, wie groß die Verdunstung ist. Im Modell ist die Verdunstung jedoch gleichmäßig verteilt und nur an einem beispielhaften Landschaftstypus dargestellt. Wie die Verdunstung ist auch der oberirdische Abfluss je nach Bodenbeschaffenheit und Flächenversiegelung unterschiedlich. Auch dies erfasst das Modell nicht. Für den Einzelfall müssen also weitere Informationen herangezogen werden.

6. SCHRITT
Das Modell zeigt nicht die Faktoren, die für die Entstehung des Wasserkreislaufs verantwortlich sind: Die Sonnenenergie (Verdunstung) und die Schwerkraft (Abfluss). Auch ist die Speicherung des Wassers zum Beispiel im Boden nicht berücksichtigt. Das Modell könnte außerdem hinsichtlich des oberirdischen Abflusses in den Flusssystemen verbessert werden, damit der Kreislauf bis zum Meer geschlossen wird. Es zeigt nicht die globalen Wasserreservoire: Alle Pfeile sind gleich gezeichnet und unterscheiden sich nicht nach der Wassermenge. So sind auch Veränderungen der Verdunstungs- und der Niederschlagsmenge zum Beispiel durch die Folgen des Klimawandels nicht erfasst. Das Modell erfüllt aber seine Funktion als Denkhilfe.

Tropische Wirbelstürme

Entstehung und Verbreitung von tropischen Wirbelstürmen

MANILA, 8. November 2013 – Sieben Meter hohe Wellen, Starkregen, Erdrutsche und Windgeschwindigkeiten von bis zu 379 km/h: Auf den Philippinen wütet Taifun Haiyan (auch Yolanda genannt). Er soll der schwerste Wirbelsturm sein, der je auf Land getroffen ist. Die Katastrophe forderte viele Menschenleben.

Am Freitagmorgen traf der Sturm auf der Insel Samar etwa 600 km süd-östlich von Manila auf Land. Er erwarte „katastrophale" Zerstörungen in dem Fischerort Guiuan, der als Erster auf Haiyans Weg liegt, erklärte der US-Meteorologe Jeff Masters vom Wetterdienst Weather Underground. Das amerikanische Taifun-Warnzentrum auf Hawaii (JTWC – Joint Typhoon Warning Center) sprach wegen der Windstärke von einem „Super-Taifun".

Viele Fragen drängen sich bei einer solchen Meldung auf: Woher bekommt ein tropischer Wirbelsturm diese Energie? Wie entstehen überhaupt tropische Wirbelstürme? Wo treten sie gehäuft auf? Besteht auch für uns in Deutschland eine Gefahr? Wann wird ein Naturereignis zu einer Naturkatastrophe?

Ⓦ 1. **A** Beschreiben Sie das Ausmaß des tropischen Wirbelsturms Haiyan (M1/ Atlas)
   B Beschreiben Sie das Ausmaß und die Lage von Haiyan zum Zeitpunkt der Satellitenbildaufnahme (M1/ Atlas).
2. Erläutern Sie die Entstehung von tropischen Wirbelstürmen und gehen Sie dabei auch auf das „Auge des Hurrikans" ein (M2 / M3).
3. Beschreiben und erläutern Sie die räumliche Verteilung von tropischen Wirbelstürmen (M2– M7).
4. Erläutern Sie den Unterschied zwischen einem Naturereignis und einer Naturkatastrophe unter besonderer Beachtung der tropischen Wirbelstürme (M5, Internet).
Ⓩ 4. Vergleichen Sie die tropischen Wirbelstürme mit Tiefdruck-gebieten in den gemäßigten Breiten.

→ Corioliskraft, Divergenz, Kondensation, Konvektion, Konvergenz, tropischer Wirbelsturm (Hurrikan, Taifun, Zyklon, Willy-Willy), Vulnerabilität

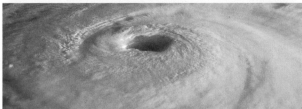

M1   Satellitenbilder vom Taifun „Haiyan" (2013)

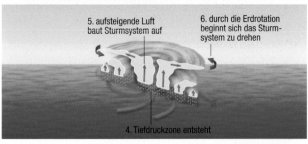
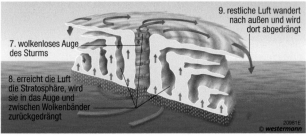

M2* Entstehung eines Hurrikans

Tropische Wirbelstürme treten in den tropischen Regionen aller drei Ozeane auf. Im Atlantik heißen sie Hurrikane, im Pazifik Taifune und im Indischen Ozean Zyklone. Damit sich ein tropischer Wirbelsturm bilden kann, sind folgende Voraussetzungen erforderlich:
- Meeresoberflächentemperaturen von über 26,5 °C, die in den tropischen Regionen während der Sommermonate regelmäßig auftreten.
- Eine ausgeprägte Konvergenz am Boden und eine rasche Abfuhr (Divergenz) der aufsteigenden Luft in der Höhe, wodurch sowohl Hebungsprozesse als auch Wasserdampfnachschub gesteuert werden.
- Ein Mindestabstand von fünf Breitengraden vom Äquator, da sonst die Corioliskraft nicht ausreicht, um den aufsteigenden Luftmassen den für tropische Stürme charakteristischen Drehimpuls zu verleihen.

Ihre gewaltigen Energiemengen beziehen tropische Wirbelstürme aus der latenten Energie, die durch Kondensationsprozesse beim Aufstieg frei wird. Mit abfallendem Druck strömt immer mehr Luft aus der Umgebung spiralförmig zum Zentrum hin, was sich in charakteristischen Gewitterbändern ausdrückt. Hurrikane können Durchmesser von mehreren hundert Kilometern erreichen, wobei die Kerndrücke im Bereich des „Auges" z.T. unter 900 hPa liegen. Das Auge, das aufgrund absteigender Luftbewegung und Erwärmung von Wolkenauflösung und Windstille gekennzeichnet ist, hat üblicherweise einen Durchmesser von 20 bis 70 km. Trotz extremer Windstärken ist die Zuggeschwindigkeit eines Hurrikans in der Regel mit 25 km/h recht langsam. Sobald Hurrikane auf Land auflaufen oder über kühlere Meeresoberflächen gelangen und somit der Nachschub an feuchtwarmer Luft abreißt, schwächen sie sich binnen kurzer Zeit ab.

Quelle: T. Fickert, F. Grüninger, Geographische Rundschau 10/2011

M3   Was sind eigentlich Hurrikane und wie bilden sie sich?

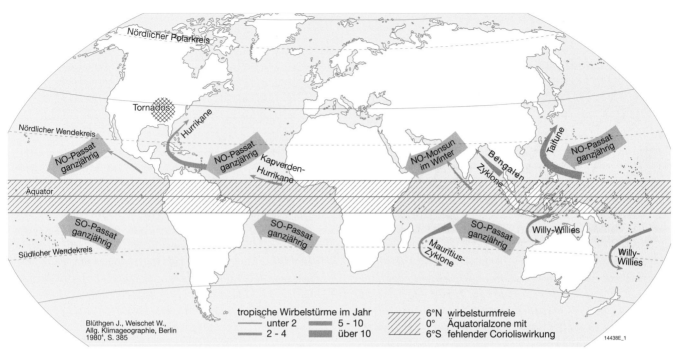

M4   Verbreitung tropischer Wirbelstürme

Bei Erdbeben, Vulkanausbrüchen, Wirbelstürmen oder Tsunamis handelt es sich prinzipiell um Naturereignisse, die erst durch den Kontakt mit dem Menschen zu Naturgefahren bzw. -katastrophen werden. Und auch die Vorsilbe „Natur" sollte bei einigen Katastrophenereignissen kritisch überdacht werden, löst doch oftmals eher die wenig vorausschauende Handlungsweise des Menschen die tatsächliche Katastrophe aus, wie im Fall von Hurrikan „Katrina" 2005, bei dem die Überschwemmungen infolge städtebaulicher Fehlplanungen den größten Schaden anrichteten. Insbesondere in ärmeren Ländern oder Bevölkerungsschichten ist eine höhere Vulnerabilität gegenüber Naturgefahren gegeben, da steigender Bevölkerungsdruck und geringe Geldmittel die Besiedlung risikoexponierter Bereiche vorantreiben bzw. risikominimierende Maßnahmen nicht durchgeführt werden können. Aber auch steigender Wohlstand kann zur Besiedlung gefährdeter, jedoch „exklusiver" Lagen beitragen, zu denen in den USA neben z. B. hochpreisigen Wohnlagen an den hurrikangefährdeten Küsten von Florida sicher auch die Luxusvillen [...] in den feuergefährdeten Hollywood Hills zählen. Treten Naturereignisse in solchen dicht besiedelten Räumen auf, sind oftmals extreme Opferzahlen und große materielle Schäden die Folge – das Naturereignis wird zur Naturkatastrophe.

Quelle: T. Fickert, F. Grüninger, Geographische Rundschau 10/2011

M5   Frage der Sichtweise: Naturereignis oder Naturkatastrophe

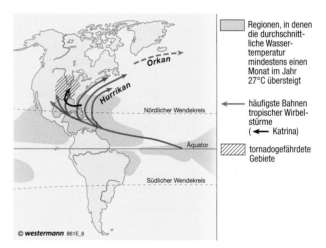

M7   Mittlere Zugbahnen atlantischer Hurrikane im Monat September

weblinks

Adressen/Organisationen

▮ National Hurricane Center (NHC)   ▮ Bildungsserver Hamburg
▮ NOAA Satellite and Information Service   ▮ Webgeo

© *westermann* 21496E

Kategorie	Windgeschwindigkeit (in km/h)	Flutwelle in m beim Auflaufen auf Land	Kerndruck (in hPa)	Landfalls* USA	mittlerer Schaden (in US-$)	Schadenspotenzial*	typische Schäden
tropisches Tief	< 62	0					
tropischer Wirbelsturm	63–118	0–0,9			> 1 000 000	0	kaum Schäden
Hurrikan 1 (schwach)	119–153	1–1,5	< 960	110	33 000 000	1	geringe Schäden z. B. an Bäumen
Hurrikan 2 (mäßig)	154–177	1,5–2,5	965–975	73	330 000 000	10	entwurzelte Bäume, beschädigte Häuser, überflutete Küstenstraßen
Hurrikan 3 (stark)	178–209	2,5–4,0	945–964	75	1 412 000 000	50	zerstörte Mobile Homes, Fenster zerbrochen, Dächer abgedeckt
Hurrikan 4 (sehr stark)	210–249	4,0–5,5	920–944	18	5 224 000 000	250	Mobile Homes weggeweht, tiefliegende Gebiete überflutet
Hurrikan 5 (verwüstend)	> 249	> 5,5	< 920	3	15 500 000 000	500	katastrophale Zerstörung, schwere Überschwemmungen

M6   Hurrikan-Klassifizierung (Saffir-Simpson-Skala)   *Landfall: bezeichnet das Auftreffen eines Hurrikans auf Land, nachdem er vorher über Wasser gezogen ist.
*Schadenspotenzial: mögliche Schäden z.B. Hurrikan 5 hat ein 500-mal höheres Schadenspotenzial als Hurrikan 1

Tropische Wirbelstürme

New Orleans im Zeichen des Hurrikans Katrina

(W) 1. Analysieren Sie anhand der Materialien M1– M3 und des
Internets (z. B. www.csc.noaa.gov/hurricanes) den Verlauf
und das Verhalten des Hurrikans Katrina. Zeichnen Sie dazu die Spur des Hurrikans Katrina in eine stumme Karte ein.

    A Nutzen Sie je nach Windgeschwindigkeit eine andere
Farbe und erstellen Sie eine passende Legende dazu.

    B Katrina hatte stellenweise einen Durchmesser von über
300 km. Zeichnen Sie ungefähr die linke und die rechte
Grenze des Hurrikans in Ihre Spur ein und schraffieren Sie
den Wirkungsbereich entsprechend Ihrer Legende.

2. Erläutern Sie Auswirkungen des Hurrikans Katrina auf den
Wirtschafts- und Siedlungsraum im Südosten der USA
(M4– M7).

3. Diskutieren Sie vor dem Hintergrund der Verwüstung von
New Orleans mögliche nationale Schutzmaßnahmen vor
zukünftigen Hurrikanen (M5, Internet).

(Z) 4. Schreiben Sie einen Zeitungsbericht über den tropischen
Wirbelsturm Katrina.

(Z) 5. Recherchieren Sie ein zeitnahes Wirbelsturm-Ereignis und
stellen Sie Ihre Ergebnisse in Form einer digitalen Präsentation vor (Internet).

→ Corioliskraft, Divergenz, Kondensation, Konvektion, Konvergenz, tropischer Wirbelsturm (Hurrikan, Taifun, Zyklon,
Willy-Willy), Vulnerabilität

M1   Spuren des Hurrikans Katrina

Hurrikan Katrina begann als tropisches Tief am 23. August 2005,
282 km südöstlich von Nassau und verstärkte sich bereits am Folgetag
über den Bahamas zum Tropensturm Katrina.

Der Sturm zog anfangs nach Nordwesten, drehte dann nach Westen
ein. Kurz vor Erreichen der Küste Südfloridas erreichte „Katrina" Hurrikanstärke mit Windgeschwindigkeiten von etwa 130 km/h. Über Land
drehte der Hurrikan nach Südwesten ein und schwächte sich in der
Nacht zum 26. August leicht zu einem starken tropischen Sturm ab.
„Katrina" zog dann weiter zum warmen Golf von Mexiko, wo er nach
nur wenigen Stunden schon wieder Hurrikanstärke erreichte. Hier
setzte eine deutliche Verstärkung des Hurrikans ein, sodass er am
Morgen des 27. August (MESZ) zu einem Hurrikan der Kategorie 3
mit Windgeschwindigkeiten bis etwa 185 km/h wurde. Kategorie 4
erreichte er am Morgen (MESZ) des 28. August und gegen Abend
desselben Tages die höchste Kategorie 5 mit Windgeschwindigkeiten von etwa 280 km/h. Am 29. August drehte der Hurrikan weiter
nach Norden ein und schwächte sich vor allem in seinem Westteil
etwas ab. Im Laufe des Tages traf der Hurrikan die US-Golfküste als
starker Hurrikan der Kategorie 3 südlich von New Orleans auf Land
und zog dann weiter nach Norden, wo er nur wenig schwächer auf
die Küste von Mississippi traf. Dabei zog das Auge knapp östlich
an New Orleans vorbei, sodass die „eyewall" (Ring mit höchsten
Windgeschwindigkeiten) einige Zeit über der Stadt lag. Über dem
US-Bundesstaat Mississippi schwächte sich der Hurrikan in der Nacht
zum 30. August zu einem tropischen Sturm ab.
Nach: ncdc.noaa.gov

M2   Zugbahn des Hurrikans „Katrina"

Tag	Uhr-zeit	Koordi-nate Nördliche Breite	Koor-dinate West-liche Länge	Windge-schwin-digkeit in km/h	Luftdruck in hPa (Hekto-pascal)
23.08.2005	18:00	23,1	75,1	55,6	1008
24.08.2005	06:00	23,8	76,2	55,6	1007
24.08.2005	18:00	25,4	76,9	74,1	1003
25.08.2005	06:00	26,1	78,4	92,6	997
25.08.2005	18:00	26,2	79,6	111,1	988
26.08.2005	06:00	25,4	81,3	120,4	987
26.08.2005	18:00	24,9	82,6	157,4	968
27.08.2005	06:00	24,4	84,0	175,9	950
27.08.2005	18:00	24,5	85,3	185,2	948
28.08.2005	06:00	25,2	86,7	231,5	930
28.08.2005	12:00	25,7	87,7	268,5	909
28.08.2005	18:00	26,3	88,6	277,8	902
29.08.2005	06:00	28,2	89,6	231,5	913
29.08.2005	18:00	31,1	89,6	148,2	948
30.08.2005	00:00	32,6	89,1	92,6	961
30.08.2005	06:00	34,1	88,6	74,1	978
30.08.2005	18:00	37,0	87,0	55,6	990
31.08.2005	00:00	38,6	85,3	55,6	994
31.08.2005	06:00	40,1	82,9	46,3	996

M3   Zugbahn des Hurrikans Katrina als Datentabelle

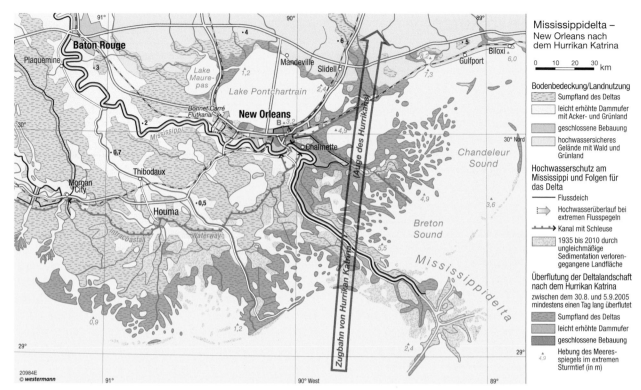

M4 Mississippidelta – New Orleans nach dem Hurrikan Katrina

From the Gulf States (principally Louisiana and Mississippi), the loss of life is unknown but will likely reach well into the hundreds and possibly higher. It is clearly one of the most devastating natural disasters in recent US history. From Katrina's first landfall in Florida, while it was at category one strength, initial estimates suggest 11 deaths resulted. The loss of life and property damage was worsened by breaks in the levees that separate New Orleans from surrounding lakes. At least 80 % of New Orleans was under flood water on August 31st, largely as a result of levee failures from Lake Pontchartrain. The combination of strong winds, heavy rainfall and storm surge led to breaks in the earthen levee after the storm passed, leaving some parts of New Orleans under 20 feet of water. Storm surge from Mobile Bay led to inundation of Mobile, Alabama causing imposition of a dusk-to-dawn curfew for the City. Large portions of Biloxi and Gulfport, Mississippi were underwater as a result of a 20 to 30+ foot storm surge which flooded the cities. A major economic impact for the nation was the disruption to the oil industry from Katrina. Preliminary estimates from the Mineral Management Service suggest that oil production in the Gulf of Mexico was reduced by 1.4 million barrels per day (or 95% of the daily Gulf of Mexico production) as a result of the hurricane. Gasoline had reached a record high price/gallon as of Monday August 30th with concerns over refinery capacity apparently
Nach: ncdc.noaa.gov

M5* Impacts of Katrina

driving the increase. More information is available from a Department of Energy report. Over 1.7 million people lost power as a result of the storm in the Gulf states, with power companies estimating that it will take more than several weeks to restore power to some locations. Drinking water was also unavailable in New Orleans due to a broken water main that serves the city. Power was lost to 1.3 million customers in southeastern Florida from the initial landfall on August 24th. Estimates for damages for Hurricane Katrina are still extremely preliminary and properly assessing losses will take many months. However, the total losses as a result of Katrina is estimated to exceed $100 billion with over $34 billion in insured losses.
Both of New Orleans' airports were flooded and closed on August 30th and bridges of Interstate 10 leading east out of the city were destroyed. Most of the coastal highways along the Gulf were impassable in places and most minor roads near the shore were still underwater or covered in debris as of August 30th. Katrina also disrupted travel as it headed inland, with more than 2 inches of rain falling across a large area from the coast to parts of Ohio during the 48 hours after Katrina made landfall.

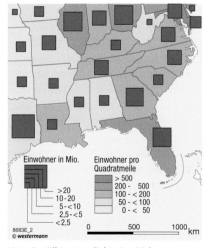

M6 Bevölkerungsdichte im Südosten der USA

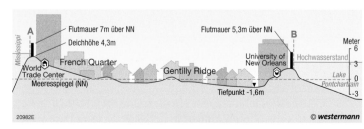

M7 Profilschnitt durch das Überschwemmungsgebiet New Orleans

Das Wichtigste in Kürze

Wasser, unser Lebensspender, steckt in nahezu allem, was wir für unser Leben benötigen: Virtuelles Wasser beschreibt die Menge an Wasser, die für die Produktion einer Ware, wie zum Beispiel einer Jeans oder einem Liter Milch, benötigt wird. Ein Mangel dieses lebenswichtigen Gutes bestimmt in hohem Maße über die Vulnerabilität eines Raumes. Denn nicht in allen Regionen der Erde steht Wasser in ausreichender Menge zur Verfügung. Andererseits erhöht aber auch ein Wasserüberschuss die Vulnerabilität eines Raumes.

Wassermangel

Die Desertifikation, also die anthropogen beeinflusste Wüstenbildung, ist eines der größten Umweltprobleme unserer Zeit. Sie ergänzt die natürlichen Faktoren, die auch zur Wüstenbildung führen können. Wüstenrandgebiete im Bereich der agronomischen Trockengrenze werden häufig von Dürren heimgesucht, da hier die Niederschlagsvariabilität groß ist. Wesentlicher Grund für die Degradation der Böden ist die Übernutzung (z. B. in der Sahelzone, am Aralsee). Verbunden mit Klimaschwankungen führt diese zu Ernteeinbußen und dauerhafter Unfruchtbarkeit der Böden.

Die Übernutzung wird unter anderem durch die wachsende Bevölkerung verursacht: Mehr Menschen benötigen mehr Nahrung, doch die Ackerflächen können nicht bzw. nicht genügend ausgeweitet werden. So kommt es, dass die Tragfähigkeit der Böden überschritten wird. Die Böden sind schutzlos der Erosion und Bodendegradation ausgesetzt. Der Anbau von Cash Crops verstärkt die Problematik: Wird die Produktion über die Selbstversorgung ausgeweitet, um mehr Produkte auf dem (Welt-)Markt verkaufen zu können, belastet dies die gefährdeten Böden (z. B. Erhöhung der Viehbestände). Orientiert sich die Ausweitung der landwirtschaftlichen Nutzung nicht an dem Potenzial der Region, so wird die Tragfähigkeit der Böden überschritten.

Der Kampf gegen die Desertifikation erfolgt auf unterschiedlichen Ebenen. Jede Farmerin, jeder Farmer kann auf lokaler Ebene durch angepasste Fruchtfolgen und bessere Bewässerungssysteme einen Beitrag zur Eindämmung der Desertifikation leisten. Im regionalen Zusammenschluss können aber auch z. B. Hänge terrassiert werden, um die Erosion zu vermindern. International schließen sich die Sahelstaaten zusammen und führen Maßnahmen zum Kampf gegen die Desertifikation durch ("Great Green Wall"). Die Vereinten Nationen koordinieren dieses Projekt und leisten Hilfe durch Kapital und Know-how.

Wasser im Überfluss

Das Wasser auf der Erde ist in einen globalen Kreislauf eingebunden. Verdunstung, Niederschlag und Abfluss sorgen dafür, dass die Wassermenge insgesamt gleich bleibt, die einzelnen Parameter können jedoch variieren. Erhöhte Niederschläge sorgen für einen erhöhten Abfluss. Der oberirdische Abfluss in den Flusssystemen kann dabei so hoch sein, dass es zu Hochwasser und Überflutung kommt. Gefährdet sind insbesondere Gebiete am Unterlauf eines Flusses. Eine natürliche Ursache für einen erhöhten Abfluss in den Flusssystemen ist auch die Schneeschmelze im Frühjahr. Sind die Ufer von Flüssen/Flussmündungen dicht besiedelt, kann aus einem Naturereignis eine Naturkatastrophe werden. Die Vulnerabilität steigt.

Die Wasserdampfmenge in der Atmosphäre hängt von der Verdunstung des Meerwassers und der Verdunstung an Land (Evapotranspiration) ab. Steigen die Temperaturen, nimmt die Verdunstung zu. Die globale Erwärmung durch den Klimawandel führt dazu, dass weniger Wasser im Meer und im Boden gespeichert wird. Ein höherer Anteil in der Atmosphäre führt zu höheren Niederschlägen und somit auch zu einem erhöhten Wasserabfluss im Flusssystem.

Hochwassergefahr durch Eingriffe des Menschen

Werden Wälder gerodet, können die Wurzeln der Bäume den Boden nicht mehr stabilisieren. Im Boden wird Wasser gespeichert, es versickert langsam zum Grundwasser und fließt unterirdisch ab. Ohne den Halt der Wurzeln kommt es zur Erosion, der Wasserspeicher Boden entfällt und der oberirdische, schnelle Wasserabfluss nimmt zu. Die Hochwassergefahr am Unterlauf des Flusses wird verstärkt durch die Akkumulation des erodierten Bodens. Niederschlagswasser versickert natürlicherweise zum größten Teil. Durch Bodenversiegelung wird ein Versickern des Wassers verhindert. Der oberirdische Abfluss und der Abfluss durch künstlich angelegte Abflusssysteme (Dränagerohre, Abflussrohre) erhöhen sich.

Der Abfluss des Wassers im Flusssystem ist vom Gefälle abhängig. Je größer das Gefälle ist, desto schneller fließt das Wasser ab. Der Flusslauf ist geradlinig. Mit abnehmendem Gefälle zum Unterlauf hin verringert sich die Fließgeschwindigkeit. Der Fluss bildet Mäander aus und die Akkumulation nimmt zu. Wird der Flusslauf durch menschliche Eingriffe begradigt und das abfließende Wasser durch Deiche eingeengt, erhöht sich die Fließgeschwindigkeit, weniger Wasser kann versickern und gespeichert werden, eine größere Wassermenge fließt ab. Dadurch erhöht sich das Hochwasserrisiko am Unterlauf des Flusses.

Maßnahmen zur Verringerung der Hochwassergefahr sollen zum einen verhindern, dass ein Hochwasser zur Katastrophe wird, zum anderen berücksichtigen sie die Ursache des Hochwasserrisikos. Um ein Überschwemmen ufernaher Gebiet zu verhindern, werden Deiche oder Hochwasserschutzwände gebaut. Deiche können allerdings brechen, wenn sie durchnässt sind und längere Zeit dem Wasserdruck standhalten müssen. Auch können sie nicht unbegrenzt in die Höhe gebaut werden. Der Bau von Hochwasserschutzwänden führt häufig zu Interessenskonflikten zwischen den Anrainern.

Erfolgreicher sind Maßnahmen, die das natürliche Abflusssystem wieder herstellen. Die Anlage von Poldern, das Zurückverlegen von Deichen und die Schaffung von Überflutungsflächen sind Teil der Ursachenbekämpfung. Aber auch hier kommt es zu Interessenkonflikten.

Hochwasser droht auch durch tropische Wirbelstürme. Sie entstehen in den tropischen Regionen aller drei Ozeane und können sich im Durchmesser Hunderte Kilometer ausdehnen. Wenn sie auf Land treffen, können die großen Windgeschwindigkeiten, gepaart mit heftigen Regenfällen, zu großen Verwüstungen führen. Das Hochwasser durch den Hurrikan Katrina richtete beispielsweise auf Tausenden von Quadratkilometern einen großen wirtschaftlichen Schaden mit verheerenden sozialen Folgen für die dort lebenden Menschen an.

Kompetenz-Check

Hier sind alle Kompetenzen, die Sie in diesem Kapitel erwerben konnten, aufgelistet.
Sie können selbst beantworten, ob Sie die Kompetenz sicher beherrschen: *sicher, mäßig oder kaum.*

Sachkompetenz

Kann ich		unsicher? Schlagen Sie nach auf Seite
1.	den Begriff der Vulnerabilität am Beispiel von Dürren und Desertifikation erläutern (SK5)?	50/51, 60
2.	am Beispiel von Dürren und Desertifikation die Kopplung von ökologischer, sozialer und technischer Vulnerabilität erläutern (SK5)?	50/51, 60
3.	Ursachen und Folgen der Desertifikation identifizieren (SK6)?	54–67
4.	am Beispiel der Desertifikation Ursachen und Folgen der anthropogenen Bedrohung von Lebensräumen identifizieren (SK6)?	54–67
5.	ein Hochwasserereignis als natürlichen Prozess im Rahmen des Wasserkreislaufs darstellen?	70–75, 78/79
6.	die durch unterschiedliche Eingriffe des Menschen verstärkten Auswirkungen auf Hochwasserereignisse darstellen?	70–79
7.	Raumnutzungskonflikte im Rahmen der Maßnahmen der Hochwasservorsorge beschreiben?	76–79
8.	die Entstehung, den Aufbau, die Zugbahnen und die Verbreitung von tropischen Wirbelstürmen beschreiben und erklären (SK1)?	82/83
9.	die Auswirkungen des Hurrikans Katrina auf den Wirtschafts- und Siedlungsraum erläutern (SK2)?	85

Methodenkompetenz

Kann ich		
10.	unterschiedliche thematische Karten und statistische Daten, Grafiken und Texte analysieren, um auf dieser Grundlage Fragestellungen zur Desertifikation zu beantworten (MK3)?	54–67
11.	die Ursachen und Folgen der Desertifikation grafisch in einer Concept Map und einer Mindmap darstellen (MK8)?	66
12.	einen Film zur Beantwortung der Desertifikationsproblematik analysieren (MK3)?	67
13.	unterschiedliche Darstellungs- und Arbeitsmittel wie z.B. Karten, Grafiken und Texte analysieren und auf dieser Grundlage Fragen zu Hochwasser und tropischen Wirbelstürmen beantworten (MK3)?	70–85
14.	Aussagen durch angemessene und korrekte Materialverweise und Materialzitate belegen (MK7)?	48–85
15.	den Wasserkreislauf anhand eines Modells beschreiben und erklären?	80/81
16.	die Kernaussage des Modells vom Wasserkreislauf formulieren?	80/81
17.	geographische Informationen grafisch beispielsweise als Kartenskizze darstellen (MK8)?	54–67

Urteilskompetenz

Kann ich		
18.	die Eignung der Sahelzone als Wirtschafts- und Siedlungsraum anhand verschiedener Geofaktoren beurteilen (UK1)?	60/61, 8/9
19.	die Maßnahmen zur Überwindung natürlicher Nutzungsgrenzen in der Sahelzone unter ökologischen und ökonomischen Gesichtspunkten beurteilen (UK2)?	58–61
20.	Möglichkeiten und Grenzen der Anpassung an Dürren und Desertifikation beurteilen (UK5)?	64/65
21.	Maßnahmen der Hochwasservorsorge aus der Perspektive unterschiedlich Betroffener beurteilen?	76–79
22.	das Gefährdungspotenzial tropischer Wirbelstürme am Beispiel des Hurrikans Katrina beurteilen (UK1, UK2)?	84/85
23.	vor dem Hintergrund der Verwüstung von New Orleans mögliche Zivilschutzmaßnahmen diskutieren (UK2)?	84/85

Handlungskompetenz

Kann ich		
24.	Arbeitsergebnisse zum Thema tropische Wirbelstürme fachsprachlich angemessen und sachbezogen präsentieren (HK1)?	82–85
25.	Lösungsansätze für den Hochwasserschutz und Möglichkeiten der Einflussnahme im Nahraum wahrnehmen?	64/65, 67

III Leben mit endogenen Kräften der Erde

Folgen des Erdbebens und Tsunamis vom 11. März 2011 in Japan: unvorstellbare Zerstörungen, der Tod von wohl mehr als 20 000 Menschen und schließlich Kernschmelze und Freisetzung von Radioaktivität in Fukushima.

Die Erde – ein dynamischer Planet

Kontinente in Bewegung

Fest, kompakt und stabil, so erscheint uns die Erde. Tatsächlich aber ist sie in Bewegung und verändert sich täglich. Dass sich die Kontinente verschieben können, wurde noch in der ersten Hälfte des 20. Jahrhunderts als eine etwas gewagte These betrachtet. Diese Theorie hatte der Geologe Alfred Wegener aufgrund von Beobachtungen entwickelt, wie beispielsweise diese, dass Afrika und Südamerika wie Puzzleteile zusammenpassen und auf beiden Seiten des Atlantiks eine ähnliche Fauna und Flora vorzufinden ist. Er ging davon aus, dass die Kontinente aus einem zerbrochenem Urkontinent entstanden waren. Wie, wenn nicht mit Bewegung, sollten sonst etwa Kohlefunde in der Antarktis erklärt werden? Schließlich mussten diese in einer ursprünglich tropischen Region entstanden sein.

Wegeners Theorie der Kontinentalverschiebung war ein wichtiger Ausgangspunkt zur Entwicklung eines umfassenden Modells, mit dem heute die Struktur und Dynamik der Erde und der Erdoberfläche schlüssig erklärt wird. Dass sich die Erdoberfläche in großen Zeiträumen laufend verändert und wir uns heute nur in einem Durchgangsstadium befinden, bleibt eine der erstaunlichsten Erkenntnisse der Wissenschaft.

Uns wird meist dann bewusst, dass die Oberfläche der Erde in Bewegung ist und Kräfte aus dem Inneren der Erde – endogene Kräfte – für unser Leben wirksam werden können, wenn Erdbeben auftreten oder Vulkane ausbrechen und daraus Katastrophen entstehen.

Die Dynamik und den Aufbau der Erde zu erklären, ist Ziel dieses Kapitels: Wie entstehen Erdbeben, wo liegen die Ursachen von Vulkanausbrüchen, welche sind die Folgen? Welche Zusammenhänge bestehen zwischen Lage und Häufigkeit solcher Ereignisse?

heute

Kreide
vor 145 – 65 Mio. Jahren

Jura
vor 200 – 145 Mio. Jahren

Trias
vor 251 – 200 Mio. Jahren

22106E
© *westermann*

M2   Kontinentalverschiebung

M1   Seltenes Naturschauspiel. Im Jahr 2013 tauchte eine neue Insel vor der Küste Pakistans auf. Sie ist vermutlich das Ergebnis eines Vulkanausbruchs, der von einem schweren Erdbeben ausgelöst wurde und bei dem durch Methangas insbesondere Schlamm an die Oberfläche katapultiert wurde. Durch den Wellenschlag wird die Insel wieder verschwinden

M3 „Remembering" – Installation des chinesischen Künstlers Ai Weiwei 2009, Haus der Kunst, München, zum Gedenken an die Opfer des Erdbebens in China im Mai 2008 (9 000 Schulranzen, 100 m lang, zehn Meter hoch)

Katastrophale Kettenreaktion

Es breiten sich Störungen in einem Infrastrukturbereich unaufhaltsam und kaskadenhaft über andere, indirekt verbundene Systeme aus und offenbaren so die Verletzlichkeit und Verflochtenheit komplexer urbaner Systeme. So legte der Tsunami zunächst die Notstromversorgung des Atomkraftwerkes Fukushima Daiichi lahm und an mindestens drei nunmehr ungekühlten Reaktoren kam es noch am 11. März zu einer Kernschmelze. Viel zu spät wurden bis zu 200 000 Menschen aus einem Radius von 20 km um das havarierte Kraftwerk evakuiert. Bis zum heutigen Tag ist nicht klar, ob und wann diese Menschen in ihre Heimatgemeinden zurückkehren können. Die daraus folgende Abschaltung und technische Überprüfung aller anderen Atomkraftwerke in Japan führte zu landesweiten Energieengpässen, die bis zum heutigen Tag die fragile japanische Wirtschaft gefährden. Energiemangel sowie die katastrophenbedingte Schließung wichtiger Infrastruktureinrichtungen und Produktionsstätten führten nicht nur zu Nahrungsmangel in den Katastrophengebieten und selbst in Tokio, sondern lösten auch globale Störungen in den Zulieferketten von Schlüsselindustrien aus.

Nach: C. Dimmer. Japan nach dem 11. März 2011.
GR, 3/2013

M4* Auswirkungen des Tsunamis in Japan

„Woran sind diese Schulkinder gestorben?"

Mit dem Kunstwerk will der Chinese an das Erdbeben in der Provinz Sichuan im Jahr 2009 erinnern, das 90 000 Menschen das Leben kostete, darunter tausende Schulkinder. Mit den Schulranzen hat Ai Weiwei in chinesischen Schriftzeichen den Satz geformt: „Sieben Jahre lebte sie glücklich in dieser Welt." Mit diesen Worten gedachte eine Mutter ihrer Tochter.

Das Erdbeben war das schwerste in China seit Jahrzehnten. Auffällig war, dass so viele Schulen eingestürzt waren, während benachbarte Gebäude den Erdstößen standgehalten hatten. Auch ausländische Experten hatten sofort nach dem Beben eklatante Baumängel in den sogenannten „Tofu"-Schulen festgestellt. Wie weicher Sojabohnenkäse hatten sie nachgegeben und waren eingestürzt.

Künstler, die Unfähigkeit, Pfusch, Betrug, Materialdiebstahl und Korruption beim Bau veröffentlichen wollten, waren festgenommen worden. Andere versuchten, gegen den Widerstand der Behörden aufzuklären, wie viele Kinder in Schulen ums Leben gekommen waren. Ai Weiwei hatte mit einer Gruppe Freiwilliger mehr als 5 000 Namen dokumentiert. Der regimekritische Künstler ist in China bedrohlichen Repressalien ausgesetzt.

Nach: Wahrheit wird zu Subversion, Süddeutsche Zeitung, 17.05.2010

M5 Erdbeben von Sichuan als Politikum

→ Vulnerabilität wörtlich „Verwundbarkeit", Anfälligkeit. Gemeint sind die Auswirkungen eines Naturereignisses auf betroffene gesellschaftliche Gruppen und wie diese die Auswirkungen von Naturereignissen bewältigen und wie sie vorsorgen können.

Ⓦ **1. A** Die Erde – ein dynamischer Planet. Erläutern Sie die Aussage in Bezug auf die verschiedenen Materialien.
   B Erklären Sie mithilfe von M2: Warum sind Steinkohlefunde in der Antarktis oder in Spitzbergen Anlass, Kontinente als bewegliche Gebilde zu betrachten?
2. a) Erläutern Sie, warum die öffentliche Frage Ai Weiweis „Woran sind die Schulkinder gestorben?" eine Provokation für die chinesische Obrigkeit darstellte (M5).
   b) Zeigen Sie an diesem Beispiel den Unterschied zwischen Naturereignis und Naturkatastrophe auf.
3. „Je mehr technische Möglichkeiten zur Verfügung stehen, desto erfolgreicher kann sich der Mensch die Natur gefügig machen. Dadurch macht er sich jedoch auch zunehmend verwundbar." Diskutieren Sie die These am Beispiel Japans (M4, Foto S. 88/89).
Ⓩ **4.** Formulieren Sie ausgehend von diesen Beispielen Thesen, wovon die Anfälligkeit einer Region oder eines Landes gegenüber Naturkatastrophen abhängt.

Erdbeben – bewegende Tatsachen

Das Erdbeben in Haiti – eine verheerende Katastrophe

„PORT-AU-PRINCE, Haiti, 12. Januar 2010. Zuerst war es nur ein leichtes Rütteln, das die Menschen aufschreckte, dann begann die Erde zu zittern, aber die Erschütterung wurde schnell stärker, Wände begannen zu wackeln, Bäume schwangen gefährlich hin und her. Die vertikalen und horizontalen Bewegungen ließen Stockwerke seitlich abrutschen, Stützsäulen knickten wie Streichhölzer ein. In Panik liefen Menschen laut schreiend auf die Straße. Innerhalb von nur 53 Sekunden, so lange dauerte das schwere Beben, das um 16.53 Uhr Ortszeit begann, war die haitianische Hauptstadt in weiten Teilen dem Erdboden gleichgemacht." So eine Reportage (H.-U. Dillmann, Aus Politik und Zeitgeschichte, 05.07.2010). Das Epizentrum des Bebens lag in unmittelbarer Nähe der Hauptstadt Port-au-Prince. Dort konzentrieren sich mehr als 40 Prozent der Bevölkerung und werden zwei Drittel des Bruttoinlandproduktes Haitis erzeugt.
Welche Auswirkungen und Ursachen hat ein solches Naturereignis?

1. Erklären Sie die Entstehung von Erbeben (M1/ M5 – M8).
2. Lokalisieren Sie Haiti (Atlas) und begründen Sie das Erbebenrisiko (M1).
Ⓦ 3. **A** Beschreiben Sie die Auswirkungen des Erdbebens (M2 – M4).
   B Begründen Sie, inwiefern „Katastrophe" die angemessene Zuschreibung für das Beben ist.
4. Recherchieren Sie die derzeitige Situation Haitis (Internet).
Ⓩ 5. Nennen Sie Inseln in Mittelamerika, die ähnlich erdbebengefährdet sind wie Haiti (Atlas).

→ Epizentrum, Erdbeben, Hypozentrum, Magnitude

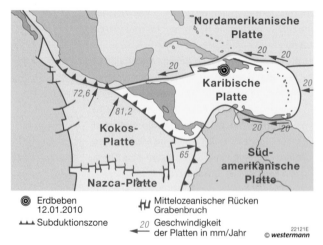

M1 Geologische Situation in der Karibik. An der Nordküste Haitis verläuft die Septentrional-Spalte, die zur Grenze zwischen der Karibischen und Nordamerikanischen Erdplatte gehört. Im Süden zieht sich eine weitere Spalte entlang, die Enriquillo-Plantain-Verwerfung. An beiden Bruchlinien bewegen sich die Erdplatten gegenläufig.
Offenbar waren die Platten an der südlichen Verwerfung mindestens seit dem letzten großen Beben im Jahr 1860 ineinander verhakt. Um einige Meter hätten sich die Platten seitdem eigentlich gegeneinander verschieben müssen, nun hat sich die Spannung mit einem Schlag entladen. Das Resultat war ein Erdbeben der Stärke 7,0 mit einem Epizentrum in der Hauptstadtregion. Mit einer Tiefe von etwa 13 km lag das Hypozentrum relativ nah an der Erdoberfläche.

M2 Nach dem Erdbeben: Helfer im zerstörten Port-au-Prince

Bilanz des Bebens

Nach Angaben des Internationalen Komitees des Roten Kreuzes sind bis zu drei Millionen Menschen direkt oder indirekt von dem Erdbeben betroffen, dies entspricht einem Drittel der Bevölkerung Haitis. Etwa 1,3 Millionen Menschen wurden obdachlos, weil ihre Häuser – nach Angaben der haitianischen Regierung 97 294 – völlig zerstört sind oder so schwer in Mitleidenschaft gezogen wurden, dass sie abgerissen werden müssen. 800 000 Menschen leben seit Mitte Januar in einem der über 800 provisorischen Lager, die in Port-au-Prince und Umgebung auf fast jeder Freifläche entstanden sind. Innerhalb Haitis gibt es über eine halbe Million sogenannte Internally Displaced People (IDP), Erdbebenopfer, die ihre ehemaligen Unterkünfte aufgegeben haben und in ihre Heimatgemeinden in den nördlichen, östlichen und westlichen Provinzen vornehmlich bei Verwandten untergekommen sind.

Etwa 4 000 Schulgebäude sind nicht mehr nutzbar, 1300 tote Lehrerinnen und Lehrer zählte das Erziehungsministerium. Über die Zahl der toten Schüler und Studenten gibt es keine offiziellen Angaben, sie dürfte nach Tausenden zu zählen sein. Der Schulunterricht musste bis Anfang April unterbrochen werden und noch immer reichen die notdürftig errichteten Klassenräume nicht für die rund 350 000 Schülerinnen und Schüler. Auch viele private und öffentliche Universitäten haben wegen Mangel an Unterrichtsräumen ihren Betrieb noch nicht wieder vollständig aufgenommen.

Zwischen 250 000 und 300 000 Menschen starben, offiziell spricht die UN von 225 000 Toten. Allerdings wurden in den ersten Tagen Leichen in Massengräber beigesetzt, ohne dass deren Daten registriert worden wären: Wer einen Leichnam fand, legte ihn an den Straßenrand, wo er vornehmlich nachts abgeholt und weggebracht wurde. Vor dem Hospital Chirurgical de la Trinité im Stadtteil Bel-Air stapelten sich tagelang immer wieder neue aufgedunsene leblose Körper auf dem Bürgersteig, während ein paar Meter weiter auf der Straße Schwerverletzte behandelt wurden.

Quelle: H.-U. Dillmann: Als die Möbel „zu tanzen begannen" – Szenen aus Haiti. APuZ, 28/29, 2010

M3 Auswirkungen

M4 Provisorisches Lager für Erdbebenopfer

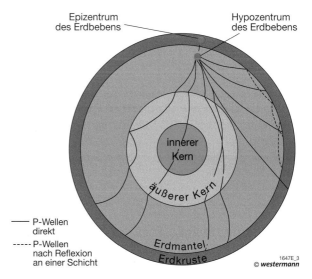

M6 Verlauf seismischer Wellen nach einem Beben

M7 Seismogramm des Erdbebens in Haiti, aufgezeichnet an der Station Dreilägerbachtalsperre (Eifel) ab 21:53:09 UTC, Herdentfernung 7650 km.

Entstehung von Erdbeben

Erdbeben sind Erschütterungen in der Erdkruste. Sie entstehen meist an Brüchen in der Erdkruste, an denen sich plötzlich und ruckartig Spannungen abbauen. Die Erschütterung gehen von einem tief gelegenen Hypozentrum (Erdbebenherd) aus und die dabei frei werdende Energie läuft in Form von Wellen durch die Erde. Senkrecht darüber an der Erdoberfläche befindet sich das Epizentrum des Bebens, der Punkt, an dem die Wellen zuerst die Erdoberfläche erreichen.

Man unterscheidet Druckwellen (P-Wellen) und Scherwellen (S-Wellen). Bei einer Druckwelle schwingt das Medium, indem sie sich ausbreitet, in Fortpflanzungsrichtung vor und zurück, wie ein Punchingball. Bei einer Scherwelle schwingt es senkrecht zur Fortpflanzungsrichtung auf und ab, wie ein Seil, das man in Wellenbewegung versetzt. Wird die Erde an irgendeinem Punkt erschüttert, so reagiert sie teils wie ein Punchingball, teils wie ein Seil. Druck und Scherwellen pflanzen sich aber unterschiedlich schnell fort. Druckwellen sind die Schnellläufer und Scherwellen kommen später an. Allerdings leiten Flüssigkeiten nur Druckwellen, nicht Scherwellen weiter.

Zusätzlich treten bei Erschütterungen auch noch Oberflächenwellen auf, die sich an die Erdoberfläche gebunden ausbreiten, ähnlich wie die Wellen in einem Teich, in den man einen Stein geworfen hat. Der Weg der Wellen verläuft nicht geradlinig, denn dort, wo sich das Elastizitätsverhalten oder die Dichte im Erdinneren ändert, werden sie gebrochen oder reflektiert.

Die Stärke von Erdbeben wird überwiegend mithilfe der Magnitude der Richterskala angegeben, die auf den Seismologen Richter zurückgeht. Sie wird mithilfe eines Seismographen gemessen, der die Bodenbewegung an der Erdoberfläche aufzeichnet. Die Magnitude wird als logarithmisches Maß angegeben, das heißt, der Zuwachs um eine Einheit, z.B. von 5 auf 6, bedeutet eine zehnfach größere Bodenbewegung.

Nach: V. Kaminske, C. Keipert: Bau und Dynamik der Erde, 2006

M5 Grundlagen: Erdbeben

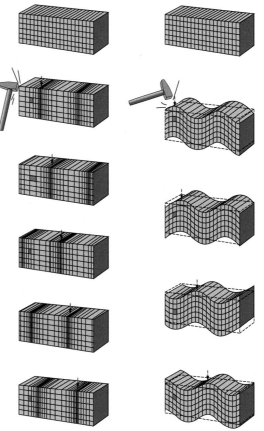

M8 Erdbebenwellen. Druckwellen entstehen, wenn man mit einem Hammer in Längsrichtung gegen einen Block festgefügter Teilchen schlägt. Die Welle pflanzt sich fort, indem jedes einzelne Teilchen vor und zurück schwingt.
Scherwellen entstehen, wenn der Hammer in Querrichtung auf den Block trifft. Jedes Teilchen schwingt dabei auf und ab und gibt diese Bewegung an seine Nachbarn weiter.

Erdbeben – bewegende Tatsachen

Anfälligkeit gegenüber Erdbeben – Chile und Haiti

„Erdbeben an sich töten niemanden. Und sie richten auch keine Zerstörung an, wenn es nichts gibt, was zerstört werden kann," resümierte ein amerikanischer Geophysiker nach dem großen Erdbeben in Chile 2010. *Doch welche Faktoren sind dafür verantwortlich, dass ein Naturereignis zu einer Katastrophe führt? Der Vergleich zweier Länder, Haiti und Chile, die 2010 kurz nacheinander gewaltige Erdbeben erleben mussten, kann diese Frage beantworten.*

1. Lokalisieren Sie Chile und begründen Sie das Erbebenrisiko (M1).
2. Vergleichen Sie die Erdbebenereignisse, deren Auswirkungen und die jeweilige politische, ökonomische und soziale Situation in beiden Staaten (M2/ M4).
Ⓦ 3. **A** Chile und Haiti sind in unterschiedlicher Weise anfällig oder verwundbar für Naturkatastrophen. Erklären Sie.
   B Fassen Sie zusammen: Was machte aus dem Erdbeben in Haiti eine so große Katastrophe?
4. Erläutern Sie den Aufbau der Erde und kennzeichnen Sie die einzelnen Erdschalen anhand wichtiger Merkmale (M6).
Ⓩ 5. Nach dem Abschmelzen großer Eismassen, wie beispielsweise in Skandinavien am Ende der Eiszeit, finden Ausgleichbewegungen statt. Erklären Sie, warum dort historische Häfen mehrere Meter über dem Meeresspiegel liegen.

→ Erdmantel, Erdkern, Erdkruste, kontinentale Kruste, Lithosphäre, ozeanische Kruste

M3 Provisorisches Zeltlager für die Opfer der Erdbebenkatastrophe in Haiti

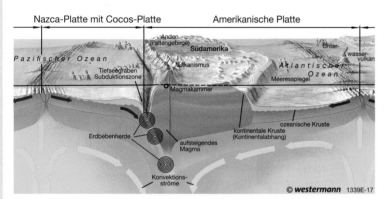

M1 Geologische Situation Chile

	Chile	Haiti
Erdbebenstärke auf der Momenten-Magnituden-Skala	8,8	7,0
Todesopfer	700	220 000
Geschätzte materielle Schäden	30 Mrd. $	8 Mrd $
Bevölkerungszahl	17 Mio.	10 Mio.
Bruttonationaleinkommen (kaufkraftbereinigt)	243 Mrd.$	11,5 Mrd.$
BNE pro Kopf (kaufkraftbereinigt)	14 311 $	1 151 $
Öffentliche Ausgaben für Gesundheit (pro Kopf)	863 $	58 $
Korruptionsindex Länder-Rangplatz (Platz 1 = am wenigsten korrupt)	21	146

Quelle: Bündnis Entwicklung Hilft, 2012

M2 Erdbebengebiete im Vergleich

Das Erdbeben in Chile war deutlich stärker als das in Haiti, und dennoch sind in dem kleinen Karibikstaat wesentlich mehr Menschen umgekommen. Wie kommt das?
Darauf gibt es eine ganz einfache Antwort: Chile ist weitaus besser auf solche Katastrophen vorbereitet. Im wohlhabendsten Land Lateinamerikas gibt es strikte Bauvorschriften, die in der Regel auch eingehalten werden. Und ebenso existiert ein Katastrophenplan, der nach dem schweren Beben umgehend zum Tragen kam. In Haiti liegt ein solcher Plan nicht vor. Es ist nicht die Stärke eines Erdbebens, die Gebäude zum Einsturz bringt, sondern vor allem deren bauliche Struktur. Gerade im sozialen Wohnungsbau sind in den vergangenen Jahren zahlreiche Häuser nach den strikten Vorschriften für Erdbebensicherheit entstanden. So blieben vor allem die ärmeren Wohnviertel vor massiven Zerstörungen verschont – ganz im Gegenteil zu Haiti. Wie die Architekten und Bauherren sind in Chile auch Regierungsbehörden einschließlich der Rettungsdienste auf etwaige Erdbeben eingestellt. Im Mai 1960 gab es in dem Andenstaat das bislang schwerste registrierte Erdbeben der Welt überhaupt, und das vom Februar 2010 war dort das dritte mit einer Stärke über 8,8. In Haiti dagegen hatte die Erde letztmals vor 250 Jahren so heftig gebebt. Und schließlich ist Chile reich genug, um die vom Erdbeben betroffene Bevölkerung selbst versorgen zu können. Haiti dagegen wird noch über Monate, wenn nicht Jahre hinweg von internationalen Hilfslieferungen abhängig sein. Dafür wird eine notorisch schlechte Infrastruktur und Regierungsführung verantwortlich gemacht.
Nach: F. Bajak, Associated Press, 28.2.2010

M4 Zwei Erdbeben mit unterschiedlichen Folgen

Gefahren

[...] Die primäre Gefahr bei einem Beben besteht in den Auswirkungen der Bodenbewegungen. Neben der direkten Beschädigung der Gebäude durch die Erschütterungen selbst kann der Baugrund, auf dem die Gebäude stehen, in Mitleidenschaft gezogen werden. [...]. Als Folge der Bodenerschütterungen können auch Erdrutsche und Schlammlawinen ausgelöst werden.[...]

Die zweite Gefahr ist die bleibende Bodenverschiebung bei sehr starken Beben. Gebäude, die in unmittelbarer Nähe von Verwerfungen stehen, können hierdurch starke Schäden erleiden. Die dritte Gefahr besteht in Flutwellen. Erdbeben können Staudämme zerstören oder Deiche beschädigen [...].

Die vierte Gefahrenquelle liegt in Bränden. Beben können Ver- und Entsorgungslinien zerstören. [...] Brände werden dann verstärkt zu einem Problem, wenn aufgrund geborstener Wasserleitungen kein Löschwasser zur Verfügung steht. [...]. Die eigentliche Gefahr für Menschen ist es, von Gebäudeteilen erschlagen zu werden, in Flutwellen von zerbrochenen Staudämmen zu ertrinken, unter Erdrutschen verschüttet zu werden oder von begleitenden Bränden eingeschlossen zu werden.

Quelle: www.seismo.uni-koeln.de

M5   Gefährdung durch Erdbeben

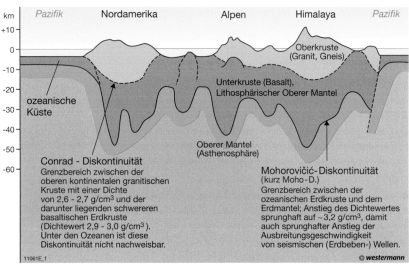

Conrad - Diskontinuität
Grenzbereich zwischen der oberen kontinentalen granitischen Kruste mit einer Dichte von 2,6 - 2,7 g/cm³ und der darunter liegenden schwereren basaltischen Erdkruste (Dichtewert 2,9 - 3,0 g/cm³). Unter den Ozeanen ist diese Diskontinuität nicht nachweisbar.

Mohorovičić- Diskontinuität (kurz Moho - D.) Grenzbereich zwischen der ozeanischen Erdkruste und dem Erdmantel; Anstieg des Dichtewertes sprunghaft auf ~3,2 g/cm³, damit auch sprunghafter Anstieg der Ausbreitungsgeschwindigkeit von seismischen (Erdbeben-) Wellen.

11061E_1   © *westermann*

Die Geschwindigkeit der Wellen ist von der jeweils vorherrschenden Gesteinsdichte oder vom Aggregatzustand des Materials abhängig. Gestein mit hoher Dichte leitet die seismischen Wellen schneller als solches mit geringerer Dichte. Flüssigkeiten leiten langsamer als Festkörper oder überhaupt nicht. Wenn sich sprunghaft die Laufzeit (Geschwindigkeit) und die Richtung der Wellen ändern, lässt sich auf Grenzschichten, sogenannte Diskontinuitäten im Erdaufbau, schließen.

Nach: V. Kaminske, 2005

M7   Seismische Wellen

M8   Profil entlang des 45. Breitengrades der Nordhalbkugel. Die Erdkruste und der oberste Teil des Erdmantels bilden zusammen die Lithosphäre, die feste Gesteinshülle der Erde. Sie schwimmt wie eine dünne Haut auf der zähflüssigen Asthenosphäre und wird durch Kräfte aus dem Erdinnern verschoben, verzerrt, gebrochen und bewegt. Bruchstücke der Lithosphäre (Platten) tauchen in die Asthenosphäre ein, ähnlich wie Eisberge, die auf dem Wasser schwimmen. Dabei taucht die kontinentale Kruste tiefer in den dichteren Mantel ein.

Kruste – wird unterteilt in kontinentale und ozeanische Kruste. Die Grenze zwischen den Krustenbereichen verläuft nicht am Kontinentrand. Sie sind aus unterschiedlichem Material zusammengesetzt. Damit ist ein Dichteunterschied verbunden: Das granitische, kontinentale Gestein ist deutlich leichter als das basaltische Gestein der ozeanische Kruste.

Mantel – die Dynamik, die hier vorherrscht, bestimmt auch das tektonische Geschehen an der Erdoberfläche. Der oberste Teil des Mantels ist fest. Darunter liegt die Asthenosphäre, die sich durch zähflüssige Beschaffenheit auszeichnet.

Kern – das Aussetzen seismischer Wellen deutet darauf hin, dass der äußere Kern flüssig, der innere Kern hingegen fest ist, obwohl hier Temperaturen von 6000 °C herrschen. Der innere Kern besteht aus einer riesigen Eisenkugel.

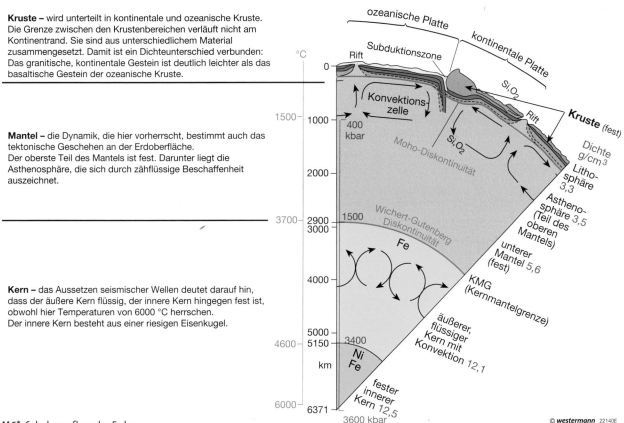

M6*   Schalenaufbau der Erde

Erdbeben – bewegende Tatsachen

Tsunamis – eine Bedrohung der Küsten auch in Japan

Am 11. März 2011 ereignete sich vor der Ostküste Japans ein schweres Erdbeben mit einer Stärke von 9,0. Das Epizentrum lag 129 km östlich der Hafenstadt Sendai. Nach dem Hauptbeben um 14:46 Uhr Ortszeit wurden in den folgenden 48 Stunden mehr als 30 Nachbeben mit einer Stärke von mindestens 6,0 registriert.

Für die gesamten Küstengebiete des Pazifikraumes wurde eine Tsunami-Warnung ausgegeben. Tsunamis (jap. „Welle im Hafen") entstehen durch Bewegungen am Meeresboden, durch die Wasser verdrängt wird. Sie werden z. B. durch Seebeben, plattentektonische Verschiebung des Meeresbodens oder große Fels- und Eisstürze ausgelöst.

Kurz nach dem ersten Beben verwüstete eine bis zu zehn Meter hohe Flutwelle 500 km Pazifikküste. In engen, tiefen Buchten erklomm die Welle Hänge bis zu 40 m. In der flachen Ebene bei Sendai drangen die Wassermassen fünf Kilometer tief ins Landesinnere vor. Im Atomkraftwerk Fukushima kam es in Folge des Tsunamis in den unkontrollierbar gewordenen Reaktoren zu Explosionen und schließlich zur Kernschmelze. Ein große Zahl von Anwohnern im Umkreis wurde evakuiert (vgl. auch, S.91, M4).

Sicherlich gibt es nur wenige andere Länder, in denen ein ähnliches Potenzial für Naturrisiken wie in Japan bestehen. Aber es gibt kein anderes Land der Erde, das zum Beispiel so gut auf Erdbeben vorbereitet ist. Wie also schützt sich Japan? Wie entstehen Tsunamis? Und was waren die Folgen des Bebens von 2011?

1. Erläutern Sie die Entstehung von Tsunamis (M1).
2. Begründen Sie das Erdbebenrisiko in Japan (M2, Atlas).
Ⓦ 3. **A** Geben Sie einen tabellarischen Überblick über die Folgen des Erdbebens von Tohoku (M3–M6, S. 88).
   B Vergleichen Sie anhand der Daten aus M3 die Folgen der Naturkatastrophen in Japan, Haiti und Chile (M2, S. 94).
4. Die Bilanz des Bebens wäre noch schlimmer ausgefallen, hätten nicht entscheidende Strategien und Verhaltensweisen zur Minderung erdbebenbedingter Schäden beigetragen. Erklären Sie (M6).
Ⓩ 5. Lokalisieren Sie besonders tsunamigefährdete Regionen auf der Erde (Atlas).

→ Tsunami

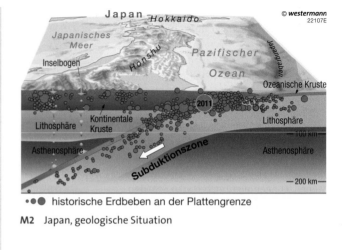

●●● historische Erdbeben an der Plattengrenze

M2   Japan, geologische Situation

Folgen des Bebens

Das Beben traf vor allem den pazifischen Küstenstreifen der Region Tohoku: ca. 16 000 Tote und fast 3 000 Vermisste, rund 130 000 Gebäude völlig zerstört unendliches persönliches Leid, unermessliche Sachschäden.

Die Fokussierung der Medien auf die gewaltige, landeinwärts vorstoßende Wasserwalze hinterließ den Eindruck, große Teile Japans seien zerstört. Es sind jedoch „nur" ca. 400 km² entlang der Ostküste direkt vom Tsunami verwüstet worden, d. h. 0,1 % der Landfläche: eine lokal desasträse aber nicht großflächige Zerstörung. Dass die Primärwirkung im 130 km entfernten Sendai, Millionenstadt und Zentrum der Region Tohoku, keine Schäden besonderen Ausmaßes hinterlassen hat, grenzt an ein Wunder. Die wirtschaftlichen Kerngebiete Japans blieben verschont.

Die Schäden liegen bei etwa 150 bis 250 Mrd. US-Dollar, bei einem BIP von 5 459 Mrd. US-Dollar. Diese Rechnung geht allerdings nur auf, wenn die Schäden durch den Atomunfall von Fukushima unberücksichtigt bleiben. Die ökonomischen Folgen des Erdbebens und des Tsunamis kann Japan verkraften. Die Folgen der Reaktorkatastrophe dagegen sind ungewiss.

Nach: W. Flüchter: Das Erdbeben in Japan 2011, GR 12/2011

M3   Bilanz des Tohoku-Bebens

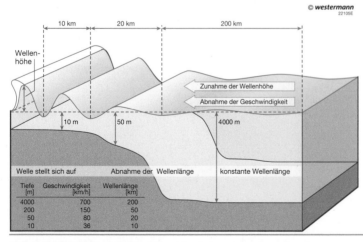

M1*   Entstehung eines starken Tsunamis

Ein Tsunami breitete sich mit einer von der Wassertiefe abhängenden Geschwindigkeit vom Ursprungsort in alle Richtungen aus. Die Welle ist dabei oft sehr lang, aber im freien Ozean nicht unbedingt hoch.

Entgegen einer „normalen" Welle, die durch Wind ausgelöst wird und deshalb nur die oberste Wasserschicht betrifft, wird von einem Tsunami die gesamte Wassersäule vom Meeresboden bis zur Oberfläche erfasst. Wegen der großen Wellenlänge werden sie auf hoher See gar nicht bemerkt. Erst mit Erreichen der Küste wird sie vorne abgebremst, während eine gewaltige Wassermasse mit hoher Geschwindigkeit nachschiebt. Daher steilt sich die Welle auf und erreicht eine Auflaufhöhe an der Küste von manchmal sogar mehreren Zehner Metern.

Nach: R. Glawion u.a.: Physische Geographie, 2012

M4 Tsunami bei der Ortschaft Miyako in Japan nach dem Erdbeben vom 11.3.2011

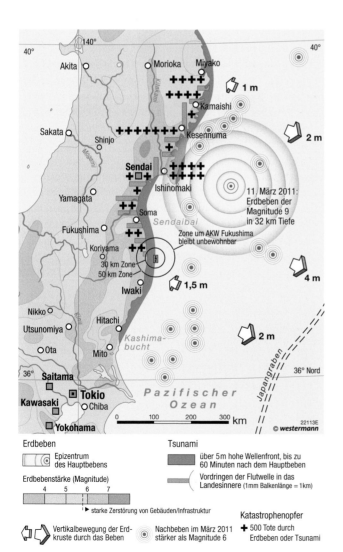

Erdbeben

Epizentrum
des Hauptbebens

Erdbebenstärke (Magnitude)

4   5   6   7

▶ starke Zerstörung von Gebäuden/Infrastruktur

Vertikalbewegung der Erd-
kruste durch das Beben

Nachbeben im März 2011
stärker als Magnitude 6

Tsunami

über 5 m hohe Wellenfront, bis zu
60 Minuten nach dem Hauptbeben

Vordringen der Flutwelle in das
Landesinnere (1 mm Balkenlänge = 1 km)

Katastrophenopfer

✚ 500 Tote durch
Erdbeben oder Tsunami

M5 Tohoku-Beben vor Japan am 11.3.2011

Seismische Frühwarnung

▌ **Erdbeben:** Eine zeitliche und räumlich verlässliche Vorhersage von Erdbeben ist derzeit nicht möglich. Wohl aber kommt im Fall eines Erdbebens
ein effizientes Frühwarnsystem zur Anwendung. Dafür nutzt man die unterschiedliche Geschwindigkeit der P- und S-Wellen. Die ersten Signale der
P-Welle bedeuten im Falle der 370 km vom Bebenherd entfernten Metropo-
le Tokyo ein Vorwarnpotenzial von 40 Sekunden, im Fall des 130 km entfernten Sendai 14 Sekunden: Wertvolle Zeit. Schnellzüge können automatisch
gestoppt, Fluttore geöffnet, Brücken gesperrt werden. Trotz permanenter
Erdbebengefahr hat es beim Hochgeschwindigkeitszug Shinkansen nicht
ein einziges Unglück gegeben, das Menschenleben gekostet hat.

▌ **Tsunami:** Die Tatsache, dass Tsunami-Wellen viel langsamer rasen als
seismische Wellen, ermöglicht mithilfe eines dichten Netzes seismischer
Sensoren, Pegeln und Bojen eine ausreichende Frühwarnung. Den Berichten zufolge benötigte der Tsunami 10 bis 30 Minuten bis zur nächsten
betroffenen Küstenregion: Wertvolle Zeit zur Rettung von Menschenleben.
Zehntausende haben diese Möglichkeit wahrgenommen.

▌ **Erdbebenresistente und bebenflexible Bautechnologie:**
Japan mit seiner international erstklassigen Schwingungskontroll- und
Isolierungstechnik gilt bautechnisch als Modell für Städte ähnlicher
Verwundbarkeit, z. B. für San Francisco und Istanbul. Aber auch das Vor-
zeigeland muss noch sehr viel tun: die große Masse des privaten Holzwoh-
nungsbaus erdbebenbelastbarer und auch feuerresistenter zu machen.
Die Sekundärwirkung durch Feuersbrünste ist in Japan mindestens ebenso
gefährlich wie die Destruktivität des Erdbebens.

▌ **Verhalten und Reaktion der Bevölkerung im Notfall:**
Die Menschen in Japan sind jeher an Naturkatastrophen gewöhnt. Der
Respekt vor den Kräften der Natur ist tief im Bewusstsein der Bevölkerung
verankert. Mindestens einmal im Jahr finden Übungen zum Katastrophenschutz statt, ritualisiert am 1.9., dem Tag der Erinnerung an das Große Beben von Kanto 1923.

Nach: W. Flüchter: Das Erdbeben in Japan 2011. GR 12/2011

M6 Katastrophenschutz

Plattentektonik – ein Modell

Alles Schiebung!

In den vergangenen 50 Jahren hat sich die wissenschaftliche Sichtweise auf die Erde völlig verändert: Während man zunächst davon ausging, die Erde sei weitgehend starr und fest, weiß man heute, dass die Erdkruste und das Innere der Erde ständig in Bewegung sind. Neuere Erkenntnisse werden in der Theorie der Plattentektonik zusammengefasst. Mit diesem Denkmodell kann die Wissenschaft nachvollziehbare Antworten auf wichtige Fragen geben. So können Ursachen von Erdbeben, von Vulkanausbrüchen oder der Entstehung von Gebirgen erklärt werden.
Im Zentrum steht die Erkenntnis, dass die Lithosphäre in verschiedene Platten zerfällt, sechs große und mehrere kleinere, die gegeneinander beweglich sind. Die Platten werden von Konvektionsströmen in Bewegung gesetzt, die innerhalb der Asthenosphäre zirkulieren. Manche der Platten teilen sich und bilden neue Platten aus, andere verschwinden langsam. Dies geschieht allerdings in sehr langen Zeiträumen. Die Menschheit ist von den plattentektonischen Vorgängen vor allem durch das Geschehen an den jeweiligen Plattengrenzen berührt. An diesen Schwächezonen der Lithosphäre konzentrieren sich Erdbebenherde und Vulkane.
Die Beobachtung, dass Kontinente im Lauf der Erdgeschichte auf der Oberfläche gedriftet sein mussten, war der wesentliche Anstoß zur Anpassung der Theorien zum Aufbau der Erde. Heute geht man davon aus, dass die Kontinentalplatten immer wieder zusammen einen „Superkontinent" bilden, der anschließend zerbricht, auseinander driftet und wieder zusammengeschoben wird.

1. Fassen Sie in einer Übersicht die Erscheinungen und Vorgänge an den verschiedenen Plattengrenzen zusammen.
2. Ordnen Sie die tektonische Situation in Haiti (M1, S. 92), Chile (M1, S. 94) und Japan (M2, S. 96) ein (M1). Erklären Sie an diesen Beispielen Prozesse an den Plattengrenzen (M2).
Ⓦ 3. Beschreiben und begründen Sie mithilfe des Modells der Plattentektonik
   A die weltweite Verbreitung der Erdbebengebiete (M3 – M5, Atlas).
   B die Verteilung der jüngeren Faltengebirge (M3 – M5, Atlas).
Ⓩ 4. Stellen Sie in einer Tabelle die Großplatten, zugehörige Kontinente und Meere zusammen.

→ Divergenz, Faltengebirge, Inselkette, Konvektion, Konvergenz, Riftzone, Subduktionszone

▪ *Kollision von Platten (Konvergenz)* – Treffen eine ozeanische und eine kontinentale Platte aufeinander, kommt es zum Abtauchen der dichteren Ozeanplatte (Subduktion). Beim Zusammenstoß zweier Kontinentplatten tritt gegenseitige Überschiebung oder Unterschiebung auf. Die Platten werden gepresst, deformiert oder gefaltet. Die Folge ist eine Verdickung der Lithosphäre, der Himalaya ist so entstanden.
▪ *Trennung zweier Platten (Divergenz)* – Hier bewegt sich die Lithosphäre entlang einer Trennlinie auseinander. Die Plattengrenze wird als konstruktiv bezeichnet, weil an ihr neues Lithosphärenmaterial aufgebaut wird.
▪ *Vorbeigleiten zweier Platten – (Transformbewegung)* Entlang von Plattengrenzen oder Bruchzonen innerhalb von Platten können sich Platten horizontal aneinander vorbei schieben. […]
Quelle: V. Kaminske u. C. Keipert: Bau und Dynamik der Erde, 2006

M1   Bewegungsmöglichkeiten der Platten an den Plattengrenzen

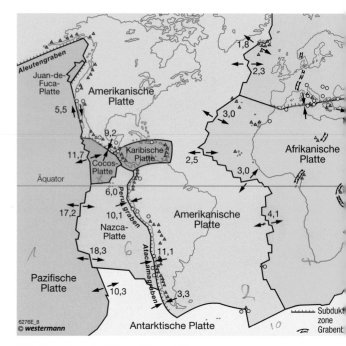

M2* Bewegung der Lithosphärenplatten

→ Riftzonen

An den divergierenden Plattengrenzen, an denen die Platten nach beiden Seiten auseinander driften, wird ständig neue Erdkruste produziert. Dadurch bilden sich Spaltensysteme, Riftzonen genannt, wie z. B. die mittelozeanischen Rücken. Vulkanreihen längs dieser Riftzonen bilden Brücken und Schwellen. Auch innerhalb von Kontinentalplatten treten Riftzonen auf, wie beispielsweise am ostafrikanischen Graben.
Beim Erkalten des im Rift an die Oberfläche beförderten Materials bewahrt es Spuren des Erdmagnetfeldes. Umkehrungen, die im Laufe der Erdgeschichte oft vorkamen, sind als ein Streifenmuster in der ozeanischen Kruste zu erkennen. Das Muster entspricht der zeitlichen Abfolge der magnetischen Umpolung des Erdmagnetfeldes. Daran ist abzulesen, dass sich beispielsweise der Atlantik um mehrere Zentimeter pro Jahr ausweitet.

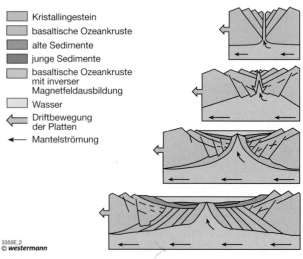

M3* Trennung zweier Platten

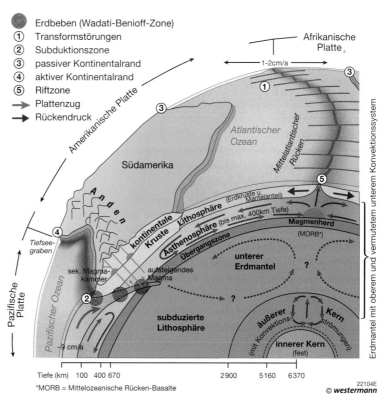

M5 Plattentektonische Prozesse im Modell

→ Subduktionszonen

Vor allem in den Randbereichen großer ozeanischer Becken liegen die Zonen, in denen ozeanische Kruste abtaucht. Man spricht von Subduktionszonen, die gewissermaßen das Gegenstück zu den Riftzonen darstellen und mit den Tiefseegräben die Bereiche mit der größten Meerestiefe ausmachen. Treffen dabei zwei ozeanische Platten aufeinander, wird die ältere der Platten wegen ihrer größeren Dichte unter die jüngere geschoben. Dabei entstehen Inselketten (Marianentyp). Werden eine ozeanische und eine kontinentale Platte gegeneinander geschoben, taucht die ozeanische wegen ihrer größeren Dichte ab. Durch den Druck bilden sich auf der kontinentalen Platte Faltengebirge (Chile-Typ).

So wird ozeanische Kruste, die in den Riftzonen entstanden war, in den Subduktionszonen wieder abgebaut und das abgetauchte Material wird im Erdmantel wieder aufgeschmolzen.

Was treibt die Platten an?

Über diese Frage besteht in der Wissenschaft bis heute Unklarheit. Man geht von verschiedenen Kräften aus. Wesentliche Antriebe für die Bewegung der Platten scheinen Konvektionsströmungen im Erdinneren zu sein: Im oberen Mantel steigt heißes Magma unter den divergierenden Plattengrenzen auf und abgekühltes Material in den Subduktionszonen ab. Die Wärmeenergie dazu stammt aus dem Erdkern oder dem unteren Mantel. Im Erdinneren scheinen dabei zwei separate Konvektionskreisläufe zu bestehen. Die Wärme im Erdmantel ist für den Bruch der Lithosphäre in Platten und deren Bewegung verantwortlich.

Als weitere wichtige Antriebskräfte, deren Bedeutung in der Wissenschaft kontrovers diskutiert wird, gelten:

- *„slap-push" – Plattenzug:* Die spezifisch schwereren ozeanischen Lithospärenplatten sinken in den Subduktionszonen ab. Der abtauchende Plattenrand zieht den Rest der Platte nach sich.
- *„trench suction" – Rinnensog:* Das Abtauchen der einen Platte verursacht einen Sog auf die andere Platten an einer Subduktionszone.
- *„ridge push" – Rückendruck:* Die Platten gleiten durch ihr Eigengewicht von den aufgewölbten mittelozeanischen Rücken seitlich ab und werden zusätzlich durch das aufsteigende Magma zur Seite gedrückt.

Nach: K. Stüwe: Einführung in die Geodynamik der Lithosphäre, 2000

M6 Plattenbewegung: Erklärungsansätze

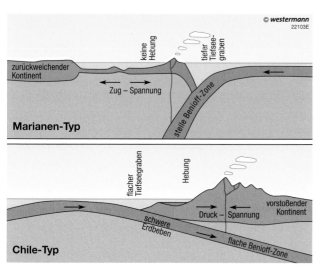

M4* Kollision von Platten

Vulkanismus – Segen und Gefahr

Island – ein Schritt von Europa nach Amerika

Tatsächlich kann man an mancher Stelle auf Island mit einem Bein in Amerika und mit dem anderen in Europa stehen, jedenfalls plattentektonisch betrachtet. Island liegt auf dem mittelatlantischen Rücken an der Riftzone zwischen Europa und Amerika. Die ältesten Teile der Insel sind erst vier Millionen Jahre alt und sie wächst ständig weiter. Schon vor diesem Hintergrund ist der Vulkanismus auf dieser Insel stets gegenwärtig.
Der Ausbruch des Eyjafjallajökull-Vulkans im März 2010 unter einem Gletscher auf Island war allerdings außergewöhnlich: Sein Ausbruch betraf die gesamte Nordhalbkugel. Auf Island selbst mussten zwar Menschen evakuiert werden und auch Straßen wurden überschwemmt, die Auswirkungen waren dort aber kaum aufsehenerregend. Dieser Vulkan war in vergangenen Jahrhunderten selten aktiv und eruptierte nun Aschepartikel bis in eine Höhe von acht Kilometern. Aber warum war davon die gesamte Nordhalbkugel betroffen? Warum entsteht gerade an dieser Stelle im Atlantik eine Insel, wo doch am ganzen mittelatlantischen Rücken ständig Material aufsteigt? Wie entsteht Magma und wie gelangt es an die Erdoberfläche? Warum ist das Ausbruchsrisiko der Vulkane auf Island hoch und welche Folgen hatte der Ausbruch des Eyjafjallajökull-Vulkans?

1. Erläutern Sie, inwiefern in Island „die Wegsamkeit [...] durch die Tektonik bereitgestellt" (M1) wird und begründen Sie den Vulkanismus auf der Insel (M1/ M3/ M4).
Ⓦ 2. **A** Stellen Sie die Folgen des Ausbruchs des Eyjafjallajökulls übersichtlich in einem Wirkungsschema dar.
    B Stellen Sie die Folgen des Ausbruchs des Eyjafjallajökulls in Form einer Zeitungsmeldung dar.
3. Beschreiben Sie, inwiefern im Zusammenhang mit diesem Ausbruch von Vulnerabilität gesprochen werden kann.
Ⓩ 4. Arbeiten Sie mit dem Atlas: Erstellen Sie eine Übersicht von Regionen, die besonders stark von Vulkanismus betroffen sind. Erklären Sie die Bezeichnung „Pazifischer Feuerring".

→ Eruption, Lava, Magma

Muss man nur tief genug bohren? ...

Was an der Oberfläche flüssig ist, muss in der Erde noch lange nicht flüssig sein. Der Druck ist ein entscheidender Faktor. Je höher der Druck auf einem Gestein lastet, desto mehr Temperatur ist erforderlich, das Gestein zu verflüssigen. [...]
Grundsätzlich haben alle Vulkane ihre Ursprungsquelle im Erdmantel. Aus anomal heißen Zonen unterschiedlicher Tiefen bilden sich Gesteinsschmelzen, die in großen Reservoiren im Mantel zwischengespeichert werden [...]. Jede vulkanisch aktive Region hat spezielle Voraussetzungen. Es ist nicht so, dass man überall auf der Erde nur tief genug bohren müsste und schon hätte man Magma im Bohrloch. [...] Magma ist mit einer Temperatur von über 1 200 Grad Celsius sehr heiß [...]. Jedoch reicht die Energie, die in einer durch einen Schlot aufsteigenden Gesteinsschmelze steckt, nicht aus, sich wie ein Schneidbrenner durch mehrere Kilometer Gestein durchzuschweißen. Hierfür muss die Wegsamkeit in den meisten Fällen durch die Tektonik bereitgestellt werden. An die Oberfläche gelangtes Magma wird Lava genannt.
Quelle: U. Schreiber: Vulkane, 2011

M1 Der Ursprung von Magma

M2 Aus verschiedenen Schloten des Eyjafjallajökull-Vulkans unter dem Gletscher aufsteigende Lava taute das Eis des Gletschers Eyjafjallajökull auf. Das Wasser erzeugte in den Schloten im Kontakt mit der Schmelze eine hohe Explosionskraft. Davon zeugt die bis zu 8 000 m hohe Eruptionssäule.

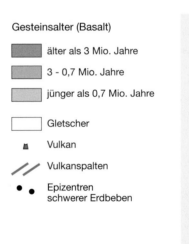

Gesteinsalter (Basalt)

- älter als 3 Mio. Jahre
- 3 - 0,7 Mio. Jahre
- jünger als 0,7 Mio. Jahre
- Gletscher
- Vulkan
- Vulkanspalten
- Epizentren schwerer Erdbeben

Amerikanische Platte

Mittelatlantischer Rücken

M3 Vulkanisch aktive Zonen und Alter der Gesteine auf Island

Die meisten Vulkane sehen wir nicht

Die größten Flächen auf der Erde werden von Ozeanen eingenommen. Könnten wir das Wasser zur Seite schieben, täte sich eine fast gleichgroße Fläche der Erdkruste auf, die ausschließlich aus Basalt besteht, gespeist aus Lavaströmen, die an langen Spaltensystemen der Ozeanischen Rücken aufreißen. Hier wird fortwährend neue ozeanische Kruste gebildet, die durch die beiden Seiten weg vom Rücken gezogen wird. Die Folge ist eine immense Produktion von Lava [...]. Auf Island ist dieser Vorgang direkt zu beobachten. Hier treffen die Produktion von Magma eines ozeanischen Rückens und die eines Hot Spots [besonders aktive Region, siehe S. 102] zusammen.
Quelle: U. Schreiber: Vulkane, 2011

M4 Vulkanismus an mittelozeanischen Rücken

Vulkanasche – Gefahr für Flugzeuge

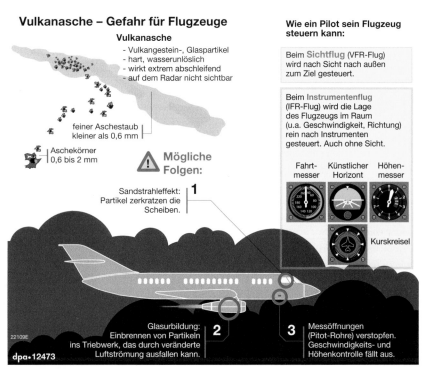

Vulkanasche
- Vulkangestein-, Glaspartikel
- hart, wasserunlöslich
- wirkt extrem abschleifend
- auf dem Radar nicht sichtbar

feiner Aschestaub
kleiner als 0,6 mm

Aschekörner
0,6 bis 2 mm

⚠ **Mögliche Folgen:**

Sandstrahleffekt: **1**
Partikel zerkratzen die
Scheiben.

Glasurbildung: **2**
Einbrennen von Partikeln
ins Triebwerk, das durch veränderte
Luftströmung ausfallen kann.

Messöffnungen **3**
(Pitot-Rohre) verstopfen.
Geschwindigkeits- und
Höhenkontrolle fällt aus.

dpa•12473

Wie ein Pilot sein Flugzeug steuern kann:

Beim Sichtflug (VFR-Flug)
wird nach Sicht nach außen
zum Ziel gesteuert.

Beim Instrumentenflug
(IFR-Flug) wird die Lage
des Flugzeugs im Raum
(u.a. Geschwindigkeit, Richtung)
rein nach Instrumenten
gesteuert. Auch ohne Sicht.

Fahrt-messer   Künstlicher Horizont   Höhen-messer

Kurskreisel

M6 Vulkanasche – Gefahrenquelle für den Flugverkehr?

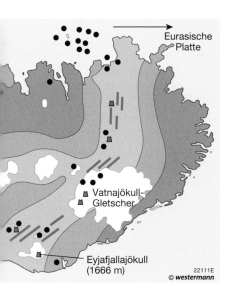

Eurasische Platte

Vatnajökull-Gletscher

Eyjafjallajökull
(1666 m)

22111E
© westermann

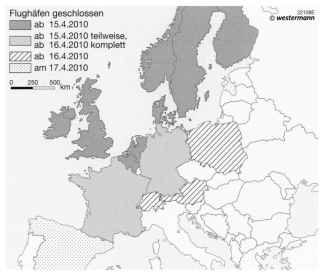

Flughäfen geschlossen
- ab 15.4.2010
- ab 15.4.2010 teilweise, ab 16.4.2010 komplett
- ab 16.4.2010
- am 17.4.2010

0 250 500 km

22108E
© westermann

M7 Schließung europäischer Flughäfen im April 2010

Schäden in Milliardenhöhe

Das beispiellose Flugverbot hat Milliarden gekostet. Im europäischen Luftraum wurden mehr als 100 000 Flugverbindungen gestrichen. Allein die Fluggesellschaften schätzten den Umsatzausfall auf 1,3 Mrd. Euro. In der Industrie wurden Produktionsausfälle beklagt, weil dringend benötigte Lieferungen nicht pünktlich per Luftfracht eintrafen. Wegen der tagelangen Luftraumsperrungen konnten allein an deutschen Flughäfen knapp drei Millionen Passagiere nicht abgefertigt werden. Schätzungsweise rund 50 000 t Luftfracht konnten nicht befördert werden.

Nach: otr/Reuters/dpa/apn auf www.spiegel.de, o. Datum

M5 Wirtschaftliche Folgen

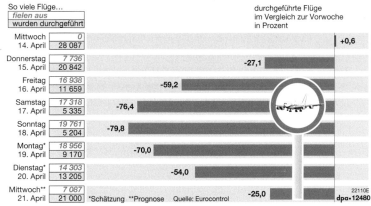

So viele Flüge...
fielen aus
wurden durchgeführt

durchgeführte Flüge
im Vergleich zur Vorwoche
in Prozent

	fielen aus	wurden durchgeführt	Prozent
Mittwoch 14. April	0	28 087	+0,6
Donnerstag 15. April	7 736	20 842	-27,1
Freitag 16. April	16 938	11 659	-59,2
Samstag 17. April	17 318	5 335	-76,4
Sonntag 18. April	19 761	5 204	-79,8
Montag* 19. April	18 956	9 170	-70,0
Dienstag* 20. April	14 303	13 205	-54,0
Mittwoch** 21. April	7 087	21 000	-25,0

*Schätzung **Prognose   Quelle: Eurocontrol

22110E
dpa•12480

M8 Entwicklung der Flugreisen im April 2010

Vulkanismus – Segen und Gefahr

Leben mit dem Vulkan

Der Vulkan Merapi ist einer von mehreren aktiven Vulkanen auf der vergleichsweise dicht besiedelten indonesischen Insel Java. Er gilt auch wegen seiner Unberechenbarkeit als einer der gefährlichsten Vulkane der Welt, der die Bevölkerung der Umgebung bedroht. Deshalb wird der Berg ständig observiert, sodass sich die Bevölkerung mit einer Vorwarnzeit von bis zu acht Minuten in Sicherheit bringen kann. Denn trotz der Gefahr, die von dem Vulkan ausgeht, weist seine Umgebung eine hohe Bevölkerungsdichte auf, selbst seine Flanken werden immer wieder besiedelt. In seiner Nähe liegt die Großstadt Yogyakarta.
Wie kommt diese Widersprüchlichkeit zustande? Und welche weiteren Vulkanarten und Gefahren, die von Vulkanausbrüchen ausgehen, gibt es?

1. Begründen Sie den Vulkanismus auf Java und die Entstehung des Merapi (M3/ M5, Atlas).
2. Stellen Sie Lagegunst und Naturgefahr der Siedlungen in der Umgebung des Merapi einander gegenüber.
3. Erläutern Sie den Entstehungsprozess von Magma und wie es bis zur Erdoberfläche gelangt (M1, S. 100 M1).
Ⓦ 4. A Erklären Sie Alter und Entstehungsprozess der Hawaii-Inseln (M6).
   B Erklären Sie, inwiefern die Existenz von Hot Spots (s. → Definition) als Beleg für die Kontinentalverschiebung gelten kann (M6).
Ⓩ 5. Fassen Sie in einer Tabelle übersichtlich die verschiedenen Arten von Vulkanismus zusammen und stellen Sie deren Merkmale einander gegenüber.

→ Hot Spot, Inselbogen, Lahar, Magmakammer, Plume, pyroklastischer Strom, Vulkan

Auf dem Weg nach oben

Das Magma kann unter bestimmten Voraussetzungen in wenigen Tagen aus vielleicht 70 bis 50 km Tiefe aufsteigen. Aber es gibt auch Stopps auf dem Weg nach oben, an den Stellen, an denen sich die Dichteverhältnisse der Umgebung deutlich ändern. Dies ist an der Grenze der kontinentalen Kruste zum Mantel in 30 km Tiefe der Fall. Eine Speicherung von Magma führt sofort zu einer Veränderung in seiner Zusammensetzung. Die Temperatur sinkt, spezielle Minerale kristallisieren, der Anteil an leicht flüchtigen Stoffen nimmt relativ zu und nachfolgende Gesteinsschmelzen vermischen sich mit den älteren. Auf dem Weg durch die Kruste kann es wieder passieren. Die Tektonik dehnt einen begrenzten Ausschnitt der unteren, mittleren, oder oberen Kruste, das Magma füllt gleichzeitig den entstehenden Raum und bleibt in der sich bildenden Magmakammer stecken. Wenn es keinen Nachschub gibt, erkaltet es, kristallisiert aus und wird zum Tiefengestein (z. B. Granit oder Gabbro). Folgen aber ständig neue Magmen bei sich weiter dehnender Kruste, entstehen gewaltige Magmakammern, die das Potenzial für die gefährlichsten Vulkaneruptionen haben.
Quelle: U. Schreiber: Vulkane, 2011

M1   Der Weg des Magmas

M2   Reisanbau am Merapi. Das Magma des rund 3 000 m hohen Vulkankegels ist zähflüssig, sodass es zu einem „Dom" am Krater aufgebaut wird. Wenn dieser zusammenbricht, rutscht das Material den Hang hinunter.

→ Hot Spot

Innerhalb von Platten treten häufig Vulkane auf, deren Förderkanal bis in den Grenzbereich Erdkern/Erdmantel reicht. Solche, oft mehrere Kilometer dicken Aufstiegskanäle werden als „Mantle Plumes" bezeichnet. Die Austrittsstelle an der Oberfläche [...] wird als Hot Spot bezeichnet. Diese punktförmigen Wärmequellen sind für ca. 100 Millionen Jahre nahezu ortsfest [...]. Hawai ist ein Beispiel für einen Hot-Spot-Vulkanismus. [...] Es gibt nur einen Zufuhrkanal aus dem Mantel. Die feste Platte mit der ozeanischen Kruste wandert durch die Plattentektonik nach Nordwesten. Irgendwann ist der Abstand zum Zufuhrkanal zu groß, die Aktivität erlischt und ein neuer Vulkan im Südosten entsteht – wieder direkt über dem Hotspot.
Quelle: U. Schreiber: Vulkane, 2011

Die subduzierten Platten werden in unterschiedlichen Winkeln in die Tiefe gezogen. Dort steigen mit jedem Kilometer Druck und Temperatur deutlich an. Die Minerale des absinkenden Gesteinpakets verändern sich, Wasser wird freigesetzt und steigt in den Teil des Mantels auf, der zur benachbarten unterfahrenen Platte gehört. Das ist genau die Position, über der sich die Vulkane der aktiven Kontinentalränder und Inselbögen befinden. Der Mantel unter den Vulkanen ist so heiß wie unter dem Rest der Kontinente. [...] In den Subduktionszonen kommt aber entscheidend das Wasser hinzu. Es verringert den Schmelzpunkt des Mantelgesteins deutlich und bewirkt damit erst, dass sich die Vulkane bilden können.
Aus diesem Vorgang heraus entstehen Magmen, die einen völlig anderen Vulkantyp speisen. [...] Das Wasser und andere hochmobile Bestandteile führen letztlich zu einem explosiven Vulkanismus, der zu den gefährlichsten Eruptionen führen kann, die wir kennen.
Quelle: U. Schreiber: Vulkane, 2011

M3   Vulkanismus an Subduktionszonen

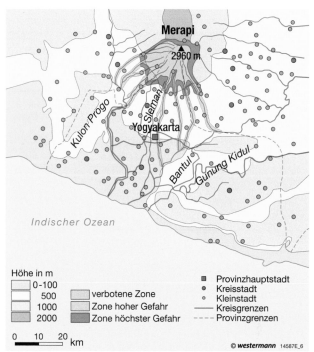

M6 Gefahrenzonen am Merapi – Große Gefahr geht von Glut-
lawinen aus, sogenannten pyroklastischen Strömen, durch
die es immer wieder zu verheerenden Zerstörungen kommt.
Mit mehr als 100 km/h bewegen sich die bis zu 800 °C heißen
Lawinen, die aus einem Asche-, Lapilli- und Gasgemisch bestehen, hangabwärts durch die Täler, sodass sie oft weit bis ins
Umland gelangen können. Als „Lahars" bezeichnete Schlamm-
und Schuttströme sind ebenfalls bedrohlich. Sie entstehen
nach dem Einsetzen tropischer Niederschläge, wenn sich
Aschen mit Regenwasser mischen. Oftmals wirken feinste
Ascheteilchen in der Atmosphäre als Kondensationskeime,
sodass heftig Sturzregen Vulkanausbrüche begleiten können.

Schichtvulkan – kegelförmig, Phasen mit Asche- und
Schlackeauswurf sowie Ausfluss zähflüssiger, saurer Lava
wechseln ab. Auch explosive Eruptionen.

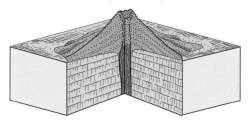

Schildvulkan – entstanden durch eher ruhig ausgeflossene
Strömung dünnflüssiger, basischer Lava aus einem zentralen
Schlot.

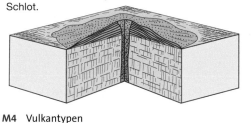

M4 Vulkantypen

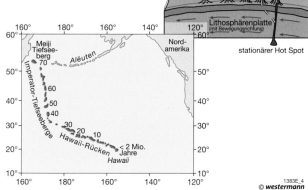

M5 Wandernde Vulkaninseln

Ist der Vulkanismus für die Landwirtschaft ein Segen?

Die meisten vulkanischen Gesteine haben eine Zusammensetzung,
die viele anorganische Nährstoffe für Pflanzen bereithalten. Das
Festgestein, die Lava, verwittert langsam. Je nach Klimabedingun-
gen dauert es Jahrzehnte oder Jahrhunderte, bis sich ein Boden mit
ausreichend pflanzenverfügbaren Nährstoffen entwickelt. Schneller
geht es bei den flächig abgelagerten Aschen und Lapilli, die eine
bessere Wasserspeicherung besitzen, leichter durchwurzelbar sind
und schneller durch organische Säuren und Regenwasser angelöst
werden. In feucht-warmen Klimaten entwickelt sich hieraus schnell
ein sehr fruchtbarer Boden, dessen Nährstoffe auch nach Jahrzehnten
der landwirtschaftlichen Nutzung aus dem sich langsam auflösenden
Mineralbestand nachgeliefert werden. Bekannte Beispiele sind Böden
auf Java und Bali, die aus den Aschen der aktiven Vulkane hervor-
gegangen sind. Ihrer Fruchtbarkeit ist es vermutlich zu verdanken,
dass sich hier der Nassreisanbau entwickeln konnte. Seit über 2000
Jahren mit bis zu drei Ernten im Jahr bietet er die Lebensgrundlage
für die Bevölkerung.
Quelle: U. Schreiber: Vulkane, 2011

M7 Fruchtbare Böden

Das Wichtigste in Kürze

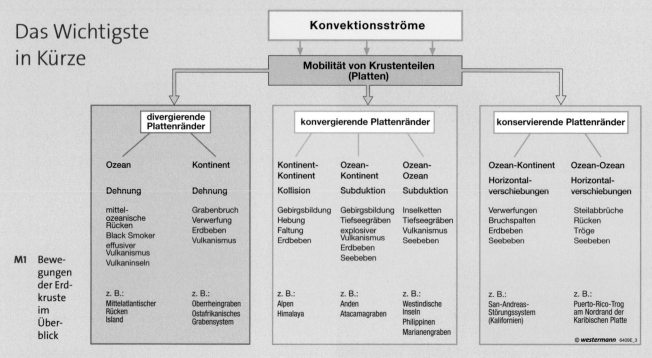

M1 Bewegungen der Erdkruste im Überblick

Das Modell der Plattentektonik

Das Modell der Plattentektonik kann heute als eine Leitvorstellung der Geowissenschaften bezeichnet werden: Mithilfe dieses Modells mobiler Platten, das aus der Theorie der Kontinentaldrift weiterentwickelt worden ist, können eine Vielzahl geologischer Phänomene wie Erdbeben, Vulkanismus, Gebirgsbildung oder die Entstehung von Inselbögen im Zusammenhang erklärt werden.

Nach heutigem Forschungsstand besteht die Erdkruste aus etwa 20 großen, mobilen Lithosphärenplatten, die die Kontinente tragen und die in relativer Bewegung zueinander stehen. Als Motor der Plattenbewegung können Konvektionsströme aus dem Erdinneren ausgemacht werden, die durch Druck und Zugbewegungen unterstützt werden. Im Lauf der Erdgeschichte ist es mehrfach zur Bildung von Großkontinenten gekommen, zuletzt der Urkontinent Pangäa, der sich seit 150 Mio. Jahren auseinander bewegt. So kam es zur heutigen Verteilung der Kontinente, die sich jedoch ständig weiter verändert.

Das Auftreten von Erdbeben und Vulkanen konzentriert sich auf die Schwächezonen der Lithosphäre. Dies sind Plattengrenzen, also Bereiche, in denen Platten kollidieren, sich auseinander bewegen oder aneinander vorbeigleiten, und Bruchzonen innerhalb von Platten. An den mittelozeanischen Rücken entsteht laufend neues Krustenmaterial, das an den Subduktionszonen wieder zerstört und aufgeschmolzen wird. Dies geschieht dort, wo sich eine ozeanische Platte unter die leichtere kontinentale Platte schiebt.

Vulkanismus und Erdbeben

Schichtvulkane sind für den Vulkanismus der Subduktionszonen typisch. Ein Teil der wasserhaltigen Kruste wird in bestimmter Tiefe aufgeschmolzen und mit hohem Druck Richtung Erdoberfläche befördert.

An den mittelozeanischen Rücken kann Magma relativ ungehindert aufsteigen und die Lava tritt in langen Spaltensystemen aus.

Beim Vulkanismus innerhalb von Platten an Hot Spots handelt es sich um Austrittsstellen von Magma, z. B. an Vulkaninseln. Weil deren Aufstiegskanäle sehr lange Zeit ortsfest blei-

ben, können Lithosphärenplatten darüber hinweg wandern. Bei weiteren Ausbrüchen kann der Kontakt zur vormaligen Austrittsstelle abgerissen sein und eine weitere Vulkaninsel entsteht. So bilden sich Inselketten.

Obgleich von Vulkanen große Gefahren ausgehen, beispielsweise durch pyroklastische Ströme, sind viele aktive Vulkane bis in große Höhen besiedelt. Hintergrund ist die außerordentliche Fruchtbarkeit vulkanischer Böden.

Erdbeben entstehen, wenn sich in der Lithosphäre aufgestaute Spannungen ruckartig lösen. Dies passiert vor allem an Plattengrenzen. Die seismischen Wellen breiten sich von einem Hypozentrum in alle Richtungen aus. Deshalb sind Erdbebenwellen auch noch in großer Entfernung messbar. Dabei wird als Maß für die Bebenintensität die Magnitude aus der maximalen Beschleunigung der Bodenbewegung errechnet. Erdbeben sind weder zeitlich noch genauer räumlich vorhersagbar. Sie können Tsunamis auslösen, die verheerende Zerstörungen an den Küsten anrichten können.

Naturereignisse und Katastrophen

Die Auswirkungen von solchen Naturereignissen sind weltweit höchst verschieden: Während in Entwicklungsländern oft vor allem die Zahl von Todesopfern auffällt, sind in Industrieländern meist auch hohe wirtschaftliche Schäden zu verzeichnen. Dort können allerdings auch hohe Kosten durch deren Wirtschaftskraft und Wohlstand aufgefangen werden. In Entwicklungsländern ist der Anteil der Kosten der Schäden, etwa gemessen am BNE, wesentlich größer als dieser Anteil bei den Industrieländern. Und in Langzeitperspektive betreffen über 80 Prozent der Todesopfer durch Naturkatastrophen die Entwicklungsländer.

Grund für die vergleichsweise hohen Schäden in Entwicklungsländern ist deren höhere Vulnerabilität: Armut und fehlende Alternativen führen dazu, dass Gefahrengebiete besiedelt werden bei zugleich geringeren Möglichkeiten, sich an mögliche Risiken anzupassen oder Katastrophen zu bewältigen. Je größer die Vulnerabilität ist, desto größer ist das Risiko, dass ein Naturereignis zu einer Naturkatastrophe wird.

Kompetenz-Check

Hier sind alle Kompetenzen, die Sie in diesem Kapitel erwerben konnten, aufgelistet.
Sie können selbst beantworten, ob Sie die Kompetenz sicher beherrschen: **sicher, mäßig oder kaum.**

Sachkompetenz

Kann ich		unsicher? Schlagen Sie nach auf Seite
1.	den Aufbau der Erde und Antriebskräfte von Plattenbewegungen erläutern (SK1)?	94/95, 98/99
2.	das Modell der Plattentektonik in seinen Grundzügen und Vorgänge an den Plattengrenzen erläutern (SK1)?	98/99
3.	mit Bezug auf das Modell die Entstehung von Erdbeben, Tsunamis und Vulkanismus als Folgen tektonischer Vorgänge erklären (SK1)?	100–103
4.	Zusammenhänge zwischen deren Häufigkeit und räumlichen Verteilung aufzeigen (SK1 + SK6)?	92–103
5.	anhand einzelner Raumbeispiele Gefahren, Auswirkungen und Folgen von Erdbeben, Tsunamis und Vulkanismus erläutern (SK1)?	98–103
6.	Konsequenzen für Besiedlung und Vorsorge für Räume ableiten, die Naturrisiken ausgesetzt sind (SK1 + SK 5)?	90–103
7.	unterschiedliche Vulnerabilität hinsichtlich verschiedener Räume und Länder an Beispielen begründen (SK1 +SK5)?	90–103

Methodenkompetenz

Kann ich		
8.	problemhaltige geographische Sachverhalte identifizieren und entsprechende Fragestellungen entwickeln, indem ich beispielsweise Thesen zur Begründung der Verwundbarkeit eines Landes durch Naturereignisse aufstelle (MK2)?	90/91, 92–103
9.	unterschiedliche Darstellungs- und Arbeitsmittel wie z.B. Karte, Bild, statistische Angaben, Graphiken und Text analysieren und damit Fragestellungen zu Entstehung von Naturrisiken und Folgen von Naturereignissen bearbeiten (MK3)?	90–103
10.	die Plattentektonik als Modell zur Erklärung von Seismizität, Vulkanismus sowie von Bildung, Bewegung und Zerstörung von Erdplatten erläutern (MK4)?	98/99
11.	Plattentektonik und Naturereignisse sowie deren Auswirkungen mündlich und schriftlich unter Verwendung der Fachsprache problembezogen, sachlogisch strukturiert, aufgaben-, operatoren- und materialbezogen darstellen (MK6)?	90–103

Urteilskompetenz

Kann ich		
12.	Gefährdungspotenziale durch Erdbeben, Tsunamis oder Vulkanismus beurteilen?	90–103
13.	an Beispielen unterschiedliche Gesellschaften oder Länder in Bezug auf die Größe der Verwundbarkeit und das Maß der Anfälligkeit beurteilen?	90–97, 100–103

Handlungskompetenz

Kann ich		
14.	Arbeitsergebnisse zu Erdbeben, Vulkanismus und Plattentektonik fachsprachlich angemessen und sachbezogen präsentieren (HK1)?	90–103
15.	Strategien und Verhaltensweisen zur Minderung von Schäden, z.B. bei Erdbeben, entwickeln (HK5)?	92–97

Klausurtraining – Arbeitsergebnisse darstellen

Gefahr durch Erdbeben – warten auf „the Big One" in Kalifornien

1. Lokalisieren Sie San Francisco und die San-Andreas-Spalte.
2. Erläutern Sie die Ursache des Erdbebenrisikos in Kalifornien.
3. Bewerten Sie die Möglichkeiten und Grenzen der Katastrophenvorsorge in Kalifornien im Vergleich zu Japan.

Diese Materialien benötigen Sie ergänzend zur Lösung der Aufgaben:

M1 Diercke Weltatlas, 2008, Karte: Kalifornien – Erdbeben, S. 191

Der nächste „Big One" wird kommen

In der Morgendämmerung des 18. April 1906 um kurz nach 5 Uhr riss Kalifornien auf halber Länge auf. Die Erdkruste brach entlang einer von Norden nach Süden verlaufenden Nahtzone auf einer Länge von 1280 Kilometern. Konservativen Schätzungen zufolge starben 3000 bis 4000 Menschen, Hunderttausende wurden obdachlos. [...] Sollte „The Big One" am Nachmittag zuschlagen, könnte es in Los Angeles heute nach offiziellen Schätzungen 18000 Tote, 250000 Verletzte und mehr als 700000 Obdachlose geben. San Francisco erwartet eine ähnlich verheerende Katastrophe. Die Münchner Rückversicherung kalkuliert für beide Metropolen Schäden von bis zu 200 Milliarden Euro. Der Abzug amerikanischen Kapitals könnte die Finanzmärkte weltweit in eine Krise stürzen. Die Möglichkeit, dass San Francisco in den nächsten 30 Jahren von einem Starkbeben getroffen werde, sei doppelt so groß, als dass die Stadt verschont bleibe, bilanziert der US Geological Survey. [...] Eine Evakuierung gilt unter Experten ohnehin nicht als realistisch, also sorgt man anders vor. In den letzten 15 Jahren sind nach Angaben der California Seismic Safety Commission (CSSC) für Renovierungen von Gebäuden umgerechnet etwa 20 Milliarden Euro ausgegeben worden. Als Erdbeben-Vorkehrung genügt das aber bei weitem noch nicht. Zahllose Bauten sind dem CSSC-Bericht zufolge nicht erdbebensicher: Hochhäuser, vierstöckige Stadtautobahnen, Gebäude an Hängen oder auf aufgeschüttetem Bauland. Ob sie standhalten werden, ist unklar. [...] Welche Probleme im Notfall auftreten können, offenbarte das Erdbeben von 1994 in Northridge: Es ereignete sich nur am Rand von Los Angeles, setzte aber 23 Krankenhäuser außer Betrieb. Das Unausweichliche scheint viele Kalifornier kaum zu beunruhigen. Appelle der Behörden, man möge Medikamente, Kleidung, Batterien und Konserven für den Ernstfall bereithalten, verhallen meist unbeachtet. Thomas Jordan, Direktor am California Earthquake Center, wählt [...] deutliche Worte: „San Francisco", sagt er, „nähert sich seinem Untergang auf der Überholspur."

Nach: A. Bojanowski, www.spiegel.de, 13.04.2006

M2* Auswirkungen von Erdbeben in Kalifornien

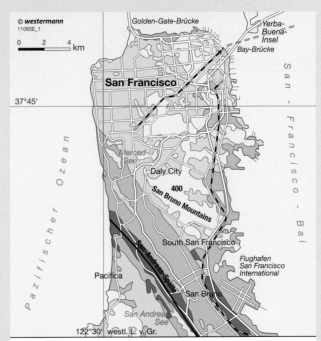

Vorrausberechnete größte Erdbebenstärke (auf Basis der Erdbebenschäden von 1906 sowie unter Einbeziehung neuerer geologischer Daten)

- ■ äußerst heftig
- ■ heftig
- sehr stark
- stark
- □ schwach
- Bebenstärke nach der San Francisco-Skala von 1906

M3   San Francisco: Erdbebengefährdung

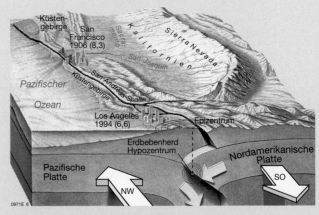

M4   Querschnitt durch Kalifornien

Einrichtungen, Infrastruktur	Einrichtungen mit einer hohen Wahrscheinlichkeit, in den nächsten 30 Jahren durch Erdbeben beschädigt zu werden: Anzahl/ Prozent aller Einrichtungen
Krankenhäuser	76/ 76
Polizei, Feuerwehr, Lokalverwaltung	2970/ 75
Elementary Schools	987/ 72
Middle Schools	164/ 69
High Schools	233/ 70
Colleges, Universitäten	62/ 81
Brücken	2721/ 63
Schienen (km)	150 km/ 89
Straßen (km)	30305 km/ 57

M5* Auswirkung von Erdbeben in der Region San Francisco

M6 Satellitenaufnahme mit digitalem Höhenmodell der San-Andreas-Spalte

Wie drücke ich mich sachlich und fachsprachlich aus?

Die Anwendung der Fachterminologie ist eine Selbstverständlichkeit. Eine Erdkunde-Klausur verlangt aber auch eine sachliche Analyse und Argumentation und eine sachlich begründete Stellungnahme. Es gilt, umgangssprachliche Formulierungen und emotional gefärbte Aussagen zu vermeiden.
Außerdem ist es wichtig, die Inhalts- und Formebene zu trennen.

Beispiele:
Falsch: In M1 sieht man, dass die Bevölkerungszahl seit 1999 gestiegen ist.
Oder: M1 zeigt, dass die Bevölkerungszahl seit 1999 gestiegen ist.
Bei den angeführten Beispielen sind Inhalts- und Formebene vermischt.
Richtig: Die Bevölkerungszahl ist seit 1999 gestiegen (M1).

Aus: Kreuzberger, N. u. C. Kreuzberger:
Zentralabitur Erdkunde – NRW, Braunschweig 2012

M9 Fachsprache

Die Darstellungsleistung zählt auch!

In den Abituraufgaben zählt die Darstellungsleistung 20 Prozent zur Gesamtnote. Dem entsprechend lohnt es sich auch, darauf Wert zu legen.
Im Übrigen sind Anforderungen, wie beispielsweise präzise zu formulieren oder einen lesbaren, verständlichen Text abzugeben, natürlich nicht von der inhaltlichen Ebene zu trennen: Textpassagen, die unklar bleiben, können auch bei der Bewertung des Inhalts einer Klausur nicht mit Punkten bedacht werden – auch wenn eigentlich „Richtiges" darzustellen beabsichtigt war.

M7 Darstellung

Materialbezüge und Zitate

Materialbezüge und Verweise werden am Ende eines Satzes oder eines Absatzes in Klammern angegeben (M2). Zitate aus Materialien als Beleg für Aussagen sind überflüssig. Wirklich wörtlich zitieren sollte man nur sehr sparsam, also nur wichtige, zentrale Stellen oder zu diskutierende Thesen. Am Ende von indirekten Zitaten, die sich eng an den Wortlaut der Quelle anlehnen, oder von echten Zitaten steht die Klammer mit dem Materialverweis. Wörtlich zitierte Passagen werden durch „Anführungszeichen" kenntlich gemacht. Sinngemäße Wiedergaben beispielsweise eines Textes erstrecken sich oft über längere Passagen. In diesem Fall genügt es, am Ende des jeweiligen Absatzes oder Sinnabschnitts den Materialbezug anzugeben.

M10 Belege

Wichtige Aspekte aus den Anforderungen „Darstellungsleistung" im Abitur sind:

Anforderungen	Tipps
den Text schlüssig, stringent und gedanklich klar strukturieren (mit stringent ist hier ein strenger, logischer Gedankengang gemeint)	Einschübe vermeiden! Vor der Reinschrift strukturieren! „Roten Faden", kurze Einleitungen und (Zwischen-)Fazit zu den Aufgabenteilen nicht vergessen
beschreibende, deutende und wertende Aussagen schlüssig aufeinander beziehen	Bei der Materialauswertung darauf achten, welche Schlussfolgerungen gezogen werden können
unter Beachtung der Fachsprache präzise und begrifflich differenziert formulieren	Fachbegriffe verwenden und einen angemessenen sachlichen Ausdruck (M9)
Aussagen durch angemessene und korrekte Nachweise belegen	Materialbezüge nicht vergessen! (M10)
sprachlich richtig schreiben (Grammatik, Orthographie, Zeichensetzung) sowie stilistisch sicher	Auf sprachliche Korrektheit achten! Rechtschreibung und Zeichensetzung sind wichtig

M8 Anforderung Klausurbereich Darstellungsleistung

Nach: Kreuzberger, N. u. C. Kreuzberger: Zentralabitur Erdkunde – NRW, 2012

IV Förderung und Nutzung fossiler Energieträger

Im Spannungsfeld von Ökonomie und Ökologie

Neft Dachalari – Ölstadt am Kaspischen Meer
in Aserbaidschan

Fossile Energieträger – endliche Rohstoffe mit großer Nachfrage

Energiehunger grenzenlos

Immer mehr Menschen auf der Erde verbrauchen immer mehr Waren und nehmen immer mehr Dienstleistungen in Anspruch. Eine Flugreise auf die Balearen für ein Wochenende, ein neuer Flachbildfernseher für das Wohnzimmer oder ein neues Smartphone – alles das ist für viele Menschen eine Selbstverständlichkeit. Milliarden Smartphones werden allabendlich aufgeladen, unzählige Flugzeuge mehrmals täglich betankt. Und dabei ist das nur die Energie, die zur Benutzung der Geräte benötigt wird. Hinzu kommt noch die sogenannte graue Energie. Das ist die Energie, die für Herstellung, Lagerung, Lieferung und Wiederverwertung eines Produkts verbraucht wird. So entspricht etwa die Energie, die für die Herstellung eines Pkw aufgewendet werden muss, etwa dem Stromverbrauch eines Vier-Personen-Haushalts für zehn Jahre. Die wirtschaftliche Entwicklung und der wachsende Wohlstand haben in den letzten Jahrzehnten in vielen Ländern der Erde die Nachfrage nach Energie sehr stark anwachsen lassen. Je nach Entwicklungsstand ist allerdings die Nachfrage nach Energie regional sehr unterschiedlich. Für die künftige globale Energienachfrage sind vor allem die Länder mit großer Bevölkerungszahl entscheidend.

Fossile Energieträger

Energieträger sind grundsätzlich Rohstoffe, die sich unterteilen lassen in fossile und regenerative Energieträger. Der Begriff fossil (dt.: „begraben") verweist auf die Entstehungsbedingungen und das Ausgangsmaterial. Die Rohstoffe haben sich zum Teil vor Jahrmillionen gebildet und waren im Ursprung Lebewesen (Pflanzen, Tiere). Bedingt durch Temperatur- und Druckveränderungen haben sich im Laufe der Zeit Lagerstätten der wichtigsten fossilen Energieträger (Stein- und Braunkohle, Erdgas und Erdöl) gebildet. Aus diesem Grund spricht man hier auch von Roh- oder Primärenergie, da diese in natürlichen Energieträgern gespeichert ist.

Anders als die sogenannten regenerativen, also die erneuerbaren Energien, sind die Lagerstätten der fossilen Energieträger irgendwann erschöpft. Auch wenn heute noch nicht alle verfügbaren Ressourcen der Lagerstätten bekannt sind, ist sicher, dass die Reserven fossiler Energieträger irgendwann vollständig verbraucht sein werden. Grundsätzlich spielt die Verfügbarkeit fossiler Energieträger eine wichtige Rolle bei der wirtschaftlichen Entwicklung von Räumen. Der steigende Bedarf und die Suche nach weiteren Rohstoffen ist daher nicht selten Auslöser für politische und sogar kriegerische Auseinandersetzungen.

Energiegewinnung – nicht ohne Risiken

Schon heute haben die Förderung und Nutzung von Energierohstoffen weitreichende Folgen für Mensch und Umwelt. Schlagzeilen über Störfälle in Atomkraftwerken, Tanker- oder Grubenunglücke sind nicht selten. Darüber hinaus stellt die Förderung häufig einen großen Eingriff in den Naturhaushalt und das Leben der Anwohner dar. Die Verfügbarkeit von Energie für die wirtschaftliche Entwicklung von Staaten und Regionen ist allerdings unerlässlich. Die Abhängigkeit wird dem Menschen immer dann deutlich, wenn der Energiefluss gestört ist und die Heizung ausfällt oder kein Strom zur Verfügung steht.

Es ist anzunehmen, dass die Nachfrage nach Energie in den nächsten Jahren weiter steigt. Kenntnisse zu den wichtigsten fossilen Energieträgern (Entstehung, Lagerstätten etc.) sind notwendig, wenn man die regionalen Auswirkungen der Nutzung fossiler Energieträger in ökonomischer, ökologischer und sozialer Sicht beurteilen möchte. Im Zentrum dieses Kapitels stehen daher folgende Leitfragen: Welche Lagerstätten gibt es auf der Erde? In welcher Weise werden Energierohstoffe gefördert und genutzt? Welche wirtschaftlichen, ökologischen, sozialen und politischen Folgen hat die Förderung und Nutzung fossiler Energieträger?

weblinks

▌ Internationale Energie Agentur

▌ Bundesanstalt für Geowissenschaft und Rohstoffe

→ fossile und regenerative Energieträger, Graue Energie, Lagerstätte, Primärenergie, Reserve, Ressource

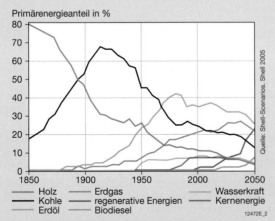

M1* Entwicklung des Anteils einzelner Energieträger am globalen Energieverbrauch

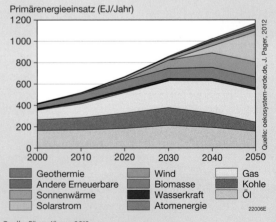

Quelle: Päger, Jürgen 2012

M2 Szenario des globalen Energiemix

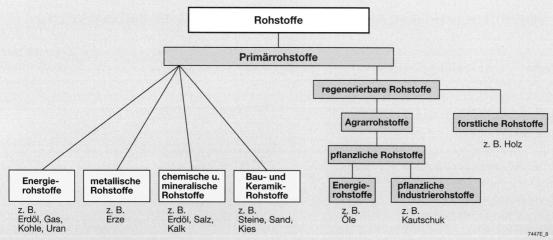

M3 Gliederung der Primärrohstoffe

Energieverbrauch in Mio. t Öleinheiten		
	2002	2012
Nordamerika	2 741,4	2 725,4
USA	2 295,5	2 208,8
Mittel- und Südamerika	474,9	665,3
Europa (inkl. Russland)	2 852,0	2 928,5
EU	1 743,1	1 673,4
Russland	628,2	694,2
Deutschland	334,0	311,7
Naher Osten	464,3	761,9
Afrika	291,9	403,3
Asien und Ozeanien	2 773,7	4,992,2
VR China	1 073,8	2735,2
Indien	310,8	563,5
Japan	513,3	478,2
Welt	9 597,8	12 476,6

Quelle: BP 2013

M4 Weltenergieverbrauch nach Kontinenten und Region

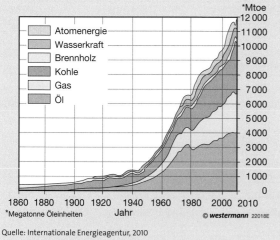

*Megatonne Öleinheiten

Quelle: Internationale Energieagentur, 2010

M5 Entwicklung des weltweiten Verbrauchs an Energierohstoffen (BP 2011)

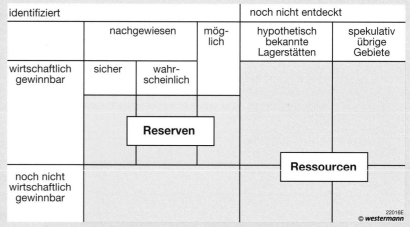

M6 Stromtrasse bei Bochum

M7 Reserven und Ressourcen

---

1. Beschreiben Sie die Entwicklung des globalen Energieverbrauchs seit 1860 (M4/ M5).
2. Analysieren Sie die beiden Szenarien zur Entwicklung der einzelnen Energieträger in der Zukunft (M1/ M2/ M5). Formulieren Sie Hypothesen zur Situation der zukünftigen globalen Energiewirtschaft.
3. Stellen Sie die regionale Verteilung des Energieverbrauchs weltweit dar. Fertigen Sie dazu eine einfache Kartenskizze an (Atlas, M4).
4. Erklären Sie den Unterschied zwischen Ressource und Reserve (M7).
5. Informieren Sie sich über den Energieverbrauchs Ihres Handys und vergleichen Sie diesen mit dem Energieverbrauch anderer Geräte im Haushalt.

Ungleich verteilt – Energieträger als Motor regionaler Entwicklung?

Energierohstoffe – Entwicklungsimpulse für Kasachstan

Wie ist die Verteilung wichtiger Energierohstoffe auf der Erde? Inwiefern können sich daraus Entwicklungsimpulse ergeben?

Ⓦ **1.** Stellen Sie in einer einfachen Kartenskizze die wichtigsten Förderländer fossiler Energieträger dar (M5, Atlas)
   A anhand eines Säulendiagramms.
   B anhand einer einfachen Kartenskizze.
   C anhand eines kurzen Textes.

2. Beschreiben Sie die Preisentwicklung wichtiger Energieträger und erklären Sie, welche Chancen und Grenzen für einzelne Staaten der Erde in der Nutzung von Energierohstoffen liegen (M1–M4).

3. Ein eindrucksvolles Beispiel für Entwicklungsimpulse durch große Reserven an Energierohstoffen stellt die Republik Kasachstan dar:
   a) Lokalisieren Sie Kasachstan und kennzeichnen Sie die Wirtschaftsstruktur des Landes (M5, M7, Atlas).
   b) Beschreiben Sie die Entwicklung von Kasachstan und erläutern Sie die Bedeutung der Uranwirtschaft (M6, M8, M9).
   c) Nehmen Sie (kritisch) zu der These Stellung, dass Kasachstan ohne seine Rohstoffvorkommen ein Entwicklungsland wäre (M5–M9, eigene Recherche).

4. Erläutern Sie den Begriff „regionale Entwicklung" und formulieren Sie mögliche positiven bzw. negativen Aspekte, die die Förderung von Energieträgern haben kann (→ Definition, M3, M5, M8).

→ regionale Entwicklung, Rohstoffvorkommen, Uran

→ regionale Entwicklung
Ganz allgemein kann Entwicklung definiert werden als eine Veränderung in einem zeitlichen Prozess. Im geographischen Kontext bezieht sich Entwicklung in erster Linie auf eine günstige ökonomische, ökologische und soziale Entwicklung eines Raumes. Allerdings stehen diese drei Entwicklungsaspekte nicht selten in Konkurrenz zueinander; so bedingt nicht selten eine ökonomische Entwicklung eines Raumes (z. B. Schaffung neuer Arbeitsplätze) eine negative ökologische Entwicklung (z. B. Zerstörung einer Landschaft).

M1 Kohleverladung

Energieträger	Menge	Heizwert (in kJ)
Steinkohle	1 kg	29 719
Braunkohle	1 kg	8 347
Erdöl (roh)	1 kg	42 622
Erdgas	1 m³	31 736
Uran	1 kg	9 x 10^10

Quelle: Internationale Energieagentur, 2013

M2 Heizwert der wichtigsten fossilen Energieträger

Preisentwicklung Heizöl/Gas bei Haushalten 2000 – 2012

Quelle: Statistisches Bundesamt FS 17/R7; Indizierte Werte: 1995 = 100
leichtes Heizöl (flüssige Brennstoffe o. Kraftstoffe) — Gas
22029E © *westermann*

M3* Preisentwicklung für Erdöl und Erdgas in Deutschland (2000–2012)

Erdöl (in Mio. t)		Erdgas (in Mrd. m³)	
Saudi Arabien	547,0	USA	681,4
Russland	526,2	Russland	592,3
USA	394,9	Iran	160,5
VR China	207,5	Katar	157,0
Kanada	182,6	Kanada	156,5
Iran	174,9	Norwegen	114,9
Ver. Arab. Emirate	154,1	VR China	107,2
Kuwait	152,5	Saudi-Arabien	102,8
Irak	152,4	Algerien	81,5
Mexiko	143,9	Indonesien	71,1
Venezuela	139,7	Niederlande	64,21
Nigeria	116,2	Malaysia	62,81
Weltförderung	4 118,9	Weltförderung	3 363,9
Uranerz (in t)		**Kohle³ (in Mio. t)**	
Kasachstan	21 317	VR China	3 650,0
Kanada	8 999	USA	922,1
Australien	6 991	Indien	605,8
Niger²	4 667	Australien	431,2
Namibia	4 495	Indonesien	386,0
Russland	2 872	Russland	354,8
Usbekistan	2 400	Südafrika	260,0
USA	1 596	Deutschland	196,2
VR China²	1 500	Polen	144,1
Malawi	1 101	Kasachstan	116,4
Weltförderung	58 394	Weltförderung	7 864,5

Quelle: BP 2013; 1 = Daten von 2011; 2 = Schätzung; 3= Braun- und Steinkohle

M4 Die wichtigsten Förderländer der Energieträger Erdöl, Erdgas, Uran und Kohle (2012)

M5   Der Wohlstand kommt nicht bei allen an: Lichtspiele in der kasachischen Hauptstadt Astana und Landbevölkerung

	2002	2004	2006	2012
Export (in Mrd. US-Dollar)	10,5	12,7	30,1	92,3
Erwerbspersonen (in 1 000)	7 399,7	7 840,6	8 028,9	8 790
Arbeitslosigkeit (in %)	9,3	8,4	7,8	5,2 (2013)
Jugendarbeits- losigkeit (in %)	17,3	14,3	12,1	4,6
Lebenserwartung (in Jahren)	63,4	66,1	66,9	69,6
Internetnutzer (in 1 000)	250	400 (2005)	1 901	5 299 (2009)

M6   Wirtschaftliche und soziale Entwicklung mit Kennzahlen in Kasachstan (Quelle: Fischer Weltalmanach, 2014)

Fläche: 2 724 900 km²
Einwohner: 16 934 100
Bevölkerungsdichte: 6,2 Einwohner pro km²
BIP/Ew.: 10 694 US-Dollar
BIP nach Sektoren:
primärer Sektor = 6 Prozent
sekundärer Sektor = 38 Prozent
tertiärer Sektor = 56 Prozent
Import: 29,8 Mrd. US-Dollar (2007: 22,0 Mrd. US-Dollar)
Export: 59,2 Mrd. US-Dollar (davon 63 Prozent Erdöl und Gas- produkte; 2007: 35,6 Mrd. US-Dollar)
Erdölförderung: 81,6 Mio. Tonnen
Wirtschaftswachstum seit 1999 im Durchschnitt: 9,3 %

M8   Steckbrief Kasachstan 2012
(Quelle: Fischer Weltalmanach, 2014)

Da viele Länder der Erde nach wie vor auf Atomkraft setzen, scheint die Nachfrage nach Uran langfristig gesichert. In Kasachstan untersteht der gesamte Uranabbau dem Atomministerium und seinem Netz an staatseigenen Firmen. Insgesamt arbeiten in diesen Firmen ca. 23 000 Mitarbeiterinnen und Mitarbeiter. In den nächsten Jahren soll der Uranabbau auf 30 000 Tonnen gesteigert werden. Eine Rekordmenge, und das bei Weltmarktpreisen, die zum Teil bei 80 US-$ pro kg liegen.

Das Uranerz wird in Kasachstan im sogenannten In-Situ-Leaching Verfahren (Lösungsbergbau) ausgebeutet. Dabei wird Schwefelsäure in den Untergrund gespritzt, um das Uranerz zu lösen. Nach einigen Monaten wird diese Lösung abgesaugt und das darin enthaltene Uran herausgefiltert.

Uranerz (in t)	1995	2000	2007	2012
Kasachstan	1 630	1 870	6 637	21 317
Kanada	10 473	10 683	9 476	8 999
Australien	3 712	7 579	8 611	6 991
Niger*	2 974	2 914	3 153	4 667

Quelle: World mineral statistics archive   *Schätzung

M9   Die größten Förderländer an Uranerz

M7   Uranförderung in Kasachstan

Steinkohle – traditioneller Energierohstoff seit über 100 Jahren

Beschwerlicher Steinkohleabbau mit schwierigem Erbe im Ruhrgebiet

„Tief im Westen, wo die Sonne verstaubt", sang Herbert Grönemeyer in den 1980er-Jahren. Und noch heute prägt der Steinkohlebergbau vielfach das Image des Ruhrgebietes.
Das Ruhrgebiet entwickelte sich bereits im 19. Jahrhundert zu einem der wichtigsten und größten Steinkohleabbaugebiete in Europa. Der Bergbau trug entscheidend zum wirtschaftlichen Aufstieg der Region bei. In den 1950er-Jahren arbeiteten im Ruhrgebiet fast 500 000 Menschen im Steinkohlebergbau. Heute sind die Schachtanlagen und Zechen weitestgehend geschlossen und es ergeben sich nicht kalkulierte Probleme.

1. Informieren Sie sich über die Entwicklung des Steinkohlebergbaus und stellen Sie die Veränderungen der heimischen Steinkohleförderung dar (M1–M3, Atlas, Internet).
2. „Die deutsche Steinkohle ist nicht konkurrenzfähig!" Erläutern Sie diese Aussage (M3).
(W) 3. Erklären Sie die sogenannte Nordwanderung des Steinkohlebergbaus (M1/ M5), indem
   A Sie das geologische Profil genau beschreiben.
   B Sie das Profil in eine einfache Skizze umsetzen.
   C Sie einen Kurzvortrag zu diesem Thema vorbereiten.
4. Die Folgen des Steinkohlebergbaus sind im Ruhrgebiet besonders offensichtlich.
   a) Beschreiben Sie mögliche Folgen des Steinkohlebergbaus (M4/ M6).
   b) Erklären Sie diese Phänomene (M4/ M6).
(Z) 5. Sie sind Redakteur der Schülerzeitung. Verfassen Sie einen Beitrag zum Thema „Erbe des Steinkohlebergbaus – was bedeutet das für unsere Zukunft?"

→ Bergbau, Bergschaden, Bergsenkung, geologisches Profil, Tagebau, Zeche

Reviere	Belegschaft	Förderung in Mio t (SKE)
Ruhrrevier	13 795	8,4 Mio.
Saarrevier	2 604	2,0 Mio.
Ibbenbüren	1 214	0,4 Mio.
Anteil deutscher Steinkohle (in %)		
am Primärenergieverbrauch in Deutschland		3
an der Stromerzeugung in Deutschland		6
am Steinkohleverbrauch		20
an der Stromerzeugung aus Steinkohle		29

Quelle: Gesamtverband deutscher Steinkohle e.V. 2013

M2 Daten zu den Steinkohlenrevieren in Deutschland

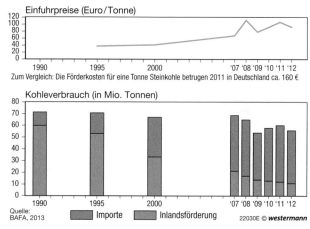

Zum Vergleich: Die Förderkosten für eine Tonne Steinkohle betrugen 2011 in Deutschland ca. 160 €

Quelle: BAFA, 2013

M3 Entwicklung der Inlandsförderung und Importe von Steinkohle sowie Preisentwicklung in Deutschland

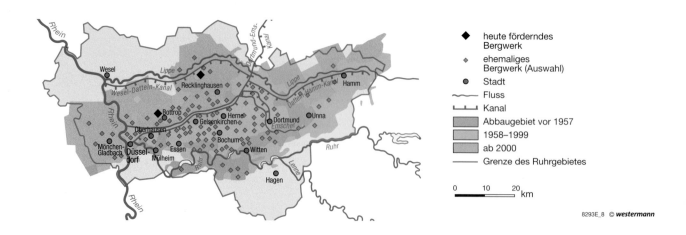

heute förderndes Bergwerk
ehemaliges Bergwerk (Auswahl)
Stadt
Fluss
Kanal
Abbaugebiet vor 1957
1958–1999
ab 2000
Grenze des Ruhrgebietes

0   10   20 km

8293E_8 © *westermann*

M1 Karte des Ruhrgebietes mit Bergwerken bzw. stillgelegten Bergwerken

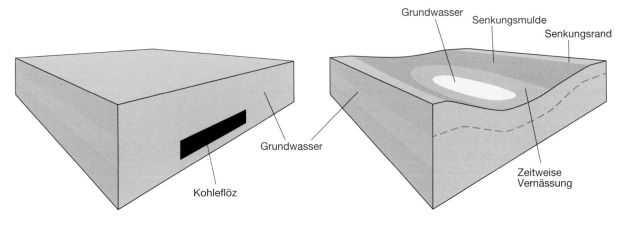

Vor dem Kohleabbau

Nach dem Kohleabbau

M4   Folgen des Steinkohlebergbaus

Bergschäden: ganze Haushälften klaffen auseinander

Schicht im Schacht

Ingeborg Steensma ist mit dem Bergbau groß geworden. Er bestimmte ihren Alltag und ihre Familie: Ihr Vater war einst Sprengmeister in der Kohlenzeche. „Als Vater starb, war mir klar, dass ich helfen muss", sagt Ingeborg Steensma. Also zog sie in das elterliche Haus [...]. Erst Wochen nach dem Umzug sah sie, auf was sie sich eingelassen hatte: In Kellern, Fundamenten und Wänden klaffen zentimeterbreite Risse. Feuchtigkeit dringt durch Wände und Böden. Fenster und Türen sind verzogen und lassen sich nicht öffnen. Der vordere Teil des Gebäudes ist so schief, dass der Rollator der Mutter sich von allein in Bewegung setzt, wenn die Bremsen nicht angezogen sind. Das Leben in dem Haus sei ein „täglicher Alptraum", sagt die 64-jährige Steensma.
Nach: F. Dohmen, B. Schmid, www.spiegel.de, 18.02.2013

Ewigkeitslasten

Verantwortlich für die Schadensregulierung im Stein-, aber auch Braunkohlebergbau sind die Bergbaufirmen, etwa die RAG. Die RAG trägt dafür nach eigenen Angaben Kosten von jährlich rund 300 Mio. Euro. Nach seinem Ende im Jahr 2018 wird der Steinkohlebergbau sogenannte Ewigkeitslasten im Ruhrgebiet hinterlassen. So muss dauerhaft Wasser abgepumpt werden – auch damit sich kein Wasser in den durch den Bergbau entstandenen Senken ansammelt und das Ruhrgebiet zu einer Art Seenplatte wird.
Nach: . T. Mader, U. Meinke, P. Wahl, Westfälische Rundschau, 22.11.2013

Bergbauschäden – A 43 bei Witten in Richtung Wuppertal voll gesperrt.
(WAZ, 23.01.2014)

Bergschaden bremst Züge am Essener Hauptbahnhof weiter aus. Stollen wird mit Beton verfüllt.
(WR, 22.11.2013)

M6   Zeitungsmeldungen

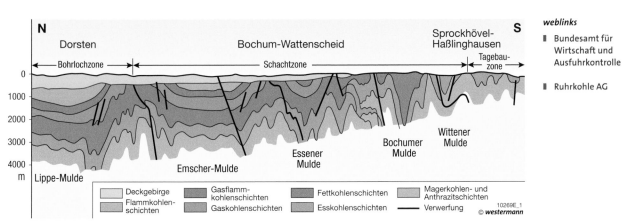

weblinks

▌ Bundesamt für Wirtschaft und Ausfuhrkontrolle

▌ Ruhrkohle AG

M5*   Geologisches Profil des Ruhrgebiets von Nord nach Süd

Steinkohle – traditioneller Energierohstoff seit über 100 Jahren

Steinkohleförderung unter besten Bedingungen in Australien

Die Förderung von Steinkohle erfolgt in Australien unter völlig anderen Voraussetzungen als in Deutschland. Immense Steinkohlevorräte in Australien stellen einen wichtigen Entwicklungsfaktor für die wirtschaftliche Zukunft des Landes dar. Gleichwohl gibt es immer stärkere Proteste aus der Bevölkerung gegen einen weiteren Ausbau des Steinkohletagebaus.

1. Beschreiben Sie die Lage und den Abbau der Steinkohlevorkommen in Australien (M1/ M5/ M7).
2. Erläutern Sie die Entwicklung der Steinkohleindustrie in Australien (M2–M4).
(W) 3. Kennzeichnen Sie die Bedeutung der australischen Steinkohle für die Wirtschaft des Landes (M2 – M4, Atlas)
   A   anhand einer Concept Map.
   B   anhand eines Eintrages in einen Reiseführer.
4. Nehmen Sie Stellung zur Steinkohlewirtschaft in Australien und erörtern Sie mögliche Zukunftsszenarien (M3–M8).
(Z) 5. Ein großer Teil der Steinkohle, die in Deutschland in Kraftwerken genutzt wird, kommt aus Australien. Erklären Sie.

→ Land Grabbing, Reserve, Tagebau

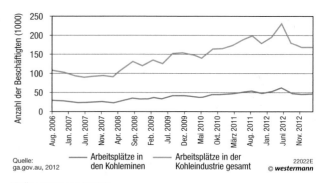

Quelle: ga.gov.au, 2012

Quelle: www.ga.gov.au, 2012

M3* Entwicklung der Beschäftigten in der australischen Kohleindustrie

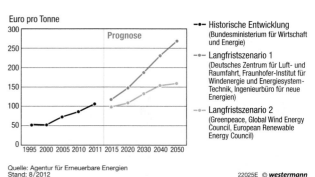

Quelle: Agentur für Erneuerbare Energien
Stand: 8/2012

M4   Preisentwicklung der Kohle auf dem Weltmarkt

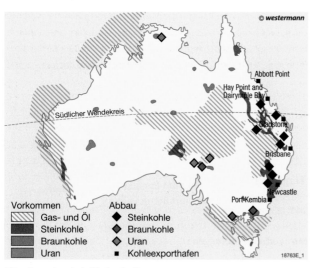

M1   Energierohstoffe Australiens

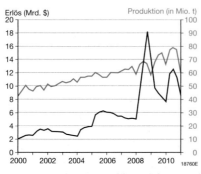

M2   Entwicklung von Kohleproduktion und Erlösen in Australien

Michael Camden wohnt und arbeitet in Portland, zweieinhalb Stunden mit dem Auto von Sydney entfernt. Wohin das Auge blickt, hat der Kohleabbau die Landschaft in Besitz genommen. Die lang gestreckten Verwaltungsgebäude, die Aufenthaltsräume und Duschen für die an die zweihundert Arbeiter von Michaels Mine wirken aber eher winzig gegenüber den Transportbändern, die Tag und Nacht laufen. „Obwohl die Rohstoffpreise im Moment nicht ganz so berauschend sind, stehen wir mit unserer Förderung im Tagebau insgesamt gut da", sagt Michael. Und für die Familie bleibt am Ende des Monats viel mehr über als früher, als er als Baggerfahrer mit 700 Dollar nur knapp die Hälfte von seinem jetzigen Lohn bekam. Die riesigen Abbaugebiete, die sich bis zum Horizont erstrecken und nach dem Ende der Förderung der Natur überlassen werden, findet Michael zwar auch nicht besonders schön und verweist lieber auf die zahlreichen Jobs, die geschaffen worden sind.
Nach: M. Blümel, www.dradio.de, 29.03.2010

M5   Ansichten eines Minenarbeiters

Gegenwärtig wird der Großteil der Elektrizität in Australien durch fossile Brennstoffe erzeugt. Mehr als 75 Prozent der gesamten Energieproduktion wurde 2011 durch Kohle und nur 8,7 Prozent durch erneuerbare Energien erzeugt. Die australische Regierung hat daher das Gesetz „Renewable Energy Target" verabschiedet, mit dem sichergestellt werden soll, dass bis 2020 mindestens 20 Prozent der Stromversorgung durch erneuerbare Ressourcen gedeckt werde.
Nach: Australian Government (Hrsg.): Energy in Australia. 2012

M6   Veränderungen im australischen Energiesektor

M7   Kohleterminal von Newcastle, New South Wales

Australien – ein riesiges Minenloch

[...] Ian Moore, ein kräftiger Kerl mit weichen Gesichtszügen, hat seine Baseballkappe tief ins Gesicht gezogen. Er ist hier der Farmer, seine Rinder faulenzen im Eukalyptusschatten. Dahinter, verborgen im Dunst, liegen die Weingärten. Und die monströsen, graubraunen Krater der Kohleminen. Die traditionsreiche australische Weinregion Hunter Valley, rund 200 Kilometer westlich von Sydney gelegen, hat sich seit einigen Jahrzehnten in das größte Kohleabbaugebiet Australiens verwandelt. Unermüdlich reißen Maschinen hier die Erde auf, um den Rohstoffhunger Chinas zu bedienen. Das ist schon so, solange der 63-jährige Farmer denken kann. Die Kohleindustrie war schon da, als sein Großvater noch mit dem Pferdekarren durch die Weideidylle rumpelte. Aber seit zehn Jahren, sagt Moore, schaufelten die Bagger wie im Wahn. Immer schneller, immer mehr wird exportiert, und immer öfter gräbt sich die Kohleindustrie auch durch fruchtbares Farmland. Güterzüge mit bis zu 80 Waggons donnern vorbei. Seitdem gigantische Fräsen auch unterirdisch Kohle abbauen können, hat der Highway Risse, sind ganze Landstriche mit Weinstöcken, Wohnhäusern und Kuhweiden metertief abgesackt. „Die Industrie ist völlig durchgedreht", sagt Moore, und in seiner Stimme schwingt ohnmächtige Wut mit. Der Bauer ist damit nicht allein. In ganz Australien schlägt dem Bergbau zurzeit massiver Protest entgegen. Bürger aus allen Schichten der Gesellschaft wehren sich gegen die ungezügelte Expansion der Kohle- und Erdgasindustrie, mit der das Land gerade zur globalen Energie-Supermacht aufsteigt. [...]

42,5 Prozent des Farmlandes im Hunter Valley sind seit 1980 dem Kohlebergbau zum Opfer gefallen, belegt das nationale Statistikamt. Und jetzt soll Ian Moore dran sein. [...] „Man behandelt mich wie einen Menschen zweiter Klasse", sagt Moore, die trüben Augen ins Leere gerichtet. [...] „Die wollen mein Leben zerstören! Wie kann so etwas rechtens sein?" Die Männer von Nucoal Resources kamen im Winter und erläuterten ihre Pläne: Fünf wertvolle Kohleadern liegen unter dem Grundstück, vier davon wollen sie abtragen. Unterirdisch wollen sie Schneisen graben, quer unter dem Bauernhaus hindurch und weiter zum Nachbarn, der seine Felder längst an die Bergleute verkauft hat.

Moore sträubt sich. Gegen Probebohrungen. Gegen den Verkauf. Er fürchtet, dass auch sein Land metertief absackt und sein Haus auseinanderbricht. Vor allem aber fürchtet er, dass sein kostbares Grundwasser versiegt. „Ohne Wasser ist mein Land doch keine zwei Dollar mehr wert", sagt er. [...]

Drüben in der Stadt, wo einer von Ian Moores Söhnen als Kesselmacher für die Minenindustrie arbeitet, legt sich der Kohlestaub auf alles und lässt die Kinder chronisch husten. Bei 120 000 Dollar jährlich liegen die Einstiegsgehälter im Bergbau. Vielen ist das schnelle Geld zu Kopf gestiegen, erzählt der Farmer. [...] Was die Stimmung zusätzlich aufheizt: 83 Prozent der Gewinne im Rohstoffsektor landen in den Taschen ausländischer Investoren, hat die linksgerichtete Forschergruppe des Australia Institute herausgefunden. Viele sprechen offen von Land Grabbing , von politisch unterstütztem Landraub. Denn Privatleute, so will es das Gesetz, besitzen lediglich die oberste Erdschicht ihres Grundstücks. Alle Bodenschätze darunter gehören dem australischen Volk. Wer einem Bergbaukonzern mit gültiger Minenlizenz den Zutritt verwehrt, macht sich strafbar. Viele gehen das Risiko trotzdem ein. Überall im Land hängen sie gelbe Warndreiecke ans Hoftor mit der Kampfzeile Lock the Gate und verweigern den Rohstofffriesen jegliche Kooperation.

Nach: V. Eprothen, Zeit Online , 08.01.2012

M8   Zeitungsmeldung

Braunkohle – ein heimischer Energieträger

Chancen und Grenzen der Braunkohle-förderung – das Rheinische Braunkohlenrevier

Die Reserven und Ressourcen an Braunkohle können nach Ansicht vieler Experten noch viele Jahre einen wichtigen Beitrag zur globalen Energieversorgung leisten. Deutschland ist dabei eines der größten Förderländer und auch für die nationale Energiewirtschaft spielt die Braunkohle eine wichtige Rolle. Nach der Wiedervereinigung kamen mit dem Mitteldeutschen Revier und Lausitzer Revier zwei große Fördergebiete dazu. Das Rheinische Braunkohlenrevier ist aber bis heute die wichtigste Lagerstätte des Landes.

1. Vergleichen Sie die drei größten Fördergebiete der Braunkohle in Deutschland (Atlas, M2/ M3).
2. Beschreiben Sie die Elektrizitätserzeugung in Deutschland (Atlas).
3. Kennzeichnen Sie die Lage des Rheinischen Braunkohlenreviers und beschreiben Sie die Entwicklung des Reviers (M8, Atlas).
Ⓦ 4. Stellen Sie die Entwicklung der einzelnen Braunkohletagebaue im Rheinischen Revier dar (M7), indem Sie
   A eine Tabelle zu den einzelnen Tagebauen anfertigen.
   B die Entwicklung ausgewählter Tagebaue in einem Text beschreiben.
   C die aktuelle Förderungsmenge in ausgewählten Tagebauen in eine einfache Kartenskizze eintragen (Atlas).
5. Beurteilen Sie die Effizienz der Braunkohle als Energieträger (M6/ M10).
Ⓩ 6. Verfassen Sie einen Schulbuchartikel für eine Klasse 5 zum Thema: Braunkohle – ein wichtiger heimischer Energieträger.

→ Braunkohle, CO₂-Emission, Tagebau, Wirkungsgrad

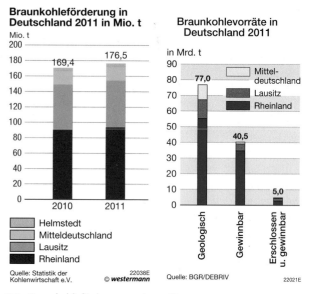

Quelle: Statistik der Kohlenwirtschaft e.V.   22038E   © westermann   Quelle: BGR/DEBRIV   22021E

M2 Braunkohleförderung und -vorräte

M3 Betriebsflächen und wieder nutzbargemachte Flächen

Revier	Einheit	Landnutzung (gesamt)	Betriebsflächen	renaturierte Flächen
Rheinland	ha	31 514	9 266	22 248
	Prozent	100	29,4	70,6
Lausitz	ha	86 135	31 455	54 680
	Prozent	100	36,5	63,5
Mitteldeutsches Revier	ha	48 720	11 011	37 710
	Prozent	100	22,6	77,4

M1 Schaufelradbagger im Braunkohletagebau

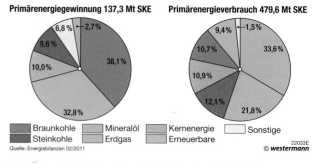

Quelle: Energiebilanzen 02/2011   22033E   © westermann

M4 Übersicht der Energiewirtschaft Deutschlands 2012

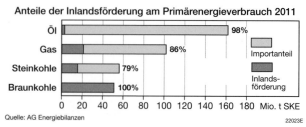

Quelle: AG Energiebilanzen   22023E

M5 Inlandsförderung primärer Energieträger

Braunkohle: Lösungen für CO₂-Ausstoß und Wirkungsgrad

Die deutschen Kraftwerksbetreiber müssen den heimischen Brennstoff effizienter nutzen. Die wohl größte Herausforderung für sie ist dabei, eine Lösung für das Treibhausgas CO_2 zu finden. Denn Braunkohle setzt bei der Verbrennung teilweise deutlich größere Mengen davon frei als die anderen fossilen Energieträger. Hinzu kommt, dass Fortschritte beim Wirkungsgrad der Kraftwerke begrenzt sind, solange deren Abwärme nicht besser genutzt wird. [...] Dabei ist die Technik für Braunkohle-Großkraftwerke in den letzten Jahren deutlich verbessert worden. Die neuen RWE-Braunkohleblöcke in Neurath und Vattenfalls neuer Boxberger Block erreichen bereits Strom-Wirkungsgrade von 43 Prozent. Zum Vergleich: Die alten Braunkohleblöcke, die RWE nach der Neurath-Inbetriebnahme abschalten will, nutzen den Brennstoff nur zu 30 Prozent. Die Betreiber können die Stromwirkungsgrade weiter anheben, indem sie die feuchte Rohbraunkohle vor der Verbrennung trocknen. Dazu erprobt Vattenfall seit Oktober 2008 in Schwarze Pumpe eine Versuchsanlage für die druckaufgeladene Dampf-Wirbelschicht-Trocknung. Sie nutzt dafür Heizdampf aus dem Kraftwerksprozess.

Die Techniker rechnen damit, dass bei Braunkohle-Kraftwerken ein Netto-Stromwirkungsgrad von 50 Prozent erreichbar ist, wenn die Kohletrocknung vollständig angewendet wird. Das wäre dann vergleichbar mit Steinkohleanlagen.

Nach: Stefan Schroeter, Ingenieur.de, 2012

M6   Zeitungsmeldung

Jahr	Förderung in Mio. t
1970	369,0
1980	387,9
1990	356,5
2000	167,7
2007	180,4
2008	175,3
2009	169,9
2010	169,4
2011	176,5
2012	185,4

M9   Entwicklung der Braunkohleförderung in Deutschland

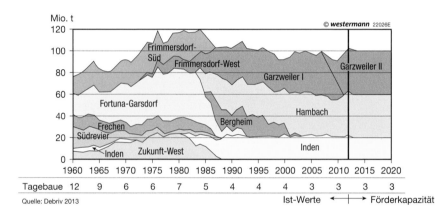

M7*   Braunkohleförderung im Rheinischen Braunkohlenrevier nach den einzelnen Tagebauen

Quelle: Debriv 2013

M8   Lage des Rheinischen Braunkohlenreviers

	Farbe und Glanz	Heizwert in k-Kalorien/ k-Joules pro kg
Torf	braun stumpf	1500 - 1000 6300 - 8400
Weich-braunkohle	braun stumpf	1800 - 3000 7500 - 12600
Hart-braunkohle	braun bis schwarz Mattglanz	4000 - 7000 16800 - 29400
Flamm- bis Fettkohle	schwarz Fettglanz	7000 - 8000 29400 - 33600
Ess- bis Mager-kohle		8000 - 8500 33600 - 35700
Anthrazit	schwarz Hochglanz	8500 - 9000 35700 - 37800
Graphit	schwarz halb-metallischer Glanz	praktisch nicht entzündbar

M10 Kohlearten nach Energiegehalt

Braunkohle – ein heimischer Energieträger

Der Braunkohletagebau Garzweiler II – zwischen Entwicklungsimpuls und sozial-ökologischem Widerstand

Der Tagebau Garzweiler II im Rheinischen Braunkohlenrevier gibt immer wieder Anlass zu Diskussionen zwischen unterschiedlichen Interessensgruppen. Dabei sind die Fragen der Zukunft von Garzweiler II vielschichtig und nicht einfach zu beantworten. Je nach Perspektive werden unterschiedliche Antworten zur Zukunft des Tagebaus gegeben.

1. Beschreiben Sie die Abbildung des Braunkohletagebaus und formulieren Sie Argumente verschiedener Interessensgruppen für bzw. gegen die Braunkohleförderung (M6).
2. Lokalisieren Sie den Tagebau Garzweiler II und erläutern Sie mögliche positive bzw. negative Aspekte der Braunkohleförderung (M1/ M3, Atlas).
3. Erklären Sie das deutsche Bergrecht mit eigenen Worten und diskutieren Sie die Frage, ob Bergrecht über persönliches Recht gesetzt werden sollte (M2).
Ⓦ 4. Erklären Sie die Begriffe Renaturierung und Rekultivierung mit Blick auf Garzweiler II (→ Definitionen, Atlas).
    A   Erstellen Sie eine Tabelle mit konkreten Maßnahmen.
    B   Fertigen Sie eine einfache Kartenskizze an, in der nur Rekultivierungsmaßnahmen ausgewiesen sind.
    C   Schreiben Sie einen Text zur Rekultivierung im Rheinischen Braunkohlenrevier.
5. Erarbeiten Sie Argumente zentraler Positionen zum Braunkohletagebau in Garzweiler II (M5/ M4, Internet) und führen Sie eine Pro- und Kontra-Debatte durch (z. B. in einem Rollenspiel).
Ⓩ 6. Sie sind Reporter einer regionalen Tageszeitung. Verfassen Sie einen neutralen Artikel zum Braunkohletagebau Garzweiler II.

→ Abraum, Bergrecht, CO₂, Feinstaub, Rekultivierung, Renaturierung, Umsiedlung, Wirkungsgrad

Das deutsche Bergrecht ist ursprünglich aus mittelalterlichem Gewohnheitsrecht entstanden. Seit 1982 gilt in Deutschland das Bundesberggesetz (BbergG). Das Gesetz beruht auf dem Prinzip der Bergfreiheit, was bedeutet, dass alle im Gesetz aufgeführten bergfreien Bodenschätze (Metalle, Erdöl, Erdgas, Kohle, Salze, Erdwärme etc.) dem Grundeigentum entzogen werden können, sodass dem Grundeigentümer nur die grundeigenen Bodenschätze (Sand, Kies, Gips, Ton etc.) zustehen. Das Eigentum kann aber durch Interessenten erworben werden, sofern ein staatlich kontrolliertes Verleihungsverfahren durchlaufen wurde. In diesem Verfahren wird insbesondere geklärt, ob die Förderung der Bodenschätze einem gesamtgesellschaftlichen Nutzen unterliegt. Ist dies festgelegt, muss im weiteren Verfahren die Entschädigung der betroffenen Grundstückseigentümer geregelt werden. Insbesondere wenn dies mit Umsiedlungsmaßnahmen verbunden ist, kommt es zu erheblichen Interessenskonflikten. Des Weiteren ist im Bergrecht geregelt, in welcher Weise nach erfolgter Förderung eine Rekultivierung bzw. Renaturierung erfolgen muss.

M2   Das deutsche Bergrecht

→ Renaturierung
Allgemein „Rückversetzung" von Landschaften oder Teilen dieser, wie Bäche oder Gehölzgruppen, in einen naturnahen Zustand mit der Möglichkeit einer natürlichen Weiterentwicklung.

→ Rekultivierung
Umfasst Geotechnische, landespflegerische, wasserbauliche, agrar- und forstökologische Maßnahmen, um durch wirtschaftliche und technische Aktivitäten des Menschen gestörte oder zerstörte Landschaftsökosysteme wiederherzustellen und um damit die ursprüngliche oder neugestaltete Kulturlandschaft (wieder) zu schaffen.

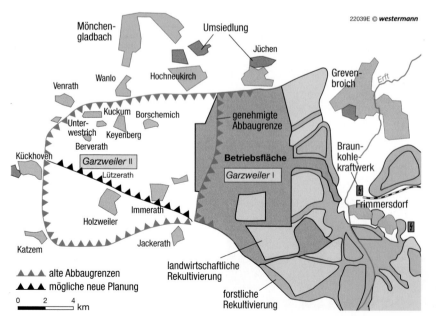

22039E © *westermann*

Lage: Gemeinde Jüchen, Rhein-Kreis Neuss
Größe des Abbaufeldes: 114 km²
Verhältnis Abraum zu Kohle: ca. 4 : 1
Anzahl der Mitarbeiter: 1 725
Anzahl der Auszubildenden: 125
Einwohner von Jüchen: 22 379
Einwohner des Rhein-Kreis Neuss: 439 225
Fläche des Kreises: 76,52 km²

M1   Tagebau Garzweiler II mit Braunkohlekraftwerken und Kennzahlen zum Tagebau und zur Region (2012)

Braunkohle-kraftwerk	Jahr der ersten Inbetriebnahme	Leistung (in MW)	Wirkungsgrad (in %)	CO_2 Ausstoß (in 1 000 t) 2011[4]	Feinstaub (in 1 000 t) 2011
Frimmersdorf	1959[1]	635	ca. 30	15 200	253
Neurath	1972[2]	4 400	30 – 43	19 600	283
Niederaußem	1965[3]	3 669	30 – 43	28 600	148

M3   Braunkohlekraftwerke südöstlich von Garzweiler II

1 In Frimmersdorf sind viele alte Blöcke bereits stillgelegt, die letzten sollen 2018 stillgelegt werden.
2 Das Kraftwerk besteht aus insgesamt sieben Blöcken, von denen die beiden neuesten Blöcke (2012 in Betrieb genommen) die Hälfte der Leistung produzieren und einen höheren Wirkungsgrad von 43% aufweisen.
3 Mit dem Block K ging 2002 der damals modernste Braunkohlekraftwerksblock der Welt in Betrieb. Zurzeit wird die Errichtung eines weiteren Blocks am Standort Niederaußem geprüft.
4 zum Vergleich: Ein moderner Kleinwagen produziert heute ca. 100 g CO₂ pro km.

Kunstlandschaften statt Natur. Nach Auffassung des BUND sind die gravierenden Eingriffe in Natur und Landschaft nicht ausgleichbar. [...] Es kommt unweigerlich zu Verlusten an natürlicher Bodenvielfalt. [...] Auch der Verlust an Waldflächen ist nicht ausgleichbar.
Quelle: BUND, 2012

„Die rheinische Rekultivierung gilt nicht nur unter Fachleuten weltweit als vorbildlich [...] Die Anlage von Wasserflächen ist eines der Gebote bei der Rekultivierung [...]. Die Vogelwelt ist an vielen Stellen artenreicher als vor dem Eingriff des Bergbaus.
Quelle: RWE, 2012

M4   Meinungen zur Rekultivierung im Rheinischen Braunkohlenrevier

M6   Renaturierte Flächen am Rand des Tagebaus Hambach

Bund für Umwelt und Naturschutz:

„Garzweiler II bedeutet einen unverantwortlichen Eingriff in Natur, Umwelt und soziale Strukturen. RWE darf die Tagebaubetroffenen nicht länger in Geiselhaft für ihre rückwärtsgewandte Konzernpolitik nehmen." Die Braunkohlepläne müssten rasch so geändert werden, dass den betroffenen 3 300 Menschen die jetzt noch geplante Zwangsumsiedlung erspart bliebe. Die Landesregierung in Nordrhein-Westfalen müsse zudem ein Ausstiegsszenario für die Braunkohle entwerfen, das im Einklang mit den Vorgaben des Landes-Klimaschutzgesetzes stehe. Würde der Tagebau in NRW wie bislang vorgesehen bis 2045 fortgeführt, würde dies rund 1,2 Mrd. t CO₂ mehr für die Atmosphäre bedeuten."
Nach: www.bund.net

Ilse Meyer

Ilse Meyer lebte seit Jahrzehnten in Immerath in Kreis Erkelenz. „Wir waren selbstständig, ganz autark", erzählt die heute 85-Jährige. „Hier gab es ein Krankenhaus, einen Bäcker, einen Metzger, eine Drogerie. Man musste nirgends hin. Und wenn man Einkäufe machte, traf man immer jemanden. Ich habe meine Heimat verloren." Frau Meyer wohnt heute im 10 km entfernten Neu-Immerath. „Das ist kein Dorf, sondern ein schnödes Neubaugebiet", urteilt die Witwe verzweifelt. Besonders der Abriss des Immerather Doms, ihres Doms, macht Frau Meyer traurig. „Es ist ein großes Unrecht, was den Leuten hier angetan wird. Wir sind sogar gezwungen, unsere Toten umzubetten."
Interview mit einer ehemaligen Bewohnerin von Immerath

RWE

RWE: Jede vierte Kilowattstunde Strom wird in Deutschland aus Braunkohle erzeugt. Der Energieträger hat einen Anteil von rund 25 Prozent an der gesamten deutschen Stromerzeugung. Der Tagebau Garzweiler erstreckt sich zurzeit westlich von Grevenbroich bis in das südliche Stadtgebiet von Erkelenz. Dort lagern in ca. 210 m Tiefe 1,3 Mrd. t Braunkohle. Gezielte Maßnahmen mindern die Staub- und Lärmentwicklung aus dem Tagebau und minimieren damit die Belästigung der in Nachbarschaft zum Betrieb lebenden Menschen. Die Rekultivierung der ausgekohlten Tagebaubereiche hat höchsten Stellenwert. Das Abbaufeld Garzweiler wird nach dem Auslaufen der Gewinnung in 35 Jahren überwiegend landwirtschaftlich rekultiviert sein. Doch auch der Freizeitwert für den Erholung suchenden Menschen wird nicht zu kurz kommen.
Nach: RWE, 2013

Landesregierung NRW

Nordrhein-Westfalen verfügt über reiche Vorkommen an energetischen und mineralischen Rohstoffen. Der Bergbau hat sich daher über Generationen zu einem der bedeutendsten Wirtschaftszweige in unserem Land entwickelt. [...] In Nordrhein-Westfalen hat vor allem der Kohlebergbau eine hohe Bedeutung. [...] Die Braunkohlentagebaue im Rheinischen Revier haben [...] aufgrund ihrer hohen Bedeutung für die Energiewirtschaft eine langfristige Perspektive. Auch der Wind schläft mal und die Sonne versteckt sich täglich stundenlang hinter der Erdkugel. Das heißt: Bis unsere Ingenieure große Speicher entwickelt haben, brauchen wir Gas- und Kohlekraftwerke. [...] Nur damit erreichen wir eine zuverlässige Versorgung mit bezahlbaren Strompreis.
Nach: www.wirtschaft.nrw.de

M5   Vier Positionen zur Braunkohle in NRW bzw. zu Garzweiler

Erdöl – Garant wirtschaftlicher Entwicklung?

Der Nahe Osten

Das höchste Gebäude der Welt, Skipisten und die FIFA Fußball-Weltmeisterschaft, die größten Flughäfen des Planeten, künstliche Inseln, prunkvolle Paläste und Formel-1-Rennstrecken, unermesslicher Luxus und sagenhafter Reichtum – all das gibt es mitten in der Wüste im Nahen Osten. Erdöl katapultierte eine ganze Region aus dem Mittelalter in die Gegenwart. Bisher war Erdöl der Garant für die wirtschaftliche Entwicklung der Region. Doch nun nutzen die Golfstaaten die Erdöleinnahmen zunehmend auch, um sich für die Zeit nach dem Öl zu wappnen.

Erdöl ist der Schmierstoff der Weltwirtschaft. Die Industrieländer und auch die energiehungrigen Schwellenländer sind von ihm abhängig. Sie haben großes Interesse an stabilen politischen Verhältnissen in der Golfregion, damit die eigene Ölversorgung gesichert ist. Die internationale Gemeinschaft schützt diese vermeintliche Sicherheit auf politischem und militärischem Weg. Kritiker sagen: Dabei sieht sie des Öfteren über undemokratische und sozial bedenkliche Verhältnisse in den Ölförderländern hinweg.

1. Beschreiben Sie die regionale und globale Bedeutung der Erdölvorkommen im Nahen Osten (M4/ M5, Atlas).
Ⓦ 2. **A** Stellen Sie den durch die Ölförderung erwirtschafteten Reichtum in den Golfstaaten dar (Fotos, Atlas, Internet).
    B Die Golfstaaten sind ein Paradebeispiel dafür, wie sich ein Land durch die Förderung von Bodenschätzen entwickeln kann. Diskutieren Sie diese Aussage.
3. Erklären Sie an Beispielen die breit gestreuten Investitionen der Golfstaaten (Fotos, Atlas).
4. Obwohl die Golfstaaten wirtschaftlich florieren, nimmt die internationale Kritik an den wirtschaftlichen und sozialen Verhältnissen in diesen Ländern zu. Erklären Sie (M8/ M12).
Ⓦ 5. **A** Die Golfregion wird oft als „Pulverfass" bezeichnet. Erklären Sie die internationale Militärpräsenz in der Region (M5/ M7/ M8).
    B Erläutern Sie die Maßnahmen der großen Industrienationen zur Sicherung ihres Zugriffs auf das Öl der Golfregion (M7/ M8/ M11).
Ⓩ 6. Stellen Sie den Entwicklungsstand der Golfstaaten im Vergleich zu ihren Nachbarstaaten dar (Atlas).

→ Carter-Doktrin, Golfregion, Naher Osten, OPEC

→ **OPEC**
Die OPEC (Organization of the Petroleum Exporting Countries) wurde im Jahr 1960 mit dem Ziel gegründet, die Mitgliedsländer gegen einen Preisverfall und eine Verminderung ihrer Einnahmen aus der Ölförderung abzusichern. Ihr Sitz ist in Wien.

M3 Die rasante Entwicklung einer Region: Dubai 1970 und heute

	BNE* 1978	BNE* 2012	BIP/Kopf** 1978	BIP/Kopf** 2012
Saudi-Arabien	24,96	657	3 010	22 823
VAE	22	392,3	k. A.	45 880
Katar	1,38	178,5 (2011)	8 320	97 967 (2011)
Bahrain	0,58	30,6	2 740	24 669
Kuwait	9,39	170,1	11 510	31 626

* in Mrd. US-Dollar; ** in US-Dollar

Quellen: auswaertiges-amt.de, Fischer Weltalmanach 1978, tradingeconomics.com

M4 Wirtschaftsdaten ausgewählter Golfstaaten

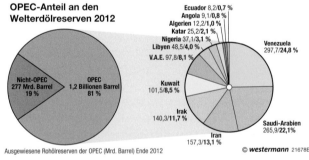

OPEC-Anteil an den Welterdölreserven 2012

Ecuador 8,2/0,7 %
Angola 9,1/0,8 %
Algerien 12,2/1,0 %
Katar 25,2/2,1 %
Nigeria 37,1/3,1 %
Libyen 48,5/4,0 %
V.A.E. 97,8/8,1 %

Venezuela 297,7/**24,8** %

Nicht-OPEC 277 Mrd. Barrel 19 %
OPEC 1,2 Billionen Barrel 81 %

Kuwait 101,5/**8,5** %

Irak 140,3/**11,7** %

Iran 157,3/**13,1** %

Saudi-Arabien 265,9/**22,1** %

Ausgewiesene Rohölreserven der OPEC (Mrd. Barrel) Ende 2012

© *westermann* 21678E

Quelle: Statistischer OPEC-Jahresbericht 2013

M5 OPEC-Anteil an den Welterdölreserven 2012

M1* Formel-1-Rennstrecke in Bahrain   **M2*** Königspalast in Riad   **M6*** Airbus A380 der Emirates Airline

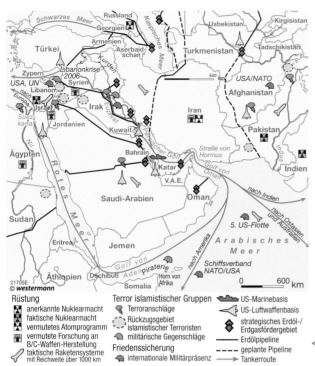

M11 Die USS Abraham Lincoln ist häufig im Persischen Golf stationiert

→ Carter-Doktrin

Der ehemalige US-Präsident Jimmy Carter hat im Jahr 1980 die bis heute gültige sogenannte Carter-Doktrin herausgegeben. Sie definiert klar die Position der USA: Jeder, der versuche, die Kontrolle über den Persischen Golf zu erlangen, greife die „vitalen Interessen" der USA an, und man werde sich mit allen Mitteln wehren.

◁ **M7** Konfliktstrukturen und Tankerrouten in der Golfregion

Rüstung
- 🔳 anerkannte Nuklearmacht
- 🔳 faktische Nuklearmacht
- 🔳 vermutetes Atomprogramm
- 🔳 vermutete Forschung an B/C-Waffen-Herstellung
- ⚔ taktische Raketensysteme mit Reichweite über 1000 km

Terror islamistischer Gruppen
- ⊙ Terroranschläge
- ⊙ Rückzugsgebiet islamistischer Terroristen
- ⊙ militärische Gegenschläge

Friedenssicherung
- ⊙ internationale Militärpräsenz

- ⟁ US-Marinebasis
- ⟁ US-Luftwaffenbasis
- ◆ strategisches Erdöl-/Erdgasfördergebiet
- — Erdölpipeline
- --- geplante Pipeline
- → Tankerroute

Panzerdeals mit Saudi-Arabien und Katar

„Der deutschen Rüstungsindustrie winken einem Zeitungsbericht zufolge weitere Aufträge in Milliardenhöhe von den Golfstaaten Saudi-Arabien und Katar. Das Golfemirat Katar [will] in den nächsten sieben Jahren weitere 118 Panzer vom Typ Leopard sowie 16 Panzerhaubitzen 2000 bestellen. Beide Waffensysteme werden von den deutschen Firmen Krauss-Maffei Wegmann und Rheinmetall hergestellt. Krauss-Maffei Wegmann hatte kürzlich bestätigt, dass Katar zunächst 62 Leopard-Panzer und 24 Panzerhaubitzen 2000 für insgesamt 1,89 Milliarden Euro bestellt habe. [...] Dem Bericht zufolge ist auch das Interesse Saudi-Arabiens am Kauf von 800 Leopard-Panzern konkreter als bisher bekannt. Die Beschaffung der Kampfpanzer stehe auf der von König Abdallah persönlich bestätigten Liste geplanter Rüstungsvorhaben. [...] Erst am Freitag hatte allerdings das „Handelsblatt" berichtet, der Verkauf von 270 Leopard-Panzern an Saudi-Arabien drohe zu scheitern. [...] Der Export von Rüstungsgütern an Saudi-Arabien und Katar ist in Deutschland zutiefst umstritten. Beide autoritär regierten Länder hatten sich im Frühjahr 2011 mit Panzern und Soldaten an der gewaltsamen Niederschlagung von Protesten in Bahrain beteiligt. Zudem geht Riad immer wieder mit Gewalt gegen Proteste im Inland vor. Kritiker verweisen zudem darauf, dass die Menschenrechtslage in Saudi-Arabien hoch problematisch ist. [...]"
Quelle: fbo, AFP, www.n24.de, 14.07.2013

M8 Nachrichtenmeldung

Zwangsarbeiter schuften für die Fußball-WM

„[...] In den vergangenen Wochen sind in Katar [...] viele Einwanderer aus Nepal bei ihrer Arbeit ums Leben gekommen. Die Rate der Todesfälle ist [...] mittlerweile auf einen pro Tag gestiegen. Die Arbeitsbedingungen gleichen – beurteilt nach Maßstäben der Internationalen Arbeitsorganisation ILO – sklavenhalterähnlichen Zuständen. [...] Katar soll 2022 die Fußball-Weltmeisterschaft ausrichten.
Laut Guardian ergab die Recherche, dass bei den Infrastruktur-Bauprojekten für die WM auch Zwangsarbeiter beschäftigt werden. Einigen Arbeitern sei monatelang der Lohn vorenthalten worden. Arbeitgeber hätten systematisch Pässe einbehalten und sich geweigert, sie auszuhändigen. Sie hätten die Arbeiter so zu Illegalen gemacht. Arbeiter berichteten dem Guardian, ihnen sei verweigert worden, während der Arbeit in großer Wüstenhitze Wasser zu trinken. In Schlafquartieren müssten sich bis zu zwölf Arbeiter einen Raum teilen. [...]
Es sehe danach aus, dass eine der reichsten Nationen der Welt eines der ärmsten Völker ausnutzt, um sein Land WM-tauglich zu machen. In Katar sind [...] mehr als 90 Prozent der Arbeiter Einwanderer. Derzeit sucht das Land 1,5 Mio. neue Arbeitskräfte für den Bau von Stadien, Häfen und Hotels."
Quelle: T. Steffen, www.zeit.de, 20.09.2013

M12 Zeitungsartikel

M9* Luxushotel Burj al Arab

M10* Burj al Kalifa – das höchste Bauwerk der Welt

M13* FIFA WM 2022 in Katar – Investitionen in die Zukunft in der Golfregion?

Erdöl – Garant für wirtschaftliche Entwicklung?

Erdölförderung um jeden Preis – Welchen Weg geht Ecuador?

Der Hunger nach Energierohstoffem geht oft zu Lasten der Natur. Wie man die Erde vor der Zerstörung durch den Menschen schützen kann, weiß niemand so ganz genau. Einen Vorschlag unterbreitete Ecuadors Präsident Raphael Correa 2007 vor der UN-Vollversammlung in New York: Die Regierung plane mit der Yasuni-ITT-Initiative, Ölvorkommen im Regenwald unangetastet zu lassen. ITT steht dabei für die Siedlungsgebieten der indigenen Völker der Ishpingo, Tambococha und Tiputini im Schutzgebiet. Correa schlug der Weltgemeinschaft vor, den finanziellen Verlust durch Einzahlung in einen international kontrollierten Fonds auszugleichen. Nur so sei es möglich, das zu über 50 Prozent vom Erdölexport abhängige und zudem arme OPEC-Land weiter zu entwickeln. Ein erster kleiner Schritt und eine bis dahin noch nicht erwogene Möglichkeit, Umweltschutz, Energiehunger und Energieförderung in Einklang zu bringen?
Das kleine Land erntet nicht nur Lob für die Initiative.

1. Lokalisieren Sie den Yasuni-Nationalpark in Ecuador, beschreiben Sie seine Lage in Bezug zu den Erdölhäfen im Pazifik. Ermitteln Sie, wie das Erdöl zu den Verladehäfen gelangt (Atlas, M1).
2. Kennzeichnen Sie die Yasuni-Region hinsichtlich der natürlichen Bedingungen, die dort herrschen. Benutzen Sie für Ihre Beschreibung auch den Begriff der Biodiversität (Atlas, M2, M3).
Ⓦ 3. Beschreiben Sie die Yasuni-ITT-Initiative. Erstellen Sie dann eine Tabelle „Vorteile und Nachteile ökonomischer und ökologischer Art für Mensch und Natur" (M1 – M7)
    A für den Fall, dass Erdöl gefördert wird.
    B für den Fall, dass das Vorhaben umgesetzt wird.
Ⓩ 4. Überprüfen Sie die unterschiedlichen Argumentationen zur Yasuni-ITT-Initiative (M4 – M7) und begründen Sie Ihren eigenen Standpunkt.

→ Biodiversität, indigenes Volk, Klimaschutz, OPEC

weblink

▌ Save Yasuni

Film-Tipp

▌ „Yasuni, a mediation on life" und „Yasuni – Invest on the Planet"

M2   Biodiversität in der Yasuni-Region

→ Biodiversität

Biodiversität oder biologische Vielfalt bezeichnet die Vielfalt der lebenden Organismen jeglicher Herkunft, darunter unter anderem Land-, Meeres- und sonstige im Wasser lebende Gemeinschaften. In der Regel zieht man zur Bestimmung der Biodiversität die folgenden Kriterien heran: Pflanzenwelt, Vogelarten, Anzahl der Säugetierarten und Anzahl der Amphibien auf einer Fläche. Danach kann man Kategorien höchster Biodiversität in der Skala von allen vier Bereichen über drei, zwei bis nur für einen der genannten Bereiche bilden. Häufig kommen nach dieser Kategorisierung auch die Kriterien der Weltnaturschutzunion zur Anwendung, die eine sogenannte Rote Liste erstellt hat, um die menschlichen Gesellschaften für den Natur- und Artenschutz zu sensibilisieren. Hier unterscheidet man wiederum sechs Kategorien, wobei es sich bei der Kategorie I um strengste Naturreservate und Wildnisschutzgebiete handelt, die vom Menschen unbeeinflusst bleiben sollen.

→ indigenes Volk

Eine Bevölkerungsgruppe bzw. deren Nachkommen, die vor der Eroberung, Kolonisation oder der Gründung eines Staates durch andere Völker in einer Region lebte und sich bis heute als eigenständiges Volk versteht und ihre eigenen sozialen, wirtschaftlichen und kulturellen Institutionen beibehalten hat.

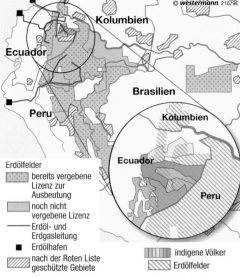

M1*   Erdölfördergebiete Ecuadors: vergebene Lizenzen, geplante Lizenzen, geschützte Gebiete (2013)

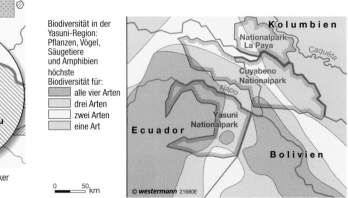

M3   Kategorien der Biodiversität im ecuadorianischen Regenwald

Yasuni-ITT-Initiative – viel beachtet, aber gescheitert?

Die Yasuni-ITT-Initiative ist bereits auf verschiedene Weisen beschrieben worden: als umstritten, revolutionär oder bahnbrechend, als ökologische Erpressung oder als beste Chance, Ölkonzerne aus dem Yasuní-Nationalpark in Ecuador fernzuhalten. Doch nun, nach zahlreichen Höhen und Tiefen, kann das Projekt erste Erfolge verzeichnen: Der britischen Zeitung „The Guardian" zufolge hat die Yasuni-ITT-Initiative 300 Mio. US-Dollar aufgebracht. Dies entspricht acht Prozent der Gesamtsumme, die notwendig ist, um die Idee vollständig zu finanzieren.

Die Summe soll jedoch nicht direkt an die ecuadorianische Regierung ausbezahlt werden, sondern in einen Entwicklungsfonds der Vereinten Nationen fließen, mit dem Projekte zur Förderung erneuerbarer Energien, Naturschutzinitiativen, Wiederaufforstungsprogramme sowie Initiativen zur Förderung der sozialen Entwicklung finanziert werden sollen.

Befürworter der Yasuni-ITT-Initiative meinen, dass auf diese Weise eines der artenreichsten Gebiete der Welt erhalten, die Freisetzung von geschätzten 410 Mio. t CO_2 in die Erdatmosphäre verhindert und indigene Völker in diesem Reservat geschützt werden können. Die Initiative könnte dabei helfen, gleich mehreren der ökologischen Krisen der Welt entgegenzuwirken: dem Massenaussterben von Arten, der Abholzung der Regenwälder und dem Klimawandel.

Kritiker sind jedoch der Ansicht, dass dieses Projekt nicht viel mehr als eine Erpressung seitens der ecuadorianischen Regierung sei, da die Ölförderung in einem Schutzgebiet wie dem Yasuní-Nationalpark gar nicht erst stattfinden sollte. Die Internationale Energieagentur (IEA) hat beispielsweise vor kurzem darauf hingewiesen, dass zwei Drittel der fossilen Brennstoffreserven der Erde im Boden bleiben müssen, wenn gefährliche Klimaveränderungen vermieden werden sollen.

Es mag heute noch weit hergeholt erscheinen, Länder für die Nichtförderung ihrer fossilen Brennstoffvorkommen zu bezahlen. Aber: Auf einem einzigen Hektar Regenwald im Yasuní wurden 655 verschiedene Baumarten nachgewiesen – mehr als auf der gesamten Fläche der Vereinigten Staaten von Amerika und Kanadas zusammen.

Quelle: J. Hance, www.mongabay.com, 09.04.2013

M4* Die Yasuni-ITT-Initiative – benannt nach den in den Siedlungsgebieten der Ishpingo, Tambococha und Tiputini entdeckten Ölquellen

M6 Folgen der Erdölexploration in Ecuador: Ölpumpe, unter der sich eine Erdöllache bildet

Dschungel statt Öl!

„Der Erhalt des tropischen Regenwaldes und seiner hohen Biodiversität sowie Umwelt- und Klimaschutz und der Schutz der indigenen Bevölkerung haben für die deutsche Entwicklungspolitik einen hohen Stellenwert. Und doch halte ich den Yasuní-Fonds für das falsche Instrument."

Im Gegensatz zu Brasilien, das die Entwaldung in Amazonien bis zum Jahr 2020 um 80 Prozent reduzieren und dies im Rahmen des REDD-Modells (Reducing Emissions from Deforestation and Forest Degradation) finanzieren wolle, bemesse sich bei Yasuní-ITT die Höhe der Beiträge nach den entgangenen Öleinnahmen und nicht nach den reduzierten CO_2-Emissionen auf der Grundlage vermiedener Entwaldung. Die unterlassene Ölförderung allein reiche nicht zum Schutz des Waldes und der indigenen Völker. „Ich möchte daher [...] die Yasuni-Region im Rahmen des [...] REDD-Engagements fördern."

Quelle: die tageszeitung taz, 23.10.2011

M5* Dirk Niebel (ehemaliger Entwicklungsminister)

Präsident Correa klagt die Weltöffentlichkeit an

Nur etwa 0,37 Prozent der notwendigen Kompensationszahlungen sind eingegangen. **Bekämpfung der Armut hat Vorrang**

16.08.2013 Quito. Ecuadors Präsident Rafael Correa hat am Donnerstagabend in einer landesweit übertragenen Ansprache die Yasuni- ITT-Initiative, mit der auf die Förderung von 920 Mio. Barrel Öl verzichtet werden sollte, für beendet erklärt. Die internationale Gemeinschaft und „die Weltmächte, die auch die größten Verschmutzer des Planeten sind", hätten die Mitverantwortung für dieses Klimaschutzprojekt nicht übernommen. Dies sei jedoch die Voraussetzung für die Realisierung gewesen, sagte Correa. Er bezeichnete die Entscheidung als eine der schwersten seiner Regierung.

Quelle: E. Haule, amerika21.de, 16.08.2013

M7 Zeitungsartikel

Erdöl – Garant für wirtschaftliche Entwicklung?

Die Gier nach Erdöl kennt keine Grenzen – der Fall der Deepwater Horizon

Die Problematik des weltweiten Energiehungers und der rasante Anstieg der Förderung fossiler Energieträger wird uns immer dann vor Augen geführt, wenn Mensch und Technik versagen und es zur Katastrophe kommt. Der Fall der Ölplattform Deepwater Horizon erschütterte die Welt. Er entfachte erneut die Diskussion um die Förderung von Energierohstoffen aus extremen Lagerstätten wie der Tiefsee und die Abhängigkeit vom Erdöl als Schmierstoff der Weltwirtschaft.

1. Stellen Sie Vermutungen dazu an, wie unser Alltag ohne Erdöl aussehen würde (Internet).
2. Lokalisieren Sie die Lage der Ölplattform Deepwater Horizon und beschreiben Sie die Katastrophe (M1–M4).
3. Erläutern Sie ökonomische und ökologische Folgen der Katastrophe. Formulieren Sie dazu auch mögliche Leitfragen (M6/ M7).
Ⓦ 4. Erklären Sie die Förderung aus Erdöllagerstätten im Meer (M5),
   A indem Sie einen Beitrag für einen Radiosender vorbereiten (Dauer: ca. 90 Sekunden).
   B indem Sie eine einfache Kartenskizze anfertigen.
5. „Stoppt die Erdölförderung in der Tiefsee!" Beurteilen Sie die Forderung vieler Umweltschützer. Nutzen Sie dazu die Methode geographischer Urteilsbildung (M5–M9, Internet).
Ⓩ 6. Erläutern Sie anhand geeigneter Atlaskarten die Abhängigkeit Deutschlands und Japans vom Erdöl.

→ Erdöl, Peak Oil, Tiefseebergbau

„Das erste, was wir bemerkten, war, dass die Maschinen des Förderturms plötzlich heiß liefen." […] Chef-Elektriker Mike Williams berichtet in einem Interview darüber, wie er das Unglück erlebt hat. 114 seiner Kollegen können sich […] in Sicherheit bringen, elf finden den Tod. […] Es ist der 20. April 2010. Als um 21.45 Uhr eine gewaltige Explosion die Ölplattfom Deepwater Horizon, die etwa 80 km vor der US-Küste errichtet worden ist, erschüttern lässt. Zwei Tage lang wird fieberhaft versucht, die brennende Plattform zu löschen. Doch die Deepwater Horizon sinkt und die Verbindung zwischen dem Bohrloch in 1500 m Meerestiefe reißt ab. Ungehindert strömt Öl in das Meer: Nach Schätzungen 780 Millionen Liter; mehr als zehnmal so viel wie bei der größten Tankerhavarie der Geschichte, als 1989 die Exxon Valdez auf ein Riff lief.
Quelle: D. Mc Connell, CNN, 2012

M3   Explosion auf der Deepwater Horizon

M4   Die Deepwater Horizon nach der Explosion

M1   Erdölverseuchung – Katastrophe für Flora und Fauna

M2   Lage der Deepwater Horizon und die Ausbreitung der Ölverseuchung im Golf von Mexiko

Von Tiefseebergbau spricht man in der Regel, wenn der Abstand zwischen Meeresoberfläche und Meeresgrund 1000 m überschreitet. Mittlerweile lässt sich bis zu einer Tiefe von 3000 m nach Erdöl oder Erdgas bohren. Je tiefer gebohrt wird, umso schwerer ist das Gestein zu brechen, und umso weiter schrumpft der Durchmesser der Bohrung. Die Lagerstätte trifft man in der Regel mit einem Bohrdurchmesser von unter 20 cm. Durch diese Öffnung strömt das Öl aus. Oft wird auch horizontal gebohrt. Tiefseebohrungen sind für einzelne Länder auch deshalb so interessant, da hier noch riesige Erdölvorkommen vermutet werden. So will beispielsweise Brasilien durch die Förderung einer gigantischen Lagerstätte seine Erdölförderung verdoppeln. Für die wirtschaftliche Entwicklung des Landes eine riesige Chance. Die Hoffnungen der Brasilianer ruhen allerdings in 7000 m Tiefe und liegen unter einer kilometerdicken Stein- und Salzschicht.

M5   Tiefseebergbau: technische Höchstleistungen mit hoher Rendite

Nach Berechnungen der Ratingagentur Moody's hat die Katastrophe BP schon 37,2 Milliarden Dollar gekostet.
Weitere 14 Milliarden Dollar hat BP für die Zivilklage zurückgelegt. Im schlimmsten Fall könnten die Kosten auf 90 Mrd. US-Dollar anwachsen, eine Summe, die selbst BP überfordern könnte.
Quelle: M. Koch, Süddeutsche Zeitung, 26.02.2013

M6   BP kämpft um seine Zukunft

Nun ist das britische Unternehmen nach eigenen Angaben im Golf von Mexiko wieder aktiv. Erste Testbohrungen seien bereits am 3. August im sogenannten Tiber-Feld gestartet worden, teilte der Konzern mit. In der Gegend werden gigantische Vorkommen vermutet, die sich auf bis zu drei Milliarden Barrel Öl belaufen könnten. Ursprünglich wollte BP bereits 2010 mit Testbohrungen beginnen, diese verzögerten sich durch den Untergang der Deepwater Horizon. In den USA kämpft BP zugleich um die Höhe seiner Entschädigungszahlungen für die Katastrophe. Für das dritte Quartal hatte ein Richter kürzlich trotz Protesten von BP ein Budget von 130 Mio. US-Dollar genehmigt. Die Entschädigungszahlungen sind grundsätzlich nicht nach oben begrenzt. Aus Sorge vor Kosten von bis zu 21 Mrd. US-Dollar hat BP bereits Anlagen im Wert von fünf Milliarden verkauft.
Quelle: Reuters, 13.09.2013

M7 Proteste gegen die Pläne von BP

Beispiele für prognostizierte Förderverläufe mit Peak Oil, Produktion in Gigatonnen weltweit 1950 bis 2100

Nur konventionelles Erdöl: Der Abbau von Ölsanden ist nicht berücksichtigt
Quelle: BpB, 2010   22042E © *westermann*

M8* Peak Oil (Bundesanstalt für Geowissenschaften und Rohstoffe)

METHODE Geographische Urteilsbildung

In unserer immer komplexer werdenden Welt kommt der Ausbildung einer Urteilskompetenz eine überragende Bedeutung zu, um an gesellschaftlichen Prozessen mitwirken zu können. Eine geographische Urteilskompetenz liegt dann vor, wenn Sie die Fähigkeit besitzen, räumliche Strukturen und Prozesse im Hinblick auf aktuelle und zukünftige Lebenswirklichkeit zu beurteilen. Ein differenziertes Urteil muss von fundierten Sachinformationen ausgehen. Erst auf der Grundlage von sachlichen Informationen sind Sie in der Lage, sich ein echtes Werturteil zu bilden. In diesem Kapitel sind bereits viele Fragen aufgeworfen worden, die ein solches Urteil verlangen. Die folgenden Schritte, oder als Alternative das dargestellte Schema, können Ihnen helfen, zu solch einem Urteil zu gelangen.

Sechs Schritte zur Ausbildung einer geographischen Urteilskompetenz

1. SCHRITT

→ Wahrnehmung eines Bewertungsproblems

2. SCHRITT

→ Beschreibung der Situation
Wie ist die sachliche Situation?

3. SCHRITT

→ Unterscheidung von (möglichen) Perspektiven
Wer könnte was warum wollen?

4. SCHRITT

→ Prüfung der Konsequenz
Welche Folgen hätten die verschiedenen Urteile?

5. SCHRITT

→ Analyse der damit verbundenen Normen und Wertmaßstäbe (Wonach könnte man was entscheiden? Nutzen Sie z. B. das Nachhaltigkeitsdreieck)

6. SCHRITT

→ Begründete Urteilsfällung (evtl. mit Einschränkung) mittels Abwägung der Vor- und Nachteil der Entscheidung. Wie begründe ich meinen Standpunkt?

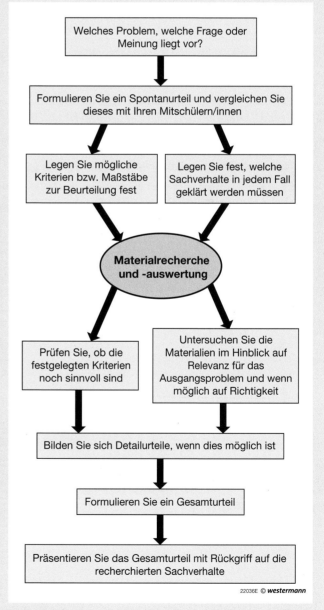

M9 Urteilsbildung

Erdgasförderung – Konflikte durch ungleiche Verteilung

Russisches Gas für den Energiehunger Europas

Erdgas ist ein wichtiger Energieträger für Europa. Viele Staaten der Europäischen Union setzen verstärkt auf Erdgas. Das meiste Gas stammt aus Lagerstätten in Russland. Einzelne Länder wie Finnland sind teilweise vollständig auf russisches Gas angewiesen. Wie aber gelangt das Erdgas von den russischen Lagerstätten in die einzelnen europäischen Länder? Welche Probleme können dabei auftreten?

Ⓦ **1.** Beschreiben Sie den Weg des russischen Gases vom Fördergebiet zum Abnehmer (M1–M3, Atlas),

    A   indem Sie die einzelnen Stationen auflisten.

    B   einen Bericht schreiben.

    C   einen Kurzvortrag vorbereiten.

2. Beschreiben Sie die Gasimporte von Russland nach Europa (M4/ M5/ M9).

3. Erläutern Sie die Bedeutung des Erdgases für die russische Wirtschaft (M8, Atlas, Internet).

4. Werten Sie die Karikatur (M7) aus und formulieren Sie mögliche Probleme der europäischen Gaswirtschaft.

5. Nehmen Sie Stellung zu der These der Zeitungsüberschrift (M6).

Ⓩ **6.** Entwerfen Sie eine Skizze zu einer weiteren Karikatur, die den Zeitungsartikel (M6) veranschaulichen könnte.

→ Erdgas, Lagerstätte, Pipeline, Reserve

M2   Gasförderung im Sapoljamoje-Feld

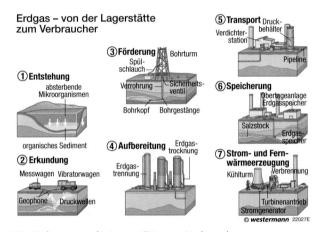

M3   Erdgas – von der Lagerstätte zum Verbraucher

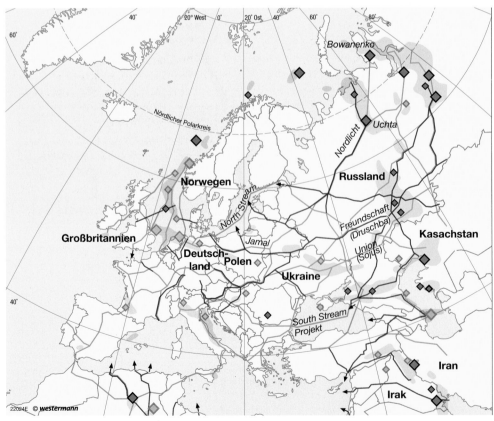

M1   Europa – Energierohstoffe und Transportwege

Gasverkauf von Gazprom (2010)
(Abnahmemenge in Mrd. m³)

- über 25
- 10–25
- 1–10
- unter 1
- keine Abnahme

M4 Gasverkauf von Gazprom

Jahr	Menge (in Mrd. m³)
1996	601
1998	591
2000	584
2002	595
2004	634
2006	641
2008	665
2010	649
2012	655

Quelle: Staatlicher Russischer Dienst für Statistik

*Von den 655 Mrd. m³ produzierte allein der staatliche Energieriese Gazprom rund 500 Mrd. m³. Knapp ein Drittel des Erdgases wurde exportiert

M8 Gasproduktion in Russland

M5 Machtmittel des Kremls: Die Gazprom-Zentrale in Moskau

M7 Karikatur

Gas aus Russland: Die Macht, die aus den Röhren kommt

Die Europäische Union und der russische Konzern Gazprom tragen einen erbitterten Kampf um Pipelines und Regeln aus. Vom Baltikum bis zum Kaukasus geht es darum, ob Gas eine Waffe des Kremls bleiben kann.

Am Neujahrstag 2009 fiel plötzlich der Gasdruck. Bis in die Silvesternacht hatten sich Moskau und Kiew über den Preis gestritten, zu dem der russische Konzern Gazprom liefern sollte. Als dann das neue Jahr begann, erwachte die Ukraine ohne Brennstoff. Bald fielen auch die gewaltigen ukrainischen Transitleitungen aus, durch die russisches Gas nach Mitteleuropa fließt. Ungarn, Polen, die Tschechische Republik meldeten Lieferausfälle. Bulgarien musste Fabriken stilllegen, die Slowakei, in der mitten im Winter die Heizungen ausgingen, rief den Notstand aus. 18 Tage hielt die Ukraine aus, dann gab sie nach. [...]

Das Gas hatte erreicht, wozu die Sowjetunion früher Panzer eingesetzt hätte – und Russland hatte bewiesen, dass es sein Gasmonopol zu nutzen versteht. Was das heißt, hat seither nicht nur die Ukraine erfahren. Auch Estland, Lettland und Litauen, die ebenfalls bis 1991 zum Imperium gehörten, stehen unter Druck. Weil alle Gasleitungen dorthin noch immer aus Russland kommen, sind

sie den Preisvorstellungen Gazproms ausgeliefert. Laut einem Bericht der Europäischen Kommission vom Mai zahlen sie 35 Prozent mehr für russisches Gas als etwa Deutschland. [...] Der Ehrgeiz des Staatskonzerns Gazprom beschränkt sich nicht auf die Ukraine und das Baltikum. Im Süden Europas ist sein strategisches Hauptprojekt die Gasleitung „South Stream", die Südrussland durch das Schwarze Meer mit dem Balkan verbinden soll. Nach Ansicht von Fachleuten in der EU hat diese Röhre gleich zwei politische Ziele. Erstens könnten damit die heutigen Hauptleitungen in der Ukraine umgangen werden, so dass Moskau künftig Kiew den Hahn zudrehen könnte, ohne zugleich seinen Lieferweg nach Europa zu verlieren. Zweitens soll „South Stream" einer geplanten Leitung von Aserbaidschan über Georgien und die Türkei auf den Balkan zuvorkommen, dem „südlichen Korridor". Wenn Europa durch „South Stream" von Russland beliefert wird, so das Kalkül, hätte das Gas aus Aserbaidschan keine Chance mehr. Russland müsste dann seine Rolle als größter Lieferant der EU [...] nicht mit weiteren Lieferanten teilen.

Quelle: K. Schuller, B. Triebe, Frankfurter Allgemeine Zeitung, 07.07.2013

M6 Zeitungsmeldung

Deutschland	35,6
Italien	23,8
Ungarn	7,9
Frankreich	7,6
Tschechien	6,4
Polen	6
Österreich	5,6
Finnland	4,3

M9 Gasimporte ausgewählter europäischer Länder aus Russland 2012 (in Mrd. m³)

Atomkraft – ein vertretbares Risiko?

Kernenergie in Deutschland

Die Atomenergie nimmt unter den fossilen Energieträgern eine Sonderstellung ein: Sie nutzt aus, dass bei der durch Neutronen ausgelösten Spaltung von Uran oder Plutonium Energie und weitere Neutronen frei werden. Diese Art der Stromerzeugung verursacht keinen CO_2-Ausstoß. Die Stromerzeugung auf Uranbasis ist deshalb weniger klimaschädlich als bei den Energieträgern Kohle, Erdgas und Erdöl. Vorteilhaft für energierohstoffarme Staaten ist zudem, dass viel weniger Uran für die Energierzeugung importiert werden muss als etwa Kohle für Kohlekraftwerke. Als Problem wird jedoch vor allem die Sicherheit der Atomkraftwerke (AKW) betrachtet, da radioaktive Strahlung extrem gesundheitsschädlich ist. Sowohl bei Betriebsunfällen als auch bei nicht sachgemäßer Lagerung des Atommülls ist der sichere Einschluss der Radioaktivität nicht gewährleistet.

Im Jahr 2011 kam es im japanischen Fukushima nach einem Tsunami zu mehreren Kernschmelzen in den Kraftwerksblöcken direkt an der Küste. Nach diesem größten anzunehmenden Unfall (GAU) wurde in Deutschland ein Schlusspunkt unter die jahrzehntelange Atomenergiedebatte gesetzt: Der Deutsche Bundestag beschloss den Atom-Ausstieg, der am 6. August 2011 gesetzlich in Kraft trat. Acht der damals 17 deutschen Atomkraftwerke wurden überwiegend aus Altersgründen stillgelegt. Bis 2022 soll das letzte deutsche AKW abgeschaltet werden.

1. Beschreiben Sie die Wege des Urans von der Förderung bis zur Verstromung (M2/ M4, Internet).
Ⓦ 2. A Erstellen Sie eine Kartenskizze zur Nutzung der Kernenergie in Deutschland und seinen Nachbarländern (Atlas).
   B Erläutern und vergleichen Sie den Stellenwert der Kernenergie am Beispiel Deutschlands und seiner Nachbarn (M5).
3. Diskutieren Sie den Atom-Ausstieg in Deutschland.
Ⓩ 4. Stellen Sie die wichtigsten Aussagen der Befürworter und Gegner der Kernkraft einander gegenüber.

→ Atomenergie, GAU, Kernenergie, Restrisiko, Urananreicherung

Wissenschaftler und Befürworter sprechen von Kernenergie oder Kernkraft, Gegner verwenden den Begriff Atomkraft oder Atomenergie. Warum? Nach 1945 drangen im Zusammenhang der Atomwaffenentwicklung viele Begriffe aus dem anglo-amerikanischen Bereich in die deutsche Sprache, es dominierte das „Atom". Mitte der 1950er-Jahre trat dann infolge der internationalen Förderung der Forschung zur friedlichen Nutzung der Kernspaltung mehr und mehr das „nuclear = Kern" in den Vordergrund. Der Begriff Kernenergie ist physikalisch genauer, denn die Prozesse, bei denen die Energie gewonnen wird, finden im Kern des Atoms statt. In den 1970er-Jahren etablierte die Anti-Atom-Bewegung das „Atom" als Gegenpol zum „Fach-Chinesisch" des „Kern". So entstand neben der inhaltlichen Auseinandersetzung auch eine sprachliche Abgrenzung zwischen Befürwortern und Gegnern. Im Gegensatz zu Deutschland hält die Mehrheit der Staaten mit Kernenergienutzung nach wie vor an dieser fest. Diverse Staaten streben sogar den umfangreichen Neubau von AKW an.
Nach: www.kernfragen.de

M1 Kernenergie oder Atomkraft?

Uran ist ein natürlicher, in geringen Mengen vorkommender Bestandteil der Gesteine der Erdkruste. Auch bei einem absehbar steigenden Bedarf an Uran ist für die nächsten Jahrzehnte aus geologischer Sicht kein Engpass bei der Versorgung mit Kernbrennstoffen zu erwarten. Da im Gestein der Uranminen der durchschnittliche Uran-Gehalt bei 0,1 Prozent liegt, bleiben beim Abbau allerdings riesige Gesteinsmengen als Abfallprodukt zurück. Zudem fallen große Mengen an radioaktiv verseuchten Grubenabwässern an. Problematisch beim Abbau ist zudem – gerade in ärmeren Staaten wie beispielsweise im afrikanischen Niger – die Nichteinhaltung von Sicherheitsbestimmungen. Die Arbeiter vor Ort sind deshalb häufig massiven Gesundheitsgefährdungen ausgesetzt.

Aus zwei Tonnen abgebautem Uranerz kann in Uranmühlen etwa ein Kilogramm Yellowcake gewonnen werden, das zu mehr als 80 Prozent aus Uranverbindungen besteht. In weiteren Verarbeitungsschritten werden aus diesem Ausgangsstoff die Brennelemente für die AKW hergestellt. Sie enthalten den Kernbrennstoff und bestehen meist aus vielen dünnen Brennstäben, die im Reaktorkern von Kühlwasser umspült werden.

M2 Vom Uranerz zum Brennelement

Erderwärmung: Renommierte Klimaforscher fordern Renaissance der Kernkraft

Die Menschheit verbraucht immer mehr Energie, der Ausstoß von Treibhausgasen steigt, der Klimawandel schreitet voran. Vier namhafte Klimaforscher fordern nun einen Ausbau der Atomkraft. Nur so sei eine Senkung der CO_2-Emissionen realistisch.

(Quelle: H. Dambeck, Spiegel online, 04.11.2013)

M3 Aufmacher auf Spiegel online

M4 Atomkraftwerk Emsland bei Lingen

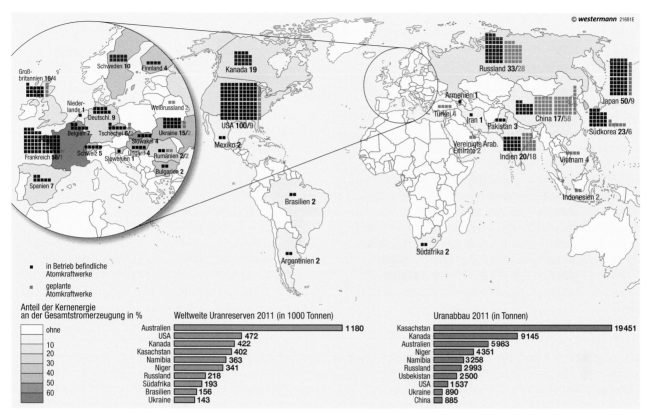

M5* Kernenergie Deutschland, Europa, global

War der politische Beschluss zum deutschen Ausstieg Ihrer Meinung nach überstürzt?

Die Betreiber der Kernkraftwerke in Deutschland haben die politischen Entscheidungen, die nach dem Unfall von Fukushima getroffen wurden, akzeptiert und setzen sie um. Allerdings wurde von der Bundesregierung damals sehr schnell – noch bevor Erkenntnisse zu Unfallursachen vorlagen – der beschleunigte Ausstieg als politische Richtlinie festgelegt. An dieser Linie wurde im Gesetzgebungsverfahren festgehalten, obgleich die Erkenntnisse zum Unfall und eine Sicherheitsüberprüfung der Kernkraftwerke keinen sicherheitsbezogenen Grund dafür ergeben haben.

Könnte ein Unfall wie in Fukushima auch in Deutschland passieren?

Der Unfall war insbesondere Folge des Versäumnisses, gegen einen Tsunami vorzusorgen. Da Tsunamis mit mehr als 10 m Höhe an japanischen Küsten statistisch alle 30 Jahre auftreten, wurde ein offensichtliches Risiko über Jahrzehnte ignoriert. Ein solches Defizit bei der Auslegung gegen Naturgefahren wurde bei keiner deutschen Anlage festgestellt […].

Auch die Sicherheitstechnik der Anlagen in Fukushima war nicht mit unseren Anlagen vergleichbar. Die Unterschiede in den Bereichen Notstromversorgung, Notkühlung oder Beherrschung schwerer Unfälle sind sehr groß.

Wie ist Ihre Position zum Restrisiko und zur Beherrschbarkeit des Betriebs der deutschen AKW bis mindestens 2022?

[…] Der Unfall in Japan spricht nicht gegen die Annahmen zum Restrisiko und zur Beherrschbarkeit eines theoretischen schweren Unfalls bei uns, denn die Ursachen des Unfalls und seiner schweren Folgen treffen auf deutsche Anlagen nicht zu. In Deutschland ist eine Sicherheitsvorsorge nach dem Stand von Wissenschaft und Technik gefordert, das heißt die Sicherheit wird ständig verbessert.

M6　Interview mit Dr. Ralf Güldner, Präsident des Deutschen Atomforum e. V. am 20.01.2014

RESTRISIKO

Die zentrale Frage lautet: Was also können wir, was kann Deutschland aus der Katastrophe in Fukushima lernen? Aus einem Ereignis, das man niemals für möglich gehalten hätte und das dennoch eingetreten ist. Wir haben gelernt, dass die Wahrscheinlichkeit einer atomaren Katastrophe keineswegs bei eins zu einer Million liegt, wie uns Wissenschaft und Industrie bislang erzählt haben. Das Risiko ist um ein Vielfaches höher als angenommen. Tatsächlich muss man mit einem schweren Atomunfall mit großer radioaktiver Freisetzung etwa alle 10 bis 25 Jahre rechnen.

BEHERRSCHBARKEIT

Auch die Hilflosigkeit des japanischen Staates im Umgang mit der Katastrophe muss uns eine Lehre sein. Die Ereignisse zeigen: Atomkraft ist nicht beherrschbar! Atomkraft verzeiht keine Fehler! […]

SCHADENSAUSMASS

[…] Eine Risikobetrachtung der Atomkraft […] muss die Betrachtung des Schadensausmaßes in den Vordergrund rücken. Das Schadensausmaß muss die Akzeptanz darüber umfassen, ob eine Gesellschaft dazu bereit ist, die Folgen eines schweren nuklearen Unfalls mit Hunderttausenden möglichen Opfern in Kauf zu nehmen. Sind wir darüber hinaus bereit, dass Hunderttausende Menschen umgesiedelt werden müssten und Tausende Quadratkilometer Land auf Generationen unbewohnbar wären? [Das Schadensausmaß einer Atomkatastrophe in Deutschland] könnte noch viel größer sein als bei den Ereignissen in Harrisburg, Tschernobyl und Fukushima. Die deutschen Reaktoren gehören zwar nicht zu den sichersten der Welt, aber zu den leistungsstärksten. […] Die deutschen Reaktoren besitzen dadurch ein noch viel größeres radioaktives Inventar, das freigesetzt werden könnte. […]

Quelle: www.greenpeace.de

M7　Stellungnahme des Greenpeace-Kernphysikers H. Smital vor der von Kanzlerin Merkel einberufenen Ethikkommission für eine sichere Energieversorgung am 28.04.2011 in Berlin

Atomkraft – ein vertretbares Risiko?

Ein strahlendes Erbe für zukünftige Generationen – deutscher Atommüll

Energieerzeugung mittels Atomkraft belastet die Umwelt nur gering – zumindest solange das radioaktive Material in den AKW eingeschlossen ist. Jenseits der Sicherheitsfrage der AKW stellt sich jedoch die Frage: Was passiert mit den stark strahlenden und massiv gesundheitsschädlichen Abfallstoffen der Kernenergie? In keinem der weltweit mehr als 40 Staaten, die die Radioaktivität nutzen, gibt es eine endgültige Lösung für dieses Problem. Unter Umständen muss der radioaktive Müll bis zu einer Millionen Jahre vergraben werden. Erst dann ist die Strahlung nicht mehr größer als die von Uranerz – dem Ausgangsstoff radioaktiver Energieerzeugung. Die geologischen Voraussetzungen für eine Endlagerung des Atommülls sind regional sehr verschieden. Auch in Deutschland werden seit Jahrzehnten Standorte gesucht, geprüft und diskutiert. Weshalb ist dieser jahrzehntelange Prozess noch immer nicht erfolgreich abgeschlossen?

1. Erläutern Sie die grundsätzliche Atommüllproblematik.
2. Ein Endlager ist in Deutschland noch nicht gefunden. Beschreiben Sie, wie dieser Schwebezustand seit Jahrzehnten überbrückt wird (M1 – M12).
3. Ⓦ Erläutern Sie hinsichtlich dieses Schwebezustandes im Speziellen die Schwierigkeiten
   A   bei der deutschen Atommüllzwischenlagerung.
   B   bei der deutschen Endlagersuche.
4. Ⓩ Verfassen Sie eine persönliche Stellungnahme zur Nutzung der Kernenergie in Deutschland.

→ Atommüll, Biosphäre, Endlagerung,
   Geologie, Wiederaufbereitung

„Es gibt weltweit keine Konzeption für die Endlagerung von Atommüll. [...] Die Havarien in den Atommüllkippen in den Salzstöcken Asse und Morsleben mit schwach- und mittelradioaktiven Abfällen haben schon nach 30 Jahren sämtliche Prognosen der offiziellen Atomexperten [...] widerlegt. Eine Endlagerung von hochradioaktivem Müll ist noch [...] gefährlicher. [...] Eine ethische Bewertung der Atomkraft muss die ungelöste Endlagerfrage unbedingt mit einbeziehen."

M1   Aus der Stellungnahme des Greenpeace-Kernphysikers
         H. Smital vor der Ethikkommission am 28.04.2011 in Berlin

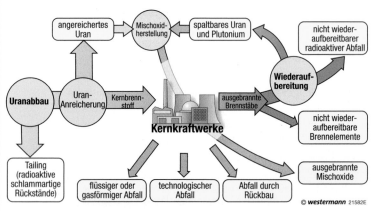

M2   Wiederaufbereitung

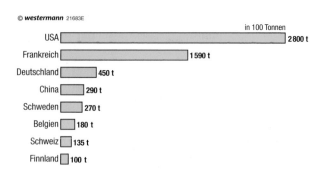

M3   Jährliche Atommüllmengen global

Jahrzehntelang haben viele Staaten etwa 100 000 t radioaktiver Abfälle in den Ozeanen versenkt. Diese sogenannte Verklappung ist erst seit 1993 verboten. In Europa wurden in La Hague (Frankreich) und Sellafield (England) zudem Wiederaufbereitungsanlagen gebaut. Hier wird, aufgrund der hohen Strahlenbelastung, in teils vollautomatischen Prozessen hochgiftiges, waffentaugliches Plutonium gewonnen, welches teuren Brennelementen für spezielle Reaktoren beigemischt wird. Die Menge des Atommülls wird durch die Wiederaufarbeitung jedoch nicht geringer. Der hier entstehende meist flüssige Atommüll muss verglast werden. Zu den Anlagen wurden die abgebrannten Brennelemente diverser europäischer AKW transportiert. Seit 2005 ist der Transport deutscher Brennelemente in die Anlagen verboten. Der Transport auf Straße und Schiene erfolgt in extrem widerständigen Castorbehältern. Solange es keine endgültige Lösung gibt, wird der Atommüll in sogenannten Zwischenlagern geparkt, von denen es in Deutschland mehrere gibt. Schwächer strahlende Abfälle wurden in der Vergangenheit auch in stillgelegten Bergwerken entsorgt.

M4   Der Umgang mit Atommüll bis in die Gegenwart

1995 begann der Abtransport von rund 30 000 Tonnen abgereicherten Urans von [der Urananreicherungsanlage in] Gronau (NRW) nach Russland zur faktischen Endlagerung. Dieser Export wurde erst 2009 nach massiven Protesten russischer, deutscher und niederländischer Atomkraftgegner eingestellt.

Der Entsorgungsdruck in Gronau ist jedoch sehr hoch, weil die schieren Mengen des Uranmülls die deutschen Endlagerungspläne vor unlösbare Probleme stellen. Mittlerweile hat sich der Export des Gronauer Uranmülls nach Russland dort vor Ort als großes Umweltfiasko herausgestellt. Russische Umweltschützer und deutsche Medien haben mehrfach über die unsachgemäße Lagerung in den russischen Atommülllagern sowie über undichte Fässer mit Uranmüll unter freiem Himmel berichtet. Die Betreiberfirma der Gronauer Urananreicherungsanlage, Urenco, sowie die Bundesregierung lehnen bislang jedoch jegliche Verantwortung für den Gronauer Atommüll ab.

2010 konnte der von der Bundesregierung forcierte Export von hochradioaktivem Atommüll vom Zwischenlager Ahaus ins russische Majak nach starken Protesten russischer und deutscher Umweltschützer sowie der NRW-Landesregierung in letzter Sekunde gestoppt werden. Die Region rund um die Atomanlagen von Majak gilt als eine der verstrahltesten Regionen weltweit.

Quelle: www.contratom.de, 26.11.2013

M5   Endlagerung in Russland

Atommüll ist bei der Anlieferung in ein Zwischenlager ungefähr 400 °C heiß. Beim Zerfallsprozess wird weiterhin Wärme freigesetzt. Eine Abkühlung auf 200 °C wird erst nach 20 bis 30 Jahren erreicht. Erst dann können die Fässer endgelagert werden. Problematisch dabei ist, wenn die endgelagerten Stoffe in Berührung mit dem Grundwasser kommen und in Richtung Biosphäre transportiert werden. Der Atommüll muss deshalb Jahrtausende lang möglichst trocken gelagert werden und sollte kaum Kontakt mit dem Grundwasser haben.

Die Endlagerung soll grundsätzlich wartungsfrei, zeitlich unbefristet und ohne beabsichtigte Zurückholung erfolgen. Die internationale Suche nach der besten geologischen Formation für eine Endlagerung gestaltet sich aufgrund der geologischen Gegebenheiten in den verschiedenen Erdteilen sehr unterschiedlich. Drei sogenannte Wirtsgesteine kommen in Betracht: Salz, Ton und kristalline Gesteine (Granit). In Finnland stehen zum Beispiel nur kristalline Gesteine zur Verfügung. Nach 14-jähriger Erkundung wählte man im Jahr 2000 den Endlagerstandort Olkiluoto, nahe einem der beiden finnischen AKW. Der zuständige Gemeinderat unterstützte das Vorhaben mit 20 zu 7 Stimmen. Eine Unfrage unter der ansässigen Bevölkerung ergab eine Zustimmung von 60 Prozent. Das Parlament ratifizierte diese Entscheidung mit 159:3. Start des Endlagerbetriebs soll 2020 sein. Geplant ist, das Endlager bis 2112 zu betreiben und bis 2120 langzeitsicher zu verschließen.

M6   Die Endlagersuche

Nach dem Atomgesetz ist der Bund verpflichtet, bis 2030 ein Endlager für hochradioaktive Abfälle zu schaffen. Eine Standortentscheidung ist noch nicht gefallen. Favorisiert wurde bisher das niedersächsische Erkundungsbergwerk Gorleben. Bisherige Erkundungskosten des Salzstocks von 1977 bis 2007: gut 1,5 Mrd. Euro.

■ **Pro Gorleben:** Der jetzige Stand der Erkundung belegt laut der Atomindustrie die Eignung des Standortes. Würde die Endlagersuche von vorne beginnen, wäre dies sehr teuer für die Atomindustrie.

■ **Kontra Gorleben**: Die Eignung des Salzstockes als Endlager für hoch radioaktiven Atommüll wird von Umweltschützern und namhaften Geologen wegen Wassereinbrüchen beim Ausbau des Erkundungsbergwerks bestritten. Über unterirdische Wasserwege könnten auf Dauer todbringende radioaktive Isotope in die Biosphäre gelangen.

M7   Pro und Kontra Endlagerstandort Gorleben

M8   Bürgerproteste gegen Gorleben

M9   Geschützter Castortransport

Das ehemalige Salzbergwerk Asse liegt [in Niedersachsen]. [...] 1967 begann die Versuchseinlagerung von [...] radioaktiven Abfällen. Verschiedene Einlagerungstechniken wurden demonstriert. Dazu gehörte beispielsweise das Stapeln von Fässern in Einlagerungskammern oder das Verstürzen [...], um die Strahlenbelastung der Mitarbeiter zu minimieren. Von 1971 an wurde in der Asse ein Großteil der schwach- und mittelradioaktiven Abfälle der Bundesrepublik eingelagert. Bis zum Ende der Einlagerung im Jahr 1978 wurden insgesamt ca. 126 000 [Fässer...] in ca. 750 m Tiefe eingebracht. [...] 1988 wurde während einer routinemäßigen Befahrung ein Salzlösungszutritt in das Grubengebäude entdeckt. Der Zutritt beträgt aktuell ca. 12 m³ pro Tag. [...]
Quelle: www.endlagerung.de

M10   Versuchseinlagerung im ehemaligen Salzbergwerk Asse

Das marode Salzbergwerk Asse hätte nie zur Lagerung von Atommüll genutzt werden dürfen. Zu diesem Schluss kommt der niedersächsische Untersuchungsausschuss nach mehr als dreijähriger Arbeit in seinem Abschlussbericht. Politik, Atomwirtschaft und Wissenschaft hätten kritische Stimmen seit den sechziger Jahren beiseite geschoben, um das Endlagerproblem zu lösen und die Eignung von Salzstöcken nachzuweisen. Das gefährliche Eindringen von Wasser in die Asse sei bekannt gewesen, aber ignoriert worden. [...] Die Entsorgungskommission des Bundes zweifelt daran, dass eine Bergung und ein Transport der Atomfässer möglich sei. Denn das Bergwerk drohe einzustürzen und mit Wasser vollzulaufen. „Wie jetzt in Gorleben wurde damals bei der Asse behauptet, dass ein Absaufen nicht möglich ist." Bei der anstehenden Endlagersuche solle gewährleistet werden, dass die Abfälle rückholbar bleiben, sagte [der SPD-Abgeordnete] Tanke.
Quelle: www.zeit.de, 18.10.2012

M11   Ausschuss: Asse hätte nie genutzt werden dürfen

M12   Abkippen von Atommüll im Untertagebau

Zukunft fossiler Energieträger – Sind effizientere Kraftwerke ein Weg?

Soll Datteln 4 in Betrieb gehen?

Die Förderung fossiler Energieträger stellt nur den ersten Schritt zur letzt-endlichen Nutzung dar. Als Privatperson nutzt man Energie vor allem in Form von Strom aus der Steckdose, Heizenergie oder zur Fortbewegung. Darüber hinaus werden in der Industrie große Mengen von Energie benö-tigt, die sogenannte Prozessenergie. Letztendlich wird die in einem Ener-gieträger gespeicherte Energie in elektrische Energie umgewandelt. Dies geschieht zumeist in großen Kraftwerken, wie z. B. im Steinkohlekraftwerk in Datteln. Insbesondere Kraftwerke, die mit den fossilen Energieträgern wie Stein- oder Braunkohle betrieben werden, sind in Deutschland umstritten.

1. Beschreiben Sie die Lage des Kraftwerks Datteln (M4, Atlas).
Ⓦ 2. Beschreiben Sie das Kraftwerk Datteln (M1 – M4), indem Sie
   A   einen Artikel für eine Info-Webseite schreiben.
   B   ein Plakat mit den wichtigsten Fakten gestalten.
3. Erklären Sie das Prinzip der Kraft-Wärme-Kopplung (M5).
4. Über den Bau des Kraftwerksblocks Datteln 4 wird seit vielen Jahren heftig gestritten.
   a) Stellen Sie den Fortschritt des Kraftwerksbaus dar (M2, M6, Internet).
   b) Erörtern Sie die Chancen und Risiken der Inbetriebnahme des Kraftwerks Datteln 4 (M6 – M8, Internet).
   c) Bereiten Sie eine Pro- und Kontra-Debatte zu Datteln 4 vor und führen Sie diese durch.
Ⓩ 5. Projekttage an Ihrer Schule – das Thema lautet: Energien für die Zukunft. Sie sollen vor Schülerinnen und Schülern der Mittelstufe einen Vortrag zum geplanten Kraftwerksbau Datteln 4 halten. Erstellen Sie dazu ein Redemanuskript.

→ Blockheizkraftwerk, Kraft-Wärme-Kopplung, Prozessenergie, Wirkungsrad

So wirbt E.ON für das neue Kraftwerk:
Das neue Kraftwerk Datteln 4 wird eines der modernsten Steinkohlekraftwerke der Welt. Es wird als Monoblockanlage mit einer Bruttoleistung von 1100 Megawatt (MW) und einem Nettowirkungsgrad von über 45 Prozent in Betrieb gehen [...]. Durch Kraft- Wärme-Kopplung wird Datteln 4 rund 1000 Giga-wattstunden (GWh) umweltfreundliche Fernwärme für Stadt und Region erzeugen.   *(Quelle: www.eon.com)*

Technische Leistung
Leistung: 1100 MW (brutto), 1052 MW (netto)
Fernwärme: 380 MW (max.)
Brennstoffbedarf: 360 t Steinkohle/Stunde
Dampfmenge: 2950 t/Stunde
Rauchgasableitung: über Kühlturm
Bahnstrom: 413 MW
Strom für die öffentliche Versorgung: 642 MW

M1   Kennzahlen zu Datteln 4

M2   Kraftwerk Datteln 4 im Jahr 2010

Block	Brutto-leistung	Inbetrieb-nahme	Stilllegung (geplant)
1	95 MW	1964	02/2014
2	95 MW	1965	02/2014
3	113 MW	1969	02/2014
4	1100 MW	k. A.	–

M3   Blöcke des Kraftwerks Datteln

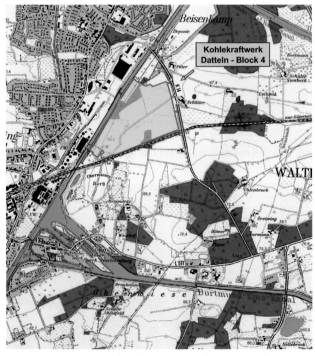

M4*   Lage von Datteln 4 (Maßstab 1 : 50 000)

Unter der so genannten Kraft-Wärme-Kopplung (KWK) versteht man die gleichzeitige Erzeugung von mechanischer Energie, die meist in einem Generator in elektrische Energie umgewandelt wird, und Wärmeenergie zum Beispiel für die Fernwärmeversorgung.

Dadurch kann der Wirkungsgrad erhöht und die CO_2-Emissionen reduziert werden. Allerdings ist der gute Ruf der KWK-Anlagen bei Fachleuten nicht unumstritten, da die Einsparung sehr stark von der tatsächlichen Betriebsdauer und dem Brennstoff abhängt. Die in der Abbildung ausgewiesenen geringen Verlustwerte in der Kraft-Wärme-Kopplung werden in der Realität nicht erreicht. Häufig werden sogar an kalten Wintertagen separate konventionelle Heizkessel benötigt, die die CO_2-Emissionen in die Höhe treiben. Darüber hinaus sind moderne Anlagen mit Kraft-Wärme-Kopplung teurer als die getrennte Erzeugung.

Eine Chance könnten kleinere KWK-Anlagen für die Versorgung einzelner Häuser sein, so genannte Blockheizkraftwerke. Allerdings sind solche Anlagen heute ebenfalls noch sehr teuer. Der Befürworter der KWK halten eine Steigerung des Wirkungsgrades auf bis zu 80 % für möglich. Für Kritiker sind solche Zahlen völlig unrealistisch. Sie verweisen auf moderne herkömmliche Kraftwerke, die ebenfalls Energieverluste und Emissionen immer stärker minimieren.

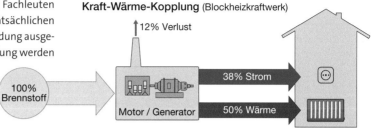

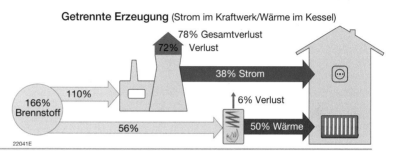

M5 Was ist Kraft-Wärme-Kopplung?

Das Planungsverfahren des neuen Kraftwerkblocks Datteln 4 ist schon weit fortgeschritten. Anfang Oktober 2013 endete die Frist, innerhalb derer Bürger und Umweltverbände im Dattelner Rathaus Stellungnahmen zum vorhabenbezogenen Bebauungsplan 105a – Kraftwerk – einreichen konnten. Bis zum Ablauf der Frist wurden zahlreiche Dokumente und Unterschriftenlisten eingereicht.

Viel Arbeit für die Stadtverwaltung. Zahlreiche Umweltverbände, aber auch viele Privatpersonen wendeten sich mit ihren Argumenten gegen die geplante Baumaßnahme. So wurden zwei konkurrierende Bürgerinitiativen ins Leben gerufen. Die Planunterlagen wurden von der Stadt Datteln zum 7. Februar 2014 erneut ausgelegt.

M6 Stand des Planungsverfahrens zu Datteln 4

M7 Kraftwerksbefürworter: Initiative www.jazudatteln4.de

Ja zu Datteln 4

Das neue Kraftwerk ist nicht nur für Datteln als Gewerbe- und Industriestadt, sondern auch für die Region und für das Land Nordrhein-Westfalen ein wichtiger Beitrag zur Erneuerung des Kraftwerkparks und zur Versorgungssicherheit mit elektrischer Energie. Es sollen die veralteten Kraftwerksblöcke 1 bis 3 in Datteln sowie das Kraftwerk Shamrock in Herne ersetzt werden.

(Statement der Bürgerinitiative)

NEIN ZU DATTELN 4!
KEINE NACHTRÄGLICHE LEGALISIERUNG DES KLIMASCHÄDLICHEN E.ON-KOHLEKRAFTWERKS!

M8 Kraftwerksgegner: Initiative www.nein-zu-datteln4.de

Nein zu Datteln 4

Das geplante Steinkohlekraftwerk Datteln 4 ist ein „Schwarzbau", dessen Bebauungspläne rechtlich nicht haltbar sind. So ist unter anderem der gesetzlich geforderte Abstand zur Wohnbebauung nicht eingehalten. Darüber hinaus kommt es zu einem hohen Schadstoffausstoß.

(Statement der Bürgerinitiative)

Das Wichtigste in Kürze

M1   Kraftwerke erzeugen aus Energieträgern Strom

Eine gute Energieversorgung ist in unserer hochtechnisierten Welt von zentraler Bedeutung. Für die Menschen in weiten Teilen Europas sind sichere Heizenergie und Stromversorgung eine Selbstverständlichkeit. Die sogenannten fossilen Energieträger, wie Kohle, Erdöl, Erdgas und Uran, spielen dabei noch eine sehr große Rolle. Beispielsweise werden unsere wichtigsten Transportmittel vor allem mit Erdöl-Produkten angetrieben. Die große Bedeutung dieser endlichen Energieträger wird sich auch in absehbarer Zeit nicht grundlegend ändern.

Die Möglichkeiten, fossile Energieträger zu nutzen, sind insgesamt auf der Welt sehr ungleich verteilt, da einzelne Länder nahezu keine Lagerstätten solcher Energieträger besitzen. In zahlreichen Ländern der südlichen Hemisphäre ist eine flächendeckende Stromversorgung nicht selbstverständlich. Insbesondere Entwicklungsländer, die über keine eigenen Lagerstätten an fossilen Energieträgern verfügen, können den vorhandenen Bedarf nicht vollständig decken. Die führenden Industrienationen hingegen sichern ihren Zugriff auf die Lagerstätten zur Not auch mit militärischen Mitteln.

Fossile Energieträger als Entwicklungsmotor

Vorhandene Reserven können aber für einzelne Länder oder Regionen entscheidende Entwicklungsimpulse liefern. Die in diesem Kapitel dargelegten Raumbeispiele Kasachstan, Naher Osten – hier insbesondere die Golfregion – und Russland machen dies deutlich. Hohe Einnahmen und Arbeitsplätze lassen Lagerstätten fossiler Energieträger zu einem Glücksfall für die Förderregion werden. Zum Schutz dieser Entwicklungen haben sich viele Erdölfördernationen in der OPEC zusammengeschlossen.

Keine Förderung ohne Risiken

Die Förderung fossiler Energieträger läuft aber keineswegs ohne Probleme ab, da diese häufig mit großen ökologischen und sozialen Folgen für die Region verbunden ist. Gerade in Deutschland bestimmen negative Folgen des dargestellten Stein- oder Braunkohlebergbaus immer wieder die öffentliche Debatte. Der massive Abbau der Steinkohle im Ruhrgebiet führt noch heute zu massiven Bergsenkungen und gravierenden Bergschäden. Dem Braunkohletagebau im Rheinischen Revier mussten bereits zahlreiche Dörfer weichen und die Menschen wurden zur Umsiedlung gezwungen. Die Förderung von Erdöl geht ebenfalls zumeist mit Wider-

ständen in der Bevölkerung einher. Die Yasuni-ITT-Initiative in Ecuador gibt einen Denkanstoß, wie man in einer Region mit der höchsten Biodiversität einen Beitrag zum Schutz der dort lebenden indigenen Völker, der natürlichen Ressourcen und zum Klimaschutz leisten könnte, indem man das Öl im Boden lässt und dafür einen finanziellen Ausgleich erhält. Die Initiative ist allerdings nicht ganz unumstritten, wie zum Beispiel der Hinweis auf das REDD-Modell durch den ehemaligen deutschen Entwicklungsminister zeigt.

Förderung und Nutzung um jeden Preis?

Insbesondere bei solchen Katastrophen werden immer wieder Fragen nach der Vertretbarkeit der Förderung fossiler Energieträger an extremen Orten aufgeworfen. An derartige Orte, wie die Erdölplattform in der Tiefsee, und den Abbau der dort vorhandenen Lagerstätten wurde vor Jahren noch gar nicht gedacht. Gleichwohl machen immer weiter steigende Preise für Energieträger die Förderung an solchen Orten für Energieunternehmen rentabel.

Bezüglich der Kernenergie ist die Problematik eine andere. Deren Nutzung wird in Deutschland aus Angst vor einem Atomunfall besonders kontrovers diskutiert. Verstärkt wurde diese Diskussion durch die Katastrophe im japanischen Fukushima, bei der es in Folge eines Tsunamis zu einem GAU im dortigen Kernkraftwerk kam. Doch wie sicher Atomkraftwerke auch sein mögen, ein Restrisiko bleibt, und trotz Wiederaufbereitungsanlagen ist die Endlagerung des Atommülls bis heute nicht hinreichend geklärt. Die Untersuchung der geologischen Verhältnisse an potenziellen Endlagerstandorten dauert an. Oberstes Ziel ist es, eine Verseuchung der Biosphäre für Jahrtausende zu verhindern.

Nicht nur die Förderung, sondern auch die Weiterverarbeitung und Nutzung stehen in einem Spannungsverhältnis zwischen ökonomischen und ökologischen bzw. sozialen Zielen. In Deutschland stehen in den letzten Jahren in dieser Hinsicht vor allem die großen Braun- und Steinkohlekraftwerke im Blick. Die geplante Erweiterung des Steinkohlekraftwerks in Datteln ist dafür ein gutes Beispiel, da der Kraftwerksbetreiber dadurch effizienter arbeiten möchte und die Energieerzeugung und damit den Gewinn vergrößern will. Demgegenüber gibt es Widerstand in der Bevölkerung, da der Kraftwerksausbau nur mit geringem Abstand zur Wohnbebauung erfolgen soll. Darüber hinaus befürchten Kritiker eine massive Zunahme an schädlichen Emissionen. Auf der anderen Seite argumentieren Kraftwerksbefürworter, dass durch eine gute Auslastung der Kraftwerke die Energiepreise nicht so stark ansteigen würden. Außerdem würden Arbeitsplätze entstehen.

Energiereichtum = Wohlstand für alle?

Es bleibt festzuhalten, dass die Förderung und Nutzung von Energieträgern gleichermaßen Fluch und Segen für eine Region bzw. ein Land darstellen kann. Großen Einnahmepotenzialen stehen z. T. unkalkulierbare Folgen und Risiken für die Umwelt entgegen. Darüber hinaus ist nicht gewährleistet, dass Einnahmen durch die vorhandenen Energieträger auch die gesamte Bevölkerung erreichen (siehe das Klausurbeispiel zu Nigeria, S. 138/139). Fest steht: Irgendwann werden auch die letzten vorhandenen Ressourcen der einzelnen fossilen Energieträger aufgebraucht sein.

Kompetenz-Check

Hier sind alle Kompetenzen, die Sie in diesem Kapitel erwerben konnten, aufgelistet.
Sie können selbst beantworten, ob Sie die Kompetenz sicher beherrschen: *sicher, mäßig oder kaum.*

Sachkompetenz

Kann ich		unsicher? Schlagen Sie nach auf Seite
1.	die Entwicklung des globalen Energieverbrauchs in regionaler Hinsicht analysieren und die Entwicklung der einzelnen Energieträger erläutern?	110–113
2.	den hohen Energieverbrauch von Industrienationen unter dem Aspekt der Nachhaltigkeit analysieren?	110–113
3.	die Verfügbarkeit fossiler Energieträger in Abhängigkeit von den geologischen Lagerungsbedingungen als wichtigen Standortfaktor für wirtschaftliche Entwicklung darstellen, indem ich die wirtschaftlichen Chancen von großen Uran-, Erdöl- oder Erdgasvorkommen für einzelne Länder beschreibe?	113, 122–129
4.	ökonomische, ökologische und soziale Auswirkungen der Förderung von fossilen Energieträgern erläutern, indem ich etwa die Folgen des Stein- und Braunkohlebergbaus erkläre?	114–121
5.	Zusammenhänge zwischen weltweiter Nachfrage nach Energierohstoffen, Entwicklungsimpulsen in den Förderregionen sowie innerstaatlichen und internationalen Konfliktpotenzialen erläutern, indem ich beispielsweise den Erdgasstreit zwischen Russland und europäischen Ländern darstelle?	128/129

Methodenkompetenz

Kann ich		
6.	mich mithilfe von physischen und thematischen Karten orientieren, z. B. indem ich den Standort eines Kraftwerks lokalisiere (MK 1)?	134/135
7.	mittels geeigneter Suchstrategien in Bibliotheken und im Internet Informationen recherchieren und diese fragebezogen auswerten, etwa indem ich mich über die neuesten Entwicklungen im Streit um den Tagebau Garzweiler II oder den Kraftwerksbau in Datteln informiere?	120/121, 134/135
8.	schriftliche und mündliche Aussagen durch angemessene und korrekte Materialverweise und Materialzitate belegen (MK 7), indem ich in etwa in Debatten meine eigenen Argumente materialgestützt darlege?	118–121

Urteilskompetenz

Kann ich		
9.	raumbezogene Sachverhalte, Problemstellungen und Maßnahmen nach fachlichen Kriterien beurteilen (UK 1)?	126/127
10.	die Bedeutung fossiler Energieträger für die Entwicklung von Räumen aus ökonomischer und ökologischer Perspektive beurteilen?	122–127
11.	raumbezogene Sachverhalte, Problemstellungen und Maßnahmen unter expliziter Benennung und Anwendung der zugrunde gelegten Wertmaßstäbe bzw. Werte und Normen bewerten (UK 2)?	127

Handlungskompetenz

Kann ich		
12.	Arbeitsergebnisse zu Fragen der Förderung und Nutzung fossiler Energieträger im Unterricht fachsprachlich angemessen präsentieren – sachbezogen, problemorientiert und adressatenbezogen (HK1)?	118–121, 130–135
13.	in Raumnutzungskonflikten unterschiedliche Positionen einnehmen und diese vertreten, etwa zu Fragen des Tiefseebergbaus oder des Braunkohleabbaus (HK 2)?	120/121, 126/127
14.	in Planungs- und Entscheidungsaufgaben eine Position vertreten, in der nach festgelegten Regeln und Rahmenbedingungen Pläne entworfen und Entscheidungen gefällt werden, indem ich z. B. eine SWOT-Analyse durchführe (HK 4)?	138/139
15.	Lösungsansätze für raumbezogene Probleme entwickeln, indem ich mögliche Zukunftsperspektiven für die Erdölindustrie in Nigeria darlege (HK 5)?	138/139

Klausurtraining – Sachverhalte differenziert beurteilen

Entwicklung durch Erdölförderung – das Beispiel Nigeria

1. Lokalisieren Sie Nigeria und beschreiben Sie die Wirtschaftsstruktur des Landes.
2. Erläutern Sie die Bedeutung der Erdölförderung für Nigeria.
3. Erörtern Sie die Zukunft der Erdölwirtschaft in Nigeria.

BIP (2012):	269 Mrd. US-$ (BRD 2 643,9 Mrd. US-$)
BNE je Einw.:	1430 US-$ (BRD: 44 010 US-$)
BIP-Wachstum:	6,3 %
Arbeitslosigkeit:	23,9 %
Import (2011):	64 Mrd. US-$ (davon Nahrungsmittel 28 %, Maschinen/Kfz-Teile 22 %, Erdöl 10 %)
Export:	125,6 Mrd. US-$ (davon Erdöl 84 %)
HDI:	0,431 (Rang: 154)
Einwohner:	168,8 Mio.

M4 Kennzahlen zu Nigeria

Diese Materialien benötigen Sie ergänzend zur Lösung der Aufgaben:
M1 Diercke Weltatlas, 2008, S. 133, S. 137, S. 142

	2007	2009	2011	2012
Erdölförderung In Mio t.	110,2	99,1	118,2	116,2

M5 Erdölförderung in Nigeria   (Quelle: Fischer Weltalmanach, 2014)

M3 Lage Nigerias

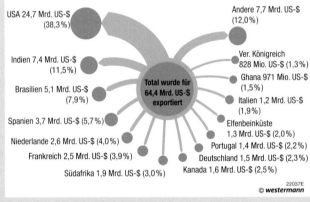

M6 Nigerias Öl- und Gasexporte (2011)

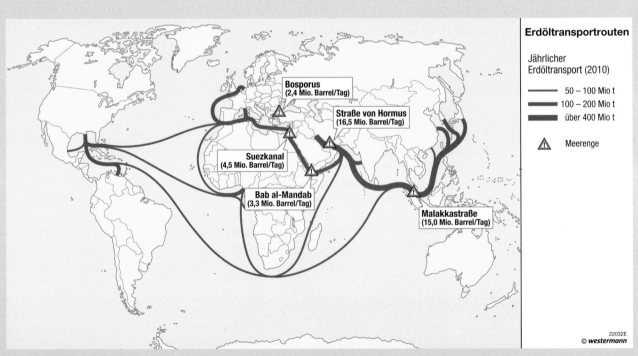

M2 Erdöltransportrouten

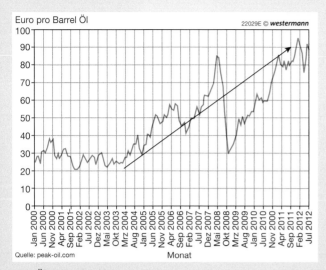

Quelle: peak-oil.com

M7 Ölpreisentwicklung

Engagement von Shell

2012 investierte Shell mit seinen Partnern insgesamt 178,3 Mio. US-Dollar in die regionale Entwicklung des Nigerdeltas. Zahlreiche Entwicklungsprojekte konnten so umgesetzt werden. In den letzten Jahren hat Shell an vielen Stellen geholfen. So wurde 2009 die Umsiedlung der Einwohner des Ogonilandes allein mit 15,5 Mio. US-Dollar unterstützt. Leider kann auch der Shell-Konzern nicht vollständig Eingriffe in den Naturhaushalt verhindern. Viel problematischer sind Sabotageakte und Diebstähle, die immer wieder zu Lecks in den Pipelines führen.

Quelle: Shell, 2012

M8 Investitionen in das Nigerdelta

Gewinne beim Shell-Konzern

Beim britisch-niederländischen Ölkonzern Shell haben auch im Jahr 2011 die Gewinne kräftig gesprudelt. Der Nettogewinn stieg um 54 Prozent auf 30,92 Mrd. US-Dollar (23,44 Mrd. Euro), gab Shell am Donnerstag in London bekannt. Von 2009 auf 2010 war Shell dank gestiegener Ölpreise sogar ein Gewinnsprung um 61 Prozent gelungen. Der Umsatz von Royal Dutch Shell lag im Jahr 2011 bei 484,49 Mrd US-Dollar nach 378,15 Mrd. im Jahr zuvor.

Quelle: dpa, 2013

M9 Shell erzielt kräftige Gewinne

Klage gegen Shell-Nigeria

Am 11.10.2012 begann vor einem Zivilgericht in Den Haag der Prozess aufgrund einer Klage der niederländischen Umweltschutzorganisation Milieudefensie und vier nigerianischer Bauern gegen die Shell Nigeria [...]. Die Kläger beschuldigten den Erdölkonzern, für drei Erdölkatastrophen im Nigerdelta zwischen 2004 und 2007 verantwortlich zu sein. Das Gericht befand am 30.01.2013, dass die Lecks in den Pipelines zwar durch Sabotageakte verursacht worden seien, der Konzern diese aber durch entsprechende Sicherheitsmaßnahmen hätte verhindern können.

Quelle: Fischer Weltalmanach, 2014

M10 Shell vor dem Zivilgericht

Der Anforderungsbereich III – Königsdisziplin der Klausurleistung

Der Anforderungsbereich III steht häufig am Ende eines (geographischen) Erkenntnisprozesses. Er fordert von Ihnen, dass Sie zu selbstständigen Lösungen, Deutungen, Folgerungen, Begründungen oder Wertungen kommen. Dabei ist das Einbeziehen vorher erworbener Kenntnisse bei Begründungen eines selbstständigen Urteils wichtig. Aus diesem Grund sind im Rahmen von Klausuren die Aufgaben des dritten Anforderungsbereiches in der Regel am Ende der Klausur zu finden. Wie Sie bereits gelernt haben, stellen die Operatoren die Wegweiser dar, welche verdeutlichen, in welcher Weise im Anforderungsbereich zu arbeiten ist. Im dargestellten Klausurbeispiel fordert der Operator „erörtern" drei Leistungen ein.

1. **Darstellung der Argumente für die Erdölförderung in Nigeria**
2. **Darstellung der Argumente gegen die Erdölförderung**
3. **Formulierung einer eigenen schlüssigen Meinung**

Selbstverständlich sind auch in der dritten Aufgabe Materialverweise wichtig. Die Pro- bzw. Kontra-Argumente sind möglichst durch Materialien zu belegen (etwa: Exporteinnahmen durch Erdöl als wichtiges Pro-Argument oder Arbeitslosigkeit als Indiz, dass vom Rohstoffreichtum nicht viel bei großen Teilen der Bevölkerung ankommt als Kontra-Argument).
Eine eigene Meinung stellt in gewisser Weise ein Werturteil dar und muss daher auf einen Wertemaßstab zurückgeführt werden. In der Geographie sind Konzepte der Nachhaltigkeit gängige Wertmaßstäbe. So lassen sich ökonomische Chancen der Erdölförderung vor allem ökologischen Gefahren gegenüberstellen. Das eigene Urteil ist in der Klausur deutlich durch geeignete Formulierungen zu kennzeichnen (z. B. „Meiner Meinung nach ...", „Komme ich abschließend zu dem Urteil, ..."). Eine Hilfe, um zu einem differenzierten Urteil zu gelangen, kann die sogenannte SWOT-Analyse darstellen:

SWOT-Analyse

S (trength) = Stärken	**W** (eakness) Schwächen
O (pportunities) = Chancen	**T** (hreats) Gefahren

Die SWOT-Analyse wurde in den 1960er-Jahren von der Harvard Business School für strategisches Management bzw. für Marketingstrategien entwickelt. Es kann den Weg zu einem fundierten Urteil erleichtern. Die Analyse schafft einen Überblick über die vorhandenen Stärken und Schwächen eines Sachverhaltes und wirft gleichsam einen Blick in die Zukunft, indem Chancen und Gefahren klar formuliert werden. Die Gewichtung der Chancen im Vergleich zu den Gefahren stellt dann den letzten Schritt bei der Urteilsbildung dar.

V Neue Fördertechnologien

Verlängerung des fossilen Zeitalters mit kalkulierbaren Risiken?

Fracking-Bohrstelle in den USA

Neue Fördertechnologien – Ausweg aus dem Energieengpass?

Konventionelle Förderung
Hier ist die Förderung ohne spezielle Bohrtechniken möglich, da der Druck in den Lagerstätten so hoch ist, dass das Gas oder Öl nach der Bohrung von selbst ausströmt.

Unkonventionelle Förderung
Dabei sind spezielle Fördertechniken und Verfahren der Aufbereitung notwendig, um Öl oder Gas zu gewinnen, z. B. Ölsandförderung, Fracking oder Gashydratförderung.

Wird die Versorgungslage zu einem globalen Problem?

Die Bevölkerungszahl unseres Planeten wächst und wächst. Die wirtschaftliche Entwicklung bevölkerungsreicher Staaten wie China, Indien und weiterer aufstrebender Schwellenländer ist zudem so rasant, dass der bisher schon steigende globale Energiebedarf zusätzlich enorm beschleunigt wird. Ob der sogenannte Peak Oil, das globale Ölfördermaximum, noch kurz vor oder bereits hinter uns liegt, ist umstritten. Klar ist aber: Die mit konventionellen Techniken gewonnenen Erdöl- und Erdgasmengen sind in vielen Förderregionen bereits rückläufig.

Der sich abzeichnende Energieengpass stellt somit ein massives Problem dar. Das verknappte Angebot und die höhere Nachfrage führen unweigerlich zu steigenden Rohstoffpreisen. Der Preis für ein Barrel Rohöl (ca. 159 Liter) hat die 100-Dollar-Marke schon längst überschritten. Da sich bei solchen Preisen sehr hohe Investitionen in die Förderung der Energieträger lohnen, beginnt man mithilfe neuer Technologien, Lagerstätten auszubeuten, bei denen eine Förderung vor wenigen Jahren noch undenkbar erschien – zum Beispiel im Nordpolargebiet oder

kilometertief unter dem Meeresboden. In anderen Räumen wird „Fracking" betrieben. Bei dieser Methode wird das Gestein mit großem Druck weit unter der Erdoberfläche aufgebrochen, um Öl und Gas zu gewinnen. Aus Ölsanden wird auf weiten Flächen mitten in der Taiga Öl gewonnen. Sogar nach Gashydraten, einem bislang weitgehend unbekannten Energieträger, wird in großen Meerestiefen gebohrt. Räume, die eigentlich in der globalen Peripherie liegen und bisher kaum beachtet wurden, rücken nun aufgrund des weltweit wachsenden Energiebedarfs plötzlich ins Zentrum politischer Auseinandersetzungen. Zwischenstaatliche Verteilungskonflikte um vorhandene Rohstoffreserven nehmen zu. Die Frage der Nachhaltigkeit bleibt bei dem Rennen nach immer neuen Möglichkeiten der Rohstoffförderung häufig nur ein Thema am Rande.

Doch können die neuen Fördertechnologien unseren Energiehunger tatsächlich stillen? Können sie den Peak Oil erneut hinauszögern? Welche Risiken sind mit diesen Technologien verbunden? Zeigen die neuen Fördertechnologien den Ausweg aus der Energielücke?

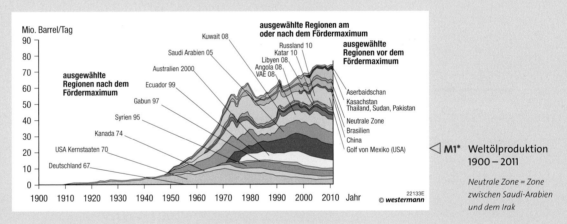

◁ **M1* Weltölproduktion 1900 – 2011**

Neutrale Zone = Zone zwischen Saudi-Arabien und dem Irak

→ Fracking, Ölsand, Peak Oil, Reserve, Ressource

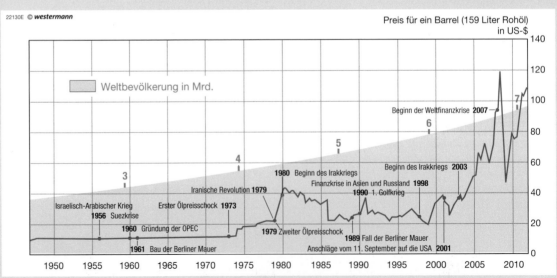

M2 Rohölpreisentwicklung und den Preis beeinflussende Weltereignisse: Schon relativ kurzfristige Ereignisse ließen in der Vergangenheit den Rohölpreis in die Höhe schnellen. Doch wie werden sich die Preise erst bei einem langfristigen Engpass entwickeln?

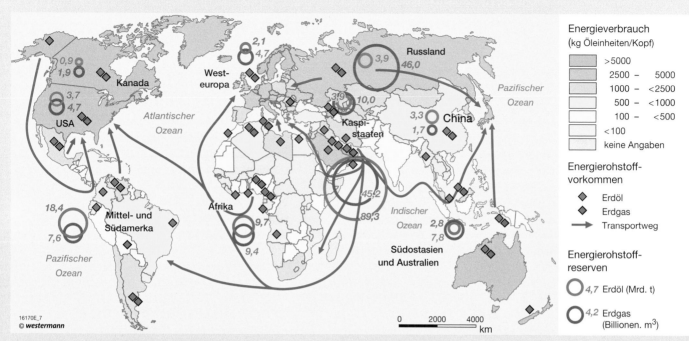

M3* Energierohstoffe und Energieverbrauch

Energieverbrauch (kg Öleinheiten/Kopf)
- >5000
- 2500 – 5000
- 1000 – <2500
- 500 – <1000
- 100 – <500
- <100
- keine Angaben

Energierohstoffvorkommen
- ◆ Erdöl
- ◆ Erdgas
- → Transportweg

Energierohstoffreserven
- ⬭ 4,7 Erdöl (Mrd. t)
- ⬭ 4,2 Erdgas (Billionen. m³)

M4   Proteste in den USA gegen Fracking

M5   Einbahnstraße?

M6   Engpass

1. Erläutern Sie die Zusammenhänge, die in M1, M2 und M3 dargestellt sind.
2. Beschreiben Sie die Haupttransportrouten von Öl und Gas zwischen den Förderländern und den Importnationen (M3, Atlas).
Ⓦ 3. Skizzieren Sie mögliche Zukunftsszenarien anhand:
   A der Abbildungen M4, M5 und M6.
   B des Diagramms auf S. 111, M5.
4. Finden Sie nach der Bearbeitung dieses Kapitels eine Antwort auf die folgende Frage: Bringen die neuen Fördertechnologien den Ausweg aus dem bevorstehenden Energieengpass?

Wirtschaftsboom in der borealen Zone

Ölsandförderung in Kanada

Kanada ist der zweitgrößte Flächenstaat der Erde. 85 Prozent der Arbeitskräfte sind jedoch in einem schmalen Streifen von nur maximal 350 km Breite nördlich der US-Grenze konzentriert. Weite Teile des kanadischen Subpolargebietes sind hingegen nahezu unbesiedelt. Doch hier lagert ein großer Teil der Rohstoffvorkommen des Landes, unter anderem große Vorkommen von Ölsanden. Aufgrund steigender Ölpreise und technischer Fortschritte wird die Förderung immer rentabler. Die Regierung Kanadas sieht in der Ölsandförderung einen wichtigen und zukunftssicheren Motor für die wirtschaftliche Entwicklung des Landes. Umweltschützer und die „Native People" (indigene Einwohner) aber laufen Sturm gegen die Förderung.

1. Lokalisieren Sie die Ölsandgebiete Kanadas und beschreiben Sie Naturraum und Klima der Region (M6/ M7, Atlas).
2. Beschreiben Sie die wirtschaftlichen Voraussetzungen und die Entwicklung der Ölsandproduktion in Kanada (M2 – M5, S. 142 M2, Atlas).
Ⓦ 3. Erläutern Sie den Interessenkonflikt bezüglich der Ölsandförderung (M3, M5 – M7).
    A aus Sicht der indigenen Bevölkerung.
    B aus Sicht der kanadischen Regierung.
4. Erläutern Sie die Auswirkungen auf die Umwelt durch den Ölsandabbau (M5/ M6, Atlas).
Ⓩ 5. Erörtern Sie die Ölsandförderung in Kanada in Hinblick auf das Konfliktpotenzial.

→ indigenes Volk, Ölsand, Tagebau, Wirtschaftsmigrant

- **Fläche**: 10,0 Mio. km² (Deutschland: 357 000 km²)
- **Einwohner**: 35,2 Mio., 3,5 Einwohner/km².
- **Entfernung zwischen Wirtschaftszentren**: bis zu 5 000 km.
- Nahezu unerschöpfliche Holz-, Wasservorräte: 46 Prozent der Landfläche sind Wald (10 Prozent der Weltwaldfläche). Erdgasförderung global Platz drei nach USA und Russland, Erdölförderung global Platz sechs. Zweitgrößte Erdölreserven weltweit nach Saudi-Arabien, vor allem in Form von Ölsanden in der Provinz Alberta.
- **BIP pro Kopf**: 52 364 US-Dollar
- Arbeitslosenquote: 7,2 Prozent (2012)

M2 Wirtschaftsdaten Kanada, Stand Mai 2013

Rohstoffboom verändert Kanadas Wirtschaft

„Die großen Ölsandprojekte werden Albertas Wirtschaft über Jahre hinaus enorm anheizen", sagt der Chefvolkswirt Craig Wright bei Kanadas führender Bank, der Royal Bank of Canada. [...] Der jahrelange Rohstoffboom hat Kanadas Wirtschaft nachhaltig transformiert. Ehemals rückständige Provinzen wie Saskatchewan und Alberta sind jetzt Wachstumstreiber, nicht nur was die BIP-Zuwächse angeht. Auch die Löhne steigen rasant und ziehen Zehntausende von Wirtschaftsmigranten aus anderen Provinzen und aus Europa an. [...] Arbeiter in den Ölsandgebieten von Alberta verdienen im Jahr 8 000 Dollar mehr als Kanadier mit vergleichbaren Jobs in anderen Provinzen. [...]
Quelle: M. Gärtner, www.manager-magazin.de, 03.01.2012

M3 Zeitungsartikel

Geringe Nettoenergie

3,5 Millionen Barrel Öl will Kanada 2025 täglich aus Ölsand gewinnen. [...] 70 Dollar je Barrel – so teuer muss Öl sein, damit der Abbau von Ölsand lohnt [...]. Derzeit kostet die US-Sorte WTI rund 95 Dollar, die Nordseesorte Brent 115 Dollar. Ein Problem der unkonventionellen Förderung ist, dass für die Gewinnung von Ölsand ein Vielfaches der Energie aufgewendet werden muss, die auf konventionellen Ölfeldern notwendig ist. Experten sprechen daher von geringerer Nettoenergie..
Quelle: Wirtschaftswoche, 19.07.2011

M4 Zeitungsartikel

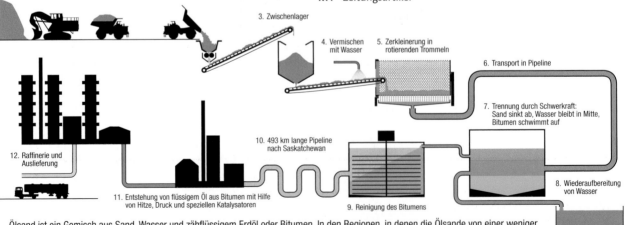

1. Förderung von bitumenhaltigem Gestein
2. Zerkleinerung des Gesteins
3. Zwischenlager
4. Vermischen mit Wasser
5. Zerkleinerung in rotierenden Trommeln
6. Transport in Pipeline
7. Trennung durch Schwerkraft: Sand sinkt ab, Wasser bleibt in Mitte, Bitumen schwimmt auf
8. Wiederaufbereitung von Wasser
9. Reinigung des Bitumens
10. 493 km lange Pipeline nach Saskatchewan
11. Entstehung von flüssigem Öl aus Bitumen mit Hilfe von Hitze, Druck und speziellen Katalysatoren
12. Raffinerie und Auslieferung

Fort McMuray · Alberta · Kanada · Edmonton · Calgary · Ölsand-Abbaugebiete · 200 km · Ölsandabbaumaschinen

Ölsand ist ein Gemisch aus Sand, Wasser und zähflüssigem Erdöl oder Bitumen. In den Regionen, in denen die Ölsande von einer weniger als 75 Meter dicken Sedimentschicht bedeckt sind, findet die Förderung im Tagebau statt. Bei der Förderung untertage wird das im Ölsand enthaltene Bitumen durch horizontale Leitungen mittels Wasserdampf erhitzt, verflüssigt und an die Oberfläche gepumpt.

22131E © **westermann**

M1 Verfahren zur Gewinnung von Ölsanden. Der Ölsandabbau findet seit 2003 großflächig in Kanada statt.

M5   Ölsandabbau in Kanada

Zur Gewinnung von einem Barrel Öl aus Ölsanden werden 4,5 Barrel Wasser benötigt. Für die Umwandlung von Bitumen in Erdöl wird rund ein Sechstel der Energie des gewonnenen Erdöls aufgewendet. Pro Barrel gewonnenen Öls werden drei- bis fünfmal so viel schädliche Klimagase ausgestoßen wie bei der konventionellen Ölförderung. In den Nadelwäldern Kanadas, die dem Ölsand-Abbau weichen müssen, sind zudem Milliarden Tonnen Kohlenstoffdioxid gespeichert. Sie werden bei der Abholzung freigesetzt. Die Flora und Fauna haben sich an die extremen klimatischen Bedingungen der polaren und subpolaren Zone angepasst. Als Landschaftstyp dominieren Moore. Sie nehmen über 60 Prozent der gesamten Fläche ein und speichern ebenso gigantische Mengen an Kohlenstoffdioxid. Dieses entweicht beim Abtragen des Torfes im Zuge des Abbaus. So wird ein zusätzliches Klimaproblem geschaffen.

Der Gestank des Geldes

[...] Celina Harpe hält die Landkarte wie eine Anklageschrift in die Höhe. „Die Ölfirmen sind jetzt bis zum Moose Lake vorgedrungen", sagt sie und tippt wütend auf das Papier. Die Arbeiter hätten bereits begonnen, das Land zu vermessen. „Als ich das hörte, habe ich geweint", erzählt die Stammesälteste der „Cree First Nation" aus Fort MacKay in der kanadischen Provinz Alberta, „ich bin doch dort geboren." (...) Einen Steinwurf entfernt fließt träge der mächtige Athabasca River. „Wir können das Wasser nicht mehr trinken", sagt Harpe, 72. [...] „Und die haben nicht einmal gefragt, ob sie das Land überhaupt nehmen dürfen." [...] Das Epizentrum des Ölsand-Geschäfts ist die Gegend um das Städtchen Fort McMurray [...] im Nordosten Albertas. [...] Zerbröselter Ölsand sieht aus wie Kaffeesatz und stinkt wie Diesel. Es ist der Gestank des großen Geldes. Rund 40 km von Fort McMurray entfernt hängt der Geruch Tag und Nacht in der Luft. Die Fahrt geht auf dem Highway 63 nach Norden in den schier endlosen borealen Nadelwald hinein.

Quelle: P. Bethge , Der Spiegel, 10.10.2011

M6   Zeitungsartikel

Bald öffnet sich der Wald jedoch wieder und gibt den Blick frei auf die Schlote einer monströsen Industrieanlage inmitten einer apokalyptisch anmutenden Mondlandschaft. [...] Die Fabrik ist die Mildred Lake Mine der Firma Syncrude. Pro Tag werden hier etwa 300 000 Barrel Öl produziert. [...] Ölsande bestehen im Schnitt zu zehn Prozent aus Bitumen. [...] Über 90 Prozent des Bitumens können [...] aus den Ölsanden extrahiert werden. Problematisch sind die letzten paar Prozent der Masse. Mit Wasser, Sand und Ton vermischt landen sie in riesigen Absetzbecken, die in Alberta inzwischen rund 170 km² bedecken. [...] Die Brühe enthält giftige Schwermetalle und Chemikalien. Erhöhte Konzentrationen von Blei, Cadmium und Quecksilber wurden im nahen Athabasca River gemessen. Die Einheimischen berichten von missgebildeten Fischen und klagen über seltene Krebserkrankungen. Ob ein Zusammenhang mit der Ölförderung besteht, ist noch unklar.

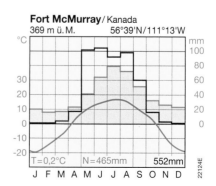

Fort McMurray / Kanada
369 m ü. M.   56°39'N/111°13'W

M7   Klimadiagramm Fort McMurray

Fracking – eine umstrittene Fördertechnologie

Fracking in den USA

Die meisten Industrienationen der Erde müssen ihre große Nachfrage nach fossilen Energieträgern zu einem erheblichen Prozentsatz durch Importe befriedigen. Der Zugriff auf Erdöl und Erdgas fernab der eigenen Landesgrenzen ist deshalb häufig ein Auslöser für politische – teils kriegerische – Auseinandersetzungen.

Die USA sind die größte Volkswirtschaft der Erde und zugleich das Land mit dem weitaus höchsten Energieverbrauch. Hier setzt man große Hoffnungen in das Fracking. Beim Fracking – einer sogenannten unkonventionellen Fördermethode – werden Gasvorkommen mithilfe von künstlichen Rissen, die in das Gestein getrieben werden und das Gas entweichen lassen, gefördert. Mit dieser innovativen Fördertechnologie will man weitere Ressourcen im eigenen Land erschließen, nämlich im Gestein gespeichertes Erdgas und Erdöl.

Welche wirtschaftlichen Chancen und Auswirkungen auf die Umwelt könnten sich daraus ergeben? Und welche außenpolitischen Folgen könnte die Erhöhung der Förderung im eigenen Land für das globale militärische Engagement der Supermacht haben?

1. Nennen Sie die Gründe für den aktuellen Fracking-Boom in den USA (M1/M3 – M6).
2. Erläutern Sie die politischen Hintergründe der Entscheidung der US-Regierung, die Erdgasförderung durch Fracking auszuweiten (M3/M6/M8).
3. Charakterisieren Sie das innerstaatliche Konfliktpotenzial des Fracking-Booms in den USA (M7/M9, Internet).
(W) 4. **A** Analysieren Sie mögliche außenpolitische Folgen, die aus dem Fracking-Boom in den USA resultieren könnten (M6/M8, Atlas).
   B Erläutern Sie insbesondere mögliche Folgen für das militärische Engagement der USA im Nahen Osten (M6/M8, S. 122).
(Z) 5. Erstellen Sie ein Wirkungsgefüge zu den vielfältigen möglichen Auswirkungen des Frackings in den USA.

→ Fracking, Schiefergas, Schieferöl

Präsident Obama zum Thema Fracking:

„Wir haben 600 000 neue Jobs geschaffen und Energie für mehrere hundert Jahre direkt unter unseren Füßen."
(www.zeit.de, 04.12.2012)

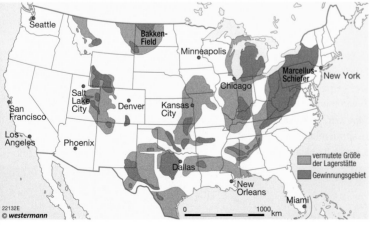

M1   Schiefergasgewinnung durch Fracking in den USA

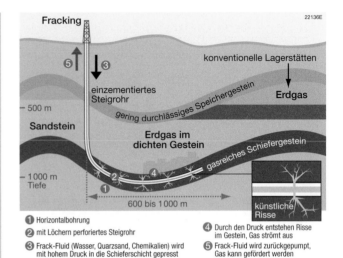

M2   Die Fracking-Technologie

1 Horizontalbohrung
2 mit Löchern perforiertes Steigrohr
3 Frack-Fluid (Wasser, Quarzsand, Chemikalien) wird mit hohem Druck in die Schieferschicht gepresst
4 Durch den Druck entstehen Risse im Gestein, Gas strömt aus
5 Frack-Fluid wird zurückgepumpt, Gas kann gefördert werden

Ölrausch

Früher war diese Ecke in North Dakota Niemandsland. Man legte im Auto den Tempomat ein und las hinter dem Steuer die Zeitung. Die größte Gefahr ging von Bisons aus, die sich auf die Straße verirrten. [...] Heute donnern täglich bis zu 12 000 Trucks über die Verbindungsstraßen im Nordwesten des Staates. [...] Der Grund: Im Bakken-Gebiet in North Dakota herrscht ein beispielloser Goldrausch. Das Gold des 21. Jahrhunderts nennt sich Schieferöl und Schiefergas, wobei Öl bedeutender ist. Findet sich unter der Prärie doch ein Leichtöl, das bereits bei 20 °C so weich wie Schuhcreme und damit günstig zu verarbeiten ist. Dass es unter den friedlich weidenden Bisons Öl und Gas gibt, ist seit 1951 bekannt. Doch bis vor fünf Jahren war der Schatz nicht viel wert, weil die Technologie fehlte, um ihn zu heben. Doch dann kam „Fracking", das neue Zauberwort. Fracking schafft Jobs. [...] Alleine hier im Bakken-Gebiet sind jüngst 65000 davon entstanden. North Dakota rühmt sich mit der tiefsten Arbeitslosigkeit der USA und einem Haushaltsüberschuss von 3,5 Mrd. Dollar. Viele kommen [heute] von weit her: Kalifornien, Alabama, Texas. Ihre Familien lassen die Männer zurück, denn es gibt keine Wohnungen, schon gar nicht bezahlbare. Mieten und Hauspreise sind in Kürze um das Fünffache gestiegen. Bezahlen könnten die neuen Helden: Sie verdienen über 100 000 Dollar im Jahr. Das ist viel in einem Land, wo der Mindestlohn bei 7,25 Dollar die Stunde liegt.
Quelle: Neue Züricher Zeitung, 19.05.2013

M3   Zeitungsartikel

Entwicklungsimpuls

„Die zusätzliche Fördermenge als Ergebnis der Schiefergas- und Öl-revolution in den Vereinigten Staaten wird bis 2020 zusätzlich zwei bis drei Prozent zum realen Wachstum des Bruttoinlandsprodukts beitragen. [...] Die Internationale Energieagentur [hat] festgestellt, dass niedrige Gas- und Energiepreise der amerikanischen Industrie einen Wettbewerbsvorteil verschaffen. Niedrige Energiepreise haben zu einer „Re-Industrialisierung" geführt, da das herstellende Gewerbe hunderte Milliarden US-Dollar in US-Chemie-, Düngemittel-, Stahl-, Aluminium- und Kunststofffabriken investiert, und die Exportzahlen dieser Güter schnellen in die Höhe."
Quelle: blogs.usembassy.gov, 06.02.2013

M4   Auszug aus einer Rede des US-Botschafters Philip D. Murphy am 23.01.2013 in Berlin

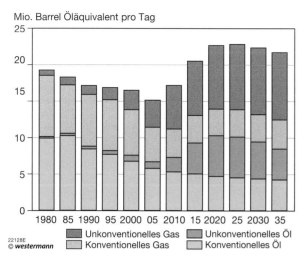

M5   Prognostizierte Entwicklung der Öl- und Gasförderung in den USA, nach OECD/IEA 2012

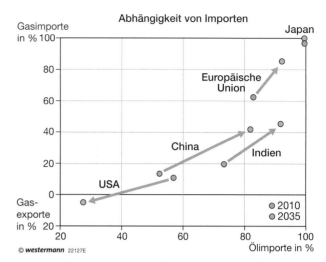

M8* Nettoöl- und Gasimportabhängigkeit in ausgewählten Ländern, nach OECD/IEA 2012

Ölschwemme der USA wird Nahen Osten verändern

Der neue Gas- und Ölreichtum der USA wird die Politik im Nahen Osten nach Einschätzung von Geheimdienstexperten massiv verändern. [...] Betroffen sein wird vor allem die Golfregion: Die USA hätten sich bisher politisch und militärisch deshalb so massiv im Nahen und Mittleren Osten engagiert, weil sie von den dortigen Energielieferungen abhängig gewesen seien [siehe hierzu auch Buch S. 123]. Bald könnten die Vereinigten Staaten aber komplett auf Lieferungen aus der Region verzichten, sagt [eine vertrauliche Studie des Bundesnachrichtendienstes] voraus. Damit werde „die außen- und sicherheitspolitische Handlungsfreiheit" für die Regierung in Washington erheblich zunehmen. [...] Bisher, so schreiben die Autoren, sicherten vor allem die Milliarden-Investitionen der USA in ihre weltweit agierende Flotte die Sicherheit und Freiheit der Handelswege. Davon profitiere vor allem auch China. Mit dem immer weiter abnehmenden Interesse an der Sicherheit der Rohstofflieferungen etwa aus Saudi-Arabien dürfte aber im Gegenzug in Washington die Bereitschaft sinken, immer neue große Milliardenbeträge in die militärischen Kapazitäten für diese Region zu stecken.

Quelle: Reuters/sara, www.welt.de, 17.01.2013

M6   Zeitungsartikel

Fracking treibt Gase ins Trinkwasser

Forscher untersuchten Brunnen im Fracking-Gebiet Pennsylvania und wollen erstmals die Verunreinigung des Trinkwassers nachgewiesen haben. Eine Studie hat Hinweise gefunden, dass Trinkwasser durch unkonventionelle Gasförderung [...] mit Gasen belastet wird. Manche Brunnen in der Nähe von Fracking-Anlagen seien mit Methan, Ethan und Propan belastet, berichtet eine Gruppe von Forschern der Duke University im US-Staat North Carolina. Die Wissenschaftler hatten Proben in 141 privaten Brunnen in der Gegend des Marcellus-Beckens im Nordosten des Bundesstaats Pennsylvania genommen [...]. Die Belastung mit Methan war der Studie zufolge bei Brunnen im Umkreis von einem Kilometer um Fracking-Anlagen sechsmal höher als in anderen Brunnen. Die Ethankonzentration war demnach sogar 23-mal höher [...]. Robuste Erkenntnisse über die gesundheitlichen Auswirkungen der Gase gebe es nicht.

Quelle: boj/AFP, www.spiegel.de, 25.06.2013

M7   Zeitschriftenartikel

Die Szenarien der Internationalen Energieagentur [IEA] 2012 suggerieren, dass um 2020 – 2025 der hohe Anteil unkonventioneller Erdöl- und Erdgasförderung die USA weitgehend von Gas- und Ölimporten unabhängig werden könnten. Diese Aussage basiert auf der Annahme, dass (1) der Erdgas- und Erdölverbrauch in den USA deutlich zurückgehen werde und (2) dass die spekulativ ermittelten unkonventionellen Ressourcen auch in belastbare Reserven transferiert würden, die dann auch zügig gefördert würden. [...] Wir erwarten, dass das Schiefergasfördermaximum in den USA kurz bevorsteht. Gründe hierfür sind die steigenden Entwicklungskosten, zu niedrige Erdgaspreise in den USA, die unter den Förderkosten liegen und neue Aktivitäten einschränken, steigende Umwelteinflüsse und Konflikte mit betroffenen Anwohnern und eine geringere Gasergiebigkeit der neuen Fördersonden. [...] Das durch die fehlende konventionelle Förderung ausgelöste Defizit ist so groß, dass die rückläufige Schiefergasförderung zu einem Zusammenbruch der Gasversorgung in den USA führen kann, wenn dies nicht rechtzeitig durch neue Importkapazitäten ausgeglichen wird.

Quelle: Energy Watch Group, März 2013

M9   Ergebnisse einer Studie

M10 Fracking in Pennsylvania

Fracking – eine umstrittene Fördertechnologie

Fracking in Deutschland – Sollen wir starten oder nicht?

In Deutschland gibt es Regionen, die grundsätzlich die geologischen Voraussetzungen zur Bildung von Schiefergas aufweisen. Eine Förderung wie in den USA findet allerdings bisher nicht statt. Es wurden jedoch bereits Lizenzgebiete für die Erkundung unkonventionell förderbaren Erdgases vergeben. Im Gegensatz zur konventionellen Gasförderung ist bei der unkonventionellen Förderung der Lagerstättendruck nicht so hoch, dass das Gas von selbst ausströmt. Die Industrie vermutet Chancen auf eine gewinnbringende Förderung. Allerdings liegen bislang keine gesicherten Informationen zum deutschen Fracking-Potenzial vor. Zurzeit befindet sich die Bundesrepublik in einem rechtlichen Schwebezustand, der niemanden zufriedenstellt. Förderwillige Konzerne, sorgenerfüllte Bürgerinitiativen und zuständige Landesbehörden wissen deshalb nicht, wie für sie die Zukunft aussieht. Das Thema Fracking wird in Deutschland kontrovers diskutiert.

1. Lokalisieren Sie die mutmaßlichen, potenziell für Fracking geeigneten Regionen in Deutschland (M2).
(W) 2. A Vergleichen Sie die in Deutschland vermuteten Vorkommen mit denen in den USA (M2, S. 146, M1).
   B Vergleichen Sie die Größe und Lage der Fracking-Regionen (M2, S. 146, M1).
3. Erläutern Sie, in welcher Form sich die Bevölkerungsdichte in Deutschland von jener der Fracking-Regionen in den USA unterscheidet und welche Raumnutzungskonflikte hieraus in Deutschland resultieren (M2/M3, S. 142 – 143, Atlas).
4. Erörtern Sie die in der Bevölkerung, Politik und Wissenschaft vertretenen Positionen zum Thema Fracking (M4– M9, Internet).
(Z) 5. Gestalten Sie ein Plakat mit Ihrer Meinung zum Thema „Fracking in Deutschland".

→ Bürgerinitiative, Exploration, Fracking, Schiefergas, Umweltverträglichkeitsprüfung (UVP)

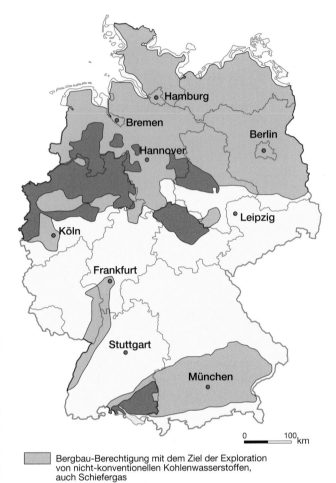

Bergbau-Berechtigung mit dem Ziel der Exploration von nicht-konventionellen Kohlenwasserstoffen, auch Schiefergas

Regionen, die grundsätzlich die geologischen Voraussetzungen zur Bildung von Schiefergas aufweisen können

M2* Schiefergasgebiete in Deutschland   22135E
© *westermann*

Die herkömmlichen Erdgasreserven in Deutschland werden nach Schätzungen von Experten bei gleich bleibender Förderung in ungefähr zehn Jahren erschöpft sein. Das Interesse von Industrie und Wirtschaft richtet sich deswegen auf Erdgas aus unkonventionellen Lagerstätten [...]. In Deutschland wird bislang kein Schiefergas gefördert. Fracking kommt aber seit rund 60 Jahren zum Einsatz – zur Förderung anderer Gase sowie zur Förderung von Erdöl und Erdwärme. Nach einer Schätzung der Bundesanstalt für Geowissenschaften und Rohstoffe [...] beträgt die potenzielle Schiefergas-Gesamtmenge in Deutschland 13 Billionen Kubikmeter. Man geht jedoch davon aus, dass nur zehn Prozent technisch gewinnbar sind [...]. Diese Menge könnte den Gasverbrauch in Deutschland für etwa 13 Jahre sichern [...]. Aus Sicht des Clausthaler Wissenschaftlers Professor Kurt Reinicke sind die Risiken beim Fracking überschaubar. „Wir haben langjährige Erfahrung mit dem Einsatz der Technologie, und dabei ist nichts passiert", sagt er. Reinicke hat bis zu seiner Pensionierung vor einem Jahr am Institut für Erdöl- und Erdgastechnik der TU Clausthal gearbeitet. „Die Technologie konnte und kann verbessert werden – etwa mit Blick auf die Menge der nötigen Zusatzstoffe und die Sicherung der Bohrplätze."

Quelle: www.braunschweiger-zeitung.de, 03.04.2013

M1   Zeitungsartikel

In den oftmals nur dünn besiedelten Landstrichen der USA stellt das Fracking kein großes Problem dar. Der US-Bundesstaat North Dakota ist beispielsweise halb so groß wie Deutschland, hat aber nur rund 640 000 Einwohner. Um ein Schiefergasvorkommen zu erschließen, müssen immer wieder neue Bohrungen abgeteuft werden. Experten rechnen mit durchschnittlich sechs Bohrungen pro Quadratkilometer. Für einen Bohrplatz ist üblicherweise eine Fläche von einem Hektar erforderlich und es können ungefähr zwei bis vier Quadratkilometer des Untergrundes erschlossen werden. In Deutschland prüfen staatliche Bergbehörden in diesem Zusammenhang die für die Exploration und Produktion relevanten technischen Fragestellungen sowie verschiedene Umweltaspekte, die die Emissionen, die Wassernutzung und -entsorgung, das Abfallmanagement und die Naturerhaltung umfassen. Die Suche nach volkswirtschaftlich bedeutenden Bodenschätzen – also auch Schiefergas – unterliegen in Deutschland den Vorschriften des Bundesberggesetzes, kurz: Bergrecht. So genannte „bergfreie" Bodenschätze, zu denen nahezu alle Erze und fossilen Brennstoffe zählen, sind nicht Eigentum des Grundbesitzers der Erdoberfläche. Für die Schiefergaserkundung und -förderung sind stattdessen Bergbauberechtigungen notwendig, die von den Bergbehörden vergeben werden.

M3   Das Problem des Flächenbedarfs

Nach den vorliegenden Untersuchungen zur Umweltrelevanz ist der Einsatz der Fracking-Technologie bei der unkonventionellen Erdgasgewinnung [...] eine Technologie mit erheblichem Risikopotenzial. Die Auswirkungen auf Mensch, Natur und Umwelt sind wissenschaftlich noch nicht hinreichend geklärt. Trinkwasser und Gesundheit haben für uns absoluten Vorrang.

Den Einsatz umwelttoxischer Substanzen bei der Anwendung der Fracking-Technologie zur Aufsuchung und Gewinnung unkonventioneller Erdgaslagerstätten lehnen wir ab. Über Anträge auf Genehmigung kann erst dann entschieden werden, wenn die nötige Datengrundlage zur Bewertung vorhanden ist und zweifelsfrei geklärt ist, dass eine nachteilige Veränderung der Wasserbeschaffenheit nicht zu befürchten ist. [...]

Die Koalition wird unter Einbeziehung der Länder und der Wissenschaft in einem gemeinsamen Prozess mit den Unternehmen erarbeiten, welche konkreten Erkenntnisse die Erkundungen liefern müssen, um Wissensdefizite zu beseitigen und eine ausreichende Grundlage für mögliche nachfolgende Schritte zu schaffen. Dies soll in einem transparenten Prozess erfolgen. [...]

Die Koalition wird kurzfristig Änderungen für einen besseren Schutz des Trinkwassers im Wasserhaushaltsgesetz sowie eine Verordnung über die Umweltverträglichkeitsprüfung (UVP) bergbaulicher Vorhaben vorlegen, die vor Zulassung von Maßnahmen zur Aufsuchung und Gewinnung von Erdgas aus unkonventionellen Lagerstätten mittels Fracking eine obligatorische UVP und Öffentlichkeitsbeteiligung vorsieht.

M4 Auszug aus dem am 27.11.2013 veröffentlichten Koalitionsvertrag zwischen CDU, CSU und SPD

Geplante Fracking-Regelung im Koalitionsvertrag

GREENPEACE

Weder ist ein Verbot vorgesehen, [...] noch fällt der Begriff des Moratoriums. [...] Stattdessen soll der Einstieg in das industrielle Fracking nun über Forschungsbohrungen, das Schließen von Erkenntnislücken und den Aufbau einer Stoffdatenbank erfolgen. Damit wird ein zukünftiges Fracking nicht verboten. Sollte die Koalition zu der Ansicht kommen, dass genügend Daten vorliegen, steht dem Fracking nichts mehr entgegen. [...]
Quelle: www.greenpeace-magazin.de, 11.11.2013

M5 Stellungnahme von Greenpeace

Wegen der unabsehbaren Gefahren für Gesundheit und Umwelt lehnen wir die Förderung von unkonventionellem Erdgas insbesondere mittels giftiger Chemikalien ab. Die Förderung [...] behindert Klimaschutz und Energiewende. Wir fordern daher klare gesetzliche Regelungen, die die Anwendung der Technologie ausschließen. [Es muss] dafür gesorgt werden, dass giftiges Lagerstättenwasser aus der Öl- und Gasförderung nicht mehr unterirdisch verpresst werden darf. Daneben bedarf es einer [...] Reform des Deutschen Bergrechts. Hier müssen Umweltschutz und Verursacherprinzip viel stärker in den Mittelpunkt gerückt werden.
Quelle: www.gruene.de

M6 Stellungnahme der Grünen zum Fracking

EU-Kommissar Oettinger (CDU) fordert Probe-Bohrungen in Deutschland

Probebohrungen im eigenen Land würden einen Wissensvorteil gegenüber anderen Ländern schaffen. Gerade ein Ingenieursland wie Deutschland müsse hier schnell reagieren – auch um die Kosten der neuen Energie-Gewinnung besser abschätzen zu können. [...] Man dürfe sich die Möglichkeiten, die Gasvorkommen unter dem eigenen Boden für die Energieversorgung bedeuten, nicht entgehen lassen, zitiert Die Welt den EU-Kommissar. Fracking biete große Potenziale und daher sollte eine Rechtsgrundlage für Demonstrationsprojekte und die praktische Erprobung geschaffen werden: Wenn wir Probebohrungen zulassen, werden wir in einigen Jahren weit klüger sein und auch über die Kosten besser Bescheid wissen. Das muss man einem Ingenieursland wie Deutschland dringend raten.
Quelle: www.deutsche-wirtschafts-nachrichten.de, 21.05.13

M7 Aus den Deutschen Wirtschaftsnachrichten

BGR

Die Bundesanstalt für Geowissenschaften und Rohstoffe (BGR), das Helmholtz-Zentrum Potsdam-Deutsches GeoForschungsZentrum GFZ und das Helmholtz-Zentrum für Umweltforschung (UFZ) haben jetzt mit der sogenannten „Hannover-Erklärung" ihre gemeinsamen Standpunkte zum Thema „Umweltverträgliches Fracking" veröffentlicht. Mit der „Hannover-Erklärung" ziehen die drei Institutionen ihre Schlussfolgerungen aus dem Kongress „Umweltverträgliches Fracking", [...] auf dem sich mehr als 200 Experten aus Politik, Wirtschaft und Wissenschaft zu den Themen Schiefergas und Hydraulic Fracturing (Fracking) austauschten. [...] Kurz gefasst die wichtigsten Punkte:

1. Die Gewinnung von Schiefergas kann zur Stabilisierung der abnehmenden einheimischen Erdgasförderung beitragen.
2. Die Anwendung der Fracking-Technologie zur Schiefergasgewinnung in Deutschland erfordert umweltverträgliche Verfahren. Dabei hat der Schutz des Trinkwassers oberste Priorität.
3. Ob Fracking umweltverträglich durchgeführt werden kann, ist entsprechend der geologischen Standortbedingungen fallweise zu prüfen und durch geeignete Monitoring-Maßnahmen zu begleiten. Hierzu muss jeweils eine Umweltverträglichkeitsprüfung durchgeführt werden.
4. Der Einsatz und die Entwicklung der Technologie zur Schiefergasgewinnung in Deutschland erfordern ein transparentes und schrittweises Vorgehen.

Quelle: www.bgr.bund.de, 06/2013

M8 Pressemitteilung der BGR zur Konferenz „Umweltverträgliches Fracking?"

Die Bürgerinitiativen und Naturschutzverbände fordern: Die Förderung unkonventioneller Gasvorkommen muss verboten werden. Es handelt sich um eine Hochrisikotechnologie, deren Folgen nicht kontrollierbar, nicht rückholbar und nicht reparierbar sind. Alle bisher erprobten Techniken sind zu risikoreich für Umwelt, Mensch und Ressourcen. Bei Unfällen gibt es keine Gegenmaßnahmen, die angewendet werden könnten.
Quelle: www.gegen-gasbohren.de

M9 Statement organisierter Fracking-Gegner

Die Suche nach neuen Rohstoffen – ein heikles Thema

In der Arktis – Sorgen Klimawandel und neuartige Fördertechniken für einen neuen globalen Brennpunkt?

In der Arktis ist eine neue Zeit angebrochen. Das polare Eis schmilzt angesichts der Klimaerwärmung immer schneller. Damit einhergehend rücken bisher nicht ausbeutbare Lagerstätten von Energierohstoffen in den Blickpunkt: Viele Nationen werfen ein Auge darauf, denn schätzungsweise 25 Prozent aller Erdgas- und Erdölvorkommen der Welt lagern allein in der Arktis und könnten dazu dienen, den Energiehunger der Welt vorerst zu stillen – wenn es gelingen sollte, mit neuartiger Fördertechnik diese Ressourcen zu erschließen. Andererseits birgt die weitere Erschließung dieses Raumes auch ein großes Konfliktpotenzial ökologischer, ökonomischer und geostrategischer Art. Umweltschützer befürchten zum Beispiel bei Unfällen verheerende Folgen für das fragile Ökosystem.

Ⓦ **1.** Die Abgrenzungskriterien für die Arktisregion sind unterschiedlich und zum Teil auch umstritten – je nachdem, wie die Grenzen der Arktis definiert sind, gelten mehr oder weniger Staaten als anspruchsberechtigt.
   A Beschreiben Sie, welche Staaten Ansprüche an Gebiete in der Arktis stellen und auf welche Abgrenzungsdefinitionen der Arktis sie dabei zurückgreifen (M4/M6).
   B Erstellen Sie eine Tabelle der Arktis-Anliegerstaaten. Unterscheiden Sie dabei nach den verschiedenen → Definitionen der Arktis (M4/ M6, Atlas).

2. Die Extremregion Arktis stellt bei der Förderung von Energierohstoffen extreme Anforderungen an die Technik.
   a) Beschreiben Sie das dort herrschende Klima (Atlas).
   b) Erläutern Sie die zwei möglichen Varianten, mit denen man die Energierohstoffe gewinnen will (M1/ M3).

3. Gleich zwei Konfliktherde tun sich in der Arktis auf: politische und ökonomisch motivierte. Analysieren Sie unter diesen Aspekten M2/ M4–M8.

Ⓩ **4.** Auch die Antarktis rückt immer mehr in den Blickpunkt. Ermitteln Sie die Rohstoffvorkommen dieses Kontinents und vergleichen Sie mit der Arktis (Atlas).

→ Geostrategie, Klimawandel

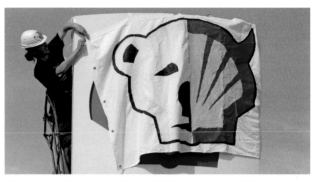

M2 Protestaktion gegen Rohstoffförderung in der Arktis

Fabriken unter Wasser

Auf der Suche nach Öl und Gas will der norwegische Energiekonzern Statoil ganze Förderanlagen auf dem arktischen Meeresgrund verankern. Technisch ist die Idee brillant und ökonomisch verlockend. Aber ist sie auch zu verantworten?

Von oben betrachtet, wirkt die Arktis, als hätten sich die Umweltschützer durchgesetzt: Unter dem Wasserspiegel hingegen sieht es aus wie in einem futuristischen Industriekomplex. Dutzende vollautomatische Bohr- und Zapfstellen sind mit Verteilerstationen, Separatoren für die Trennung von Öl und Gas, Pumpen und fußballfeldgroßen Kompressoren verbunden. Auf dem Meeresgrund sind gigantische Maschinenparks entstanden. In völliger Finsternis fördern sie Öl und Gas aus dem arktischen Boden, die über lange Pipelines an Land gelangen. Weil kein Mensch dort unten überleben könnte, bewirtschaften ausschließlich Roboter die Unterwasserfabriken.

Noch ist das Treiben unter Wasser eine Simulation. Aber sie wird gerade Wirklichkeit. Bis 2020 will der norwegische Energiekonzern Statoil die erste Förderanlage bauen, die sich vollständig unter Wasser befindet. [...]

Als „heiligen Gral" der Öl- und Gasindustrie hat die Nachrichtenagentur Reuters die Unterwasserproduktion einmal bezeichnet. Die Konzerne könnten damit auch schwer zugängliche arktische Regionen erschließen, wo bisher herkömmliche Bohrplattformen durch starke Stürme und treibende Eisberge von Kleinstadtgröße bedroht wären.

Quelle: F. Rohrbeck, Die Zeit, 02.10.13

M3 Zeitungsartikel

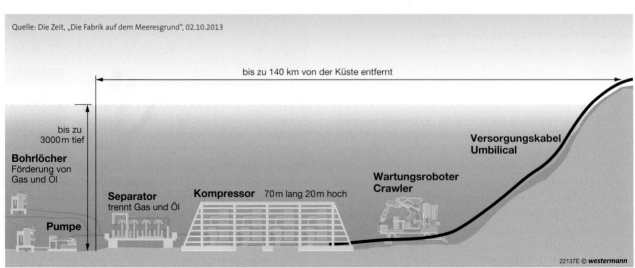

Quelle: Die Zeit, „Die Fabrik auf dem Meeresgrund", 02.10.2013

bis zu 140 km von der Küste entfernt

bis zu 3000 m tief

Bohrlöcher Förderung von Gas und Öl

Separator trennt Gas und Öl

Kompressor 70 m lang 20 m hoch

Pumpe

Wartungsroboter Crawler

Versorgungskabel Umbilical

22137E © *westermann*

M1 Konzept für die Unterwasser-Förderung von Öl und Gas in Extremregionen – ohne Plattformen an der Oberfläche

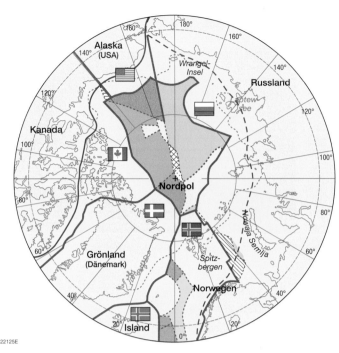

aktuelle Grenzen bzw. Grenzen der 200-Seemeilen-Zonen

Gebietsansprüche im Nordpolarmeer (derzeit internationales Gewässer), teilweise strittig

Nordwestpassage

Nordostpassage

durchschnittliche Eisausdehnung im arktischen Sommer

Gebietsansprüche:

- Dänemark
- Island
- Norwegen
- Norwegen und Russland
- Russland
- USA
- Kanada und USA
- Kanada
- Kanada und Russland
- Dänemark und Russland

M4* Die unterschiedlichen Gebietsansprüche in der Arktis-Region

Der Arktische Rat

Mitglieder: Der Arktische Rat wurde 1996 in Ottawa gegründet. Ihm gehören folgende Nationen an: Kanada, USA, Russland, Dänemark (Grönland), Finnland, Schweden, Norwegen, Island. Im Rat sitzen außerdem Vertreter der indigenen Völker.

Aufgaben: Der Rat soll zum Interessenausgleich der Anrainerstaaten untereinander – Stichwort: geostrategische Gebietsansprüche – und mit den Ureinwohnern führen, Folgen des Klimawandels behandeln und die Sicherheit in der Region fördern.

Zu den sechs Beobachterstaaten zählen unter anderem Deutschland, Frankreich und Großbritannien. Die EU, China, Italien, Türkei, Südkorea und Japan haben einen Aufnahmeantrag gestellt.

M5* Ein internationales Gremium soll die unterschiedlichen Interessenlagen harmonisieren

Streit um Rohstoffe: Russlands Führungsanspruch

Weil die natürlichen Eisbarrieren schmelzen, verstärkt Russland seine Grenztruppen in der Polarregion. Bei der internationalen Arktis-Konferenz gibt sich das Land als Führer der Region – und untermauert seinen Anspruch auf die riesigen Rohstoffschätze im Meer. Die anderen Anrainerstaaten melden ebenfalls Ansprüche an. Bei der zweitägigen Ministerkonferenz des Arktischen Rates am 13. Mai 2013 in Kiruna bezeichnete der russische Außenminister Sergej Lawrow dieses Forum als historisch, weil es von enormer geopolitischer Tragweite sei. Russland wird versuchen, den Rat von der Unangemessenheit der Arktis-Ansprüche „nichtregionaler Akteure" wie der Europäischen Union, China und Indien sowie einer Reihe weiterer Länder und Organisationen zu überzeugen.

M7 Die Akteure versuchen, ihre Claims abzustecken – Politik aus geostrategischen Erwägungen heraus

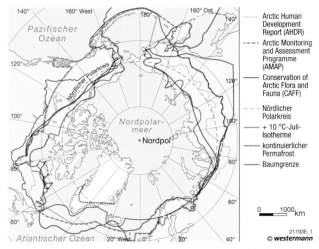

Arctic Human Development Report (AHDR)

Arctic Monitoring and Assessment Programme (AMAP)

Conservation of Arctic Flora and Fauna (CAFF)

Nördlicher Polarkreis

+ 10 °C-Juli-Isotherme

kontinuierlicher Permafrost

Baumgrenze

M6 Verschiedene Definitionen zur Abgrenzung der Arktis – mit erheblichem Konfliktpotenzial

M8 Greenpeace-Aktivisten in Aktion: Der Versuch eine russische Ölplattform zu entern

Die Suche nach neuen Rohstoffen – ein heikles Thema

Methanhydrat – neuer Hoffnungsträger durch neue Technik

Man hat den Gashydraten und ihrem Energiepotenzial lange keine Beachtung geschenkt, aber seit einigen Jahren rücken sie immer mehr in den Blickpunkt – in der Grundlagenforschung, der Umwelt- und Energiepolitik, bei den Bemühungen, Kohlenstoffdioxid umweltverträglich zu lagern und schließlich im Bestseller-Roman „Der Schwarm", der mögliche katastrophale Folgen der Förderung aus der Meerestiefe beschreibt. Welche Chancen bietet dieser fossile Energierohstoff der energiehungrigen Welt? Welche Gefahren drohen möglicherweise?

1. Lokalisieren Sie die kontinentalen und maritimen Vorkommen von Gashydraten und übertragen Sie diese grob auf Transparentpapier, das sie auf eine geotektonische Karte einpassen.
   Vergleichen Sie die Gashydrat-Lagerstätten mit den tektonischen Plattengrenzen und arbeiten Sie Gemeinsamkeiten und Unterschiede heraus (M3 / M5, Atlas).
2. Erläutern Sie, was man unter Gashydraten versteht und welche Bedingungen herrschen müssen, damit sich diese Substanzen bilden und auch stabil bleiben (M6).
3. Ⓦ **A** Erklären Sie, warum Gashydrate für die Energieversorgung der Zukunft von großer Bedeutung sein könnten (M6).
   B Erstellen Sie eine Mindmap, die das Gefahrenpotenzial der Gashydratförderung aufzeigt (M6 / M7).
4. Beschreiben Sie das Methanhydrat-Forschungsprojekt „SUGAR" (M7).
5. Ⓩ CO_2 soll bei der Förderung von Methanhydrat eingelagert werden. Beurteilen Sie dieses Vorhaben
   a) im Vergleich zu anderen Einlagerungsvarianten (M4).
   b) im Zusammenhang mit den Ihnen bekannten Aspekten des Klimawandels.

→ CO_2, Gashydrat, Meeressediment, Methanhydrat, Permafrost, Ressource, Treibhauseffekt

M2 „Brennendes Eis" und die Rückstände als schlammige Masse

Japan hofft auf neue Energiequellen in der Tiefe des Meeres

Schätzungen zufolge könnte sich das Land von den Methanhydrat-Vorräten vor seinen Küsten mehr als ein Jahrhundert lang mit Energie versorgen. Die Förderung des Gases ist allerdings sehr schwierig und kostspielig. Forschern gelang es nach eigenen Angaben nun erstmals, Methanhydrat aus dem Meeresboden zu bergen. Der erfolgreiche Test fand etwa 80 km vor der Küste der zentralen Provinz Aichi statt, die auf der Hauptinsel Honshu liegt. Nach Angaben von Industrieminister Toshimitsu Motegi wurde der Test vor der Küste von Aichi jahrelang vorbereitet. Am Mittwoch gelang es den Forschern an Bord des Bohrschiffs „Chikyu" schließlich, vier Stunden lang Gas zu extrahieren, das einen Kilometer unter dem Meeresspiegel 330 m tief im Meeresboden lagerte. „Ziel ist es, im ersten Test zwei Wochen lang Gas zu fördern. Dabei wird eine Technik eingesetzt, die sich den in großer Tiefe herrschenden Druck zunutze macht, um das Gas aus den unterseeischen Sedimenten zu pressen. „Wir wollen die Technik sicherer machen, um die Vorräte kommerziell abbauen zu können", sagte Motegi. Trotz der extrem schwierigen Förderbedingungen strebt Japan nach Angaben des zuständigen Konsortiums an, Methanhydrat ab 2018 kommerziell zu fördern.
Quelle: www.spiegel-online.de, 12.03.2013

M3 Zeitschriftenartikel

M1 Erstmalige Förderung von Methangas im Großversuch

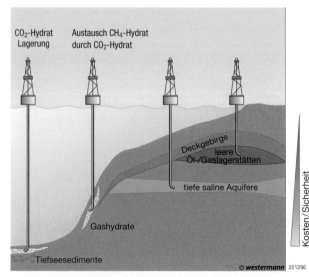

CO_2-Hydrat Lagerung   Austausch CH_4-Hydrat durch CO_2-Hydrat

Deckgebirge
leere Öl-/Gaslagerstätten
tiefe saline Aquifere
Gashydrate
Tiefseesedimente
Kosten/Sicherheit
© *westermann* 22129E

M4* CO_2-Einlagerung und Kosten/Sicherheit je nach Speichertiefe

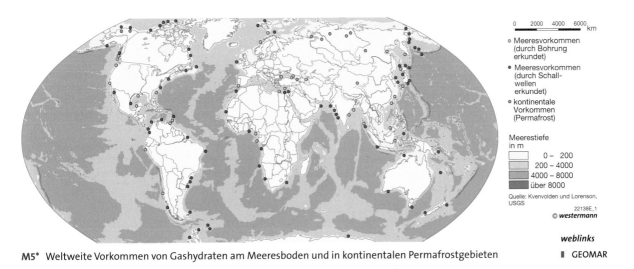

M5* Weltweite Vorkommen von Gashydraten am Meeresboden und in kontinentalen Permafrostgebieten   *weblinks* ▌ GEOMAR

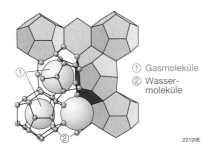

Warum sind Gashydrate interessant, aber auch gefährlich?

Unter Gashydraten versteht man eisähnliche Substanzen, bei denen gefrorene Wassermoleküle einen Käfig um die eingelagerten Gasmoleküle (meistens Methan) bilden. Diese Substanzen sind nur bei tiefen Temperaturen und hohem Druck stabil, ansonsten zerfallen sie in Wasser und brennbares Gas. Man bezeichnet die Gashydrate daher auch als „brennendes Eis". Die Bedingungen zur Bildung von Gashydraten herrschen in zwei Regionen der Erde: In kontinentalen Permafrostböden und in Meeressedimenten. Sie kommen an fast allen Kontinentalrändern ab einer Wassertiefe von ca. 500 m vor. Die weltweiten Methanhydratressourcen werden, gemessen an dem organischen Kohlenstoffgehalt, mindestens auf die Menge der gesamten bisher bekannten fossilen Rohstoffvorkommen (Öl, Gas, Kohle) geschätzt. Somit können sie für die Deckung des zukünftigen weltweiten Energiebedarfs sehr interessant werden. Allerdings darf man auch nicht das große Gefahrenpotenzial außer Acht lassen: Freisetzung von Methan aus Hydrat infolge der Erderwärmung und Leckagen bei der Förderung verstärken den Treibhauseffekt, durch Destabilisierung des Untergrunds bei der Förderung verursachte untermeerische Rutschungen bis hin zur Entstehung von Tsunamis beschäftigen Wissenschaftler und Öffentlichkeit.

M6 Ein Energierohstoff für die Zukunft?

SUGAR: Submarine Gashydratlagerstätten: Erkundung, Abbau und Transport

SUGAR ist ein deutsches Forschungsprojekt zur Erschließung von Gashydratlagerstätten. Das Institut für Bohrtechnik und Fluidbergbau, Leipzig (IBF), die Technische Universität Clausthal, das Geothermiezentrum Bochum, MARUM, das Zentrum für Marine Umweltwissenschaften an der Universität in Bremen sowie die deutschen Firmen Aker Wirth (Erkelenz) und Bauer (Schrobenhausen) werden finanziell von den Bundesministerien für Wirtschaft/Technologie und Bildung/Forschung unterstützt. Unter der Leitung des Leibnitz-Instituts für Meereswissenschaften in Kiel (IFM-GEOMAR) konzentriert man sich bei diesem weltweit beachteten Forschungsprojekt auf drei Ziele:

▌ *1. Erkundung und Erschließung der submarinen Gashydratlagestätten durch geophysikalische Vermessungen akustischer und seismischer Art:*
Bei der Ermittlung der Vorkommen durch Bohrungen muss man beachten, dass Gashydrate sich bei der Druckentlastung und Erwärmung bei Bohrungen schnell verflüchtigen. Mithilfe von dafür entwickelten Autoklav-Bohrgeräten werden die Temperatur- und Druckbedingungen am und unter dem Meeresboden erhalten und man gewinnt ein realistisches Bild von den Vorkommen.

▌ *2. Wirtschaftliche Förderung des Methanhydrats durch Druckentlastung:*
Auf dem Gashydratvorkommen, über dem eine 500 bis 1000 m mächtige Wassersäule und eine dicke Sedimentauflage lasten, herrscht ein Druck von mehreren hundert Bar, im Bohrloch dagegen nur der deutlich niedrigere Atmosphärendruck. So entströmt sofort Methangas. Weil CH_4 und CO_2 ähnliche physikalische Eigenschaften haben, soll im Sinne von „Tausche CO_2 gegen CH_4" bei der Förderung von CH_4 gleichzeitig der „Ersatzstoff" CO_2 als Kohlendioxidhydrat eingespeichert werden – als „Zement" für die Stabilisierung der entstandenen Hohlräume im Meeresuntergrund.

▌ *3. Als Pellets an Land:*
Über dem Wasser verwandeln Anlagen das gewonnene Erdgas gleich wieder in Hydrate, die sich dann in Form von Pellets per Schiff abtransportieren lassen. Bei minus 20 °C und normalem Druck sind diese über Monate hin stabil. An Land können diese Produkte dann in Kraftwerken zur Energieerzeugung verwendet werden.

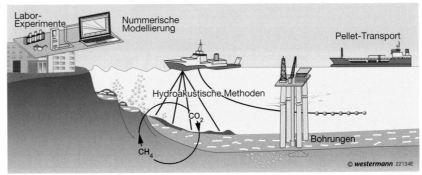

M7* SUGAR – das Methanhydrat-Forschungsprojekt weckt viele Hoffnungen

Das Wichtigste in Kürze

Weil die Weltbevölkerung wächst und der Energiebedarf zunehmend auch in Entwicklungs- und Schwellenländern steigt, werden die globalen, konventionell förderbaren Energiereserven knapper. Viele Lagerstätten sind bereits vollständig abgebaut oder zumindest weniger ergiebig. Diverse Studien kommen zu dem Schluss, dass der Peak Oil überschritten ist und Energieengpässe zu erwarten sind. Folgen sind bereits heute die stark ansteigenden Preise für energetische Rohstoffe. Die höheren Preise ermöglichen die Förderung von Erdöl und Erdgas in Regionen, in denen eine wirtschaftlich sinnvolle Förderung noch vor wenigen Jahren nicht möglich gewesen wäre. So werden zunehmend neu entwickelte, unkonventionelle Fördertechnologien angewandt. Die Förderung von Ölsanden und der Einsatz der Fracking-Technologie sind beispielsweise weltweit auf dem Vormarsch, eine verstärkte Gashydratförderung ist angedacht. Bisher technisch nicht gewinnbare oder aber nur unwirtschaftlich förderbare Energieressourcen werden durch die innovativen Technologien in Energiereserven umgewandelt und somit zu nutzbaren Potenzialen. Allerdings gibt es gravierende ökologische Bedenken hinsichtlich deren Förderung.

Ölsande und Fracking

Der Ölsandabbau in dünnbesiedelten Regionen Kanadas ist ein Motor für die Ökonomie des Landes und zieht zahlreiche Wirtschaftsmigranten aus dem In- und Ausland an. Aus bitumenhaltigen Sanden wird unter massivem Verbrauch von Wasser und Energie flüssiges Öl gewonnen. Die Nettoenergie (s. S. 144, M4) dieses Öls ist jedoch gering. Vor allem die indigenen Völker protestieren gegen die Zerstörung ihrer Heimat und die Verseuchung der Flora und Fauna durch den Ölsandabbau. Bisher haben diese Proteste aber kaum Wirkung gezeigt.

Große Industrienationen, wie beispielsweise die USA, sind nach wie vor stark abhängig von Importen energetischer Rohstoffe aus Förderländern in teilweise weit entfernt liegenden Regionen der Erde. Der wirtschaftliche und militärische Aufwand zur Sicherung des Zugriffs auf diese Energiereserven ist enorm. Die massiv ausgeweitete Förderung von Schiefergas und Schieferöl durch Fracking könnte diese Abhängigkeit und den notwendigen Aufwand zukünftig reduzieren. Diverse Studien stellen Zukunftsszenarien dar, die einen möglichen vollständigen Verzicht der USA auf Energieimporte aus der Golfregion prognostizieren. Andere Quellen jedoch beschreiben die Schiefergasförderung in den USA als einen kurzfristigen Boom, dem bei einem Ausbleiben von Importen ein baldiger Zusammenbruch der Gasversorgung in den USA folgen könnte.

Ein starker Entwicklungsimpuls für die US-amerikanische Wirtschaft wurde durch den Einsatz der Frackingtechnologie allerdings bereits gegeben. Ehemals rückständige Regionen wie North Dakota befinden sich geradezu in einem Gasrausch. Der Bundesstaat lockt unzählige Arbeitssuchende aus den gesamten USA mit der niedrigsten Arbeitslosenquote des Landes und gut bezahlten Jobs an. Doch auch in den USA formiert sich wegen möglicher Trinkwasserverseuchung zunehmend Widerstand gegen das Fracking.

In Deutschland stellt sich die Situation ganz anders dar: In der jüngsten Vergangenheit wurde ein ausgeweiteter Einsatz der Fracking-Technologie umfangreich diskutiert. Zwischen den politischen Parteien und auch innerhalb der Parteien herrschte lange Zeit keine Einigkeit. Bürgerinitiativen liefen und laufen Sturm gegen Fracking. Politische Einigkeit besteht mittlerweile dahingehend, dass zukünftig eine obligatorische Umweltverträglichkeitsprüfung bei jedem geplanten Vorhaben stattfinden soll.

Erkundung der Arktis

Sogar die Arktis wird durch neue Fördertechnologien im Zusammenhang mit dem Klimawandel zu einem neuen Brennpunkt. Insbesondere die geostrategische Lage der Anliegerstaaten, aber auch die nicht einheitliche Abgrenzung dieser Region führt zu Gebietsansprüchen vieler Staaten. Das allein birgt bereits großes Konfliktpotenzial, das jedoch noch verstärkt wird durch umweltpolitische und soziale Aspekte: Förderpannen könnten für das fragile Ökosystem verheerend sein, der Schutz der dort lebenden indigenen Bevölkerung steht bisher nicht im Fokus.

Große Hoffnungen setzt man ebenfalls in einen fossilen Energierohstoff, der bisher wenig beachtet wurde: Gashydrat, auch als „brennendes Eis" bezeichnet. Sein Energiepotenzial wird auf mehr als das Doppelte der heute bekannten Erdöl-, Erdgas- und Kohlevorkommen geschätzt. Seine Förderung ist allerdings technisch kompliziert und sehr kostenaufwendig.

Letztendlich sind sich die Experten nicht einig darüber, in welchem Umfang sich der Zeitraum der Nutzung fossiler Energieträger durch den Einsatz unkonventioneller Fördermethoden verlängern lässt.

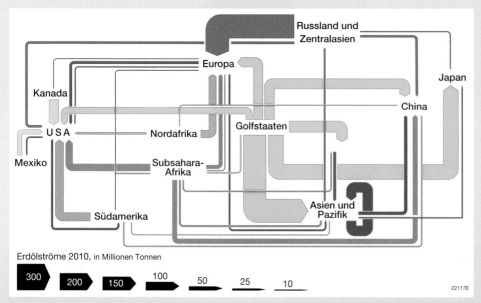

Erdölströme 2010, in Millionen Tonnen

300   200   150   100   50   25   10

22117E

M1   Globale Erdölströme

Kompetenz-Check

Hier sind alle Kompetenzen, die Sie in diesem Kapitel erwerben konnten, aufgelistet.
Sie können selbst beantworten, ob Sie die Kompetenz sicher beherrschen: *sicher, mäßig oder kaum.*

Sachkompetenz

Kann ich		unsicher? Schlagen Sie nach auf Seite
1.	Wirkungen und Folgen von Eingriffen des Menschen in das Geofaktorengefüge erklären (SK2)?	144–153
2.	durch wirtschaftliche und politische Faktoren beeinflusste räumliche Entwicklungsprozesse beschreiben, beispielsweise hervorgerufen durch Fracking in den USA (SK4)?	142–153
3.	Raumnutzungsansprüche und -konflikte sowie Ansätze zu deren Lösung beschreiben, beispielsweise anhand der Arktisregion (SK5)?	144–151
4.	Strukturen und Prozesse in räumliche Orientierungsraster auf unterschiedlichen Maßstabsebenen einordnen, beispielsweise die globalen energiepolitischen Verflechtungen der USA und Folgen für den Bundesstaat North Dakota (SK6)?	146/147
5.	die Verfügbarkeit fossiler Energieträger in ihrer Abhängigkeit von geologischen Lagerungsbedingungen als wichtigen Standortfaktor für wirtschaftliche Entwicklung darstellen, beispielsweise anhand der kanadischen Provinz Alberta, des US-Bundesstaates North Dakota oder der Gashydratförderung in Meeressedimenten?	144–147
6.	ökonomische, ökologische und soziale Auswirkungen der Förderung fossiler Energieträger erläutern, beispielsweise anhand der kanadischen Provinz Alberta?	144–147
7.	Zusammenhänge zwischen weltweiter Nachfrage nach Energierohstoffen, Entwicklungsimpulsen in den Förderregionen sowie innerstaatlichen und internationalen Konfliktpotenzialen erläutern?	150/151

Methodenkompetenz

Kann ich		
8.	mich mithilfe von physischen und thematischen Karten orientieren (MK1)?	142–153
9.	problemhaltige geographische Sachverhalte identifizieren und entsprechende Fragestellungen entwickeln (MK2)?	140–153
10.	unterschiedliche Darstellungs- und Arbeitsmittel zur Beantwortung raumbezogener Fragestellungen analysieren (MK3)?	140–153
11.	mittels geeigneter Suchstrategien in Bibliotheken und im Internet Informationen recherchieren und diese fragebezogen auswerten (MK5)?	146–149
12.	geographische Sachverhalte mündlich und schriftlich unter Verwendung der Fachsprache problembezogen, sachlogisch strukturiert, aufgaben-, operatoren- und materialbezogen darstellen (MK7)?	142–153

Urteilskompetenz

Kann ich		
13.	raumbezogene Sachverhalte, Problemstellungen und Maßnahmen nach fachlichen Kriterien beurteilen (UK1)?	142–153
14.	die sich aus Widersprüchen und Wahrscheinlichkeiten ergebenden Probleme bei der Beurteilung raumbezogener Sachverhalte erörtern (UK6)?	144–149
15.	eigene Arbeitsergebnisse kritisch mit Bezug auf die zugrunde gelegte Fragestellung und den Arbeitsweg bewerten (UK8)?	142–153
16.	die Eignung von Wirtschafts- und Siedlungsräumen anhand verschiedener Geofaktoren bewerten, beispielsweise anhand der potenziellen Anwendung der Fracking-Technologie in Deutschland?	148/149
17.	Maßnahmen zur Überwindung natürlicher Nutzungsgrenzen unter ökologischen und ökonomischen Gesichtspunkten bewerten?	144–153

Handlungskompetenz

Kann ich		
18.	Arbeitsergebnisse zu raumbezogenen Sachverhalten im Unterricht sach-, problem- und adressatenbezogen sowie fachsprachlich angemessen präsentieren (HK1)?	142–153
19.	in Raumnutzungskonflikten unterschiedliche Positionen einnehmen und diese vertreten?	148–153

Klausurtraining – Texte auswerten und bewerten

Erschließung neuer Erdölfördergebiete – das Beispiel Brasilien

Erdölfunde im Südatlantik! Deren Förderung ist der brasilianischen Regierung so wichtig, dass sie die Versteigerung der Förderkonzessionen für das erste der Ölfelder LIbra sogar live im Fernsehen übertragen ließ. Den Zuschlag bekam ein Firmen-Konsortium aus Europa, China und Brasilien – zu einem sehr niedrigen Preis.

1. Lokalisieren Sie das Erdölfeld Libra und charakterisieren Sie die angrenzende Küstenregion Brasiliens hinsichtlich ihrer naturräumlichen Gegebenheiten, ihrer Bevölkerung und ihrer wirtschaftlichen, insbesondere touristischen, Nutzung.
2. Erläutern Sie das brasilianische Vorhaben der Erdölförderung im Südatlantik.
3. Beurteilen Sie das brasilianische Vorhaben vor dem Hintergrund Ihrer Kenntnis ähnlicher Projekte. Entwickeln Sie ein Pro- und Kontra-Szenario.

Diese Materialien benötigen Sie ergänzend zur Lösung der Aufgaben:
M1 Diercke Weltatlas, 2008, Karte: Südamerika – Wirtschaft, S. 214/215

M3   Copacabana in Rio de Janeiro

Brasiliens Rohstoff-Versteigerung – ein Schnäppchen für die Öl-Ausbeuter

„Der Schatz liegt 6 000 m tief im Südatlantik, bis zur Küste von Rio de Janeiro sind es 183 km. Ihn zu heben, erfordert Investitionen von mindestens 130 Mrd. Euro und eine Spitzentechnologie, die zum Teil erst noch entwickelt werden muss. Das Umweltrisiko für Meer, Fauna und die Strände an einem der schönsten und am dichtesten besiedelten Küstenabschnitte Brasiliens ist riesig. Doch die Gier nach dem Rohstoff war letztendlich größer als alle Bedenken. Auf acht bis zwölf Milliarden Barrel Rohöl wird das Potenzial des Ölfelds namens Libra geschätzt, das in einem Luxushotel am Strand von Rio versteigert wurde. Es ist die erste, größte und wichtigste Tranche der Tiefsee-Ölvorkommen, die vor sechs Jahren vor der brasilianischen Küste entdeckt wurde. Die Ausbeutung des Schatzes soll Brasilien in die Spitzengruppe der Ölförderländer katapultieren und das weltpolitische Gewicht der südamerikanischen Großmacht untermauern. „Libra stellt eine Wasserscheide für Brasilien dar", sagte Energieminister Edison Lobão vor der Versteigerung. Allerdings nahm nur ein einziger Bieter teil, innerhalb weniger Minuten war das Spektakel vorbei, das live im Fernsehen übertragen wurde. Ein Konsortium aus dem halbstaatlichen brasilianischen Ölkonzern Petrobras (40 Prozent), den europäischen Firmen Shell und Total (jeweils 20 Prozent) sowie zwei staatlichen chinesischen Energieriesen (jeweils zehn Prozent) erhielt den Zuschlag, es darf Libra für eine Gesamtzeit von 35 Jahren ausbeuten. Da es keine weiteren Wettbewerber gab, bekamen sie den Schatz für einen Schnäppchenpreis. Nur 41,65 Prozent des Gewinns, die Minimummarge, muss das Konsortium an die brasilianische Regierung abführen, zusätzlich zu einem einmaligen Bonus von etwa fünf Milliarden Euro. In der Bevölkerung ist die Ausschreibung umstritten, im gesamten Land gingen Tausende Menschen gegen die Versteigerung auf die Straße. Einige hundert Demonstranten lieferten sich vor dem Hotel in Rio eine Straßenschlacht mit den Sicherheitskräften, Tränengasschwaden waberten über den Strand, viele Badende flüchteten. Richter erließen an den vergangenen Tagen über 20 einstweilige Verfügungen gegen die Versteigerung, doch den Anwälten der Regierung gelang es, sie rechtzeitig für wirkungslos zu erklären. Trotz der Widerstände feiert die Regierung das Ergebnis der Ausschreibung als Erfolg. Viele Experten hatten befürchtet, dass Privatfirmen von den Auflagen abgeschreckt würden und Libra in die Hände von Staatsunternehmen fiele, die der politischen Einflussnahme unterliegen. Vor allem das rohstoffarme China ist sehr am brasilianischen Öl interessiert. Jetzt gehen 40 Prozent von Libra an die privaten Ölmultis Shell und Total, die Chinesen halten nur zwanzig Prozent, damit sind diese Bedenken zerstreut. Präsidentin Rousseff verfolgte die Versteigerung in ihrem Büro am Fernseher, sie hat das Ereignis zu einer der wichtigsten Entscheidungen ihrer Amtszeit erklärt. Ob sich ihre Hoffnungen in den Schatz aus dem Meer erfüllen, hängt jedoch von Faktoren ab, die sie kaum beeinflussen kann: Die USA werden voraussichtlich schon bald von Ölimporten unabhängig sein, sie setzen auf das umstrittene Fracking, die Gasgewinnung aus Schiefer. In Europa verdrängen in den kommenden Jahrzehnten Elektroautos die Benzinmotoren, dort dürfte die Nachfrage nach Öl ebenfalls zurückgehen. Wenn der Ölpreis dauerhaft fällt, könnte der Traum vom Tiefsee-Öl platzen: Die Förderung ist so teuer, dass sie sich nur bei hohen Preisen lohnt."

Quelle: J. Glüsing, www.spiegel-online.de, 21.10.2013

M2   Brasiliens Rohstoffversteigerung

Klausurtraining: Texte – Lieferanten wichtiger Basisinformationen

Auch Texte können zu den Materialien einer Klausur gehören, seien es Fachtexte oder Texte aus Zeitungen und Zeitschriften. Sie geben wichtige Basisinformationen oder stellen Meinungen dar – oder beides. Nicht selten sind Texte ein Gemisch aus Informationen und Meinungen. Dies aus dem Text herauszufiltern, ist nicht immer ganz einfach – aber notwendig, um selbst zu einem Urteil zu gelangen.

Zu fragen ist:
■ Um welche Textsorte handelt es sich (z. B. Nachricht, Lexikoneintrag, Kommentar, Interview)?
■ Werden neben Sachaussagen auch Meinungen und Wertungen deutlich?
■ Was sind die Absichten der Autoren? Welche Absicht verfolgt der Text (Information oder Manipulation)?

Grundbedingung für jede Beschäftigung mit Texten ist sehr genaues Lesen:
Lesen Sie den Text zunächst einmal durch, um einen Überblick über die vermittelten Inhalte zu gewinnen. Klären Sie dann Ihnen nicht bekannte Termini.

Beginnen Sie nun mit der eigentlichen Textauswertung. Dies geschieht natürlich unter der Leitfrage der Klausur. Auf folgende Aspekte sollten Sie dabei eingehen:

1. SCHRITT
Klärung von Autor und Thema
→ *Wann und wo ist der Text erschienen? Wer ist Autorin oder Autor?*
→ *Um welche Textsorte handelt es sich?*
→ *Über welchen Raum, über welche Zeit wird berichtet?*
→ *Was ist das zentrale Thema?*

2. SCHRITT
Herausarbeiten der zentralen Begriffe, der Kernaussagen und der Textstruktur
→ *Ist der Text durch Zwischenüberschriften gegliedert?*
→ *Welches sind die Schlüsselbegriffe und Kernaussagen?*
→ *Gibt es eine Argumentationsstruktur (Erstellen Sie gegebenenfalls eine Strukturskizze)? Ist die Argumentation sachlich?*
→ *Werden Wertungen vorgenommen oder Meinungen geäußert?*

3. SCHRITT
Einordnung in einen größeren Sachzusammenhang
→ *In welchem Sachzusammenhang ist der Text zu sehen?*
→ *Ergänzt der Text Bekanntes oder steht er dazu im Widerspruch?*

4. SCHRITT
Bewertung und Fazit
→ *Welche Ziele verfolgt der Text?*
→ *Was ist Information, was ist Meinung?*
→ *Wie ist der Text vor dem Hintergrund Ihres (Fach-)Wissens zu bewerten?*

Textauswertung unter der (zuvor formulierten) Leitfrage der Klausur

Brasiliens Vorhaben, Erdöl in bisher nicht bekannten Meerestiefen des Atlantiks zu fördern – ist damit die touristisch weltbekannte Küstenregion in Gefahr?

1. Klärung von Autor und Thema
→ **Autor:** Jens Glüsing, Journalist für das Wochenmagazin „Der Spiegel" am 21.10.13 Textsorte: Bericht. Es ist ein beschreibender Text (deskriptive Quelle), so wie es der Autor sieht, er kann der Wirklichkeit entsprechen, aber auch subjektiv gefärbt ausfallen.
→ **Raum:** Lage des Fundortes ca. 200 km südöstlich von Rio de Janeiro im Südatlantik; Zeit: 2013, aktuell.
→ **Zentrales Thema:** Erdölförderung im Südatlantik: Brasiliens Streben nach Spitzenstellung.

2. Herausarbeiten der zentralen Begriffe, der Kernaussagen und der Textstruktur
→ **Gliederung:** keine
→ **Schlüsselbegriffe und Kernaussagen:** Tiefseevorkommen, Rohöl-Versteigerung. Investitionen für die Hebung ca. 130 Mrd. Euro. Die für die Förderung notwendige Spitzentechnologie noch nicht entwickelt. Hinweis auf das große Umweltrisiko für die sehr dicht besiedelten Küstenabschnitte und die Fauna und Flora. Brasiliens Gier nach dem Energie-Rohstoff und sein Ziel nach Spitzenstellung. Kritik am Versteigerungsverfahren der Förderlizenzen, weil es nur ein Anbieter-Konsortium gab: Brasilianische halbstaatliche Petrobras, Shell, Total, zwei staatliche chinesische Konzerne. Vergabe zu einem sehr günstigen Preis (Schnäppchen). Widerstände in der Bevölkerung. Regierung sieht den Vorteil in der Abwehr von fremdstaatlichen Unternehmen (insbesondere China), Erfolg der Förderung abhängig vom Ölpreis.

3. Einordnung in den größeren Zusammenhang
→ **Verweise auf folgende Zusammenhänge wären denkbar:**
■ Verlängerung des fossilen Energie-Zeitalters durch Erschließung neuer Lagerstätten mit neuartiger Technik
■ Verweis auf Umweltgefahren in ähnlich gelagerten Fällen, z. B. Deepwater Horizon oder andere Strategien Brasiliens zur Energiegewinnung, z. B. Großprojekte Wasserkraft usw.

4. Bewertung und Fazit
→ **In erster Linie ist Ziel des Textes:** Information über das brasilianische Vorhaben der Erdölförderung im Südatlantik. Aber auch die Meinung des Autors wird deutlich bei der Darlegung der Faktoren, die den Ölpreis beeinflussen könnten.
→ **Entwickeln Sie nun Ihre eigene Meinung,** indem Sie zu den von Ihnen herausgearbeiteten Sachaussagen Ihre eigene Position darstellen. Formulieren Sie ein abwägendes differenziertes Gesamturteil mit Bezug auf die Leitfrage (unter Einbeziehung aller bearbeiteten Materialien).

M4 Die verschiedenen Schritte der Textauswertung

VI Regenerative Energien

Realistische Alternative für den Energiehunger der Welt?

Badegäste der „Blauen Lagune" auf Island, einer natürlichen Lavasenke, gefüllt mit zwei Dritteln Salzwasser und einem Drittel Süßwasser. Im Hintergrund ein Geothermiekraftwerk.

Regenerative Energien auf dem Vormarsch

Sonne, Wind und Wärme – Welche Möglichkeiten gibt es?

Der Energieverbrauch nimmt mit dem wirtschaftlichen Wachstum zu. In Zukunft werden auch Entwicklungs- und Schwellenländer ihren Energieverbrauch deutlich erhöhen. Fossile Energieträger sind jedoch nur zeitlich begrenzt nutzbar und ihre Verwendung forciert den Klimawandel. Daher gewinnen regenerative Energien immer mehr an Bedeutung.

Deutschland hat den Ausstieg aus der Nutzung der Kernenergie beschlossen und den Schritt hin zu einer verstärkten Nutzung regenerativer Energien begonnen. Dieser Prozess erhielt die Bezeichnung Energiewende. Er könnte wegweisend für andere Länder sein. Doch stellt sich die Frage, ob die Nutzung regenerativer Energien einen Beitrag zum nachhaltigen Ressourcen- und Umweltschutz leisten kann. Um dies beurteilen zu können, müssen Möglichkeiten und Grenzen der Nutzung regenerativer Energien sowie das globale, sehr unterschiedliche energetische Potenzial erörtert werden.

In diesem Kapitel geht es darum, dieses Potenzial zu analysieren und zu bewerten, was regenerative Energien in Bezug auf die Energieversorgung bieten. Die räumlichen Voraussetzungen und Auswirkungen der Nutzung regenerativer Energien sollen erörtert werden. Damit wird eine Grundlage geschaffen, um eine sachlich begründete Stellungnahme zur zukünftigen Bedeutung der regenerativen Energien für die Energieversorgung abgeben zu können. Dabei werden sowohl wirtschaftliche Interessen als auch die Erfordernisse des Klimaschutzes berücksichtigt.

M2   Biogasanlage

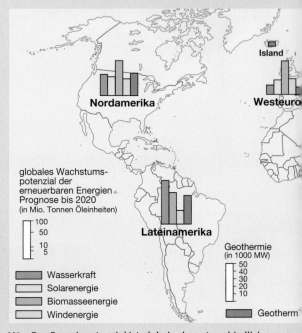

globales Wachstumspotenzial der erneuerbaren Energien
Prognose bis 2020
(in Mio. Tonnen Öleinheiten)

100
50
10
5

Wasserkraft
Solarenergie
Biomasseenergie
Windenergie

Geothermie
(in 1000 MW)
50
40
30
20
10

Geotherm

M3   Das Energiepotenzial ist global sehr unterschiedlich

M1   Windräder (3D-Modell)

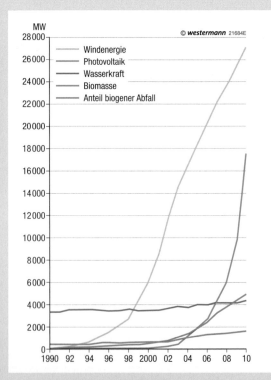

© westermann 21684E

Windenergie
Photovoltaik
Wasserkraft
Biomasse
Anteil biogener Abfall

M4*   Installierte Leistung zur Stromerzeugung aus regenerativen Energien in Deutschland seit 1990

M5 Solaranlage

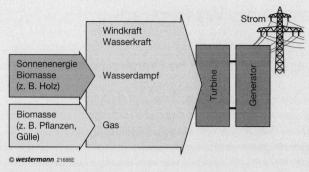

M7 Energieumwandlung

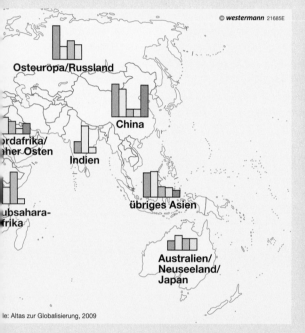

M8 Geothermieanlage

M6 Staudamm (Möhnestausee, NRW)

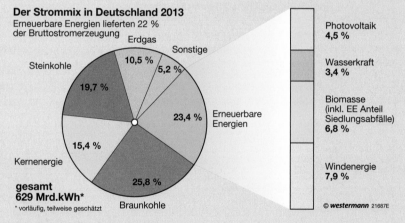

M9 Anteil der regenerativen Energien an der Stromversorgung in Deutschland

---

1. Mittels einer Mindmap kann ein Thema strukturiert werden. Erstellen Sie mithilfe der Materialien eine Mindmap zum Thema regenerative Energien (M1/ M2/ M5 – M8).
   Ergänzen Sie jeweils Nebenäste zu den fünf Hauptästen (Wind, Geothermie, Wasser, Solar, Biomasse) und verwenden Sie die Mindmap als Strukturhilfe bei der Bearbeitung des Kapitels.
2. Notieren Sie Ihre Vermutungen zu räumlichen Voraussetzungen für die in der Mindmap genannten Beispiele regenerativer Energien.
3. Analysieren Sie die Entwicklung und aktuelle Bedeutung regenerativer Energien an der Energieversorgung von Deutschland (M4/ M9).
4. Stellen Sie in einer Tabelle zusammen, welche regenerativen Energien in Ihrer Schulumgebung und in der Umgebung Ihres Wohnorts genutzt werden.

Nutzung der Wasserkraft

Norwegen – Idealregion zur Energieproduktion?

„Norwegen, das faszinierende Land der Trolle, Fjorde und der Mittsommer-nacht, das Land der begeisternden Gletscher, Gipfel und Hochebenen und der interessanten Städte Oslo, Bergen oder Stavanger. Reine Luft, sauberes Wasser und unendlich viel Natur erwarten Sie."
Dies liest man in einer Werbung für Touristen. Was aber vor allem Energie-Experten sehen, wenn sie Norwegen betrachten, ist das Potenzial, das die Landschaft für die Energiegewinnung aus Wasserkraft bietet.

1. Erklären Sie die Energieerzeugung in Pumpspeicherkraft-werken und stellen Sie die notwendigen Voraussetzungen für die Nutzung der Wasserkraft durch diese Technik heraus (M5/ M7, → Definitionen).
Ⓦ 2. Analysieren Sie das Potenzial in Norwegen für die Nutzung der Wasserkraft (M1 – M4/ M7).
   A Fassen Sie Ihre Ergebnisse in einem Bericht zusammen.
   B Stellen Sie Ihre Ergebnisse grafisch dar.
3. Erörtern Sie die Möglichkeiten und Grenzen der Nutzung der Wasserkraft in Norwegen für die Energieversorgung Europas (M6).
4. Bewerten Sie, ob Strom aus Wasserkraft für den Energie-hunger Europas eine Lösung darstellen kann. Berücksichti-gen Sie dabei, welche Standorte in Europa sich außer Norwegen für Pumpspeicherkraftwerke eignen könnten.
Ⓩ 5. Die installierte Gesamtleistung von Wasserkraftwerken in Deutschland liegt bei rund 4 720 Megawattstunden, die der Schweiz bei rund 35 830 Gigawattstunden. Begründen Sie den Unterschied (Atlas).
6. Recherchieren Sie zur Nutzung der Wasserkraft in Lauf-wasserkraftwerken oder Gezeitenkraftwerken und bereiten Sie ein Referat vor.

→ Fjord, Pumpspeicherkraftwerk, Reliefenergie

Norwegen besitzt Hunderte von Wasserkraftwerken. Das Land pro-duziert seinen Strom zu 98 Prozent aus Wasserkraft und kann noch Energie exportieren. [...]
Die Deutsche Umwelthilfe geht davon aus, dass das Potenzial Nor-wegens ausreicht, um den erneuerbaren Strom in Deutschland für eine Vollversorgung aus erneuerbaren Energien schon heute sicherzustellen. Und Norwegens Wasser kann noch mehr. Theoretisch könnte norwegische Wasserkraft den Strom von 60 europäischen Atomkraftwerken ersetzen. [...] Vor allem Leitungen durch die Nordsee sind dafür nötig und der Zugang zum Stromnetz. [...]
Und noch ein Plus: Mithilfe von Seekabeln könnte der überschüssige Strom aus der deutschen Windenergie nach Norwegen geleitet und dort in Wasserkraft umgewandelt werden. Bei Bedarf kann dann dieser Strom jederzeit nach Deutschland zurückfließen.
[...] Der Aufbau von Energiespeichersystemen ist notwendig, um Spitzenlasten abzufangen und das Energieangebot bedarfsgerecht zu steuern. Norwegen könnte somit eine Art Batterie für ganz Europa werden.
Quelle: G. Rehsche, ee-news.ch, 11.10.2010

M3 Norwegens Potenzial als Stromversorger für Deutschland und Europa

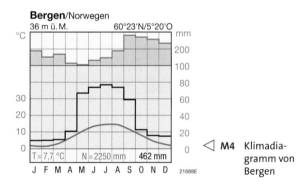

◁ **M4** Klimadiagramm von Bergen

M2 Informationen zur Bevölkerung und Stromversorgung in Norwegen ▷

Norwegen

Bevölkerung (2013)	5 063 709
Bevölkerungsdichte	13 Einw./ km²
Stromversorgung aus Wasserkraft	98 %

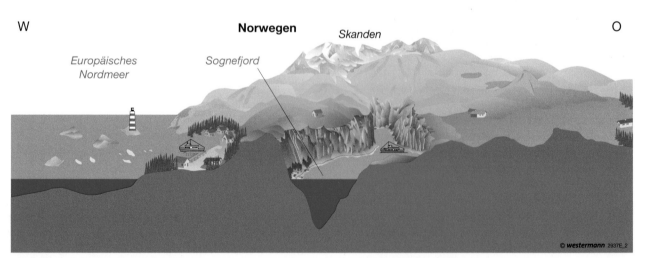

M1 West-Ost-Profil durch Norwegen

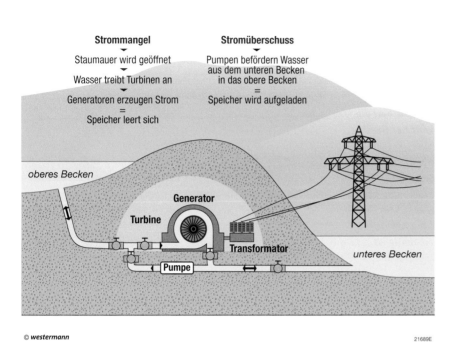

Strommangel
▼
Staumauer wird geöffnet
▼
Wasser treibt Turbinen an
▼
Generatoren erzeugen Strom
=
Speicher leert sich

Stromüberschuss
▼
Pumpen befördern Wasser
aus dem unteren Becken
in das obere Becken
=
Speicher wird aufgeladen

oberes Becken

Generator

Turbine

Transformator

unteres Becken

Pumpe

© westermann   21689E

M5* Schema eines Pumpspeicherkraftwerks

→ Pumpspeicherkraftwerk
Pumpspeicherwerke sind Wasserkraft-anlagen, die über zwei Speicherseen auf unterschiedlicher Höhe verfügen. Die Kraft des fallenden Wassers wird zur Stromge-winnung genutzt. Ein Teil des gewonnenen Stroms wird dazu verwendet, das Wasser wieder in den oberen See zu pumpen. Ein Vorteil ist, dass das Wasser im oberen See gespeichert wird und jederzeit zur Ver-fügung steht. Allerdings kann das Pump-speicherkraftwerk nur so lange Strom lie-fern, bis das obere Becken leer ist. Da beim Ablassen und Hochpumpen Wasserverluste entstehen, ist ein geregelter Wasserzufluss aus Flüssen notwendig.

→ Reliefenergie
Die Leistung eines Pumpspeicherkraftwerks hängt von der Reliefenergie ab, das heißt von der Differenz zwischen höchstem und tiefstem Punkt und der Hangneigung. Je größer die Reliefenergie ist, desto größer ist die Kraft des fallenden Wassers.

Kabelprojekt Nord.Link: Die Nordsee-Stromautobahn kommt

Stromnetze aller Länder, vereinigt euch! Ein 1400-Megawatt-Kabel wird ab dem Jahr 2018 Deutschland und Norwegen verbinden. Beide Staaten haben sich auf das Milliar-denprojekt geeinigt. Es soll Wasserkraftwer-ke im hohen Norden zum Zwischenspei-cher für deutschen Solar- und Windstrom machen. [...]
Wann immer die geplanten Offshore-Wind-parks in der Nordsee zu viel Strom für das Netz in Deutschland produzieren, könnte die überschüssige Energie nach Norwegen fließen – und dort Elektrogeräte antreiben oder in Pumpspeichern gepuffert werden. Auch überschüssiger Solarstrom könnte so
Quelle: C. Seidler, www.spiegel.de, 21.06.2012

sinnvoll genutzt werden.
Allein fehlten für diese kühne Vision bisher die technischen Voraussetzungen.
Nun scheint ein erster Schritt gemacht. Die Regierungen beider Staaten [Norwegen und Deutschland] haben sich grundsätzlich auf den Bau eines Kabels am Boden der Nordsee geeinigt. [...]
Demnach soll die 600 Kilometer lange Ver-bindung namens Nord.Link bis zum Jahr 2018 zwischen dem Süden Norwegens und Schleswig-Holstein entstehen. Mit Hoch-spannungs-Gleichstrom-Übertragung (HGÜ) sollen 1400 Megawatt jeweils in eine Rich-tung fließen. [...] Doch wenn die Nordsee-

Stromautobahn tatsächlich die hohen Er-wartungen einlösen soll, müssen auch an Land die Stromnetze ausgebaut werden. Und das ist in Deutschland wie in Norwegen gleichermaßen schwierig. [...]
Doch auch in Norwegen gibt es sie, die Wut-bürger. In der Gegend am Hardanger-Fjord sah sich das Unternehmen massiven Pro-testen von Anwohnern und Umweltschüt-zern ausgesetzt. Die hatten wenig Interesse an hässlichen neuen Freileitungen in der Landschaft – und schon gar nicht, um da-mit womöglich überschüssige Energie vom europäischen Festland zu speichern.

M6 Zeitungsartikel

▪ Überflutung ökologisch bedeutsamer Gebiete durch Aufstauen des Wassers
▪ Ausbleiben des Frühjahrshochwassers zur Zeit der Schneeschmelze und die saisonale Verlagerung des maximalen Wasserstands in das Winterhalb-jahr für die unterhalb gelegenen Flussabschnitte
▪ Versandungsprozesse im Stausee
▪ Beeinflussung der winterlichen Vereisung auf und um angestaute Gewässer und die Abflüsse
▪ Veränderung von Wassertemperatur und Luftfeuchtigkeit

M7 Damm eines Wasserkraftwerks in Norwegen

M8 Ökologische Folgewirkungen

Nutzung der Wasserkraft

Brasilien – Wasserkraft mit Schwierigkeiten?

Brasilien gehört zu den Ländern mit den größten Wasserkraftwerken der Erde. Für die wirtschaftliche Entwicklung des Schwellenlands ist die Energiegewinnung von entscheidender Bedeutung. In den Wasserkraftressourcen des Landes sieht die brasilianische Regierung ihre Chancen, doch ist die wirtschaftliche Entwicklung auf der Grundlage der Wasserkraft nachhaltig?

1. Analysieren Sie die Voraussetzungen für die Nutzung der Wasserkraft zur Stromgewinnung in Amazonien (M9, Atlas).
2. Erläutern Sie die Gründe für Proteste der Bevölkerung gegen den geplanten Belo-Monte-Staudamm (M1/ M3/ M6).
3. Erörtern Sie, ob die wirtschaftliche Entwicklung Amazoniens durch die Nutzung der Wasserkraft nachhaltig ist. Gehen Sie dabei auf die ökonomische, ökologische und soziale Dimension ein (M1/ M3 – M6/ M8).
Ⓩ 4. Der am Fluss Kongo geplante Grand-Inga-Staudamm wird alle bisherigen Bauten dieser Art übertreffen. Mit einer Leistung von 40 000 Megawatt wird er fast doppelt so groß werden wie der gigantische Drei-Schluchten-Staudamm in China. Die Hälfte des afrikanischen Kontinents soll durch das Wasserkraftwerk mit Strom versorgt werden. Untersuchen Sie die Voraussetzungen für die Nutzung der Wasserkraft am Kongo und am Jangtsekiang in China (Atlas).

→ indigene Bevölkerung, Klima, Sedimentation, Treibhausgas

M2   Der Tucuruí-Staudamm

- Vermehrung der Mücken und der Wasserschnecke, daher Ausbreitung von Krankheiten wie Malaria und Wurmkrankheiten
- Sedimentation im See, daher Beeinträchtigung der Kraftwerksleistung
- hoher Säuregrad des Wassers infolge der Zersetzung der Biomasse, daher Korrosionsschäden an den Turbinen des Kraftwerks
- Beeinträchtigung der Fischerei und Landwirtschaft flussabwärts, veränderte Lebensbedingungen

M3   Auswirkungen des Staudamms und des Stausees

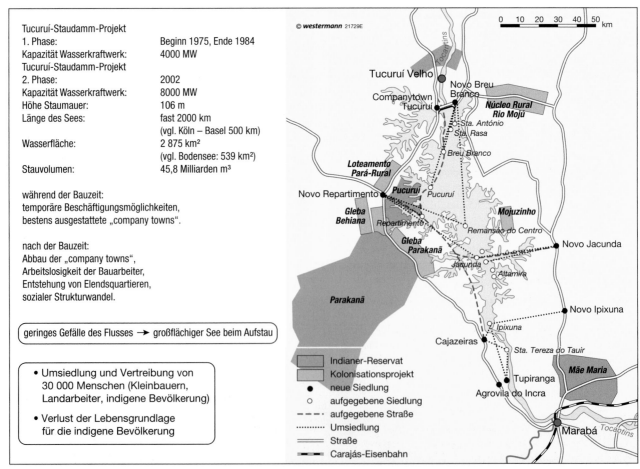

Tucuruí-Staudamm-Projekt
1. Phase: Beginn 1975, Ende 1984
Kapazität Wasserkraftwerk: 4000 MW
Tucuruí-Staudamm-Projekt
2. Phase: 2002
Kapazität Wasserkraftwerk: 8000 MW
Höhe Staumauer: 106 m
Länge des Sees: fast 2000 km
                                   (vgl. Köln – Basel 500 km)
Wasserfläche: 2 875 km²
                                   (vgl. Bodensee: 539 km²)
Stauvolumen: 45,8 Milliarden m³

während der Bauzeit:
temporäre Beschäftigungsmöglichkeiten,
bestens ausgestattete „company towns".

nach der Bauzeit:
Abbau der „company towns",
Arbeitslosigkeit der Bauarbeiter,
Entstehung von Elendsquartieren,
sozialer Strukturwandel.

geringes Gefälle des Flusses → großflächiger See beim Aufstau

- Umsiedlung und Vertreibung von 30 000 Menschen (Kleinbauern, Landarbeiter, indigene Bevölkerung)
- Verlust der Lebensgrundlage für die indigene Bevölkerung

M1*   Informationen zum Tucuruí-Staudamm-Projekt

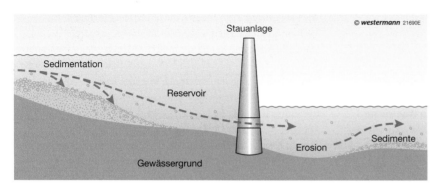

M4　Sedimentation im Stausee

M7　Lage von Tucuruí und Belo Monte

M5 *Bürgerprotest gegen das Staudamm-Projekt Belo Monte*

Die aufgestauten Wassermassen haben den Regenwald einfach überflutet. Eine Rodung erschien damals zu teuer.

Seither fault die Biomasse im Wasser. Diese Fäulnisbildung bei der anaeroben Zersetzung der Bäume hat ökologische und auch technische Probleme hervorgerufen. Es entstanden giftige Gase, die zum Fischsterben führten. Zudem führt die Zersetzung der Biomasse zur Entwicklung von erheblichen Mengen Methangas. Methan ist ein stark wirkendes Treibhausgas.

Trotz dieser negativen Folgen sind weitere Staudammprojekte vorgesehen. Das neueste Staudammprojekt wird jetzt am Rio Xingu, einem Nebenfluss des Amazonas, gebaut. Der fast 2 000 Kilometer lange Xingu-Fluss soll aufgestaut werden. Belo Monte, so der Name des gigantischen Vorhabens, lässt schwerwiegende ökologische und soziale Probleme erwarten. Am Rio Xingu leben über 14 000 Ureinwohner, die mehr oder weniger stark von dem Projekt betroffen sind.

Mit einer Leistung von 11 000 Megawatt soll das Wasserkraftwerk der drittgrößte Staudamm der Welt werden. Insgesamt soll eine Fläche von 500 Quadratkilometern am Xingu-Fluss überschwemmt werden. Nach Angaben der Regierung müssen 16 000 Menschen dafür ihre Heimat verlassen. Umweltschützer warnen vor irreparablen Schäden am Ökosystem. 2 824 km² wurden für den Staudamm Belo Monte enteignet.

Nach: www.amazonas.de und www.n24.de

M6　Neues Staudamm-Projekt Belo Monte trotz negativer Folgen in Tucuruí

Der Schaden, den die Zerstörung der Regenwälder im labilen Wasser- und Energiehaushalt der Erde anrichtet, ist bedrohlich. Wie in einer gigantischen Klimamaschine werden allein in der Amazonas-Region jährlich zwölf Billionen Kubikmeter Regenwasser umgewälzt – mehr als durch den Rhein in 150 Jahren in die Nordsee fließt. Weil die Blattoberfläche der dichten Vegetation die Bodenfläche um das Fünfzehnfache übertrifft, können die Pflanzen fast drei Viertel der gesamten Niederschläge festhalten und wieder in die Atmosphäre verdampfen. Solcherart schaffen sich die Wälder die Feuchtigkeit und die Temperatur selbst, die sie zum Überleben brauchen. Gleichzeitig funktionieren sie als riesige Wasserspeicher, die Trockenzeiten überbrücken, Überschwemmungen verhindern und auch Regionen weitab von den Wäldern noch mit Niederschlägen und Flusswasser versorgen. [...]

Den bevorstehenden Umwelt-Kollaps Amazoniens beschleunigen Brasiliens Entwicklungsplaner noch mit der Errichtung von riesigen Wasserkraftwerken [...].Beim Tucurui-Stauwerk beispielsweise [...] setzte der staatliche Elektrokonzern Eletronorte ein Waldgebiet von der Größe des Saarlandes unter Wasser.

Nach: Der Spiegel, 9/1989

M8　Auswirkungen auf das Klima

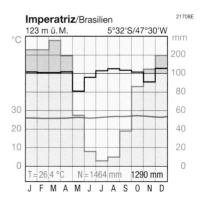

M9　Klimadiagramm von Imperatriz

Energie aus der Sonne – Solarenergie

Das Kraftwerk an der Autobahn und auf dem Dach

Die größte Energiequelle in unserem Sonnensystem ist die Sonne. Mit der Energie, die sie liefert, könnten alle Energieversorgungsprobleme der Welt gelöst werden, denn trotz des Energieverlusts auf dem Weg bis zur Erdoberfläche ist die Energiemenge mehr als fünftausend Mal so groß wie der Energiebedarf der Menschen weltweit. Warum wird diese Energiequelle nicht stärker genutzt?

1. Solarkraftwerke wie das in Hardenberg (M8) sieht man immer häufiger auch an Autobahnen. Erläutern Sie, wodurch sich diese Kraftwerke von den „Kraftwerken auf dem Dach" unterscheiden (M2/ M4/ M5/ M8).

2. Beschreiben und begründen Sie die Verteilung der Solar-Anlagen (Photovoltaik) in Deutschland (M6, Atlas).

3. Begründen Sie die Standortwahl für das Solarkraftwerk in Brandenburg (M6/ M8).

Ⓦ 4. Erörtern Sie die Möglichkeiten einer verstärkten Nutzung der Solarenergie in Deutschland für die zukünftige Energieversorgung (M3/ M9/ M10).

   A Argumentieren Sie aus der Perspektive der Bundesregierung.

   B Vertreten Sie Ihren eigenen Standpunkt.

Ⓩ 5. Untersuchen Sie mithilfe einer Atlaskarte die Eignung Ihres Schulorts als Standort für ein Solarkraftwerk.

6. Recherchieren Sie, welche Möglichkeiten und Grenzen Aufwindkraftwerke für die Energieversorgung Deutschlands bieten (Internet).

→ Erneuerbare-Energien-Gesetz (EEG), Photovoltaik, Solarthermie

Das Bundesamt für Wirtschaft und Ausfuhrkontrolle fördert Solaranlagen auf bereits errichteten und genutzten Gebäuden, im Bereich der Innovationsförderung auch auf Neubauten, durch finanzielle Zuschüsse.
www.bafa.de

M1   Fördermittel für Solaranlagen

Die Sonne liefert doch Energie, die unbegrenzt verfügbar ist. Warum wird diese Energiequelle nicht stärker genutzt?

Die Sonnenenergie kann nur genutzt werden, wenn die Sonnenstrahlung auf die Solaranlage trifft, also nicht nachts. Außerdem ist die Effizienz davon abhängig, wie viel Energie auf dem Weg zum Erdboden verloren geht. Ein weiteres Problem ist, dass man die Sonnenenergie nicht speichern kann. Auf einen schwankenden Energiebedarf kann nicht reagiert werden.

Es muss doch technische Möglichkeiten geben, die Energie zu speichern.

Ja, wenn Sie einen Heißwasserkessel nehmen, dann können Sie die Sonnenenergie sozusagen im heißen Wasser speichern, aber das ist auch nur bedingt möglich und es gibt natürlich Energieverluste. Solaranlagen sind klimaschonend, es gibt keine klimaschädlichen Emissionen. Das ist doch sehr positiv!

Sie müssen aber auch bedenken, dass bei der Produktion der Solarmodule Energie, Wasser und Chemikalien benötigt werden.

Außerdem möchte ich auf die höheren Kosten für die Stromgewinnung hinweisen. Die Mehrkosten muss der Verbraucher tragen. Das ist durch das Erneuerbare-Energien-Gesetz geregelt. Wenn Sie die Effizienz durch Großanlagen erhöhen wollen, brauchen Sie große Flächen. Da kann es auch schon mal zu Nutzungskonflikten kommen.

M3   Fiktives Interview zu den Vor- und Nachteilen der Nutzung der Sonnenenergie

→ Erneuerbare-Energien-Gesetz (EEG)

Das Erneuerbare-Energien-Gesetz (EEG) besagt, dass Strom aus erneuerbaren Energien bevorzugt ins Netz eingespeist werden darf. Es garantiert den Stromerzeugern feste Einspeisevergütungen.
Quelle: www.bafa.de, 2012

	Primärenergie	Umwandlung durch	Sekundärenergie	vorrangige Nutzung
Wärme	Wärmestrahlung	Solarthermie Sonnenkollektor	warmes Wasser	Heizwärme, Brauchwasser
	Licht	Photovoltaik + Fotoelement	elektrischer Strom	Heizwärme, Licht, mechanische Energie

© *westermann*   21693E

M4*   Solarenergie: Gewinnung und Nutzung

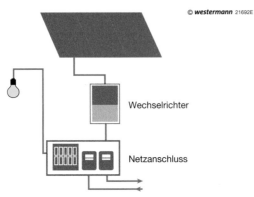

© *westermann* 21692E

M2   Funktionsweise einer Photovoltaik-Anlage. Der Gleichstrom wird im Wechselrichter in Wechselstrom umgewandelt. Die Anlage arbeitet auch bei bewölktem Himmel.

Wechselrichter

Netzanschluss

M5   Solarmodule (Photovoltaik) unten und Sonnenkollektoren (Solarthermie) oben

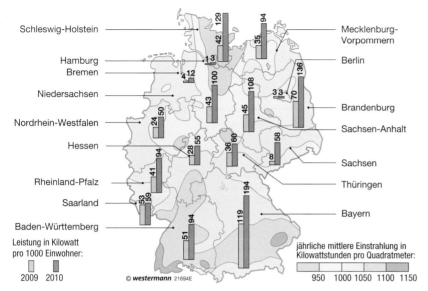

M6* Photovoltaik-Anlagen und Sonneneinstrahlung in Deutschland

Schleswig-Holstein
Hamburg
Bremen
Niedersachsen
Nordrhein-Westfalen
Hessen
Rheinland-Pfalz
Saarland
Baden-Württemberg

Mecklenburg-Vorpommern
Berlin
Brandenburg
Sachsen-Anhalt
Sachsen
Thüringen
Bayern

Leistung in Kilowatt pro 1000 Einwohner:
2009 2010

jährliche mittlere Einstrahlung in Kilowattstunden pro Quadratmeter:
950 1000 1050 1100 1150

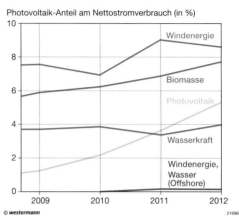

Photovoltaik-Anteil am Nettostromverbrauch (in %)

Windenergie
Biomasse
Photovoltaik
Wasserkraft
Windenergie, Wasser (Offshore)

2009 2010 2011 2012

M9 Anteil der Photovoltaik am Stromverbrauch in Deutschland

Brandenburg: Die richtige Position in Europa?

Strom für 48 000 Haushalte: Auf dem Flugplatz Neuhardenberg im Osten Brandenburgs ist in einer Rekordbauzeit von nur fünf Wochen ein Solarpark mit maximal 145 Megawatt Leistung installiert worden. Diese Stromerzeugung soll ausreichen, in Spitzenzeiten 48 000 Haushalte zu versorgen. Der Standort wird trotz des Photovoltaik-Kraftwerks weiter als Flugplatz genutzt.

Die Energieerzeugung erfolgt mithilfe des Prinzips der Photovoltaik. Bei schlechtem Wetter und in der Nacht sinken die real erzeugten Energiemengen drastisch bis gegen Null.

Für solch gigantische Photovoltaikprojekte wird es in Deutschlands künftig schwieriger werden, seitdem Projekte ab zehn Megawatt Leistung zukünftig nicht mehr gefördert werden. Vergleichbare Projekte konnten in Mittel- und Nordeuropa nur mithilfe einer intensiven Förderung betrieben werden, da der Energieertrag nur selten effizient ist.

M8 Solarkraftwerk Hardenberg in Brandenburg

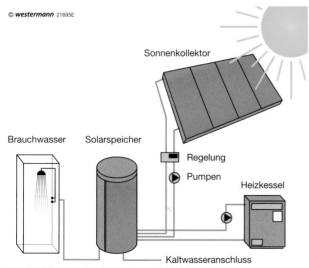

Sonnenkollektor
Brauchwasser   Solarspeicher
Regelung
Pumpen
Heizkessel
Kaltwasseranschluss

M7 Funktionsweise eines Sonnenkollektors

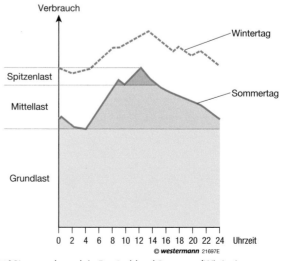

Verbrauch
Wintertag
Spitzenlast
Sommertag
Mittellast
Grundlast

0 2 4 6 8 10 12 14 16 18 20 22 24 Uhrzeit

M10* Stromverbrauch in Deutschland Sommer-/Wintertag

Energie aus der Sonne – Solarenergie

Auf der Spur des Archimedes

Archimedes war ein griechischer Mathematiker, Physiker und Ingenieur. Der Legende nach soll er die römische Flotte mithilfe von Brennspiegeln in Brand gesteckt haben. Studenten der University of Arizona haben 2005 erfolgreich mit 127 kleinen Spiegeln ein 30 Meter entferntes Modell einer Schiffswand entzündet. Die Idee, die Energie der Sonne zu nutzen, ist also nicht neu, aber die technischen Möglichkeiten sind natürlich erheblich verbessert worden.

1. Erklären Sie die Funktionsweise eines Parabolrinnen-Kraftwerks. Gehen Sie dabei auch auf die Voraussetzungen für die Nutzung der Sonnenenergie in diesen Kraftwerken ein (M2/ M3).
2. Begründen Sie vergleichend die Standorte der Photovoltaik-Anlagen und der Solarthermischen Kraftwerke in der EU-MENA-Region, die von der DESERTEC Foundation geplant sind (M1 – M4).
Ⓦ 3. Analysieren Sie das Solarprojekt in der MENA-Region (M2, M4, M5).
    A Verfassen Sie eine schriftliche Erörterung.
    B Stellen Sie Vor- und Nachteile in einer Tabelle zusammen.
4. Bewerten Sie die Möglichkeiten und Grenzen der Nutzung der Sonnenenergie zur Deckung des weltweiten Energiebedarfs (M6).
Ⓩ 5. In Südspanien bei Guadix befinden sich die größten Parabolrinnen-Kraftwerke Europas. Analysieren Sie die Standortbedingungen (M4, Atlas).
6. Stellen Sie die Solarkraftwerke Andasol in Spanien mithilfe eines Plakats oder in einem PowerPoint-Vortrag vor (Internet).

→ Desertec, MENA-Region, Parabolrinnen-Kraftwerk

M2   Parabolrinnen-Kraftwerk in Spanien

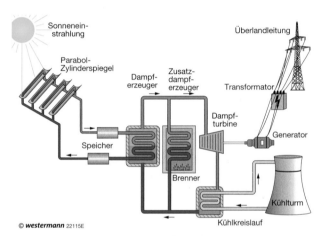

M3   Schema eines Parabolrinnen-Kraftwerks. Parabolrinnen-Kraftwerke sind solarthermische Kraftwerke. Wärmespeicher können einen Teil der Wärme tagsüber speichern, um sie bei Bedarf wieder abzugeben.

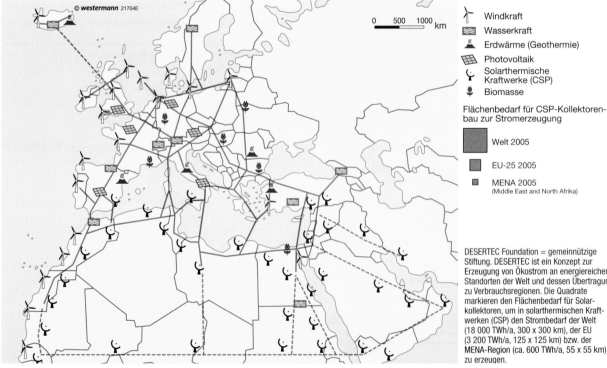

M1*   Desertec in der EU-MENA-Region (Planungen)

Windkraft
Wasserkraft
Erdwärme (Geothermie)
Photovoltaik
Solarthermische Kraftwerke (CSP)
Biomasse

Flächenbedarf für CSP-Kollektorenbau zur Stromerzeugung

Welt 2005

EU-25 2005

MENA 2005
(Middle East and North Afrika)

DESERTEC Foundation = gemeinnützige Stiftung. DESERTEC ist ein Konzept zur Erzeugung von Ökostrom an energiereichen Standorten der Welt und dessen Übertragung zu Verbrauchsregionen. Die Quadrate markieren den Flächenbedarf für Solarkollektoren, um in solarthermischen Kraftwerken (CSP) den Strombedarf der Welt (18 000 TWh/a, 300 x 300 km), der EU (3 200 TWh/a, 125 x 125 km) bzw. der MENA-Region (ca. 600 TWh/a, 55 x 55 km) zu erzeugen.

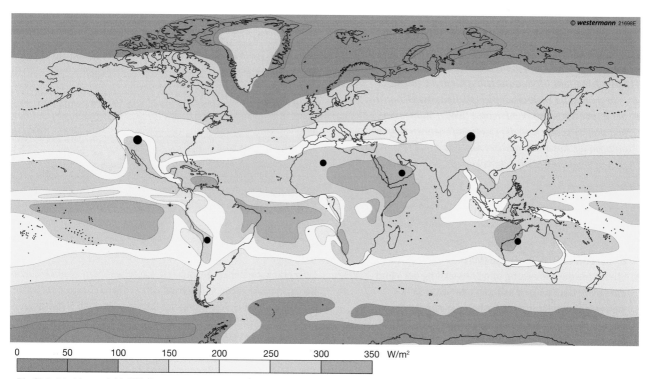

0   50   100   150   200   250   300   350   W/m²

Die Globalstrahlung wird in W/m² gemessen. Für Deutschland ergibt sich ein für Tag/Nacht, geographischer Breite, Sonnenschein/Bewölkung gemittelter Wert von 110 W/m². Die Farben in der Karte zeigen die örtliche Sonneneinstrahlung auf der Erdoberfläche, gemittelt über die Jahre 1991–1993 (24 Stunden am Tag, unter Berücksichtigung der von Wettersatelliten ermittelten Wolkenabdeckung). Dunkel gekennzeichnet sind die Flächen, die zur Deckung des derzeitigen Weltbedarfs an Primärenergie allein durch Solarstrom ausreichend wären.   Quelle: Matthias Loster, 2006.

M4   Weltweit verfügbare Sonnenenergie

„Dauernde sandige Passatwinde verschleißen das Material und erfordern viel Süßwasser zur Reinigung der Anlagen."
wirtschaft.t-online.de, 14.7.2010

„Wo kommt das Wasser her, mit dem die Solarkraftwerke gekühlt werden?"
Nicolai Kwasniewski in Spiegel Online, 3.4.2013

„Nur 20 Prozent der verwertbaren Sonnenenergie werden von desertec in Strom umgewandelt, davon gehen wiederum bis zu 15 Prozent beim Transport ins Stromnetz verloren."
ensys.tu-berlin, 9.7.2010

„Die Stromleitungen könnten zum Ziel terroristischer Angriffe werden."
Vattenfall-Chef Josefsson in Spiegel Online, 1.7.2009

„Die politische Abhängigkeit von politisch instabilen Regionen ist zu riskant."
Netzzeitung, 13.7. 2010

M5   Pressestimmen zum Desertec-Projekt in der MENA-Region

Marokkos König baut sein Land seit einigen Jahren um. Von oben und vorsichtig, damit seine Macht nicht in Gefahr gerät. Sein Prestigeprojekt: der ehrgeizigste Solarplan der Welt. Bis 2020 sollen in Marokko 42 Prozent der Energie aus Solar-, Wind- und Wasserkraftwerken kommen [...]. Rund 10 000 Hektar Solarfläche werden sich künftig auf fünf Standorte verteilen. [...]
Zusätzliches Geld soll in Wind- und Wasserkraft fließen – auch mithilfe internationaler Geldgeber. [...] In Ouarzazate im Süden des Landes legte der König im Frühjahr den Grundstein für das größte Solarkraftwerk der Welt.
Die Pläne machen klar: Der Wind beim Wüstenstromprojekt Desertec hat sich gedreht. War zum Start vor vier Jahren Europa die treibende Kraft, sind es in diesen Monaten die Länder Nordafrikas und des Nahen Ostens geworden. Hinter dem Ökogedanken steckt vielerorts knallhartes wirtschaftliches Kalkül. Weil es keine eigenen Lagerstätten von Öl, Gas oder Kohle besitzt, muss etwa Marokko rund 95 Prozent seines Energiebedarfs importieren – das meiste davon in Form von Steinkohle aus Südafrika. Angesichts des ständig steigenden Energiebedarfs der Region ein unhaltbar teurer Zustand. [...] Desertec gilt als das ehrgeizigste Erneuerbare-Energien-Projekt überhaupt. Bis 2050 sollen in Nordafrika und dem Nahen Osten Hunderte Ökokraftwerke gebaut werden, die zusammen den Strombedarf der Region fast vollständig decken – und dazu noch rund 15 Prozent des europäischen Verbrauchs.

Quelle: M. Balser, Süddeutsche Zeitung, 31.10.2013

M6   Auszug aus einem Zeitungsartikel

Mehr als eine Windmühle – Energie durch Windräder

Klimaschutz kontra Landschaftsschutz?

„Ein dynamischer und nachhaltiger Ausbau der Windenergie in der kommenden Legislaturperiode ist Voraussetzung für den Erfolg der Energiewende." So steht es im Positionspapier „Weiterentwicklung der Windenergie" des Bundesverbands WindEnergie (BWE). Mühlensyndrom, Disco-Effekt und Verspargelung der Landschaft nennen Gegner von Windkraftanlagen die Auswirkungen des Ausbaus der Windenergie. Steht der Klimaschutz dem Landschaftsschutz konträr gegenüber?

1. Begründen Sie die Wahl der Standorte für Windkraftanlagen in Deutschland (M2, Atlas).
Ⓦ 2. Erklären Sie die Funktionsweise einer Windkraftanlage
   A in Form eines Lexikoneintrags (M8),
   B in Form einer Kausalkette (M8).
3. Stellen Sie die Bedeutung und Entwicklung der Windenergie in Deutschland seit 1993 dar (M3/ M7).
4. Nehmen Sie Stellung zum Ausbau der Windkraftanlagen aus der Perspektive eines Mitglieds der Bürgerinitiative in der Vulkaneifel (M1/ M4/ M5/ M9).
5. Bewerten Sie die Möglichkeiten und Grenzen der Nutzung der Windenergie durch Onshore-Windkraftanlagen in Bezug auf Nachhaltigkeit. Untersuchen Sie dazu die drei Dimensionen der Nachhaltigkeit: Ökonomie, Ökologie, Soziales (M5/ M6/ M9, Atlas).
Ⓩ 6. Untersuchen Sie mithilfe einer Atlaskarte die Standorte der Windparks in Nordrhein-Westfalen und begründen Sie die Standortwahl.

→ installierte Leistung, Onshore-Windkraftanlage

M4   Windpark bei Dornum in Ostfriesland

Einschränkung der Lebensqualität von Anwohnern ist ein Problem bei Onshore Anlagen (Anlagen auf dem Festland). Sowohl der Schall, erzeugt durch die Bewegung der Rotoren, als auch Schattenwurf können die Lebensqualität der Anwohner einschränken. Dies hängt zusammen mit dem sogenannten nichthörbaren Infraschall mit Frequenzen unter 20 Hz. Schallquellen in diesem Frequenzbereich sind auch Gewitter, große Maschinen und Flugzeuge. Dieser Schall ist unter bestimmten Voraussetzungen gesundheitsschädlich und kann u. a. zu Schlaflosigkeit, Herzrhythmusschwächen und Sehstörungen führen. Allerdings sind die Schallpegel der WEAs lt. einschlägigen Untersuchungen zu gering bzw. lassen sich durch Abstand halten (> 100 m) leicht in den Griff bekommen.
Quelle: www.vde.com

M5   Auswirkungen der Onshore-Windkraftanlagen,

Giganten bekommen Gegenwind

Eine Bürgerinitiative in der Vulkaneifel wehrt sich gegen die geplanten Windräder

M1   Schlagzeile in der Tageszeitung

Niedersachsen	7 337 MW
Brandenburg	4 814 MW
Sachsen-Anhalt	3 810 MW
Nordrhein-Westfalen	3 182 MW
Schleswig-Holstein	3 571 MW

M2   Anteile der Bundesländer an der Windenergieproduktion

weblinks
▍ EEG Wind (Erneuerbare Energien Gesetz)
▍ Onshore Windenergie
▍ Spiegel Windenergie onshore
▍ Windräder Vulkaneifel

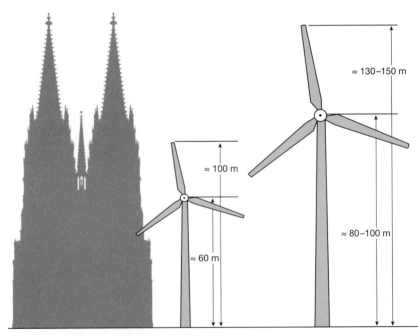

Kölner Dom	1996/1997	2002/2003
157 m	1000 KW – 1500 KW	2500 KW – 3500 KW

≈ 130–150 m
≈ 100 m
≈ 80–100 m
≈ 60 m

M3   Windräder werden immer höher

© *westermann* 21699E

Windgeschwindigkeit (m/s)	Allgemeine Wirkung über Land	Bedeutung für Windenergieanlage
0 – 0,2	Windstille „Rauch steigt senkrecht auf"	Windenergieanlage dreht sich nicht
1,6 – 3,3	leichte Brise „bewegte Baumblätter"	Windenergieanlage schaltet sich langsam an
6,5 – 7,9	mäßiger Wind „Baumzweige bewegen sich"	Windenergieanlage läuft konstant
10,8 – 13,8	starker Wind „große Bäume bewegen sich"	Windenergieanlage hat optimale Geschwindigkeit
20,8 – 24,4	Sturm „kleine Schäden an den Dächern"	Windenergieanlage schaltet sich ab

Quelle: Thomas Brühne, Praxis Geographie, Heft 9/2008, S. 13.

M6 Wann dreht sich das Windrad?

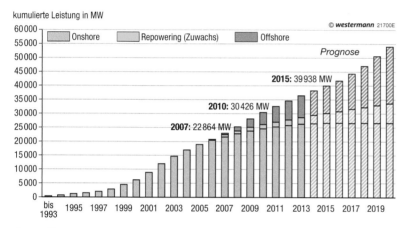

M7* Installierte Leistung der Windkraftanlagen in Deutschland
(= maximale Leistung der in den Kraftwerken installierten Generatoren)

Einige Einwirkungen auf die unmittelbare Umgebung lassen sich objektiv berechnen und sind durch zahlreiche Versuche verifiziert. Dies sind vor allem die Geräuschentwicklung, der Schattenwurf und mögliche Störungen von Funk- und Fernsehsignalen. Schwieriger quantifizierbar sind Auswirkungen auf die Tier- und Pflanzenwelt, da sie sich nur durch jahrelange Beobachtungen im Einzelfall nachweisen lassen. Am schwierigsten ist die zunehmend häufiger auftauchende Diskussion zur optischen Wirkung der Anlagen in der Landschaft, die nicht selten durch Polemik beeinflusst wird.
Quelle: www.springerprofessional.de

M9 Windräder in der Diskussion

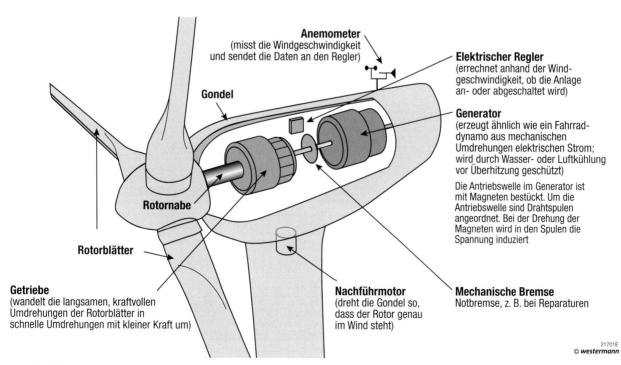

M8 So funktioniert ein Windrad

Mehr als eine Windmühle – Energie durch Windräder

Offshore-Windparks in der Diskussion

Die Windenergie gilt als unerschöpflich. Die besten Standorte für Windräder liegen dort, wo der Wind am stärksten und dauerhaft weht. Dies sind die Standorte im Meer vor der Küste. Offshore-Windkraftanlagen könnten daher einen noch größeren Beitrag zur Energieversorgung leisten, doch sie sind umstritten.

1. Beschreiben Sie, wie der Strom aus Offshore-Windkraftanlagen zu den Verbrauchern geleitet wird (M1/ M9).
2. Erläutern Sie die Problematik, die sich aus den Standorten der Offshore-Windkraftanlagen und den Standorten der Stromverbraucher ergibt (M4/ M8/ M9).
Ⓦ 3. Auf einer Bürgerversammlung wird der Netzausbau durch Ihren Wohnort diskutiert. Begründen Sie Ihren Standpunkt.
   A Sie vertreten den Standpunkt, dass die Hochspannungsleitung akzeptiert werden sollte.
   B Sie protestieren gegen den Verlauf der Hochspannungsleitung.
4. Beurteilen Sie die Bedeutung der Offshore-Windkraftanlagen mit Berücksichtigung ihres Versorgungspotenzials sowie ihrer Bedeutung für einen nachhaltigen Ressourcen- und Umweltschutz (M2/ M5/ M6).
Ⓩ 5. Stellen Sie in einer Kartenskizze den Stromtransport vom Offshore-Windpark Alpha Ventus nach Stuttgart dar. Markieren Sie bestehende Stromtrassen und Ausbaustrecken (M9).

→ Offshore-Windpark,
   ökologischer Rucksack

weblinks
❚ Protest Stromleitung
❚ Alpha Ventus
❚ Bard offshore

In der letzten Zeit hat sich eine hitzige Debatte bezüglich der Umweltverträglichkeit der Windenergie entfacht. Diese Diskussion ist sehr facettenreich und reicht von Themen der Landschaftszerstörung bis hin zu den negativen Auswirkungen auf die Fauna und die Lebensqualität von Anwohnern. Insbesondere sind die Auswirkungen auf die Tierwelt bei großen Offshore-Parks (Unterwasserlärm) noch in Erforschung. In mehreren Studien wurden die Umweltauswirkungen, speziell die Gefahr von Kollisionen zwischen Vögeln und Windkraftanlagen, untersucht. Ergebnis dieser Untersuchung war, dass an Land diese Gefahr vergleichsweise gering ist, wohingegen beim Bau von Offshore-Anlagen vor allem Hauptvogelzuglinien und Vogelrastplätze zu berücksichtigen sind. Sicherheitstechnische Probleme sind auch bei vom Kurs abgekommenen Schiffen möglich.
Quelle: www.vde.com

M2   Bericht des VDE

M3   Offshore-Windpark Alpha Ventus

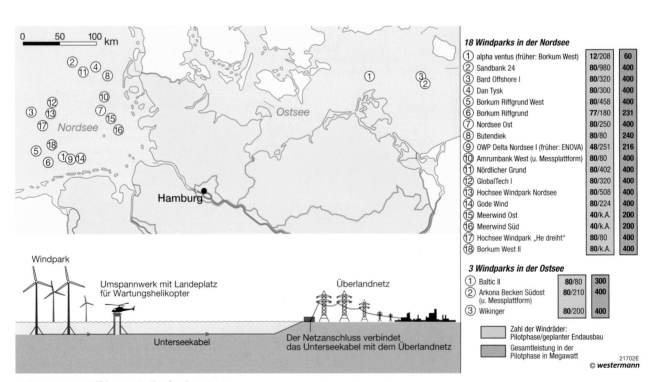

M1*   Strom aus Offshore-Windkraftanlagen

18 Windparks in der Nordsee

		Zahl der Windräder	Gesamtleistung MW
①	alpha ventus (früher: Borkum West)	12/208	60
②	Sandbank 24	80/980	400
③	Bard Offshore I	80/320	400
④	Dan Tysk	80/300	400
⑤	Borkum Riffgrund West	80/458	400
⑥	Borkum Riffgrund	77/180	231
⑦	Nordsee Ost	80/250	400
⑧	Butendiek	80/80	240
⑨	OWP Delta Nordsee I (früher: ENOVA)	48/251	216
⑩	Amrumbank West (u. Messplattform)	80/80	400
⑪	Nördlicher Grund	80/402	400
⑫	GlobalTech I	80/320	400
⑬	Hochsee Windpark Nordsee	80/508	400
⑭	Gode Wind	80/224	400
⑮	Meerwind Ost	40/k.A.	200
⑯	Meerwind Süd	40/k.A.	200
⑰	Hochsee Windpark „He dreiht"	80/80	400
⑱	Borkum West II	80/k.A.	400

3 Windparks in der Ostsee

		Zahl der Windräder	Gesamtleistung MW
①	Baltic II	80/80	300
②	Arkona Becken Südost (u. Messplattform)	80/210	400
③	Wikinger	80/200	400

Zahl der Windräder: Pilotphase/geplanter Endausbau
Gesamtleistung in der Pilotphase in Megawatt

21702E
© *westermann*

M4   Hochspannungstrasse in der Landschaft

M8   Bürgerprotest gegen den Ausbau des Leistungsnetzes

Windkraft kann nicht behaupten, sie sei umweltfreundlich. Windkraft ist eine teure alternative Energie. [...] Der „ökologische Rucksack" der Windkraft wäre zu ermitteln. Wie viel Energie ist verbraucht, bis der Rotor steht, von den Fahrten der Arbeiter zur Fabrik, über die Energie für Stahl und Beton bis zu dem Strom, den [die] Räder selbst verbrau-chen. Der Landschaftsverbrauch beim Wegebau, bei Strom-Zu- und Ableitungen, die Schäden durch die stehende und laufen-de Maschine [sind] hinzuzurechnen.

Eine Umweltverträglichkeitsstudie fehlt. Sie würde u. a. auch die Belastungen der Men-schen und ihrer Güter benennen. Die Lärm-teppiche für Wohnungen und Siedlungen, die Belästigungen in Erholungsgebieten, die Gefährdungen für Luft- und Straßenverkehr, die Schäden in der Natur für Tierwelt und Pflanzen. Natürlich ist auch [die Windkraft] nicht unumstritten und hat ihren ökolo-gischen Preis. Dennoch ist der ökologische Rucksack der Windkraft im Vergleich zu an-deren Energieträgern deutlich kleiner.

Quelle: B. Dahlbender, Landesvorsitzende des BUND, www.windkraftgegner-schwarzwald.de

M5   Meinung zur Nutzung der Windenergie

Der ökologische Rucksack ist ein Modell, das Wissenschaftler entwickelt haben, um die Belastung der Erde durch den Lebensstil und Konsum der Menschen darzustellen. Jedes Produkt hat demnach ein virtuelles Gewicht, das von der Gewinnung der Ressourcen bis zur Herstellung des Endprodukts entsteht. Je mehr Natur „verbraucht" wird, desto schwe-rer ist der ökologische Rucksack.

M6   Der ökologische Rucksack

Die Krise in der Offshore-Industrie geht wei-ter: Die Bard-Gruppe stellt ihren Betrieb ein. Das Pionierprojekt des größten deutschen Meereswindparks Bard Offshore 1 übernimmt eine neue Gesellschaft. Das Projekt mit 80 Anlagen rund 100 Kilometer nördlich von Bor-kum war Ende August 2013 eröffnet worden. Die Leistung von 400 Megawatt entspricht rechnerisch dem Jahresstrombedarf von mehr als 400 000 Haushalten. Mit weit über zwei Milliarden Euro Investitionskosten wur-de er jedoch deutlich teurer als geplant. Bard hatte zudem mit technischen Schwierigkei-ten beim Bau und mit schlechtem Wetter zu kämpfen. Die Eröffnung wurde um mehrere Jahre verschoben.

Quelle: Handelsblatt, 13.12.2013

M7   Die Offshore-Industrie

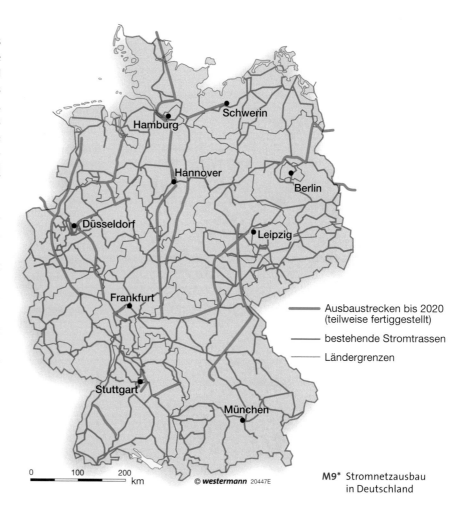

Ausbaustrecken bis 2020 (teilweise fertiggestellt)

bestehende Stromtrassen

Ländergrenzen

0   100   200 km

© *westermann* 20447E

M9*   Stromnetzausbau in Deutschland

Energielieferant Biomasse

Die Biogasproduktion in der Diskussion

Biogasanlagen schießen wie Pilze aus dem Boden. Ihre Anzahl hat sich in Deutschland stark vergrößert. Für viele Landwirte wird die Biogasproduktion zu einem zweiten Standbein. Die benötigte Biomasse sind nachwachsende Rohstoffe wie zum Beispiel Mais und Weizen, aber auch Gülle oder Nahrungsmittelreste. Allerdings hat Biogas bisher nur mit sechs Prozent Anteil (2011) an der Stromversorgung Deutschlands und die zukünftige Bedeutung von Biogas für eine nachhaltige Energienutzung ist umstritten.

1. Beschreiben Sie die Möglichkeiten der Nutzung von Biomasse zur Energieerzeugung sowie die zeitliche und strukturelle Entwicklung (M5/ M8/ M6/ M11).
2. Vergleichen Sie die Biogasproduktion auf dem Schöpcherhof mit der Biogasproduktion im Bioenergiepark Penkun in Bezug auf Leistung, Füllmaterial, Versorgungspotenzial und Auswirkungen auf den Raum (M4/ M3/ M7/ M10).
Ⓦ 3. Stellen Sie die räumlichen Voraussetzungen für die Biogasproduktion sowie die räumlichen Auswirkungen durch Biogasanlagen
   A in einem Wirkungsgefüge dar (M1/ M8/ M9).
   B in einer Tabelle dar (M1/ M8/ M9).
4. Bewerten Sie den Energieträger Biogas im Hinblick auf seinen Beitrag zum nachhaltigen Wirtschaften (M4/ M3/ M7/ M9/ M10).
Ⓩ 5. Analysieren Sie mithilfe einer Atlaskarte zur landwirtschaftlichen Nutzung, welche Gebiete in Deutschland sich als Standorte für Biogasanlagen eignen (M1).

→ Biogas, Biomasse, Erneuerbare-Energien-Gesetz (EEG), Nachhaltigkeit

M2   Biogasanlage des Schöpcherhofs in Lohmar

Gab es keine Proteste gegen die Biogasanlage im Ort?
Dr. Lüpschen: Ich habe den Nachbarn versprochen, dass Lärm und Geruchsbelästigung auf ein Minimum reduziert werden. Wir wohnen ja hier, wir sind die ersten Betroffenen. Unsere Nachbarn haben uns unterstützt.
Sie hatten aber Probleme bei der Genehmigung, oder?
Ja, zunächst schon, weil es hier im Bezirk Köln noch keine Biogasanlage gab. Der Bebauungsplan musste geändert werden.
Wie ist die Zusammenarbeit mit Ihrem Geschäftspartner Achim Schlehecker geregelt?
Das Unternehmen von Herrn Schlehecker hat die Entsorgung der Gärreste übernommen, also der flüssigen und festen Rückstände, die bei der Vergärung anfallen. Außerdem ist er auch für die Bewirtschaftung eines Teils der gemeinsamen Anlage zuständig.
Quelle: N. Kreuzberger, 2013

M3   Interview mit dem Geschäftsführer des Schöpcherhofs

Schöpcherhof Lohmar

Grünlandbetrieb mit 200 Milchkühen, Boxenlaufstall

Biogasanlage:
Bebaute Fläche: 0,5 ha
Kosten: 4,5 Mio. Euro
Zahl der Fermenter: 2
1 Kraftwerk mit 800-kW-Anlage:
Stromerzeugung: 800 Kilowatt pro Stunde
Vergütung für Einspeisung ins Stromnetz: 9,5 Cent/kWh
Rohstoffe:
▪ Lebensmittel- und Speisereste sowie landwirtschaftliche Rückstände: 50 % (Anlieferung von Ernährungsmüll von drei Betrieben aus Köln)
▪ Gülle und Mist: 50 %
▪ Anlieferung von Gülle von Landwirten aus dem Umkreis (bis 10 km Entfernung)
▪ Anlieferung der Rohstoffe pro Tag: 60 t
▪ Rohstoffe aus eigenem Betrieb: 10 t
▪ Verarbeitung von Biomasse täglich: 70 t
▪ Verwendung der Reststoffe: Dünger
▪ Nutzung der Abwärme: Eigenbedarf sowie Warmwasserversorgung/Heizung eines Industrieunternehmens und eines Gasthauses im Ort

M4   Steckbrief Biogasanlage Schöpcherhof Lohmar

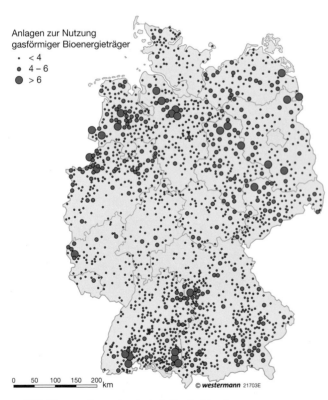

Anlagen zur Nutzung gasförmiger Bioenergieträger
• < 4
● 4 – 6
⬤ > 6

0 50 100 150 200 km

© *westermann* 21703E

M1*   Biogasanlagenstandorte in Deutschland

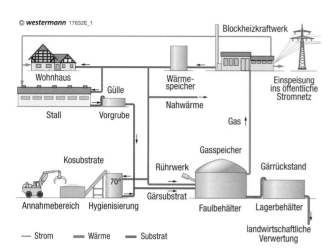

M5 Schematische Darstellung einer Biogasanlage

Beim Faulen von Pflanzenteilen entstehen Gase. Bei der Nutzung dieser Faulgase ist Methan (CH_4) von Bedeutung, ein brennbares, energiereiches Gas, das allerdings ein Treibhausgas ist. Es entsteht durch Methanbakterien, die die Energie in der Biomasse durch Vergärung in Gas umwandeln. In Biogasanlagen werden im Fermenter (Gärbehälter/Faulbehälter) die eingefüllten pflanzlichen Stoffe unter Luftabschluss durch Methanbakterien umgewandelt. Die Gase werden gereinigt und zur Stromgewinnung ins Blockheizkraftwerk geleitet, die Restflüssigkeit wird zu Dünger aufbereitet. Die Abwärme kann ebenfalls genutzt werden (Kraft-Wärme-Kopplung).

Zur Biogasproduktion können Mais, Grasschnitt, Getreide, Sonnenblumen, aber auch Gülle und Bioabfall verwendet werden.

Die Ausgangsstoffe Gülle und organische Abfälle sind dauerhaft verfügbar und nicht von Witterungsbedingungen abhängig. Durch die ortsnahe Verwertung von Gülle werden lange Transportwege vermieden. Mais ist die am meisten verwendete Energiepflanze, weil der Energieertrag hoch ist und Mais einen hohen Flächenertrag erbringt. Mais braucht zur Keimung 7–9 °C.

M8 Funktionsweise und Standortbedingungen von Biogasanlagen

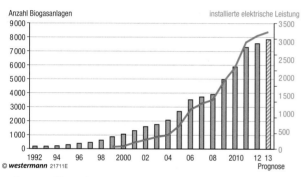

M6* Entwicklung der Anzahl von Biogasanlagen in Deutschland und installierte Leistung

▌ Biogasanlagen setzen eine industrielle, nicht artgerechte Tierhaltung voraus, um die Gülle zu gewinnen.

▌ Die Landschaft verändert sich durch den vermehrten Maisanbau (Vermaisung).

▌ Maisanbau in Monokultur belastet auch das Grundwasser.

M9 Kritik eines BUND-Experten

Bioenergiepark Penkun (Mecklenburg-Vorpommern)

Aktiengesellschaft,
weltgrößte Biogasanlage

▌ Bebaute Fläche: 15 ha
▌ Kosten: 78 Mio. Euro
▌ Zahl der Fermenter: 40
▌ Kraftwerke mit je 500-kW-Anlagen: 40
▌ Stromerzeugung: 20 Megawatt pro Stunde (entspricht der Stromversorgung von 40 000 Haushalten)
▌ Ertrag pro Jahr und Kraftwerk: 600 000 bis 650 000 Euro

▌ Fassungsvermögen Biomasse insges.: 92 000 m³
▌ Verarbeitung von Mais, Getreide, Gras pro Jahr: 460 000 t
▌ Gülle-Verarbeitung pro Jahr: 84 000 t
▌ Anlieferung der Rohstoffe von Landwirten aus Polen, Brandenburg, Mecklenburg-Vorpommern
▌ Verwendung der Reststoffe: Dünger
▌ Nutzung der Abwärme: Heizen, Trocknen, Dampferzeugung, Kühlen, Aufbereitung der Reststoffe in Düngemittelfabrik

M7 Steckbrief Bioenergiepark Penkun

Sie haben hier 40 Biogasanlagen errichtet, also wirklich einen Bioenergiepark, wie Sie die Anlage bezeichnen. Warum haben Sie sich für den Standort Penkun entschieden?
Dr. Schramm: Wir haben in Penkun hervorragende Bedingungen vorgefunden. Allein in unmittelbarer Nähe des Bioenergieparks werden 30 bis 60 Prozent der Fläche agrarwirtschaftlich genutzt, das sind mehr als 230 000 Hektar landwirtschaftlicher Nutzfläche. Die Versorgung des Parks mit landwirtschaftlichen Rohstoffen (vor allem Maissilage) durch umliegende Betriebe ist mit langlaufenden Verträgen gesichert. [...]
Zudem kann der Strom problemlos über bereits vorhandene, nahe gelegene Einspeisepunkte in das Stromnetz eingespeist werden.
Quelle: Forum Biogas spezial, EnviTec Biogas

M10 Interview mit Dr. Balthasar Schramm, Vorstandsvorsitzender der Betreiberfirma

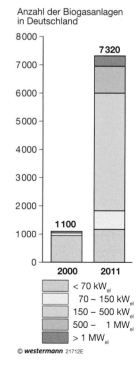

M11 Biogasanlagen nach Größe (kWel) 2000 und 2011

Energielieferant Biomasse

Tank oder Teller? Nahrungsmittelkrise in Mexiko

„Was auf der einen Seite der Grenze als Durchbruch in der Umwelttechnik gefeiert wird, schürt auf der anderen Seite die Angst ums tägliche Über-leben." So berichtete der Tagesspiegel am 2. Februar 2007. Es ging um die sogenannte „Tortilla-Krise". Für Mexikaner gehören Tortillas zur täglichen Nahrung. Zur Herstellung von Tortillas wird Mais benötigt. Mais ist aber auch die Grundlage für die Herstellung von Ethanol, einem Biotreibstoff.

1. Erläutern Sie die Gründe für die Tortilla-Krise (M1/ M3/ M5/ M9).
2. Werten Sie die Karikatur aus (M10).
3. Stellen Sie die Vor- und Nachteile der Ethanol-Produktion in den USA in einer Tabelle zusammen (M1 – M3/ M7 – M9).
Ⓦ 4. Nehmen Sie Stellung zur Aussage, dass die Nutzung von Energiepflanzen für die Gewinnung von Biotreibstoff einen Beitrag zum nachhaltigen Wirtschaften leistet.
   A Argumentieren Sie aus der Perspektive eines Befürworters der These.
   B Argumentieren Sie aus der Perspektive eines Gegners der These.
Ⓩ 5. Erörtern Sie die Möglichkeit, in Deutschland sieben Prozent des Benzinverbrauchs durch Biotreibstoff aus nachwachsenden Rohstoffen zu decken (M9).

→ Biotreibstoff

M4 Bürgerprotest am 31. Januar 2007 in Mexiko-City gegen die steigenden Maispreise, dem Grundnahrungsmittel der unteren Einkommensschichten Mexikos

Tortilla-Krise in Mexiko

Es ist ein Lehrstück über den sogenannten Freihandel. Mit dem Beitritt von Mexiko zum Freihandelsabkommen Nafta konnten viele Bauern nicht mehr mit dem hoch subventionierten Mais aus den USA konkurrieren. Deshalb geriet das Land immer mehr in die Nahrungsmittelabhängigkeit vom reichen Nachbarn. Da dort die Nachfrage nach dem Korn zur Produktion von Bioalkohol für Autos steigt, können viele Mexikaner das Grundnahrungsmittel zur Herstellung der Tortillas nun kaum noch bezahlen. [...]

Fast 50 Prozent der gesamten Kalorienmenge bestreiten Mexikaner über die Tortilla, die auch „Vitamin-T" genannt wird. Liegt das Einkommen im Durchschnitt ohnehin nur bei 200 Pesos pro Tag, kann man sich vorstellen, was ein Preisanstieg bedeutet. Doch schon 20 Millionen Mexikaner gelten als extrem arm und müssen von 20 Pesos am Tag leben, etwa 1,5 Euro. Davon konnte sich eine Familie noch im letzten Jahr gut drei Kilo Tortillas kaufen. Doch nun wird in Mexiko-Stadt das Kilo schon für 10 – 11 Peso gehandelt, während der Preis sich in einigen Landesteilen sogar schon der 20-Peso-Grenze nähert. [...] Betroffen vom Preisanstieg sind auch viele andere Produkte, wie Hühner- und Schweinefleisch, da die Tiere mit Mais gemästet werden.[...]

Der Wettlauf um Getreide unter den 800 Millionen Autofahrern auf der Welt, die ihre Mobilität erhalten wollen, und den zwei Milliarden der ärmsten Menschen, die einfach nur zu überleben versuchen, entwickelt sich als ein dramatisches Problem. Explodierende Lebensmittelpreise könnten in Dutzenden von einkommensschwachen Ländern, die wie Indonesien, Algerien, Nigeria und Mexiko auf Getreideimporte angewiesen sind, zu Aufständen in den Städten um Lebensmittel führen. [...]

Verschiedene Organisationen beklagen, dass die Tortilla-Krise genutzt wird, um nun massiv genmanipulierten Mais nach Mexiko einzuführen. Die Umweltschutzorganisation Greenpeace erklärte, einige multinationale Unternehmen, die den Genmais patentiert hätten, nutzten die Krise auch, „um ihre Forderung zu bekräftigen, das Land für den Anbau dieser Saat zu öffnen". Erwartet wird, dass noch in diesem Jahr die Erlaubnis dafür erteilt wird. In einer ersten Etappe sollten dann zwischen einer halben Million und einer Million Hektar Land mit Genmais bepflanzt werden.
Quelle: R. Streck, www.heise.de, 29.01.2007

M5 Ursache und Auswirkungen der Tortilla-Krise in Mexiko

Die Preise für Mais auf dem Weltmarkt hängen von Angebot und Nachfrage ab. Sind die weltweiten Vorräte an Mais niedrig, steigen die Preise. Ist die Nachfrage nach Mais groß, sind auch die Preise hoch.

© *westermann* 21713E

Maispreis an der CBoT in US-Cent je Bushel*

16. 1. 07 19 Uhr **405,75**

3. 1. 06   * 1 Bushel = 35,24 l   16. 1. 07

M2 Maispreis an der Chicagoer Börse 2007

Ethanolproduktion in den USA	
2000	8 Mrd. Liter
2007	18 Mrd. Liter
2011	53 Mrd. Liter

M1 Ethanolproduktion in den USA

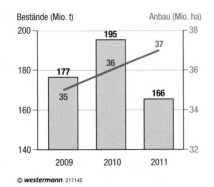

Bestände (Mio. t)   Anbau (Mio. ha)

© *westermann* 21714E

M3* Mais: Anbau und Bestände in den USA

M6   Maisanbau in den USA

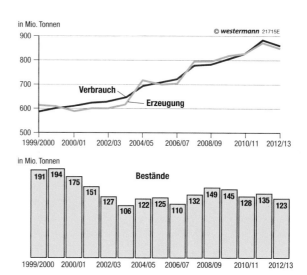

M8*   Mais: Erzeugung, Verbrauch und Bestände weltweit

Protest gegen Produktion von Agrartreibstoff in den USA

Die in Hamburg ansässige Umweltschutzorganisation „Rettet den Regenwald" hat zu einer Protestaktion gegen die Förderung von sogenanntem Agrartreibstoff durch die US-Regierung aufgerufen. Die Produktion von Ethanol und anderen Agrartreibstoffen konkurriere direkt mit dem Anbau von Nahrungs- und Futtermitteln, schreibt die Organisation. [...]

„Dennoch bezeichnen Politiker das System der hochindustrialisierten Landwirtschaft und die Produktion von Agrotreibstoffen als großen Erfolg", kritisiert „Rettet den Regenwald". Sie ignorierten dabei die ökologischen, sozialen und gesundheitlichen Folgen: „Denn diese Form der Landwirtschaft ist unmittelbar auf den enormen Einsatz von fossilen Brennstoffen, Herbiziden, Pestiziden und Kunstdünger angewiesen. Die eingesetzten Chemikalien vergiften langanhaltend Gewässer und Böden."

Die schlimmste Dürre seit 50 Jahren betreffe bereits 61 Prozent der Fläche der USA. In mehr als 1000 Landkreisen wurde schon der Notstand ausgerufen. Auch in absehbarer Zeit ist kein Regen zu erwarten, stattdessen aber weiter steigende Temperaturen und Trockenheit. In den letzten Tagen bezifferte das US-amerikanische Landwirtschaftsministerium (USDA) die Ernteverluste allein beim Mais bereits auf 46 Millionen Tonnen. Verluste, die sich bei anhaltender Dürre bis Ende August verdoppeln bis verdreifachen könnten. „Schon jetzt schießen die Preise für Mais und Getreide an den Rohstoffbörsen in Rekordhöhen", schreibt die NGO [Nichtregierungsorganisation].

In ihrer aktuellen Studie „Bioenergie: Möglichkeiten und Grenzen" komme die Nationale Akademie der Wissenschaften Leopoldina zu dem Schluss, dass Bioenergie als nachhaltige Energiequelle auch für Deutschland einen Beitrag zur Energiewende leisten kann, heißt es in dem Protestaufruf weiterhin. In lateinamerikanischen Staaten ist die Verwendung von Lebensmitteln für die Treibstoffproduktion in den vergangenen Jahren verstärkt auf Widerstand gestoßen.

Quelle: www.Portal amerika21.de, 31.07.2012

M7   Stellungnahme zur Produktion von Biotreibstoffen

Weil die USA beim Verkehr verstärkt auf Umweltschutz setzen, explodieren in Mexiko die Tortilla-Preise

Die Vereinigten Staaten sind mit Abstand der größte Maiserzeuger der Welt. 70 Prozent der Weltexporte kommen von dort, allein der Bundesstaat Iowa produziert mehr als ganz Kanada. Was in den USA passiert, hat daher Auswirkungen auf die ganze Welt. Und hier verschiebt sich die Nachfrage dramatisch. [...]

„Der Versuch, ein Problem zu lösen, [nämlich] das der wachsenden Abhängigkeit der Vereinigten Staaten von Ölimporten, schafft ein viel größeres Problem", sagt Lester Brown [Chef des Earth Policy Institute in Washington]. Viel billiger sei es, statt Alkohol-Raffinerien spritsparende Autos zu produzieren.

Das Thema „Essen für Autos" wird sich aber nicht auf die USA und Mexiko beschränken. Auch in Deutschland sehen Forscher die Möglichkeit, sieben Prozent des Benzinverbrauchs durch nachwachsende Rohstoffe zu decken (hier vor allem durch Raps), weltweit dürften es 27 Prozent sein.

Quelle: N. Piper, Süddeutsche Zeitung, 19.05.2010

M9   Zeitungsartikel zu „Essen für Autos"

M10* Karikatur

Erdwärme nutzen – Geothermie

Energie aus der Tiefe

Erdwärme steht in unendlichen Mengen zur Verfügung. Im Unterschied zu anderen regenerativen Energien wie Sonne, Wind und Wasser ist Geothermie unabhängig von Jahres- und Tageszeiten, Wind oder Wetter. Da sie immer zur Verfügung steht, ist keine Energiespeicherung nötig. Dennoch wird die Geothermie in Deutschland noch zu einem nur sehr geringen Teil genutzt.

1. Analysieren Sie die Standortvoraussetzungen für Geothermie-Kraftwerke in Deutschland (M3/ M6, Atlas).
2. Beschreiben Sie, wie die Geothermie im Geothermie-Kraftwerk in Landau genutzt wird (M4/ M7).
Ⓦ 3. Erörtern Sie die Vor- und Nachteile von Geothermie-Kraftwerken in Deutschland, indem Sie
   A aus der Perspektive eines Mitglieds der Bürgerinitiative einen Brief schreiben (M5/M8).
   B einen Beitrag für die Schülerzeitung schreiben (M5/ M8).
Ⓦ 4. Hypothese: Die Geothermie wird in Zukunft eine größere Bedeutung für die Energieversorgung durch regenerative Energien in Deutschland haben.
   A Bewerten Sie die Möglichkeiten und Grenzen der Nutzung der Geothermie in Deutschland.
   B Nehmen Sie Stellung zur Hypothese.
Ⓩ 5. Untersuchen Sie, welche Gebiete weltweit geeignet sind, um Geothermie zu nutzen. Notieren Sie für jeden Kontinent einen Raum, der besonders geeignet ist (Atlas).

→ Erdbeben, Geothermie, Hypozentrum

weblink
▌ Planet Wissen Erdwärme

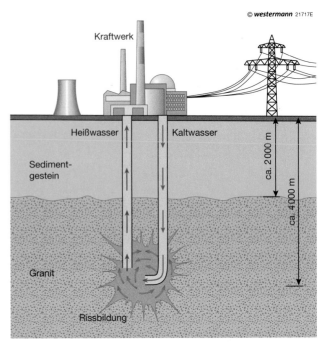

© westermann 21717E

M2* Hot-Dry-Rock-Verfahren

Thermalquellen (Quellen mit einer Wassertemperatur von mindestens 20 °C) werden durch die Wärme aus dem Inneren der Erde verursacht, der Geothermie. An geologischen Störungszonen kann die Wärmeenergie leicht bis an die Erdoberfläche gelangen. Das in den Gesteinsschichten vorhandene Wasser wird erwärmt.

In Geothermie-Kraftwerken wird diese Energie genutzt. Mittlerweile gibt es weltweit mehrere hundert Geothermie-Kraftwerke, die rund 8 400 MW Strom erzeugen. In Deutschland wird der geothermischen Energienutzung erst seit Anfang des 21. Jahrhunderts mehr Beachtung geschenkt. Das erste geothermische Stromkraftwerk entstand 2003 in Neustadt-Glewe in Mecklenburg-Vorpommern.

Man unterscheidet zwischen oberflächennaher Geothermie und Tiefengeothermie. Die oberflächennahe Geothermie (bis 400 m Tiefe) wird mithilfe von zum Beispiel Erdwärmesonden zur direkten Beheizung von Gebäuden oder zur Warmwasserversorgung genutzt. Bei der Tiefengeothermie wird das Thermalwasser aus mehr als 400 m Tiefe an die Oberfläche befördert und mithilfe eines Wärmetauschers in einen Wasserkreislauf überführt. Es kann dann entweder Strom erzeugt oder Wärme in ein Fernwärmenetz eingespeist werden. Das abgekühlte Wasser wird in die Tiefe zurückgeleitet.

Die Erdwärme kann auch genutzt werden, wenn kein Thermalwasser in den tiefen Schichten vorhanden ist. Dies geschieht im Hot-Dry-Rock-Verfahren. Hierfür wird Wasser in den Untergrund gepresst, wo es sich erwärmt. So wird „künstliches Thermalwasser" erzeugt.

Nach: S. Bodmer u. a., Thermalwasser – Ein heißer Schatz aus der Tiefe. In: Praxis Geographie, Heft 4/2010

M3 Nutzung der Geothermie

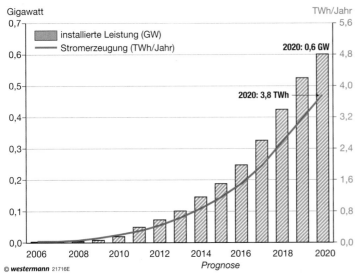

© westermann 21716E

M1   Strom aus Geothermie in Deutschland

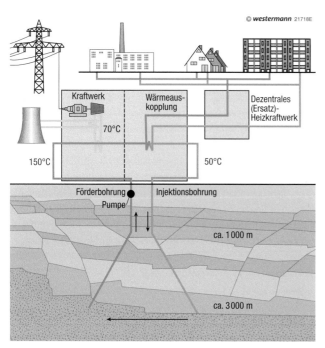

M4* Geothermiewerk in Landau/Pfalz

M7 Geothermiewerk in Landau/Pfalz. In Landau traf man 2003 in 3 000 m Tiefe auf 150 °C heißes Thermalwasser. Ende 2007 konnte hier das Kraftwerk in Betrieb genommen werden. Ob das geothermische Kraftwerk tatsächlich Ursache für zusätzliche seismische Aktivität war, wird noch diskutiert. Leistung: Stromerzeugung 3 MW, Wärmeenergie 6 bis 8 MW.

In Wörth-Schaidt protestiert eine Bürgerinitiative gegen den Bau eines Geothermie-Kraftwerks. Unterstützt wird sie vom Betriebsrat eines Unternehmens im Ort, der Autoteile herstellt, weil befürchtet wird, dass die Vibrationen des Kraftwerks die Produktion beeinträchtigen könnten und das Werk möglicherweise geschlossen wird. Die Schaidter befürchten Erdbeben und Lärm durch das Kraftwerk.

M5 Proteste gegen den Bau eines Geothermie-Kraftwerks

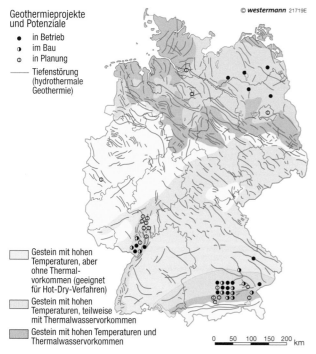

Geothermieprojekte und Potenziale
● in Betrieb
◐ im Bau
○ in Planung
— Tiefenstörung (hydrothermale Geothermie)

Gestein mit hohen Temperaturen, aber ohne Thermalvorkommen (geeignet für Hot-Dry-Verfahren)

Gestein mit hohen Temperaturen, teilweise mit Thermalwasservorkommen

Gestein mit hohen Temperaturen und Thermalwasservorkommen

0 50 100 150 200 km

M6* Standorte und Standortpotenzial der Geothermie in Deutschland

Zwei Erdbeben im Umkreis des Kraftwerks

In der rheinland-pfälzischen Stadt Landau gab es am 15. August und am 14. September zwei leichte Erdbeben, die eine Stärke von 2,7 bzw. 2,4 auf der Richterskala erreichten. Als wahrscheinliche Ursache gilt das geothermische Kraftwerk [...]. Klarheit soll eine von der Landesregierung eingesetzte Expertengruppe bringen [...].
Wie Wirtschaftsminister Hendrik Hering (SPD) am 3. September aufgrund einer Anfrage der FDP im Landtag mitteilte, wurde das erste Beben anhand der Daten von 49 Messstationen mehrerer Lokal- und Regionalnetze näher untersucht. Nach vorläufigen Erkenntnissen des Landesamts für Geologie und Bergbau habe das Hypozentrum des Bebens rund 500 Meter nördlich des Geothermie-Kraftwerks Landau in einer Tiefe von 2,5 bis 4 km gelegen. Es gebe auch sonst Hinweise auf einen Zusammenhang des Bebens mit der Geothermienutzung in Landau. Nach gegenwärtigem Wissensstand sei dieser Zusammenhang allerdings noch nicht sicher nachgewiesen, da der Oberrheingraben eine Region sei, in der häufig kleinere Beben registriert werden. Neben der Tiefen-Geothermie hat auch die oberflächennahe Nutzung von Erdwärme neuerdings in Deutschland mit Akzeptanz-Problemen zu kämpfen, nachdem im Zuge einer Erdsonden-Bohrung in der südbadischen Stadt Staufen immense Gebäudeschäden auftraten. Die Anlegung von Erdsonden ist eine vielfach geübte Praxis, um Wärmepumpen mit einem möglichst hohen Temperaturniveau zu versorgen, das unabhängig von saisonalen Schwankungen ist. In Staufen sollte die Erdwärme aus etwa 140 Meter Tiefe genutzt werden. Bei der Bohrung wurde aber offenbar eine mächtige Gipskeuper-Schicht angeschnitten, die bei Zutritt von Wasser aufquillt und zu Gips wird. Die so verursachten Quellvorgänge haben in der ganzen Altstadt von Staufen das Geländeniveau verschoben. Wie die Stadt Staufen am 17. September mitteilte, hat sich die Zahl der dadurch beschädigten Häuser weiter erhöht. Aktuell seien 217 Privathäuser und sieben städtische Gebäude betroffen.
Quelle: www.udo-leuschner.de, 09/2009

M8 Auswirkungen der Nutzung der Geothermie?

Erdwärme nutzen – Geothermie

Island – Lieferant „grüner Energie" für Europa und die Welt?

Island – das Land aus Feuer und Eis. Dieses häufig verwendete Bild spielt auf die Naturphänomene in Island an: Vulkanismus und Gletscher prägen die Landschaft. 37 aktive Vulkane, heiße Quellen und Geysire weisen auf das geothermische Potenzial Islands hin. Relativ nah an der Erdoberfläche herrschen schon Temperaturen von 350 °C. Der aus Bohrlöchern geförderte Wasserdampf wird schon zu 90 Prozent zur Wärmeversorgung aller Haushalte genutzt. In Geothermie-Kraftwerken wird Strom erzeugt, und zwar so viel, dass auch Wasserstoff produziert werden kann – und Wasserstoff ist wiederum ein möglicher Energieträger der Zukunft.

1. Erläutern Sie das geothermische Potenzial auf Island (M6/ Atlas).
2. Zeigen Sie die Bedeutung der Geothermie für die Energieversorgung und die wirtschaftliche Entwicklung Islands auf (M1 – M3).
3. Die Nutzung der Geothermie ist in Island nicht unumstritten. Vergleichen Sie die Bedenken der Bürgerinitiative gegen den Ausbau der Nutzung der Geothermie mit denen der Bürgerinitiative in Deutschland (M7/ M9, S. 173 M5)
4. Island möchte die erste „Wasserstoffgesellschaft" werden. Untersuchen Sie die Umsetzbarkeit dieser Idee (M3).
Ⓦ 5. Bewerten Sie die Möglichkeiten Islands als Energieversorger Europas.
   A Beschränken Sie sich auf Stromlieferungen (M9/ M10).
   B Bedenken Sie Stromlieferung und Wasserstofflieferung (M3/ M9/ M10).
Ⓩ 6. In den USA wurde 2010 ein neues Geothermie-Kraftwerk in Nevada in Betrieb genommen. Analysieren Sie die Standortgegebenheiten für Geothermie in Nevada (Atlas).

→ Geothermie, Wasserstoff

Island will weltweiter Vorreiter in der energieintensiven Produktion von Wasserstoff werden, dem Kraftstoff der Zukunft. […] Die Isländer träumen davon, eines Tages ihren sauberen Wasserstoff in die ganze Welt zu verschiffen.

Das Prinzip ist einfach, die technische Umsetzung aber anspruchsvoll: Bei der recht energieaufwendigen Elektrolyse wird Wasser mithilfe von Elektrizität in Wasserstoff und Sauerstoff gespalten. Wasserstoff ist ein flüchtiges und sehr reaktionsfreudiges Gas, das nur unter hohem Druck oder in besonderen Tanks gespeichert werden kann. In einer Brennstoffzelle erzeugen Wasserstoff und Sauerstoff an einer Membran in einer sogenannten kalten Verbrennung Elektrizität. Dabei entsteht auch Wärme. Das Abgas ist Wasserdampf. Als Argument gegen Wasserstoff als Energieträger wird allerdings von Kritikern auch immer wieder der hohe Energieverbrauch angeführt. Mit einer Brennstoffzelle kann in einem Auto ein Elektromotor angetrieben werden. In einem Haus kann eine Brennstoffzelle gleichzeitig Elektrizität und Heizwärme erzeugen.

Quellen: Energie im Überfluss. Island und seine natürlichen Quellen, www.fluter.de, 8.8.2006; Vulkane speien, Erde liefert Wärme, www.greenmag.de, 26.6.2010

M3 Nutzung der Geothermie durch neue Wasserstoff-Technologie

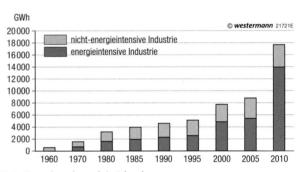

M4 Energieverbrauch in Island

Zu den energieintensiven Industrien gehören vor allem Unternehmen der Siliziummetall- und der Aluminiumproduktion. Unternehmen dieser Art sind in Island aufgrund der günstigen Produktion bei geringen Strompreisen sesshaft geworden, obwohl der zur Aluminiumherstellung nötige Rohstoff Bauxit von Australien und Brasilien nach Island gebracht werden muss. Dieser logistische Aufwand zeigt, wie attraktiv die günstige Energie Islands für diese Branche ist. *Quelle: www.eldey.de*

M1 Nutzung der Energie für die wirtschaftliche Entwicklung

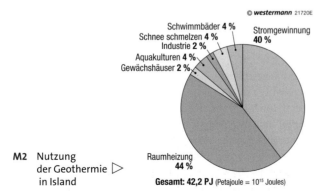

M2 Nutzung der Geothermie ▷ in Island

M5 Geothermisches Kraftwerk in Island

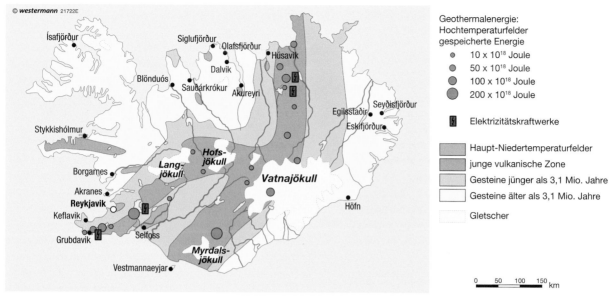

M6* Geothermalenergie in Island

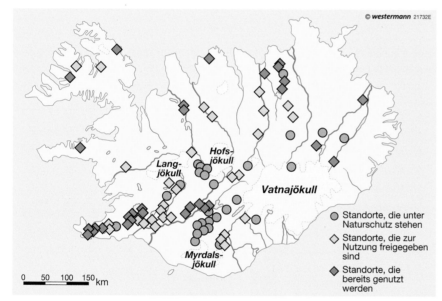

M7   Standorte im Energie-Rahmenplan

■ Luftverschmutzung
■ Gesundheitsbeeinträchtigungen durch Schwefelwasserstoff-Emissionen
■ wegen der geringen Niederschlagsmengen keine Auswaschung des Schwefelwasserstoffs aus der Luft
■ Schäden an der Vegetation rund um das Kraftwerk
■ Abwasserprobleme
■ weniger Nährstoffe im Grundwasserstrom durch die Abkühlung

Quelle: Akureyri-Wochenblatt, www.icelandreview.com, 13.09.2013

M9   Argumente der Bürgerinitiative gegen den Ausbau der Geothermie-Nutzung

Da in Großbritannien mittelfristig nicht mit einem ausreichenden Bedarf an Stromimporten gerechnet wird, könnte die längere Verbindung nach Hamburg in Betracht kommen. [...] Die technischen und wirtschaftlichen Dimensionen eines solchen Projekts wären [...] weltweit einzigartig. Zu überbrücken ist eine Strecke von 1830 km Länge mit Tiefen bis zu 1100 m. [...] Realisiert werden [könnte] der Stromexport durch zwei parallel verlegte Hochspannungs-Gleichstromkabel. Für die Kabelverlegung müssten Spezialschiffe gebaut werden. Da die Verbindung durch wichtige Fischereigebiete verlaufen würde, wären zudem besondere Schutzmaßnahmen gegen Beschädigung des 12,2 m im Querschnitt messende Kabels durch Anker oder Treibnetze nötig. Da die Verlegung nur in den relativ ruhigen Sommermonaten möglich wäre, würde die Bauzeit 6–10 Jahre betragen.

Nach: D. Bothe und E. Gläßer, Energiewirtschaft auf Island, In: Geographische Rundschau, Heft 3/2001

M8   Stromlieferungen von Island nach Deutschland?

weblinks

■ youtube Svartsebgi-Kraftwerk   ■ Spiegel online Island Kraftwerk

M10 Mögliche Streckenführung für die Verlegung einer Seekabelverbindung von Island

Energieeffizienz – Machen wir es besser!

Energie sparen heißt auch Energie effizient nutzen

Auf der Internationalen Funkausstellung war das Wort „smart" (intelligent) allgegenwärtig. Es gibt Smart TV, smarte Tablets, smarte Waschmaschinen und smarte Geschirrspüler. Das Smart Grid soll nun das Stromnetz der Zukunft werden. Welchen Stellenwert kann die intelligente Technologie zur Steigerung der Energieeffizienz einnehmen?.

1. Ordnen Sie die Möglichkeiten einer effizienteren Energienutzung in einer Strukturskizze (M1 – M3/ M6/ M5/ M8).
2. Erläutern Sie die Effizienzsteigerung durch Smart Grids (M8).
3. Die Zukunft im Hausbau liegt in den Plusenergiehäusern. Nehmen Sie Stellung zu dieser Aussage. Berücksichtigen Sie dabei auch die Bedeutung von Plusenergiehäusern im Smart Grid (M4/ M5/ M7).
4. Zeigen Sie Vor- und Nachteile der Smart Mobility auf und begründen Sie, ob Sie Smart Mobility nutzen würden (M6).
Ⓦ 5. Erörtern Sie Möglichkeiten und Grenzen der Senkung des Energieverbrauchs durch moderne Technologie im Hinblick auf die räumlichen Voraussetzungen.
    A Verfassen Sie dazu einen Leserbrief.
    B Stellen Sie Möglichkeiten und Grenzen grafisch dar.
Ⓩ 6. Nehmen Sie Stellung zur Energieeffizienzsteigerung durch Smart Mobility und Smart Grid.

→ Energieeffizienz, Smart Grid, Smart Mobility

Das Auto heißt Loremo L. S. Das ist die Kurzform aus „Low Resistance Mobile". LS bedeutet „leicht und sparsam". Und der Name ist Programm. Das Auto ist so konstruiert, dass es auf 100 km nur 2,5 Liter Benzin braucht, in der Sportversion. Die Öko-version beschränkt sich auf 1,5 Liter. [Kosten soll der] Fahrspaß 11 000 bzw. 15 000 Euro. [...] Die Außenlinien des Autos beugen sich wie kein anderes dem Fluss des Windes [...]. Unter der Haube des Autos [...] arbeitet ein Zwei-Zylinder mit 15 kW (20 PS), bei der Sportversion ein Dreizylinder-Dieselmotor mit 36 kW (49 PS). Geht es nach den Erfindern des Loremo, ist ein Umstieg auf alternative Energieformen aber durchaus drin. Der rekordverdächtige Verbrauch basiert auf der völlig neuartigen Bauweise, schlank und ohne aufwändige High-Tech-Materialschlacht.

[...] Das Auto ist 384 cm lang, 136 cm breit, wiegt aber gerade mal 450 Kilogramm. [...] Mehr als ungewöhnlich: Die Türen, die sich nicht seitlich, sondern nach vorn und hinten öffnen. Noch ungewöhnlicher: Sie geben den Weg zu 2 + 2 Sitzen frei, die Rücken an Rücken angeordnet sind. [...] Die Sitzanordnung ist energiesparend, denn sie garantiert viel Kopffreiheit bei einer dennoch extrem flach fließenden Dachkontur. [...]

Nicht gerade atemberaubende 19 Sekunden braucht der Loremo Eco für den „Sprint" von 0 auf 100 km/h. Seine Höchstgeschwindigkeit von 165 km/h wurde bei 140 km/h abgeriegelt. Die Sportversion schafft immerhin 220 km/h Spitze bei einem 9-Sekunden-Run auf 100 km/h.

Quelle: A. Ege, www.focus.de, 21.02.2006

M2 Loremo – das Auto der Zukunft?

Energie

	Waschmaschine
Hersteller Modell	
Niedriger Energieverbrauch	
A	**A**
B	
C	
D	
E	
F	
G	
Hoher Energieverbrauch	
Energieverbrauch kWh/Waschprogramm (ausgehend von den Ergebnissen der Normprüfung für das Programm „Baumwolle, 60 °C") Der tatsächliche Energieverbrauch hängt von der Art der Nutzung des Gerätes ab	**0,89**
Waschwirkung A: besser G: schlechter	**A** BCDEFG
Schleuderwirkung A: besser G: schlechter Schleuderdrehzahl (U/min)	**A** BCDEFG 1800
Füllmenge (Baumwolle) kg	5
Wasserverbrauch ℓ	39
Geräusch (dB(A) re 1 pW) Waschen Schleudern	

M1 Energiesparen im Haushalt

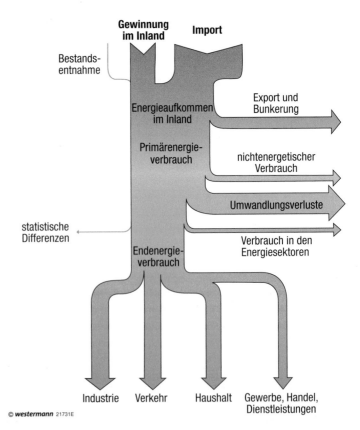

© *westermann* 21731E

M3* Energieflussdiagramm für Deutschland

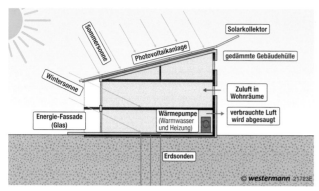

M4   Schema des Plusenergiehauses bei Stuttgart

M7   Plusenergie- oder Aktivhaus bei Stuttgart

Seit mehr als 30 Jahren hat in Deutschland klimabewusstes Bauen Tradition. Zu Beginn der 90er Jahre war das Niedrigenergiehaus [...] der Maßstab für energiesparendes Bauen. Dies ist nunmehr seit über 15 Jahren der gesetzliche Mindeststandard für Neubauten. Durch Forschung und steigende Energiepreise wurden die Einsparpotenziale immer größer.

Heute gibt es Nullenergiehäuser und sogar Plusenergie- oder auch Aktivhäuser.

Ein Nullenergiegebäude liegt dann vor, wenn der Energiebedarf durch regenerative Energien rechnerisch gedeckt werden kann. In der Jahresbilanz wird also mindestens die Energiemenge produziert, die den Bedarf deckt.

Quelle: www.energie-wissen.de

M5   Vom Passivhaus zum Plusenergiehaus

Häufig wird das Nullenergiehaus mit dem Passivhaus verwechselt. Der Unterschied besteht im Wesentlichen darin, dass beim Passivhaus der Name von der passiven Energienutzung herrührt. So nutzt man beim Passivhaus in der Regel die Sonnenenergie oder die Abwärme im Haus, um Energie (passiv) zu erzeugen, benötigt aber dennoch Energie von außen.

Die Zukunft des energieeffizienten Bauens dürfte beim Plusenergie- oder Aktivhaus liegen. Diese produzieren mehr Energie als sie selbst verbrauchen. Mit der im Plusenergiehaus erzeugten, aber nicht verbrauchten Energie kann man zum Beispiel auch ein Elektroauto laden.

→ Energieeffizienz

Die Energieeffizienz ist ein Maß für den Energieaufwand zur Erreichung eines festgelegten Nutzens. Ein Vorgang ist dann effizient, wenn ein bestimmter Nutzen mit minimalem Energieaufwand erreicht wird. Mit der Entwicklung von Smart Grids und Smart Mobility wird ein Weg eingeschlagen, der moderne Kommunikation mit Energieversorgung verknüpft. Neben Strom fließen in den Netzen Informationen. Dadurch sollen Stromangebot und Stromnachfrage besser aufeinander abgestimmt werden.

Smart Mobility: Der Begriff steht für intelligente, nachhaltige Mobilitätslösungen. Smart Mobility ist ein Angebot, das vor allem eine energieeffiziente, komfortable und kostengünstige Mobilität ermöglichen soll. Dabei geht es [...] um die Optimierung der Nutzung der vorhandenen Angebote durch den Einsatz von Informations- und Kommunikationstechnologien (IKT). Neue Formen des Mobilitätsangebotes (CarSharing, rent a bike) werden eingeführt. [...] Eine intelligente Nutzung dieser Angebote (Verkehrsmittelwahl in Abhängigkeit der Verkehrssituation) scheitert jedoch an den unterschiedlichen Zugangsvoraussetzungen dieser Angebote. Eine Smart Mobility, die Information und Bezahlen verkehrsträgerübergreifend ermöglicht und die im Ausland bereits ansatzweise existiert, ist somit nicht möglich. Würde der Zwang zum Autobesitz und zur Autonutzung nachhaltig reduziert und vom Autofahrer akzeptiert werden, könnte das zum Stauabbau auf den Straßen, zur Verbesserung der Energieeffizienz, zur Erhöhung der Verkehrssicherheit und zur Verringerung der Emissionen beitragen. Der Anteil des sogenannten Umweltverbundes (Öffentlicher Verkehr, Fahrrad- und Fußverkehr) würde zunehmen. Zukünftig werden SmartPhones oder Entwicklungen wie Tablet-PCs die IKT-Lösungen weiter verändern. [...] Mit diesen Geräten kann der Nutzer dynamische Informationen auch von unterwegs abrufen, also dann, wenn Abweichungen vom „Planfall" auftreten. Er kann aber auch via SmartPhone-GPS-Positionsortung und in Verbindung mit Facebook, Twitter und Co. Informationen für andere bereitstellen.

Quelle: S. Wolter, Universität Duisburg.

M6   Smart Mobility – die intelligente Vernetzung der Verkehrsangebote

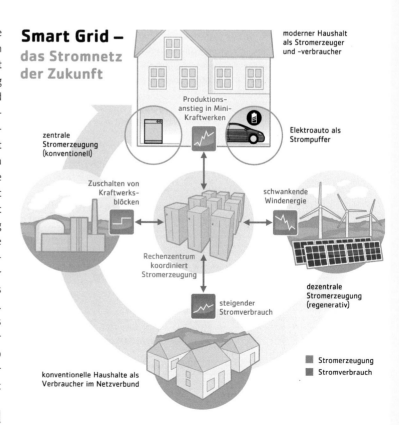

M8* Funktionsweise eines Smart Grid

Energieeffizienz – Machen wir es besser!

Energiesparen beginnt im Kleinen – zu Hause

Apps gibt es in großer Zahl. Sie helfen in vielen Lebenslagen. Auch für den Umweltschutz und das Energiesparen gibt es Apps, vom Energiecheck bis zum umweltbewussten Einkaufsführer. Die Steigerung der Energieeffizienz beschäftigt Wissenschaftler und Politiker, doch sie beginnt auch im Kleinen, nämlich beim Verbraucher.

1. Analysieren Sie die Werbung für die neue Technik des Smart Metering sowie die Anreize durch „Wettbewerbe" im Hinblick auf die Wirkung auf den Verbraucher (M1).
2. Werten Sie den Kommentar in der Zeitung DIE ZEIT in Bezug auf die Argumentation zum Smart Metering aus (M6).
Ⓦ 3. Smart Metering soll einen Beitrag zur Senkung des Energieverbrauchs leisten.
   A Stellen Sie die Chancen und Risiken des Smart Metering in einer Tabelle gegenüber (M1, M2/ M5/ M6).
   B Begründen Sie, ob Sie die neue Technik für geeignet halten, einen Beitrag zur Senkung des Energieverbrauchs zu leisten.
Ⓩ 4. Stellen Sie eine eigene Liste mit Energiespartipps zusammen, die Sie für sich selbst für durchführbar halten (M3/ M4/ M7).

→ Smart Grid, Smart Meter

Für Stand-by werden im Jahr 14 Milliarden kWh Strom verbraucht, so viel wie 2 Großkraftwerke erzeugen	
Satellitenempfänger	139 kWh
Videogerät	120 kWh
Faxgerät	104 kWh
Hi-Fi-Komplettanlage	96 kWh
schnurloses Telefon	42 kWh
PC	42 kWh
Fernseher	38 kWh
Anrufbeantworter	35 kWh
Halogenschreibtischlampe	35 kWh

Quelle: Die Verbraucher Initiative e.V.: Energiesparen im Haushalt

M3 Stromverbrauch im Haushalt pro Jahr durch Stand-by

TV/AUDIO und Büro	25,5 %
Kühlen und Gefrieren	16,7 %
warmes Wasser	14,8 %
Waschen, Trocknen, Spülen	12,4 %
Kochen	9,8 %
Beleuchtung	8,1 %
Klima-, Wellness-, Garten- und sonstige Elektrogeräte	12,7 %

Quelle: EEFA, BDEW, EnergieAgentur NRW, 2013 auf www.focus.de, 05.09.2013

M4 Stromverbrauch im Haushalt nach Anwendungsbereichen

Intelligentes Wohnen und Leben

Kommen Sie einmal früher nach Hause oder wollen Sie zum Beispiel Ihr Wochenendhaus für einen Besuch vorheizen, ist Nest per Webbrowser beziehungsweise iPhone®- und Android®-App erreichbar, sodass die Temperatur auch jederzeit von unterwegs einstellbar ist. Dass moderne Technik indes nicht nur praktisch, sondern auch schön sein kann, weiß der ehemalige Apple-Entwickler. *Quelle: www.vorweggehen.de*

Und so passt Nest sein Display, basierend auf den abgetasteten Umgebungsdaten, an die Raumfarbe an – „Chamäleondesign" nennt Fadell diese Flexibilität passend. „Wir haben Nest nicht für Fachhändler, sondern für den Endanwender entwickelt", sagt er, „und es eröffnet der iPhone®-Generation einen zeitgemäßen und schönen Weg, effizient Energie zu sparen."

M1 Werbung für eine neue Technik ▷

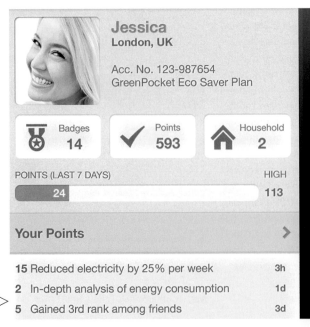

M2 Energiesparen als Wettbewerb ▷

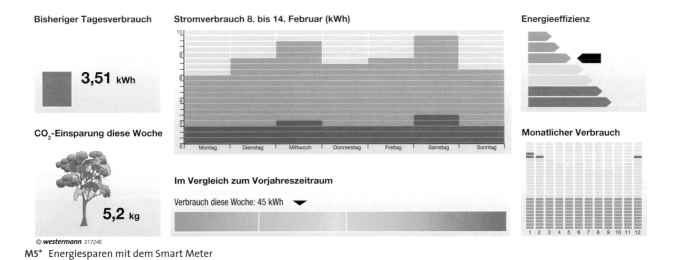

M5* Energiesparen mit dem Smart Meter

Dann schalten Hacker die Lichter aus

[...] Fortschrittliche, netzwerkfähige Stromablesegeräte, sogenannte Smart Meter, [werden] in Zukunft eine wichtige Rolle spielen. Mit ihnen wird es möglich sein, Echtzeitinformationen über den Stromverbrauch und das Stromangebot auszutauschen und beide zu balancieren. Eine größere Transparenz des Energieverbrauchs soll dabei helfen, Verbraucher zu mehr Sparsamkeit zu ermuntern. Eine Technologie der Zukunft? Von wegen, solche Smart Meter sind stellenweise schon im Einsatz, und sie kommen jetzt in viele Haushalte. Das dritte Energiepaket, das das Europäische Parlament im April 2009 verabschiedet hat, empfiehlt, dass 80 Prozent aller Energiekunden bis 2020 Smart Meter haben sollen.

Doch Vorsicht: Diese neue Technik birgt gewaltige Gefahren. Sie eröffnet eine neue Front für Cyberangreifer.

Smart Meter sind im Grunde Mini-Computer, allerdings haben sie nicht die Sicherheitsvorkehrungen, die in heutigen Computern und Netzwerken Standard sind. Wir haben das getestet. Das Ergebnis: Viele Smart Meter, die heute auf dem Markt sind, können mit allgemein verbreiteten Angriffstechniken unterwandert werden [...]. Den größten Alarm sollte es aber auslösen, dass wir es geschafft haben, auf ganz gewöhnlichen Smart Meter sogenannte Computerwürmer auszuführen. Unsere Testwürmer waren harmlos. Doch wenn ein wirklich bösartiges Wurmprogramm in einer bestimmten Region die Stromableser infizieren würde, kann Schlimmes passieren. Im besten Fall würde der Stromversorger die Attacke schnell bemerken. Er würde dann einfach eine Aktualisierung des Computercodes in den Stromablesern [...] übers Netz losschicken. Der Wurm würde gelöscht, die Stromablesegeräte könnten weiterarbeiten wie bisher. Das kann aber nur gelingen, wenn der Angreifer eben diese Funktion nicht ausgeschaltet hat. Leider muss man im Fall einer bösartigen Attacke eher von diesem schlimmeren Fall ausgehen. Man muss damit rechnen, dass die Verbindung zum Stromlieferanten unterbrochen wird, oder dass die Einstellungen der Smart Meter verändert werden. Was kann da alles passieren? Dann schalten Hacker die Lichter aus. [...] Die betroffenen Haushalte dann wieder ans Stromnetz anzuschließen würde mindestens so lange dauern, bis die Stromfirma die Sicherheitslücke analysiert hat und eine Korrektur ihrer Software gefunden hat – und bis sie dann ihre Mitarbeiter von Haus zu Haus geschickt hätte, um von Hand die neue Software einzuspeisen oder das ganze Smart Meter auszutauschen.

Ziemlich teuer, ziemlich langwierig. [...]

Die Vorteile des Smart Grids und dieser neuen Geräte bestreitet niemand. Doch ein größeres Augenmerk muss auf die Sicherheit und den Datenschutz gelegt werden. [...]

Quelle: J. Pennell, DIE ZEIT, 29.04.2010, übersetzt von T. Fischermann

M6 Kommentar zur neuen Technik

Wärme und Warmwasser	in kWh/Jahr
Raumtemperatur um 1 °C senken	840
Nachtabsenkung auf 16 °C	700
Stoßlüften statt Dauerkippstellung	1 000
Jedes zweite Vollbad durch Dusche ersetzen	280
Einbau von Durchflussbegrenzern in Dusche und Waschbecken	560
Wohnzimmer/Heimbüro	
Hi-Fi-Anlage, Fernseher und PC außerhalb der Nutzungszeiten vom Netz trennen	176
Halogenschreibtischlampe durch Sparlampe ersetzen (pro 10 Stunden Brenndauer pro Woche)	50
Nutzung „intelligenter" Videogeräte und Satellitenempfänger, z. B. mit Stützakku	260

Quelle: Die Verbraucher Initiative e.V.: Energiesparen im Haushalt

M7 Mögliche Einsparungen im Haushalt

weblink
▌ Energiesparen, Haushalt

METHODE Planung und Durchführung einer Exkursion

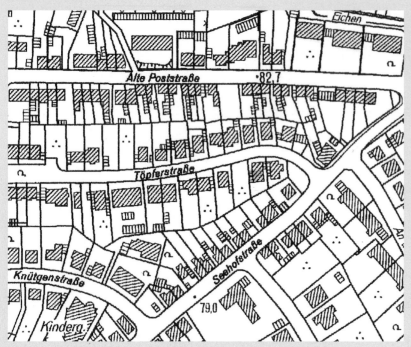

M1   Untersuchungsgebiet in der Umgebung einer Schule
     (Grundkarte 1 : 5 000)

M2   Schüler beim Kartieren. Auf dem Dach des Hauses:
     Solarkollektoren

Auch in der Umgebung der Schule werden regenerative Energien genutzt. Im Rahmen einer Exkursion bietet sich die Möglichkeit zu erforschen, welche regenerativen Energien am Schulort zu finden sind. Beim „Lernen am Original" können geographische Sachverhalte selbstständig erkundet und Wissen und Können im komplexen Zusammenhang angewendet werden. Verschiedene Methoden werden erprobt und überprüft. Eine Exkursion muss aber gut geplant werden.

Methoden zur Erhebung von Daten

→ beobachten
→ befragen
→ protokollieren
→ kartieren
→ skizzieren
→ fotografieren
→ analysieren
→ interpretieren

Methoden zur Dokumentation und Präsentation von Daten

→ schriftlicher Bericht
→ PowerPoint-Vortrag
→ Wandzeitung
→ Ausstellung

Materialien für eine Kartierung:

■ Grundkarte 1 : 5 000 vom Katasteramt
■ Stifte
■ Klemmmappe als Unterlage vor Ort
■ Schreibblock
■ Übersicht über vereinbarte Kartierungsobjekte
■ Übersicht über vereinbarte Signaturen

1. Entwickeln Sie einen Fragebogen für die Befragung eines „Experten" für Windkraftanlagen, Biogasanlagen oder Solaranlagen.
2. Recherchieren Sie, welche Projekte zur Nutzung regenerativer Energien im Nahraum des Schulorts kontrovers diskutiert werden. Ermitteln Sie Ansprechpartner für eine Befragung.
3. Planen Sie eine Exkursion im Nahraum der Schule unter Berücksichtigung der Planungsschritte.
4. Führen Sie die Exkursion durch und präsentieren Sie Ihre Ergebnisse.
5. Evaluieren Sie Ihre Exkursion.

Vorbereitung einer Exkursion
(im Klassenraum)

1. SCHRITT
Themenfindung

→ Welches Thema, welche Fragestellungen
   eignen sich für die Exkursion?
→ Was könnten wir in Bezug auf regenerative
   Energien in der Schulumgebung erkunden?
   (Eventuell Internet-Recherche zur Nutzung
   regenerativer Energien im Ort: Biogasanlage,
   Windkraftanlage, Solarpark)

2. SCHRITT
Arbeitsorganisation

→ Wie wird der Untersuchungsraum abgegrenzt?
→ Wie sollen die Daten erhoben werden?
→ Welche Termine mit „Experten" müssen
   gegebenenfalls organisiert werden?
→ Wie können die leitenden Fragestellungen
   strukturiert und auf Gruppen aufgeteilt
   werden?
→ Wie erstellen wir einen Arbeitsplan mit
   Zeitraster?
→ Welche Materialien werden benötigt,
   wer besorgt was?
→ Welche Fragebögen müssen gegebenenfalls
   erstellt werden?
→ Wie sollen die Daten ausgewertet und
   dokumentiert werden?
→ Wie werten wir Vorbereitung, Durchführung
   und Dokumentation aus?

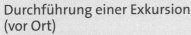

M3   Beispiel einer Kartierung zu Photovoltaik- und Sonnenkollektoranlagen
      auf Hausdächern einer Siedlung

Durchführung einer Exkursion
(vor Ort)

1. Arbeitsschritt

→ einen Überblick, einen ersten Eindruck verschaffen. Dies kann zum Beispiel von einem
   erhöhten Punkt aus geschehen oder durch
   eine erste Begehung des Untersuchungsge-
   biets. Dabei kann man im Untersuchungsgebiet an geeigneter Stelle einen Rundumblick
   (360°-Drehung um sich selbst) vornehmen
→ gegebenenfalls Fragen notieren, die dem
   „Experten" gestellt werden sollen

2. Arbeitsschritt

→ Durchführung der geplanten Untersuchung
→ Erhebung der Daten

3. Arbeitsschritt

→ erster Erfahrungsaustausch zur Erhebung
   der Daten
→ gegebenenfalls Klärung von Fragen und
   Besprechung des weiteren Vorgehens

Nachbereitung einer Exkursion
(im Klassenraum)

→ Bearbeitung der erhobenen Daten
→ Visualisierung der Ergebnisse
   Anfertigung der Dokumentation
→ Vorbereitung der Präsentation
→ Präsentation
→ Evaluation der Planung
   Durchführung und Dokumentation
→ Reflexion über die Ergebnisse

Das Wichtigste in Kürze

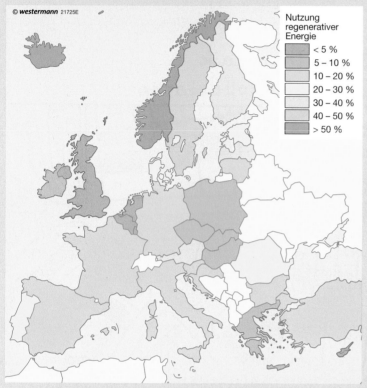

Nutzung
regenerativer
Energie

	< 5 %
	5 – 10 %
	10 – 20 %
	20 – 30 %
	30 – 40 %
	40 – 50 %
	> 50 %

M1   Nutzung erneuerbarer Energien in Europa

Der Ressourcen- und Klimaschutz gehört zu den Herausforderungen des 21. Jahrhunderts, die zum Beispiel durch die Energiewende in Deutschland gemeistert werden sollen. Statt der Nutzung fossiler Energien sollen verstärkt regenerative Energien zur Energieversorgung beitragen. Die räumlichen Voraussetzungen für die Nutzung regenerativer Energien sind jedoch unterschiedlich, ebenso die räumlichen Auswirkungen, wenn diese genutzt werden.

Möglichkeiten der Nutzung regenerativer Energien

Die technischen Voraussetzungen für die Nutzung regenerativer Energien sind weit fortgeschritten und werden stetig verbessert. Bei der Suche nach Möglichkeiten der Nutzung regenerativer Energien muss ein Land natürlich die vorhandenen räumlichen Voraussetzungen berücksichtigen. Soll die Wasserkraft genutzt werden, sind ein ausreichend großes Wasserangebot sowie eine möglichst große Reliefenergie notwendig. Norwegen ist zum Beispiel ein Land, in dem diese Voraussetzungen gegeben sind. Für die Nutzung der Solarenergie sind Intensität und Dauer der Sonneneinstrahlung wichtig. Zwar kann der Einfallswinkel der Sonnenstrahlen durch die Schrägstellung der Solaranlagen beeinflusst werden, doch sind Gebiete an den Wendekreisen auch wegen des wolkenlosen Himmels begünstigt für die Nutzung der Solarenergie. Für die Nutzung der Windkraft ist nicht nur die Windstärke ausschlaggebend, sondern auch ein möglichst konstant wehender Wind. Küstengebiete und höher gelegene Gebiete bieten gute Standortvoraussetzungen.

Alpha Ventus ist ein Beispiel für Offshore-Windparks, die wegen der hohen und konstanten Windgeschwindigkeiten besonders geeignet sind. Die Nutzung von Biomasse zur Energiegewinnung kann zum Beispiel in Biogasanlagen erfolgen. Als Standorte von Biogasanlagen sind landwirtschaftlich genutzte Gebiete begünstigt. Die Lage ist jedoch nicht zwingend erforderlich, wenn das Transportproblem der Biomasse zur Biogasanlage gelöst wird. Anders ist es bei der Nutzung der Geothermie, denn dafür sind geologische Störungszonen eine Voraussetzung, und zwar möglichst mit Thermalwasservorkommen. Island ist ein Beispiel für ein Land, das bezüglich der Nutzung der Geothermie ideale Bedingungen bietet.

Das Transport- und Speicherproblem

Die Nutzung der regenerativen Energien setzt voraus, dass der erzeugte Strom auch ohne größere Verluste zu den Verbrauchern transportiert werden kann. Die Leitungsnetze sind mitunter sehr lang und oft auch nicht ausreichend vorhanden, wie das Beispiel Deutschland zeigt. Durch die Weiterentwicklung der Technik konnten Verluste beim Stromtransport im Leitungsnetz allerdings verringert werden. Ein weiteres Problem ist das Speichern der Energie. Bei Pumpspeicherkraftwerken ist die Möglichkeit der Speicherung gegeben, aber nicht bei der Solarenergie oder der Windenergie.

Nutzung um jeden Preis?

Die Nutzung erneuerbarer Energien führt allerdings auch zu Problemen, die aus ökonomischer, ökologischer und sozialer Perspektive diskutiert werden. Das Beispiel der Stauseen in Brasilien zeigt sehr deutlich, dass es auch um die Veränderung oder sogar Zerstörung von Lebensräumen geht. Sind besiedelte Gebiete betroffen, müssen Menschen möglicherweise umgesiedelt werden. Auch die Tier- und Pflanzenwelt kann betroffen sein. Eine Veränderung der Landschaft ergibt sich auch bei der Installation von Windparks und dem Bau von Stromtrassen, der Vermaisung der Landschaft für die Nutzung von Biomasse und dem Bau von Solarkraftwerken. Hinzu kommen ökologische Auswirkungen durch zum Beispiel den Maisanbau oder die Offshore-Windanlagen. Bürgerproteste zeigen, dass es Nutzungskonflikte gibt, und zwar nicht nur in Deutschland, sondern auch in Ländern wie Island und Norwegen.

Kann der Energiehunger der Welt mit regenerativen Energien gestillt werden?

Der steigende Energieverbrauch weltweit macht die Nutzung erneuerbarer Energien notwendig, denn die Nutzung fossiler Energien ist begrenzt und die Nutzung der Atomkraft umstritten. Betrachtet man den derzeitigen Stellenwert der erneuerbaren Energien an der Stromversorgung in Europa und weltweit, so können erhebliche Unterschiede festgestellt werden. Für die Zukunft ist das Potenzial noch groß.

Kompetenz-Check

Hier sind alle Kompetenzen, die Sie in diesem Kapitel erwerben konnten, aufgelistet.
Sie können selbst beantworten, ob Sie die Kompetenz sicher beherrschen: **sicher, mäßig oder kaum.**

Sachkompetenz

Kann ich		unsicher? Schlagen Sie nach auf Seite
1.	unterschiedliche Formen regenerativer Energieerzeugung und deren Versorgungspotenzial beschreiben (SK1)?	162–181
2.	räumliche Entwicklungsprozesse beschreiben, die durch wirtschaftliche und politische Faktoren beeinflusst werden (z. B. bei der Ausweitung der Nutzung regenerativer Energien) (SK4)?	162–181
3.	Raumnutzungsansprüche und -konflikte sowie Ansätze zu deren Lösung beschreiben (z. B. bei der Ausweisung von Flächen für Windparks oder dem Ausbau des Stromleitungsnetzes) (SK5)?	164/165, 170–173, 180/181
4.	geographische Prozesse und Strukturen bzgl. der Beschreibung und Erörterung der Nutzung regenerativer Energien mittels eines Fachbegriffsnetzes systematisieren (SK7)?	160/161

Methodenkompetenz

Kann ich		
5.	mich unmittelbar vor Ort und mittelbar mithilfe von physischen und thematischen Karten orientieren (MK1)?	186–187
6.	unterschiedliche Darstellungs- und Arbeitsmittel (Karte, Bild, statistische Angaben, Graphiken und Text) zur Beantwortung von Fragestellungen zu regenerativen Energien analysieren (MK3)?	162–181
7.	Möglichkeiten und Grenzen regenerativer Energien mündlich und schriftlich unter Verwendung der Fachsprache problembezogen, sachlogisch strukturiert, aufgaben-, operatoren- und materialbezogen darstellen (MK6)?	162–181, 190/191
8.	schriftliche und mündliche Aussagen (z. B. zur Nutzung regenerativer Energien) durch angemessene und korrekte Materialverweise und Materialzitate belegen (MK7)?	162–181, 190/191
9.	geographische Informationen grafisch darstellen (Kartenskizzen, Wirkungsgeflechte usw.) (MK8)?	172/173, 186–187

Urteilskompetenz

Kann ich		
10.	die Auswirkungen der Ausweitung von Anbauflächen für nachwachsende Energierohstoffe im Zusammenhang mit der Ernährungssicherung für eine wachsende Weltbevölkerung erörtern (UK1)?	176–177
11.	verschiedene Maßnahmen zur Senkung des Energieverbrauchs unter dem Aspekt der Effizienz und Realisierbarkeit beurteilen (UK1)?	182–185
12.	Möglichkeiten und Grenzen von regenerativer Energieerzeugung unter Berücksichtigung von wirtschaftlichen Interessen und Erfordernissen des Klimaschutzes bewerten (UK6)?	162–181

Handlungskompetenz

Kann ich		
24.	Unterrichtsgänge oder Exkursionen planen (HK3)?	186–187
25.	Möglichkeiten der Einflussnahme auf raumbezogene Prozesse (z. B. Errichtung eines Windparks, Effizienzsteigerung bei der Stromversorgung) im Nahraum präsentieren (HK6)?	170–173, 182–185

Klausurtraining

Nutzung regenerativer Energien – das energieautarke Dorf Feldheim

1. Lokalisieren Sie Feldheim (Treuenbrietzen) und beschreiben Sie die Energieversorgung des Ortes.
2. Erläutern Sie das Energiekonzept mit Bezug zu den naturgeographischen Voraussetzungen.
3. Bewerten Sie das Energiekonzept von Feldheim vor dem Hintergrund der Nachhaltigkeit und der Übertragbarkeit auf andere Räume.

Diese Materialien benötigen Sie ergänzend zur Lösung der Aufgaben:
M1 Diercke Weltatlas, 2008, Karte: Sonnenenergie und Erdwärme, S. 53
M2 Diercke Weltatlas, 2008, Karte: Windenergie, S. 53
M3 Weitere Atlaskarten nach Wahl

M5   Blick auf Feldheim

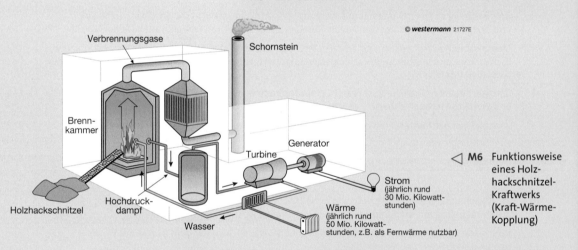

◁ **M6** Funktionsweise eines Holzhackschnitzel-Kraftwerks (Kraft-Wärme-Kopplung)

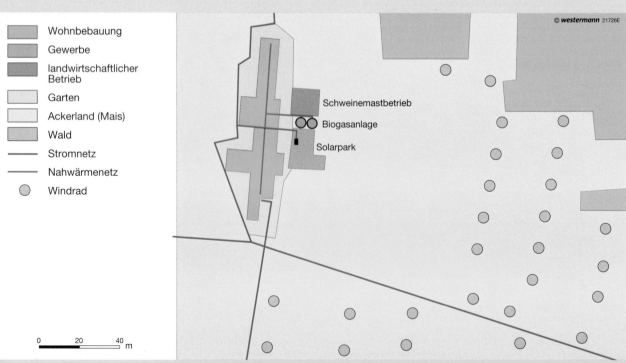

M4   Kartenskizze von Feldheim/Treuenbrietzen

M7 Solaranlage und Windräder in Feldheim

Feldheim in Brandenburg erinnert an das kleine gallische Dorf, das sich gegen ein übermächtiges Imperium behaupten will. 2005 entstand die Idee einer Kommune, die über die Stromproduktion und -verteilung selbst entscheidet. Während andere Kommunen ihre Stromnetze zurückkaufen, um die Energieversorgung wieder selbst in die Hand zu nehmen, geht Feldheim in der Stadt Treuenbrietzen noch einen Schritt weiter. Das kleine Dorf hat zusammen mit einem örtlichen Unternehmer ein eigenes Stromnetz für die 150 Einwohner verlegt, das mit dem deutschen Stromnetz verbunden ist. Das ist in Deutschland bislang einmalig.

Michael Knape, Bürgermeister der Stadt Treuenbrietzen, rekapituliert die Entwicklung: „Die Idee der Autarkie war zunächst auf die neu gegründete Solarfabrik beschränkt, die über Wind und Sonne mit Strom versorgt wurde." Das erfolgreiche Modell machte Schule. „Die Bürger haben eine autarke Versorgung selbst angefragt", erinnert sich Knape. Mittlerweile werden Strom und Wärme zu über 100 Prozent aus Erneuerbaren-Energien-Anlagen im Dorf produziert. Diese Beteiligung an der wirtschaftlichen Entwicklung ist für die Bürger-Akzeptanz zentral. Und so gab es auch bei den Windprojekten nie eine breite öffentliche Ablehnung. Dabei sollte aber nicht vergessen werden, dass der wirtschaftliche Gewinn auf einer gemeinsamen Investition basiert, denn jeder Feldheimer hat für den Anschluss an das Wärmenetz und das Stromnetz jeweils 1500 Euro bezahlt. „Wir haben die Energieautarkie als Herausforderung verstanden und wir haben sie gemeistert", sagt Knape selbstbewusst. Der Vorschuss wird sich im Bereich Strom in knapp sieben Jahren amortisieren.

Das brandenburgische Unternehmen Energiequelle selbst projektiert seit 1997 Windparks. Später wurde das Geschäftsfeld um Solarenergie und Biogas erweitert. Auf einem ehemaligen Militärgelände in Feldheim errichtete die Firma einen Solarpark mit 96 Photovoltaik-Anlagen. Die Stahlkonstruktionen, die die Anlagen automatisch in den optimalen Winkel zur Sonne bringen, werden vor Ort in einem neu errichteten Werk hergestellt. Damit hat diese Energiequelle ein drittes wirtschaftliches Standbein für Treuenbrietzen geschaffen. Neben dem Metallverarbeitungswerk der Kohl-AG und dem Johanniter-Krankenhaus sorgen jetzt auch die Erneuerbaren Energien für Arbeitsplätze und für Aufträge an lokale Handwerker und Bauunternehmen. Bisher sind 25 neue Arbeitsplätze entstanden, bei rund 150 Einwohnern.

Nach: www.kommunal-erneuerbar.de, 2010

M10 Informationen zur Entwicklung des Energiekonzepts

Holzhackschnitzel sind zerkleinertes Holz. Zur Herstellung von Holzhackschnitzeln werden Waldrestholz, minderwertiges Holz, Schnittgut aus der Landschaftspflege und Altholz verwendet.
Bei der Verbrennung in Heizkraftwerken entstehen Rauchgase. Im Vergleich zur Verbrennung fossiler Brennstoffe beträgt die jährliche CO_2-Reduktion rund 40 000 Tonnen.
Quelle: Agentur für Erneuerbare Energien

M8 Holzhackschnitzel als Brennstoff

> Solarpark Selterhof (Feldheim)
> Demonstrationsanlage
> der Firma EQ-SYS
> 2,25 MWp elektrische Leistung
> 2 748 MWh jährlicher Ertrag

© *westermann* 21728E

Wärme-speicher

Erzeuger

43 Windenergieanlagen	Speicher für Elektroenergie zur Notversorgung	Biogasanlage	15 Hackschnitzel-Heizungen
74,1 MW Leistung	Batterie: 2 MW	533 kW thermische Leistung	315 kW thermische Leistung
140 000 MWh jährlicher Ertrag		499 kW elektrische Leistung	
		4 000 MW jährlicher Ertrag	

Verbraucher

Öffentliches Netz	2 Gewerbebetriebe 2 kommunale Einrichtungen	1 Agrargenossenschaft mit 3 Anschlüssen	37 Haushalte

M9 Energieverbund in Feldheim

VII Klima im Wandel

Malé, die Hauptstadt der Malediven, liegt nur einen Meter über dem Meeresspiegel und ist bei steigendem Meeresspiegel dem Untergang geweiht

KAPITEL I:
Zwischen Ökumene und Anökumene

KAPITEL II:
Lebensgrundlage Wasser

KAPITEL III:
Leben mit den endogenen Kräften der Erde

M1   Rückgang des Morteratsch-
Gletschers (Alpen)

M3   Hochwasserkatastrophe in Australien
(2012)

M4   Eruption des Vulkans Grimsfjall
(Island). Von dem Vulkan wird eine fast
20 Kilometer hohe Aschesäule in die
Luft geschleudert

Es wird wärmer ....

Kippt unser Klima?

Das Wetter entwickelt sich immer öfter völlig uner-
wartet. Verheerende Dürreperioden als auch sint-
flutartige Regenfälle mit Überschwemmungen und
Hochwasser, Hitzewellen und Waldbrände, Stürme
und Sturmfluten gefährden viele Regionen – für
viele Menschen sind dies deutliche Anzeichen oder
Vorboten für eine Klimaänderung. Aber können
einzelne Wetterereignisse mit einer Änderung des
Klimas gleichgesetzt werden? Können wir an den
beobachteten Wetterextremen eine beginnende
Klimaänderung erkennen?

Vom Wetter zum Klima

Worin besteht der Unterschied zwischen Wetter
und Klima? Wann wird von einem Wetterwechsel,
wann von Klimaschwankungen gesprochen? Beide Begriffe beschreiben unterschiedliche Zustände der Atmosphäre. Wetter ist der Zustand der
Atmosphäre zu einem bestimmten Zeitpunkt an
einem bestimmten Ort auf der Erde und ist gekennzeichnet durch messbare meteorologische Größen
wie Lufttemperatur, Niederschlag, Strahlung oder
Windrichtung.
Im Unterschied dazu ist das Klima definiert als
der mittlere Zustand der Atmosphäre an einem
bestimmten Ort oder in einer Region oder einer
Landschaftszone. Es wird repräsentiert durch die
statistischen Gesamteigenschaften (Mittelwerte,
Extremwerte, Häufigkeiten und andere) über einen längeren Zeitraum. Im Allgemeinen wird ein
Zeitraum von 30 Jahren zugrunde gelegt, die sogenannte Referenzperiode, es sind aber auch kürzere
Zeitabschnitte gebräuchlich. Von einer Klimaverän-
derung spricht man, wenn die Differenz aus den
Mittelwerten eines Klimaelements, wie zum Beispiel
der Lufttemperatur, zweier aufeinanderfolgender
(mehrere Jahrzehnte umfassender) Zeitspannen
einen bestimmten Schwellenwert überschreitet.

Komplexität des Klimawandels

Bereits vor Veröffentlichung des fünften IPCC UNO-
Klimareports Ende 2013 diskutierten Interessenver-
bände und Regierungsvertreter um die Interpretation der aktuellen Daten und errechneten Prognosen.
Der IPCC ist ein wissenschaftliches zwischenstaat-
liches Gremium, das von der Weltorganisation für
Meteorologie (WMO) und dem Umweltprogramm
der Vereinten Nationen (UNEP) ins Leben gerufen
wurde. Es besteht aus Regierungsvertretern und
Wissenschaftlern.

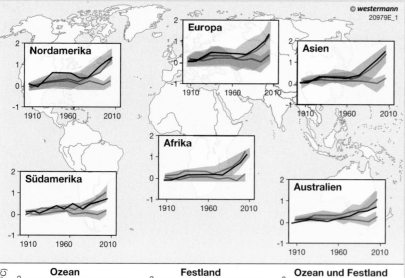

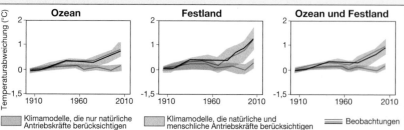

M2   Vergleich der Simulationen unterschiedlicher Klimamodelle mit gemessenen Temperaturveränderungen
in verschiedenen Weltregionen

KAPITEL IV:
Förderung und Nutzung fossiler Energieträger

KAPITEL V:
Neue Fördertechnologien

KAPITEL VI:
Regenerative Energien

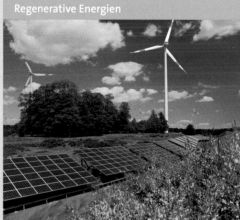

M5 Tagebau im Rheinischen Braunkohlenrevier

M6 Abbau von Ölsanden in Alberta (Kanada)

M7 Erneuerbarer Energiemix in Deutschland

In den UNO-Klimareport flossen die Ergebnisse von rund 10 000 wissenschaftlichen Studien ein. Hunderte Wissenschaftler waren daran beteiligt. Sie gehen von einer vorwiegend anthropogenen Verursachung des Klimawandels aus.

Dagegen verfassten industrienahe Verbände Kritiken, die den Deutungen des UNO-Klimarates IPCC widersprechen. Sie wollten die Öffentlichkeit darauf hinweisen, dass die Daten des IPCC zu unsicher seien und machten mit öffentlichen Auftritten und in Medienbeiträgen verstärkt Stimmung gegen den UNO-Klimarat.

Das Thema „Klimawandel" wird durch Medien und Politik vielen Menschen bewusst gemacht. Aber wer versteht bis ins Detail, was geschrieben und gesagt wird? Wer kann beurteilen, welche Aussagen zum Klimawandel richtig oder gar falsch sind?

Auch wirft der Klimawandel nach wie vor viele Fragen auf:

Welche Auswirkungen haben das Abschmelzen von Gletschern und die Erhöhung des Meeresspiegels aus regionaler und globaler Sicht?

Welche Gebiete werden in der Zukunft aufgrund der Klimaerwärmung zu Ungunst- oder Gunsträumen für den Menschen?

Gibt es Zusammenhänge zwischen dem Klimawandel und der Zunahme von Sturmereignissen?

Welche natürliche Ursachen können Klimaschwankungen haben?

Welche Bedeutung hat der Mensch beim Klimawandel?

Was können wir gegen Klimaänderungen unternehmen?

Vielfältige Beobachtungsdaten zeigen eindeutig, dass sich das Klima auf der Erde geändert hat. Einige markante Beispiele der Klimaänderungen sind:

→ Die globale Mitteltemperatur in Bodennähe stieg im Zeitraum von 1880 bis 2012 um 0,85 °C. Jedes der drei vergangenen Jahrzehnte war wärmer als alle vorhergehenden seit 1850. In der Nordhemisphäre war die letzte 30-jährige Periode von 1983 bis 2012 die wärmste seit 1400 Jahren.

→ In den vergangenen 15 Jahren ist die globale Mitteltemperatur weiterhin gestiegen, jedoch war die Geschwindigkeit des Temperaturanstiegs langsamer als in den vorhergehenden Jahrzehnten. Der Weltklimarat stellt fest, dass man aus diesem Befund nicht auf eine generelle Abschwächung des globalen Klimawandels schließen kann, da solch kurzfristige Veränderungen vor allem auf natürliche und interne Schwankungen im Klimasystem zurückgehen können.

→ Verbesserte Messsysteme zeigen, dass die Ozeane im Zeitraum 1971 bis 2010 mehr als 90 Prozent der Energie gespeichert haben, die dem Klimasystem zusätzlich zugeführt wurde. In den oberen 75 m der Weltmeere stieg die Temperatur von 1971 bis 2010 im Mittel um 0,11 °C pro Dekade an.

1. Beschreiben Sie, was die Fotos M1 bis M7 mit dem Klimawandel verbindet.
2. Stellen Sie an konkreten Beispielen die Unterschiede zwischen Wetter und Klima dar.
3. „Es wird wärmer!" Beschreiben Sie, wie diese Entwicklung regional und global (M2) sichtbar wird.
4. Formulieren Sie Hypothesen zum Themenkomplex Klimawandel.

www.westermann.de/diercke-arbeitsmaterial

METHODE: Durchführung eines Projektes

Auf den Spuren des Klimawandels

Die regionalen und globalen Temperaturerhöhungen hinterlassen mittlerweile in vielen Regionen der Erde sichtbare Spuren. Es lohnt sich, diese zu erforschen. Folgende Spuren werden von Wissenschaftlern und Medien als bedeutsam eingestuft:

→ **Spur 1:** Abschmelzen von Gletschern – S. 198–199
→ **Spur 2:** Auftauen des Permafrostbodens – S. 200
→ **Spur 3:** Anstieg des Meeresspiegels – S. 201
→ **Spur 4:** Zunahme von Wetterextremen (z. B. Hitzeperioden, Sturmereignisse) – S. 202–203

Um sich diesen komplexen und globalen Folgen des Klimawandels zu nähern, eignet sich eine Spurensuche in Form eines Projektes.

Dieses Thema ermöglicht eine vielschichtige und eigenständige Erforschung von markanten Beispielen zu den Auswirkungen der aktuellen Klimaänderungen. Dieses Projekt besitzt einen engen Bezug zur Praxis und es können verschiedene Sachgebiete miteinander vernetzt werden und somit auch fachübergreifend (z. B. mit Physik, Biologie) erarbeitet werden.
Insgesamt ist das Projekt so angelegt, dass je nach Zeitumfang eine längere Planungs- und Durchführungszeit beansprucht werden muss. Um sich der strukturierten Projektarbeit zu nähern, werden zunächst die einzelnen Schritte der Projektarbeit genau beschrieben (M3).

M1   Funktionen eines Projektleiters   20927E

1. SCHRITT:
Einstieg (Arbeit im Plenum)

Strukturierung des Themas

Zu Beginn des Projektes sammelt der gesamte Geographiekurs Ideen bzw. Unterthemen zu den einzelnen Spuren des aktuellen Klimawandels. In Form einer Mindmap werden nach einem einführenden Brainstorming alle Aspekte zu den Spuren gesammelt, strukturiert und in schriftlicher Form festgehalten.
Es werden dazu Hauptäste gezogen, an die sich Unterthemen anbauen lassen, sodass eine gute Übersicht über das Thema entsteht.
Eine Alternative zum Brainstorming ist die Kartenabfrage. Jeder Schüler erhält dafür maximal drei Karten und den Auftrag, eine Idee/ein Unterthema zu den Spuren des aktuellen Klimawandels stichwort- bzw. schlagwortartig auf eine Karte zu schreiben. Das können drei Unterthemen oder je eine Idee zu drei unterschiedlichen Aspekten einer Spur sein. Im Anschluss werden die Karten an einer vorbereiteten Pinnwand nach Themen gruppiert und mit Überschriften versehen, sodass eine Übersicht entsteht.

Benennung eines Projektleiters

Eine Schülerin bzw. ein Schüler wird vom Geographiekurs oder von der Lehrperson als Projektleiter gewählt. Der Projektleiter hat folgende Aufgaben (M1):
→ Verantwortung für das gesamte Projekt
→ Koordination, Kontrolle und Steuerung des Projektes
In allen Phasen des Projektes steht die Lehrperson dem Projektleiter als Experte zur Verfügung.

Gruppenbildung

In dieser Projektphase wird auch die Gruppenbildung vorgenommen. Nach der Strukturierung des Themas werden Kleingruppen gebildet. Anschließend diskutieren die Schüler die Interessenslage innerhalb der Kleingruppe und entscheiden sich für eine Spur des aktuellen Klimawandels. Falls Gruppen das gleiche Thema bearbeiten möchten, entscheidet das Los über das zu übernehmende Thema.

2. SCHRITT:
Planung (Arbeit in Kleingruppen)

In dieser Phase des Projektes sind in den jeweiligen Kleingruppen eine Reihe von Fragen zu klären:
→ Wer übernimmt innerhalb der Gruppe welche Aufgaben? Es ist sinnvoll, Aufgaben innerhalb der Gruppe zu verteilen, wie z. B. Zeitwächter, Schriftführer und Gruppensprecher.
→ Welche Informationen werden benötigt, um zu einer umfassenden Bearbeitung des Unterthemas/der Leitfragen zu kommen?
→ Welche Hilfsquellen stehen zur Verfügung?

→ Welche Experten/Fachleute können befragt werden?

→ In welchem zeitlichen Rahmen sollen welche Projektaktivitäten erfolgen? Es ist sinnvoll, einen Zeitplan innerhalb der Kleingruppe zu erstellen. Ein zeitliches Organisationsbeispiel der Projektarbeit liefert Abbildung M2.

3. SCHRITT:
Durchführung (Arbeit in Kleingruppen und im Plenum)

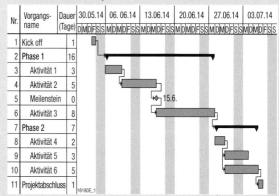

Nr.	Vorgangs-name	Dauer (Tage)
1	Kick off	1
2	Phase 1	16
3	Aktivität 1	3
4	Aktivität 2	5
5	Meilenstein	0
6	Aktivität 3	8
7	Phase 2	7
8	Aktivität 4	2
9	Aktivität 5	3
10	Aktivität 6	5
11	Projektabschluss	1

M2 Beispiel für einen Zeitplan der Projektarbeit innerhalb der Kleingruppe

Die Kleingruppen führen die abgesprochenen und ihnen zugewiesenen Aufgaben aus. Ein Teil der Aufgaben kann oder muss auch außerhalb der Schule erfolgen, beispielsweise eine Expertenbefragung.

Der Projektleiter muss darauf achten, dass sich die Kleingruppen regelmäßig treffen.

Außerdem muss sich der Projektleiter einen Überblick über den momentanen Arbeitsstand verschaffen. In dieser Phase übernimmt der Projektleiter wichtige Funktionen (M1). Um den Fortschritt der einzelnen Gruppen zu dokumentieren, sollten die Kleingruppen zu den gemeinsamen Treffen kurze Protokolle vorbereiten.

4. SCHRITT:
Präsentation (Arbeit im Plenum)

Im Vorfeld der Präsentation müssen die Kleingruppen diskutieren und beschließen, in welcher Weise die Projektergebnisse vorgestellt werden sollen. Folgende Präsentationsformen sind weit verbreitet: Präsentationen mithilfe von

→ Folien

→ Wandzeitungen/Plakaten

→ Foto-/Filmdokumentationen

→ weiteren Medien (z. B. PowerPoint, Website).

Des Weiteren müssen sich die Kleingruppen darüber verständigen, wer beispielsweise welche Aufgabe bei der Fertigstellung übernimmt und wer welchen Teil des Themas bei der Präsentation vortragen möchte.

Für die Öffentlichkeitsarbeit der Schule kann außerdem eine interne und externe Dokumentation der Projektergebnisse erfolgen (z. B. Schwarzes Brett, Bibliothek, Schülerzeitung, Jahrbuch, Schulhomepage, Zeitung).

5. SCHRITT:
Auswertung (Arbeit im Plenum)

Eine kritische Reflexion zur Durchführung des Projektes bildet den Abschluss der Projektarbeit. Diese Phase der Auswertung ist sehr wichtig, um eventuelle Stärken und Schwächen Einzelner bei zukünftigen Projekten vorab besser abschätzen zu können und damit Arbeitsabläufe und Ergebnisse eines Projekts zu optimieren.

Folgende Fragen sind bei der Evaluation des Projektes denkbar:

→ Was ist während des Projektes gut gelaufen?

→ In welcher Phase des Projektes traten welche Probleme auf?

→ Wie wurde die Rolle des Projektleiters/ Lehrers empfunden?

→ Auf welche Punkte sollte bei zukünftigen Projekten stärker geachtet werden?

→ ...

M3 Schritte eines Projektes

---

1. Analysieren Sie innerhalb des Projekts unter Einbeziehung der Materialien und aktueller Forschungsergebnisse die Spuren des aktuellen Klimawandels auf den folgenden Schulbuchseiten.

   Folgende Leitaufgaben können bei der systematischen Erforschung einer Spur hilfreich sein:

   ▌ Erfassen Sie die regionalen und globalen Ausmaße einer Spur des aktuellen Klimawandels.

   ▌ Bewerten Sie, inwiefern die Spur als ein Indikator des aktuellen Klimawandels gesehen werden kann. Hinterfragen Sie dazu auch kritisch Ihre verwendeten Materialien.

   ▌ (...)

   ▌ Visualisieren Sie Ihre Ergebnisse anschaulich (z. B. in einer digitalen Präsentation).

Informationsquellen für die Spurensuche: z. B.

▌ Alfred-Wegener-Institut

▌ Allianz Umweltstiftung

▌ Bundesministerium für Umwelt, Naturschutz und Reaktorsicherheit

▌ Germanwatch

▌ IPCC

PROJEKT Abschmelzen von Gletschern (Spur 1)

→ Albedo, Eisschild, Meeresströmung

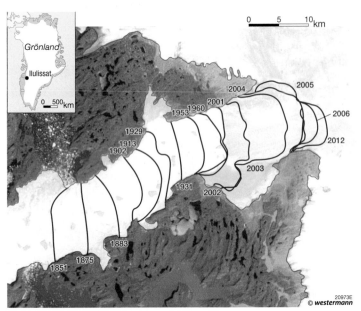

M1 Die Satellitenaufnahme zeigt, wie weit sich der westgrönländische Jakobshavn-Gletscher (bei Ilulissat) im Zeitraum der Jahre 1851 – 2012 zurückgezogen hat

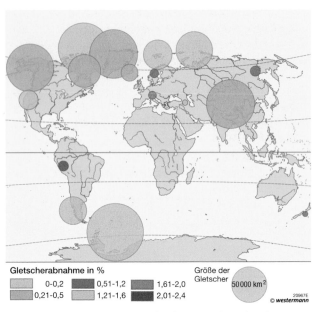

M3 Abnahme der Gletschermächtigkeit pro Jahr weltweit.

Rückzug der Gebirgsgletscher

Zu den bisher am deutlichsten sichtbaren Auswirkungen der Klimaerwärmung zählt der weltweite Rückzug der Gebirgsgletscher. Gletscher gelten als das Gedächtnis der Klimageschichte, die Gebirgsgletscher als das Fieberthermometer der Erde. Kaum irgendwo lässt sich so deutlich ablesen, was mit unserem Klima geschieht wie hier.

Der World Glacier Monitoring Service (WGMS, Welt-Gletscher-Beobachtungsdienst) kommt zu dem Ergebnis, dass sich die Gletscherschmelze fast überall auf der Erde beschleunigt. Zusammengefasst schrumpfen die Gletscher mittlerweile viermal so schnell wie noch vor 30 Jahren – in den Anden und Alaska ebenso wie im Himalaya und in den Alpen. In der Alpenregion haben die Gletscher seit Beginn der industriellen Revolution mehr als die Hälfte an Masse verloren. Während die Alpengletscher zwischen 1975 und 2000 noch ein Prozent an Volumen pro Jahr einbüßten, hat sich die Verlustrate zu Beginn des 21. Jahrhunderts fast verdreifacht. Bis auf wenige Ausnahmen ist ein ähnlich großer Verlust in allen alpinen Gebieten der Erde zu beobachten.

Gletscher sind für viele Regionen eine der wichtigsten Trinkwasserquellen, da sie im Winter wertvolles Süßwasser in Form von Schnee und Eis speichern und dieses im Sommer in Form von Schmelzwasser an die Flüsse abgeben. Der Rückzug der Eismassen betrifft dabei insbesondere zahlreiche Städte im Einzugsbereich des Himalaya, wo das Wasser der Gletscher unter anderem die sieben größten Flüsse Asiens – Ganges, Indus, Brahmaputra, Mekong, Nu Jiang, Jangtsekiang und den Huang He – speist und so die Wasserversorgung Hunderter Millionen Menschen sichert.

Quelle: Germanwatch, 2011

M2 Aktuelle Forschungsergebnisse zur Gletscherschmelze

Arktisches Meereis schwindet wie noch nie

Der bisherige [bis 2013] Rückgang der Gletscher setzte sich global bis auf wenige Ausnahmen fort und auch die polaren Eiskappen nahmen an Masse ab. Von 2002 bis 2011 ist etwa sechsmal so viel Grönlandeis geschmolzen wie in den zehn Jahren davor. Der antarktische Eisschild verlor im Zeitraum 1992 bis 2001 pro Jahr 30 Gigatonnen an Eismasse, im Zeitraum 2002 bis 2011 waren es mit 147 Gt pro Jahr fast fünfmal so viel. Die mittlere jährliche Ausdehnung des arktischen Meereises hat sich im Zeitraum von 1979 bis 2012 um 3,5 bis 4,1 Prozent pro Dekade verringert. Beim antarktischen Meereis wurde eine leichte Zunahme von 1,2 bis 1,8 Prozent pro Jahrzehnt im Zeitraum 1979 bis 2012 beobachtet. Die Ausdehnung der Schneedecke in der Nordhemisphäre hat sich seit Mitte des 20. Jahrhunderts verringert.

Nach: IPCC, 2013

M4 IPCC Klimabericht 2013

	Massenverlust der Eisschilde		Meeresspiegeländerung
	1992 – 2000 Gt*/Jahr	2005 – 2010 Gt/Jahr	2005 – 2010 mm/Jahr
Grönland	-51 (±65)**	-263 (±30)	+0,73 (±0,08)
Antarktis	-48 (±65)	-81 (±37)	+0,23 (±0,10)
Grönland + Arktis	-100 (±92)	-344 (±48)	+0,96 (±0,13)
Gletscher + Eiskappen			+0,72 (±0,18)

* Gigatonnen, **Die Massenverluste/Meeresspiegeländerung unterliegen jährlich deutlichen Schwankungen (Zahlen in Klammern)   Quelle: AWI

M5 Übersicht über die Massenverluste der Eisschilde in Grönland und Antarktis

Wird der Nordpol im Sommer eisfrei?

Wie wird sich diese globale Erwärmung auf das arktische Meereis auswirken? Wird der Nordpol im Sommer irgendwann eisfrei sein?
Prof. R. Gerdes: Die Erwärmung wird dazu führen, dass Ausdehnung und Dicke des Eises weiter abnehmen. Verstärkt wird dieser Trend durch Rückkopplungsprozesse: Je weiter die Eisdecke schrumpft, umso mehr wird der offene Ozean sichtbar. Da aber der Ozean im Gegensatz zum Eis die Sonnenstrahlung sehr gut absorbiert, kann er sich zusätzlich erwärmen. Diese Erwärmung führt dann wiederum dazu, dass die arktische Eisbedeckung noch stärker zurückgeht. Wann wir allerdings in den Sommermonaten einen eisfreien Nordpol haben, ist derzeit noch schwer zu sagen. Darauf geben unsere Klimamodelle keine eindeutige Antwort. […]

Klar ist: Die Temperaturen werden weiter steigen. […] Was könnte dann schlimmstenfalls mit den Polarregionen passieren?
Prof. Lochte: Das könnte zu höheren Abschmelzraten beim grönländischen Eisschild führen, was sich dann auf den Meeresspiegel auswirken würde – mit globalen Folgen. Und wenn das Meereis weiter so abnimmt wie bisher, wird sich dort das Ökosystem verändern. […] Aber es wird auch Chancen geben.

Bereits heute wird diskutiert, ob man die Nordost- und die Nordwest-Passage künftig für die Schifffahrt nutzen und Bodenschätze aus dem Arktischen Ozean gewinnen kann, zum Beispiel Öl, Gas und Metalle.

Wenn das Eis in der Arktis schmilzt, hat das Auswirkungen auf den Meeresspiegel?
Prof. R. Gerdes: Nicht direkt. Schließlich schwimmt das Meereis und verdrängt dabei genau so viel Wasser, wie seinem Gewicht entspricht. Wenn dieses Eis schmilzt, ändert sich am Meeresspiegel zunächst einmal gar nichts. Doch möglicherweise gibt es indirekte Auswirkungen – zwar nicht auf den globalen Meeresspiegel, aber auf seine regionale Verteilung. Denn wo das Eis schmilzt, können sich Meeresströmungen verändern und damit die regionalen Verteilungen des Wasserstandes.
Aber wie genau sich die Meeresströmungen bei abnehmender Eisbedeckung verändern werden, ist nicht leicht vorherzusagen. Doch sollte es tatsächlich Auswirkungen auf die großräumige Umwälzbewegung im Atlantik geben, wozu auch der Golfstrom zählt, könnte das zu einem erheblichen Meeresspiegelanstieg an den Küsten Nordamerikas und Europas führen.

M6 Ausschnitt aus einem Interview mit Klimaforschern (Alfred-Wegener-Institut)

M8 Kalbende Gletscherfront

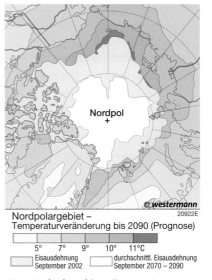
M9 Nordpolargebiet – Temperaturveränderung bis 2090 (Prognose)

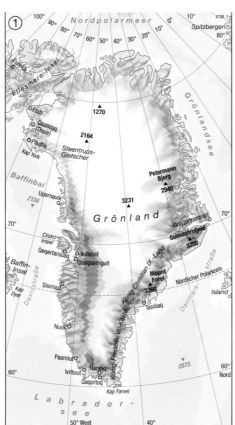
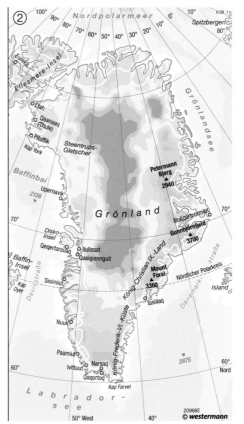

M7 Grönland – Bodenbedeckung und Landhöhen

PROJEKT　Auftauen des Permafrostbodens　(Spur 2)

→ Permafrost, Tundra

M1　Durch das Tauen des Permafrosts bilden sich in der Tundra vielerorts Seen

Die Erwärmung und schließlich das Tauen des Permafrosts können sowohl Prozesse auslösen, die das Tauen noch beschleunigen, als auch solche, die es bremsen. So bilden sich in Sibirien durch das Tauen des Permafrosts vielerorts Seen. Die daraus folgenden Erosionsprozesse nagen an der Landschaft. Wasser und Wärme dringen rascher in den Boden ein, wodurch der Permafrost beschleunigt tauen kann. Andererseits wird das Schmelzwasser mancherorts durch Erosionsrinnen schneller abgeführt.

Stark verkompliziert werden die Prozesse, die den Permafrost verändern, durch den gleichzeitigen Wandel der Vegetation aufgrund der Klimaerwärmung. Die Ausbreitung von Büschen nach Norden hat in den verschiedenen Jahreszeiten entgegengesetzte Wirkungen auf den Permafrost. Im Winter fördern Büsche die Anhäufung dickerer Schneedecken, deren starke Isolationswirkung die winterliche Abkühlung der Böden verringert. Im Sommer jedoch spenden die Büsche mehr Schatten als flachwüchsigere Tundrapflanzen und haben somit eine kühlende Wirkung, die den Permafrost stabilisiert. Die Vorgänge sind kleinteilig und hochdynamisch. Sie zu simulieren, stellt für die Forschung eine große Herausforderung dar.

Man schätzt, dass im Permafrost der Landflächen 1 672 Gigatonnen organischer Kohlenstoff gespeichert sind. Das ist mehr als doppelt so viel Kohlenstoff, wie die gesamte Vegetation der Erde enthält. Selbst wenn nur ein kleiner Teil dieses Vorrats freigesetzt würde, stiege der atmosphärische Kohlenstoffgehalt – in gebundener Form, das heißt als Methan oder Kohlendioxid – deutlich an. Dabei ist der Permafrost, der sich im Meeresboden arktischer Schelfgebiete (küstennaher, flacher Meeresbereich) befindet, noch nicht berücksichtigt. Er bildete sich in der letzten Eiszeit, als der Meeresspiegel viele Meter niedriger lag und die entsprechenden Flächen zur Landmasse gehörten. Wie viel Kohlenstoff aus diesem submarinen Permafrost freigesetzt werden könnte, wenn die Erwärmung anhält, ist noch kaum bekannt. Beginnt das Bodenmaterial zu tauen, kann es zu einer positiven Rückkopplung im Klima kommen. Schmelzen tiefe Permafrostschichten, wird relativ frische, „tiefgekühlte" organische Bodensubstanz für den Abbau durch Mikroorganismen verfügbar. Dieser Abbau führt letztendlich zur Freisetzung der Treibhausgase Kohlenstoffdioxid und Methan. Diese Freisetzung würde die Erwärmung der Atmosphäre verstärken.

Quelle: www.weltderphysik.de

M5　Wenn der Permafrost taut

Von Permafrost sprechen Forscher, sobald die Temperatur eines Bodens mindestens zwei aufeinanderfolgende Jahre lang unter Null Grad Celsius lag. Permafrost ist sehr verbreitet – man findet ihn auf 24 Prozent der Landflächen auf der Nordhalbkugel. In Gebieten Alaskas und Sibiriens, die während der letzten Eiszeit nicht vergletschert waren, haben sich mächtige Permafrostablagerungen gebildet, die einen hohen Gehalt an Eis aufweisen. Der Permafrost kann in Sibirien eine Tiefe von bis zu 1 400 m erreichen.

In den letzten Jahrzehnten hat sich nicht nur die Atmosphäre erwärmt. Auch die Temperatur der oberen Schichten des Permafrosts ist allgemein gestiegen. Das belegen Aufzeichnungen in Bohrlöchern und andere Messungen. Ein Teil des heutigen Permafrosts ist sehr anfällig für das Abtauen, weil er nicht zusammenhängend und unregelmäßig ausgebildet vorliegt und Temperaturen nahe Null Grad Celsius aufweist.

Es ist zu erwarten, dass die Verbreitung und Mächtigkeit des Permafrosts in Zukunft noch kleiner wird. Bis zum Jahr 2100 droht die Ausdehnung, sogar unter das Minimalniveau von vor 5 000 bis 9 000 Jahren zurückzugehen, als das bisherige Temperaturmaximum des Holozäns herrschte.

Quelle: www.weltderphysik.de

M2　Permafrost in der Vergangenheit und in der Zukunft

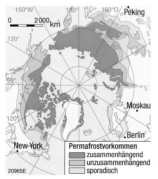

M3　Heutige Verbreitung von Permafrost auf der Nordhalbkugel

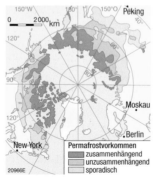

M4　Verbreitung von Permafrost auf der Nordhalbkugel (um das Jahr 2050)

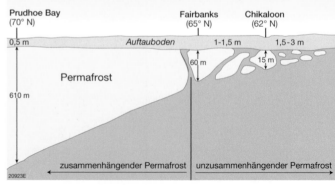

M6　Profil der Permafrostzone in Alaska zwischen 60° und 70° n. Br.

PROJEKT Anstieg des Meeresspiegels (Spur 3)

→ Meeresspiegelanstieg, Naturkatastrophe, Ökosystem, Ozeanzirkulation

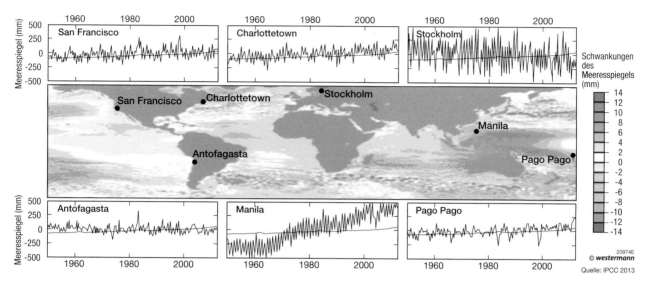

M7 Meeresspiegeländerungen in der Zeit von 1993–2012 (Karte) und von 1950–2012 an ausgewählten Forschungsstationen. Zum Vergleich ist in den Diagrammen eine Schätzung der globalen mittleren Meeresspiegeländerung eingezeichnet (rote Linien).

Als eine der wichtigsten Folgen des anthropogenen Klimawandels gilt der Anstieg des globalen Meeresspiegels.

Infolge der fortgesetzten Tauprozesse von Gletschern und Eisschilden und der Ausdehnung des erwärmten Ozeanwassers stieg der globale mittlere Meeresspiegel im Zeitraum von 1901 bis 2010 um etwa 19 cm an. Der mittlere Anstieg betrug in dieser Zeit etwa 1,7 mm pro Jahr. In den letzten 20 Jahren war dieser Wert mit ca. 3,2 mm pro Jahr fast doppelt so groß.

Der gegenwärtige Anstieg des Meeresspiegels mag zurzeit noch harmlos erscheinen, aber die Anstiegsrate wird vermutlich in Zukunft nicht auf ihrem momentanen Niveau verweilen. Vielmehr wird damit gerechnet, dass sie umso rascher ansteigen wird, je schneller die Temperaturen die Eismassen zum Schmelzen bringen.

Nach: www.ipcc.de, 2013

M8 Anstieg des Meeresspiegels

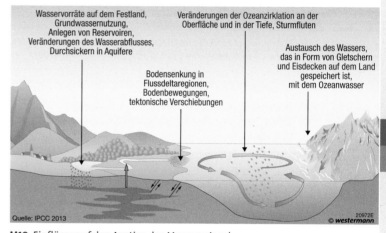

M10 Einflüsse auf den Anstieg des Meeresspiegels

Jahr	2020	2050	2100
Meeresspiegelanstieg	10 cm	25 cm	1 m
Land überflutet	2 % des Landes = 2 500 km²	4 % des Landes = 6 300 km²	17,5 % des Landes = 25 000 km²
Sturmfluten	k. A.	10% mehr Intensität, Sturmflutenhöhen bis 8,6 m	Sturmflutenhöhen bis 9,1 m
Überschwemmungen	20 % Zunahme	Zunehmende Überschwemmung der Ganges- und Meghna-Flussebenen	Starke Ausdehnung der Überschwemmungsgebiete
Landwirtschaft	1 % Ernteverlust	2 % Ernteverlust	Starke Ernteverluste durch Überschwemmungen

M9 Direkte und indirekte Folgen des Meeresspiegelanstiegs bis 2100 für Bangladesch

Weite Teile von Bangladesch, dem Land mit einer der höchsten Bevölkerungsdichten weltweit, liegen nur knapp über dem Meeresspiegel. Ein weiterer Anstieg des Meeresspiegels bedeutet für viele Menschen in Bangladesch eine existenzielle Bedrohung.

Bei einer Erhöhung des Meeresspiegels um 45 cm rechnen Wissenschaftler mit einem permanenten Verlust von bis zu 15 600 km² Land. Bei einem Anstieg um einen Meter kommt es ohne Deichbaumaßnahmen zu einer dauerhaften Überschwemmung von 14 000 bis 30 000 km², was über einem Fünftel der gesamten Landesfläche entspricht. Besonders hoch wäre, bedingt durch die dichte Besiedlung, die Zahl der Betroffenen: 10 bis 15 Mio. Menschen würden ihre Heimat verlieren. Wissenschaftler schätzen die Verluste bei Grundstücken und der Infrastruktur durch Überschwemmungen bei einem 1-m-Anstieg (bis 2100) auf über fünf Milliarden US-Dollar. Dies entspricht rund zehn Prozent des heutigen Bruttonationaleinkommens (BNE) des Landes. Diese Verluste würden Bangladesch, das ohnehin zu den ärmsten Ländern der Erde zählt, massiv in seiner weiteren Entwicklung behindern.

M11 Der Meeresspiegelanstieg – eine Katastrophe für Bangladesch

PROJEKT Zunahme von Wetterextremen (Spur 4)

→ Klimawandel, Naturkatastrophe, tropischer Wirbelsturm (Hurrikan, Taifun, Zyklon, Willy-Willy), Wetter

M1 Extreme Trockenheit und heftige Überschwemmungen: das Flussbett des Rheins in Düsseldorf (2003) und New Orleans, gezeichnet von Wirbelsturm Katrina (2005)

Die Erkenntnisse von Wissenschaftlern legen nahe, dass ein Anstieg der globalen Temperaturen auch zu einer Zunahme wetterbedingter Extremereignisse in bestimmten Regionen der Erde führt. Allerdings ist es niemals möglich, einen eindeutigen Kausalzusammenhang zwischen einem einzelnen Extremwetterereignis und dem menschgemachten Klimawandel herzustellen, da Aussagen über das Klima die Betrachtung eines mindestens 30-jährigen Zeitabschnittes voraussetzen.

Bei vielen extremen Wetterereignissen wurden Veränderungen beobachtet. So hat die Zahl der kalten Tage und Nächte abgenommen und die der warmen Tage und Nächte seit Mitte des vergangenen Jahrhunderts zugenommen. In Europa, Asien und Australien traten häufiger Hitzewellen auf. Die Starkregenereignisse in Nordamerika und Europa sind häufiger und intensiver geworden.

Vergleicht man die räumliche Verbreitung von extrem heißen Sommern in den letzten Jahren mit dem durch den Klimawandel nur wenig berührten Zeitraum 1951–1980, zeigen sich deutliche Unterschiede: 1951–1980 war weniger als 1 % der globalen Landfläche von extrem heißen Sommern betroffen. 2006–2011 waren es je nach Jahr 4 bis 23 Prozent der globalen Landfläche, auf denen extrem heiße Sommer auftraten. Das ist eine Steigerung um mehr als den Faktor 10. Dabei ist ein „extrem heißer Sommer" definiert als mindestens die dreifache Standardabweichung bezogen auf den Vergleichszeitraum 1951–1980. Diese gravierenden Veränderungen können nicht ohne den globalen Klimawandel erklärt werden.

Änderung der Verbreitung von heißen, sehr heißen und extrem heißen Sommern auf der Landoberfläche der Nordhalbkugel bezogen auf den Vergleichszeitraum 1951–1980.

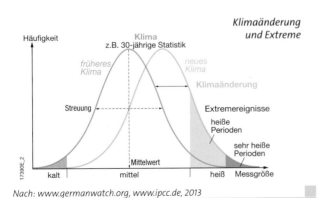

Nach: www.germanwatch.org, www.ipcc.de, 2013

M2 Zunahme extremer Wetterereignisse und Klimawandel

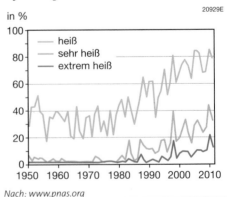

Nach: www.pnas.org

M3 Zunahme von Hitzewellen

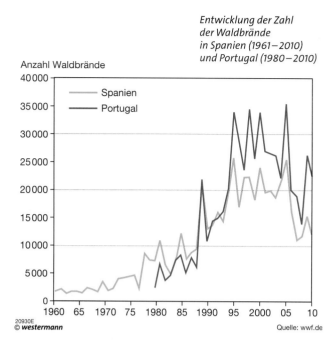

Entwicklung der Zahl
der Waldbrände
in Spanien (1961–2010)
und Portugal (1980–2010)

Anzahl Waldbrände

20930E
© *westermann*   Quelle: wwf.de

Kleinflächige Brände treten im Mittelmeerraum seit antiker Zeit auf; sie sind Teil der natürlichen Dynamik oder werden als Instrument zur Bewirtschaftung der Naturressourcen eingesetzt. In den letzten Jahrzehnten hat jedoch die Zahl und Fläche der Brände als Folge der sozioökonomischen Entwicklung im Mittelmeerraum besorgniserregend zugenommen.

Seit dem Jahrtausendwechsel haben die Mittelmeerländer mit einem neuen Phänomen zu kämpfen, den sogenannten Mega-Waldbränden. Bei extremen Wetterbedingungen, wie sie als Folge des Klimawandels häufiger werden, entstehen wahre Feuerstürme, die mit solch einer Intensität wüten und sich so rasch ausbreiten, dass sie nicht mehr unter Kontrolle gebracht werden können. Sie enden erst, wenn sich die Wetterbedingungen ändern oder dem Feuer die Nahrung ausgeht. Einhergehend mit der Zersiedelung der Landschaft richten diese Mega-Brände in den Übergangszonen zwischen Siedlung und Wald erhebliche Schäden an und fordern oftmals Menschenleben.

Nach: www.wwf.de, P. Hirschberger, Waldbrandstudie 2012

M4 Waldbrände im Mittelmeerraum

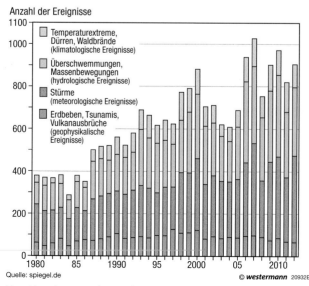

Anzahl der Ereignisse

Quelle: spiegel.de   © *westermann* 20932E

M5 Naturkatastrophen weltweit 1980–2012

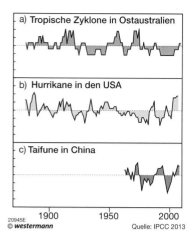

a) Tropische Zyklone in Ostaustralien
b) Hurrikane in den USA
c) Taifune in China

20945E
© *westermann*   Quelle: IPCC 2013

M6 Häufigkeit tropischer Wirbelstürme, die auf Land treffen (standardisiert)

Eine weitere Art extremer Wetterereignisse, die während der letzten Dekaden an Zerstörungskraft gewonnen hat, sind starke Tropen- und Winterstürme wie beispielsweise der Hurrikan Katrina in den USA oder wie der Sturm Kyrill in Deutschland. Ihre Intensität hat vor allem bedingt durch höhere Temperaturen, aber auch aufgrund natürlicher [...] Schwankungen stark zugenommen.

Vor allem das katastrophale Hurrikan-Jahr 2005 hat erneut die Frage nach einem eventuellen Zusammenhang zwischen der Zunahme von Hurrikanen und der globalen Erwärmung aufgeworfen. Die seitdem intensivierte Forschung ist vor allem zwei Fragen nachgegangen:

- Lässt sich über die letzten Jahrzehnte und eventuell Jahrhunderte ein Trend in der Häufigkeit und/oder Stärke tropischer Wirbelstürme feststellen?
- Gibt es einen Zusammenhang zwischen der globalen Erwärmung und Änderungen im Auftreten von tropischen Wirbelstürmen und wie ist ein solcher Zusammenhang für die Zukunft einzuschätzen?

Die außerordentlich starke Hurrikan-Saison in der Karibik und den USA im Jahr 2005 (unter anderem Hurrikan Katrina) hat direkte Schäden von mehr als 150 Mrd. US-Dollar verursacht sowie alleine in den USA mehr als 1000 Menschenleben gefordert. Vor der Küste Brasiliens im Südatlantik wurde im Jahr 2004 erstmals ein Hurrikan in der südlichen Hemisphäre beobachtet. Auch wenn innerhalb der kommenden Jahrzehnte immer wieder einmal natürliche Schwankungen die Intensität starker Sturmereignisse beeinflussen werden, so wird damit gerechnet, dass sich nach 2050 der Effekt der globalen Erwärmung immer deutlicher von diesen natürlichen Schwankungen abheben wird.

Nach: www.germanwatch.org

M7 Tropische Stürme und Klimawandel

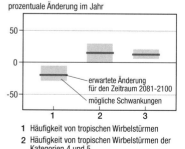

prozentuale Änderung im Jahr

erwartete Änderung für den Zeitraum 2081-2100
mögliche Schwankungen

1 Häufigkeit von tropischen Wirbelstürmen
2 Häufigkeit von tropischen Wirbelstürmen der Kategorien 4 und 5
3 der Niederschlagswerte im Radius von 200 km vom Sturmzentrum

© *westermann* 20963E   Quelle: IPCC 2013

M8 Zukünftige Änderungen in der tropischen Wirbelsturm-Statistik. Alle Werte zeigen erwartete durchschnittliche prozentuale Veränderung für den Zeitraum von 2081–2100 in Bezug auf die Zeitspanne 2000–2019.

Ursachen des Klimawandels

Blick zurück – natürliche Gründe für Klimaänderungen

Im Laufe der Erdgeschichte änderte sich das Klima immer wieder. Phasen mit höheren oder niedrigeren Durchschnittstemperaturen wechselten sich ab. Bis in die jüngste Vergangenheit waren für Klimaschwankungen natürliche Ursachen verantwortlich.
Was sind aber genau die Gründe für Klimaveränderungen in der Erdgeschichte? Diese Leitfrage ist sehr komplex und teilweise auch nicht vollständig in der Klimaforschung geklärt. Diese Doppelseite gibt einen ersten Überblick und verdeutlicht einige Zusammenhänge zwischen natürlichen Ereignissen und Klimaänderungen.

1. Charakterisieren Sie mögliche Ursachen von Klima-änderungen (M2/ M3).
2. Erläutern Sie die Aussage „Klimaänderungen gibt es nicht erst seit dem Eingriff des Menschen in das Klimasystem" (M2–M4).
Ⓦ 3. **A** Untersuchen Sie, inwiefern Sonnenflecken und Veränderungen der Erdachsenneigung und der Erdbahnparameter Einfluss auf das Klima haben könnten (M1/ M5, Internet).
   B Erläutern Sie die Ursachen für Klimaänderungen in frühen Erdzeitaltern, die durch Vulkanausbrüche, plattentektonische Bewegungen und durch Meteoriteneinschläge hervorgerufen wurden (M6–M9, Internet).
Ⓩ 4. Recherchieren Sie, wie man Temperaturwerte der Vergangenheit rekonstruiert, und erläutern Sie, weshalb diese Werte Unsicherheiten aufweisen.

→ Aerosol, Erdbahn, Plattentektonik, Solarkonstante, Sonnenfleck, Vulkan

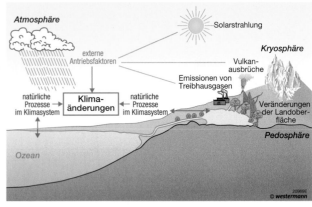

M2   Mögliche Ursachen von Klimaänderungen

Externe natürliche Einflüsse auf das Klima

Zu den externen natürlichen Einflüssen zählen solare Aktivitäts-schwankungen, Variationen der astronomischen Erdbahnparameter (Erdumlaufbahn, Schiefe der Ekliptik, Präzession der Rotationsachse) und Meteoriteneinschläge. Letztere müssen stark genug sein, um Substanzen bis in die Stratosphäre, also oberhalb von etwa zwölf Kilometerm Höhe zu schleudern, wo sie, ohne Einfluss auf das Wetter auszuüben, jahrelang verbleiben können.

Weitere natürliche Randbedingungen

Auch plattentektonische Prozesse beeinflussen das Klima, da sie die Land-Meer-Verteilung auf der Erde, die Beschaffenheit der Ozeanbecken, die Position der Kontinente und die Entstehung von Hochgebirgen bestimmen. So können zum Beispiel quer zur Haupt-strömungsrichtung verlaufende Hochgebirgszüge die atmosphä-rische Zirkulation in klimaprägender Weise beeinflussen.

M3   Natürliche Gründe für Klimaänderungen

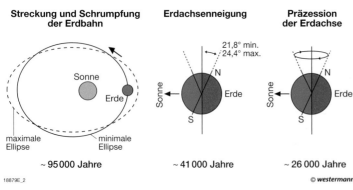

~ 95000 Jahre   ~ 41000 Jahre   ~ 26000 Jahre

Klimaänderungen durch veränderte Erdbahnparameter

Auslöser für regelmäßig auftretende Klimaschwankungen sind kleine Veränderungen im Strahlungshaushalt. So ist die Sonnen-energie (Solarkonstante), die auf der Erde ankommt, nicht immer gleich. Eine Ursache liegt in der sich ändernden Umlaufbahn der Erde um die Sonne von einer fast kreisförmigen zu einer elliptischen Bahn (Exzentrizität). Der Veränderungszeitraum liegt bei ca. 95000 Jahren. Zudem taumelt die Erdachse wie ein Kreisel im Verlauf von etwa 26000 Jahren (Präzession). Aber auch die sich innerhalb von 41000 Jahren um wenige Grad verändernde Neigung der Erdachse (Ekliptikschiefe) hat Einfluss auf die Solarkonstante.

M1   Änderungen in der Erdbahn und Erdachsenneigung

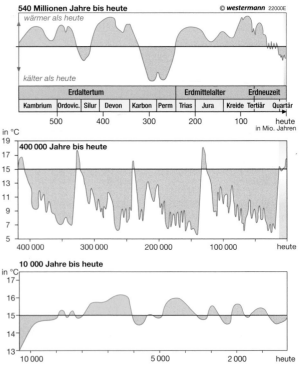

M4   Globale Durchschnittstemperatur

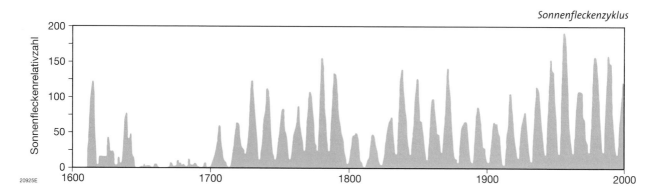

Sonnenfleckenzyklus

M5 Einfluss von Sonnenflecken auf den Klimawandel

Die Sonne selbst zeigt Schwankungen in der Strahlungsintensität innerhalb von Jahren bzw. Jahrzehnten. Um die Schwankungen zu messen, werden das Wechselspiel von relativ kühlen Sonnenflecken und den weitgehend synchron auftretenden heißen Sonnenfackeln und sonstige Eruptionen beobachtet.

Sonnenflecken sind große Gebilde von im Mittel etwa 2 000 – 50 000 km Durchmesser auf der Sonnenscheibe. Die Sonnenflecken sind als dunkle Flecken sichtbar, aus denen Materie nach außen strömt. Sie haben eine Lebensdauer von einigen bis maximal knapp über 100 Tagen. Die Sonnenfleckenhäufigkeit schwankt stark in einer Periode von 11,07 Jahren.

Bei Aktivitätsmaxima der kühlen Sonnenflecken erhöht sich durch die gleichzeitige Zunahme von Fackeln und Eruptionen die Strahlungsintensität. Je mehr Sonnenflecken auftreten, desto höher ist die Aktivität der Sonne, was sich letztlich, zeitlich versetzt, auf das Erdklima auswirkt.

Vulkanausbrüche und ihre Auswirkungen auf das Klima

Wie viel sind 2 800 km³ Material, wie sie der Supervulkan Toba auf der Insel Sumatra vor rund 74 000 Jahren ausgeworfen hat? Man könnte damit auf der Fläche Nordrhein-Westfalens eine 80 m dicke Schicht errichten. Enthält das Auswurfmaterial viel Schwefel und gelangt es in die obere Atmosphäre (Stratosphäre), blockiert es dort das Sonnenlicht.

Nach: W. Wiedlich, General Anzeiger Bonn, 31.05.2008

Forscher vermuten, dass der letzte Toba-Ausbruch für die 1 000 kältesten Jahre der letzten Eiszeit verantwortlich ist. Bei diesem Ausbruch gab es eine weltweite Absenkung der Temperaturen von 5°C bis 15°C. Der Mensch wäre damals fast ausgestorben.

Nach: www.wetter-klimawandel.de

M6 Der Ausbruch des Supervulkans Toba

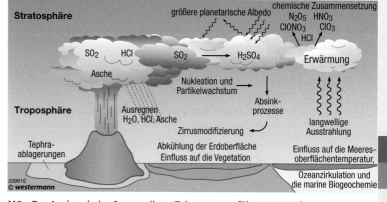

M8 Der Ausbruch des Supervulkans Toba vor ungefähr 74 000 Jahren
(Tephra = Asche, Nukleation = Kristallisation, Zirrusmodifizierung = Veränderung der hohen Eiswolken)

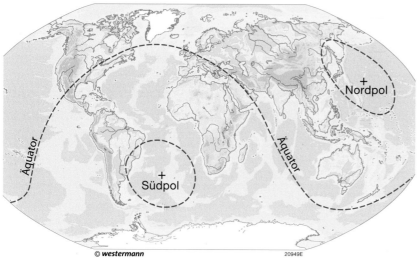

M7* Weltkarte des Devons (vor 405 Mio. Jahren) und Karbons (vor 350 Mio. Jahren)

Geologische Katastrophen und ihre Auswirkungen auf die Umwelt

Meteorit

Durchmesser	10 km
Dichte	4,5 g/cm³
Masse	3 Billionen Tonnen
Geschwindigkeit beim Aufschlag auf die Erde	20 – 60 km/sek

bei Aufschlag

Druck	min. 100 000 bar
Temperatur	15 000 °C
Auftreff-Energie (Mittelwert)	10^{30} erg = 10^{23} Joule
Krater-Durchmesser	150 – 300 km

zum Vergleich: Die Strecke Köln –Stuttgart entspricht ca. 300 km (Fluglinie)

M9 Meteoriten-Einschlag und Auswirkungen

Ursachen des Klimawandels

Der natürliche und der anthropogen verstärkte Treibhauseffekt

Häufig wird der Treibhauseffekt mit der globalen Erwärmung in Verbindung gebracht. Zunächst ist der natürliche Treibhauseffekt aber Grundlage für das Leben auf der Erde. Ohne den natürlichen Treibhauseffekt läge die Durchschnittstemperatur auf der Erde bei -18 °C statt +15 °C. Das für alle Lebensprozesse wichtige Wasser läge nicht in flüssiger Form vor. Zusätzlich zu den natürlichen Faktoren trägt heute aber auch der Mensch zu Treibhauseffekt und Klimawandel bei (anthropogener Einfluss).

1. Beschreiben Sie den Aufbau der Atmosphäre (M1/ M4).
2. Erläutern Sie das Schema zum Strahlungs- und Wärmehaushalt der Erde (M2/ M5).
3. Erläutern Sie den natürlichen Treibhauseffekt (M1–M5).
(W) 4. **A** Stellen Sie den Einfluss von Treibhausgasen auf das Erdklima in einem Wirkungsgefüge dar (M6–M11).
   B Erklären Sie, welche Rolle Treibhausgase und Aerosole beim anthropogen verstärkten Treibhauseffekt spielen und welchen Einfluss das auf das Klima hat (M6–M11).
5. Erläutern Sie, wie der Mensch zur Klimaänderung beiträgt (M6–M11).
(Z) 6. Das Abtauen der Gletscher und der Rückgang der Eisbedeckung in der Arktis hat auch Folgen für den Strahlungshaushalt. Stellen Sie diese in einem Wirkungsgefüge dar.

→ Absorption, Aerosol, Albedo, anthropogen, Atmosphäre, CO_2, Emission, Klimawandel, Strahlungsbilanz, Treibhauseffekt, Treibhausgas, Troposphäre

M4   Atmosphäre

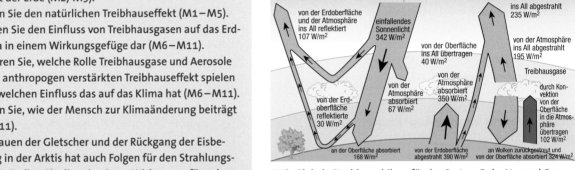

Die Strahlungsbilanz der Erde   © *westermann* 22004E
Quelle: spektrum.de

von der Erdoberfläche und der Atmosphäre ins All reflektiert 107 W/m²
einfallendes Sonnenlicht 342 W/m²
ins All abgestrahlt 235 W/m²
von der Oberfläche ins All übertragen 40 W/m²
von der Atmosphäre ins All abgestrahlt 195 W/m²
Treibhausgase
von der Erdoberfläche reflektierte 30 W/m²
von der Atmosphäre absorbiert 67 W/m²
von der Atmosphäre absorbiert 350 W/m²
durch Konvektion von der Oberfläche in die Atmosphäre übertragen 102 W/m²
an der Oberfläche absorbiert 168 W/m²
von der Erdoberfläche abgestrahlt 390 W/m²
an Wolken zurückgestreut und von der Oberfläche absorbiert 324 W/m²

M5*   Globale Strahlungsbilanz für das System Erde-Atmosphäre-Weltraum

Von der Sonne gelangt überwiegend kurzwellige Strahlung zur Erde. Ein Teil davon wird schon in der Atmosphäre reflektiert und absorbiert und erreicht somit die Erdoberfläche nicht. Der Anteil der Sonnenstrahlung, der die Erdoberfläche erreicht, setzt sich aus der direkten Sonnenstrahlung und dem Streuungsanteil aus der Atmosphäre zusammen. Beim Auftreffen auf die Erde werden die Sonnenstrahlen teilweise reflektiert oder absorbiert, also in langwellige Wärmestrahlung umgewandelt.

Die langwellige Wärmestrahlung der erwärmten Erdoberfläche verlässt die Atmosphäre größtenteils nicht auf direktem Wege. Stattdessen absorbieren Treibhausgase, die sich auch in der Atmosphäre befinden, die langwellige Wärmestrahlung. Dadurch wird Wärmeenergie an die Luft abgegeben, von der ein Teil in den Weltraum entweicht. Der größte Teil wird aber zur Erde zurückgestrahlt. Diese Gegenstrahlung wird auch als natürlicher Treibhauseffekt bezeichnet. Die Wärme, die durch die Wärmestrahlung der bodennahen Luftschicht zugeführt wird, wird als „fühlbare Wärme" bezeichnet. Ein Teil der Strahlung bewirkt an der Erdoberfläche Verdunstungsvorgänge. Sie ist nicht nur fühlbar, sondern in verdunsteten Wasser verborgen (latent) und dort als latente Wärme enthalten.

Kondensiert der Wasserdampf, wird diese latente Wärme wieder frei und an die Umgebung abgegeben.

M2   Strahlungs- und Wärmebilanz

M1 Der Aufbau der Atmosphäre

km
Exosphäre   1000 800 600 500 400
Thermosphäre   200   bis 1700°C
    100 80   -100 °C
Mesosphäre   80 60   UV   -80°C
    40
    Ozonschicht
Stratosphäre   20   -45°C
    -75°C
    10 8   -60 °C   Mt. Everest
    6   Mt. Blanc   Temperatur
Troposphäre   4
    2
    1   Wettergeschehen
    0   +15 °C
    1938E_10

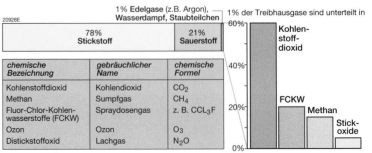

1% Edelgase (z.B. Argon), Wasserdampf, Staubteilchen

20926E

1% der Treibhausgase sind unterteilt in

78% Stickstoff	21% Sauerstoff

chemische Bezeichnung	gebräuchlicher Name	chemische Formel
Kohlenstoffdioxid	Kohlendioxid	CO_2
Methan	Sumpfgas	CH_4
Fluor-Chlor-Kohlenwasserstoffe (FCKW)	Spraydosengas	z. B. CCL_3F
Ozon	Ozon	O_3
Distickstoffoxid	Lachgas	N_2O

60%   Kohlenstoffdioxid
40%
20%   FCKW   Methan   Stickoxide
0%

M3   Zusammensetzung der Luft und Anteil der Treibhausgase

M6 Braunkohlekraftwerk in Brandenburg

Anstieg der Emissionen

Vor allem die Verbrennung fossiler Brennstoffe, aber auch die Rodung von Wäldern haben die Konzentration an Treibhausgasen in der Atmosphäre deutlich ansteigen lassen. Seit 1750 sind die atmosphärischen Konzentrationen der Treibhausgase CO_2, CH_4 und N_2O jeweils um 40 Prozent, 150 Prozent und 20 Prozent gestiegen. Die Konzentration von Kohlenstoffdioxid ist in der Atmosphäre heute so hoch wie noch nie zuvor in den zurückliegenden 800 000 Jahren. Insgesamt sind von 1750 bis 2011 durch menschliche Aktivitäten CO_2-Mengen in Höhe von 545 Gigatonnen Kohlenstoff freigesetzt worden. Davon blieb etwas weniger als die Hälfte in der Atmosphäre und trug zum menschengemachten Treibhauseffekt bei. Der Rest wurde etwa jeweils zur Hälfte von Ozeanen und von Böden und Pflanzen aufgenommen.

Quelle: IPCC 2013

Rückgang der Kohlenstoffsenken

Der Anteil der Kohlenstoffdioxid-Emissionen, der von CO_2-Senken an Land oder im Meer aufgenommen wurde, ist in den letzten 50 Jahren immer weiter zurückgegangen. Sogenannte Kohlenstoffsenken wie beispielsweise Regenwälder oder das Phytoplankton des Meeres spielen im Klimasystem der Erde, aber auch im Kohlenstoffkreislauf eine wichtige Rolle, denn sie nehmen Kohlenstoffdioxid aus der Luft auf und bauen es in andere Kohlenstoffverbindungen um. Dadurch reduzieren sie nicht nur das Treibhausgas aus der Atmosphäre, sie speichern den Kohlenstoff auch über lange Zeiträume hinweg und nehmen ihn damit „aus dem Spiel".

Die Brandrodung für die Gewinnung von Ackerland und die Verwendung von Holz als Heizmittel tragen daher gleich doppelt zur Erhöhung des CO_2-Gehaltes in der Atmosphäre bei: Zum einen durch die Emission, zum anderen dadurch, dass die Aufnahme von CO_2 durch die fehlende Vegetation vermindert wird.

M7 Prägt der Mensch das Klima?

Treibhausgase	CO₂	CH₄	N₂O	Ozon	FCKW
Gegenwärtige Konzentration in ppm	393	1,82	0,33	0,02	0,00052
Verweildauer in der Atmosphäre (Jahre)	10	7-10	150	0,10	90
Gegenwärtiger atmosphärischer Trend (in %/Jahr)	+0,4	+1,10	+0,25	ungewiss	+5
Beitrag zum Treibhauseffekt (in %)	50	19	4	8	17
Klimawirksamkeit bezogen auf ein Molekül CO₂	1	32	150	2000	16000
Anthropogene Quellen	fossile Brennstoffe, Waldrodung, Bodenerosion	Reisanbau, Rinderhaltung, Mülldeponien, Verbrennung von Biomasse, Naturgas	fossile Brennstoffe, Verbrennung von Biomasse, N-haltiger Dünger, Bodenkultivierung	indirekt durch NO₂, CH₄, CO und Kohlenwasserstoff in der Troposphäre	Kältemittel, Verschäumungsmittel, Treibgase

M9 Charakteristische Daten der Treibhausgase

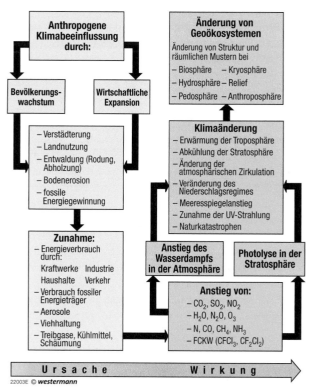

M10 Anthropogene Klimabeeinflussung

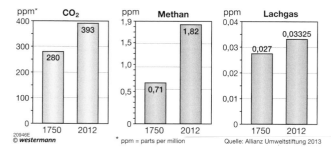

M8 Änderung der Konzentration klimawirksamer Gase in der Atmosphäre

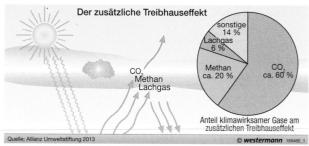

M11 Der zusätzliche Treibhauseffekt

Wie wird das Klima in der Zukunft?

Wärmer oder kälter?
Szenarien für das Klima von morgen

Um die weitere Entwicklung des Klimas einschätzen zu können, ist neben exakten Klimamodellen die möglichst realistische Ermittlung der in Zukunft zu erwartenden Treibhausgasemissionen von Bedeutung. Dabei spielen unterschiedliche Fragestellungen eine Rolle:

- *Wie werden sich Weltbevölkerung, Lebensstandard und Weltwirtschaft entwickeln?*
- *Welcher Energiebedarf ergibt sich aus dieser Entwicklung und wie wird dieser gedeckt?*
- *Welche technologischen Fortschritte sind zu erwarten und wie wirken sich diese auf die obigen Bereiche aus?*

1. Begründen Sie die Unterschiede zwischen den verschiedenen zukünftigen Klimaszenarien des Weltklimarates (M3/ M5).
2. Blick in die Zukunft? Beurteilen Sie Chancen und Unsicherheiten von Klimaszenarien und Projektionen (M3–M5).
(W) 3. A Erörtern Sie mögliche zukünftige Auswirkungen des Klimawandels im Klimasystem (M1–M9, Internet).
   B Stellen Sie mögliche Auswirkungen des Klimawandels in Form eines Wirkungsgefüges dar (M1–M9, Internet).
4. Erörtern Sie die Folgen des Klimawandels für Deutschland und NRW bis 2040 (M7/ M8).
(Z) 5. Erläutern Sie mögliche Auswirkungen des Klimawandels auf den Sommer- und Wintertourismus in den Alpen.

→ Aerosol, Emission, IPCC, Klimamodell, Klimawandel, Meeresspiegelanstieg, Szenario, Treibhausgas

Je nach Szenario könnten die Gletscher bis zum Ende des 21. Jahrhunderts 15 bis 55 Prozent (niedrigstes Emissionsszenario, Szenario 1) oder 35 bis 85 Prozent (höchstes Emissionsszenario, Szenario 3) ihres derzeitigen Volumens verlieren. Es ist sehr wahrscheinlich, dass das arktische Meereis weiter zurückgeht. Unter dem Szenario mit den höchsten Emissionen (3) könnte die Arktis sogar schon vor Mitte des 21. Jahrhunderts im September eisfrei sein. In der Nordhemisphäre geht die Schneebedeckung zurück. Es ist fast sicher, dass sich der oberflächennahem Permafrost in Gebiete der höheren nördliche Breiten verlagern wird.

Nach: IPCC 2013

M1   Land- und Meereis

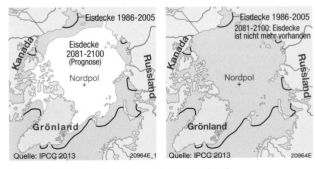

M2   Die Eisdecke auf dem arktischen Ozean nach Szenario 1 (links) und Szenario 3 (rechts)

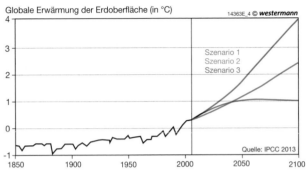

M3   Wahrscheinliche zukünftige Entwicklung der Temperatur der Erdoberfläche für verschiedene Emissionsszenarien (s. M5)

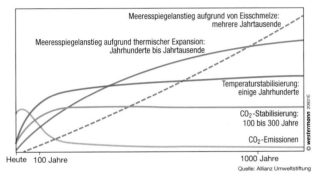

M4*   Trägheit des Klimas

Das Klima der Zukunft – Klimaszenarien

In der Klimawissenschaft beinhalten Szenarien künftige Entwicklungen von Treibhausgasen und Aerosolen in der Atmosphäre sowie andere Faktoren, die das Klima beeinflussen, wie etwa Landnutzungsänderungen.

Im 5. Sachstandsbericht des Weltklimarates (2013) wurden vier [drei davon in M3/ M6 dargestellt] neue Szenarien verwendet, sogenannte repräsentative Konzentrationspfade (RCP). Die RCPs decken die Periode zwischen 1850 bis 2100 ab, mit Erweiterungen auch den Zeitraum bis zum Jahr 2 300. Anders als in den Szenarien der beiden vorangegangenen Sachstandsberichte sind nun auch Maßnahmen zur Minderung der Treibhausgase berücksichtigt.

Ausgehend von einem Szenario mit sehr ambitionierter Klimapolitik (Szenario 1) zeigen die Simulationen, dass der mittlere Temperaturanstieg gegen Ende dieses Jahrhunderts gegenüber der vorindustriellen Zeit auf 0,9 bis 2,3 °C begrenzt werden könnte. Dabei gehen die Autoren des IPCC davon aus, dass die Erwärmung wahrscheinlich unter 2 °C bleiben wird. Die Simulation dreier weiterer Szenarien mit weniger oder unwesentlichen Emissionsreduktionen zeigt Temperaturanstiege zwischen 1,7 und 5,4 °C. Dabei ist bei allen drei Szenarien von Erhöhungen von mehr als 1,5 °C auszugehen, bei zwei Szenarien sind es mindestens 2 °C. Bei dem Szenario mit fast ungebremsten Emissionen (Szenario 3) sind Temperaturanstiege von mehr als 5,4 °C gegen Ende dieses Jahrhunderts möglich. Mit Ausnahme des Szenarios mit sehr ambitioniertem Klimaschutz würde sich in allen Szenarien die Erwärmung nach Ende des 21. Jahrhunderts fortsetzen. Zusammenfassend gibt der 5. Sachstandsbericht für den mittleren Temperaturanstieg gegenüber vorindustriellen Bedingungen gegen Ende dieses Jahrhunderts eine Bandbreite von 0,9 bis 5,4 °C an.

Nach: IPCC 2013

M5   Klimaszenarien des Weltklimarates aus dem Jahre 2013

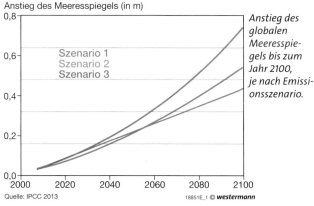

Quelle: IPCC 2013   18851E_1 © **westermann**

Bis Ende des 21. Jahrhunderts sind Anstiege des Meeresspiegels um weitere 26 bis 55 cm zu erwarten, auch wenn beträchtliche Klimaschutzanstrengungen unternommen werden (niedrigstes Emissionsszenario). Ohne Emissionsbeschränkungen wird der Meeresspiegel bis Ende des Jahrhunderts zwischen 45 und 82 cm ansteigen (höchstes Emissionsszenario). Der IPCC schließt nicht aus, dass der Anstieg des Meeresspiegels auch deutlich höher ausfallen könnte. Für den Meeresspiegelanstieg liegen die neuen Projektionen höher als im 4. Sachstandsbericht (2007), weil der Beitrag der polaren Eisschilde besser berücksichtigt ist.

Nach: IPCC 2013

M6 Anstieg des Meeresspiegels

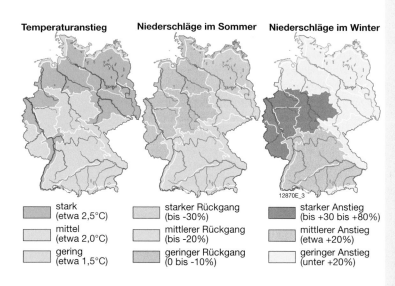

M8 Mögliche Änderungen der Temperatur und Niederschläge in Deutschland

Betrachtetes Merkmal	Erwartete Änderungen	Verlässlichkeit der Aussage	Auswirkungen
Temperatur	1,7 °C wärmer als 1900, Winter und Nächte wärmer	sehr hoch	früher Pflanzenaustrieb, Rückgang des Permafrost in den Alpen
Hitzeperioden	häufiger, stärker	sehr hoch	Gesundheitsbelastung und Stress für die Biosphäre, mehr Waldbrände
Alpengletscher	60 % Flächen- und 80 % Massenverlust	sehr hoch	extreme Abflussschwankungen
Meeresspiegelanstieg	ca. 10 cm gegenüber heute	sehr hoch	Gefährdung der Nord- und Ostseeküste
Niederschlag	Sommer trockener, Herbst u. Winter nasser, mehr Regen als Schnee, Ergiebigkeit von Einzelereignissen höher	hoch	erhöhte Überschwemmungsgefahr
Trocken- bzw. Dürreperioden	häufiger	mittel	Land- und Energiewirtschaft und Binnenschifffahrt betroffen, erhöhtes Waldbrandrisiko
Gewitter	intensiver	mittel	erhöhtes Risiko durch Starkregen, Hagel, Sturmböen
Sturmfluten	bis zu 20 cm auflaufend	hoch	stärkere Gefährdung der Nordseeküste
außertropische (Winter-)Stürme	Tendenz zu heftigeren, evtl. weniger Stürmen, veränderte Zugbahnen	unsicher	erhebliches Schadensrisiko

M7 Erwartete Folgen des Klimawandels für Deutschland bis 2040

Was soll genau in der Zukunft passieren?

Ein anhaltender ungebremster Ausstoß von Treibhausgasen würde zu einer weiteren Erwärmung und zu Veränderungen beim Volumen der Gletscher, des Meeresspiegels und in folgenden weiteren Komponenten des Klimasystems führen:

▌ **Extreme:** Es gilt als fast sicher, dass mehr heiße und weniger kalte Temperaturextreme auftreten können. Hitzewellen dürften sehr wahrscheinlich häufiger auftreten und länger andauern. Bis zum Ende dieses Jahrhunderts werden Starkniederschläge über den meisten Landgebieten der mittleren Breiten und über den feuchten Tropen sehr wahrscheinlich intensiver und häufiger auftreten.

▌ **Niederschläge:** Bei zunehmender Erwärmung würden in vielen trockenen Regionen der mittleren und subtropischen Breiten die mittleren Niederschläge weiter abnehmen. In vielen feuchten Regionen der mittleren Breiten sind dagegen unter wärmeren Bedingungen bis zum Jahr 2100 Niederschlagszunahmen zu erwarten.

▌ **Ozeanerwärmung:** In allen Szenarien wird sich die Erwärmung der Ozeane über Jahrhunderte fortsetzen, selbst wenn die Treibhausgasemissionen konstant bleiben oder gesenkt werden. Die Erwärmung wird von der Wasseroberfläche in den tiefen Ozean vordringen und die ozeanische Zirkulation, wie z. B. den Golfstrom, beeinflussen.

▌ **Ozeanversauerung:** Die Ozeane werden auch weiterhin CO_2 aus der Atmosphäre aufnehmen, was eine zunehmende Versauerung des Meerwassers bewirkt.

Quelle: IPCC 2013

M9 Mögliche zukünftige Auswirkungen durch den Klimawandel

Was können wir gegen Klimaänderungen tun?

Gibt es wirksame Rezepte?

Der Einfluss des Menschen auf das Klima wurde in der Temperaturentwicklung von Atmosphäre und Ozean und bei vielen weiteren Änderungen, wie zum Beispiel des Wasserkreislaufs, der Eisschmelze, des Schneerückgangs, der Änderung bei einigen Wetterextremen oder der Ozeanversauerung, nachgewiesen.
Insgesamt sind von 1750 bis 2013 durch menschliche Aktivitäten hauptsächlich durch den Einsatz fossiler Brennstoffe und Landnutzungsänderungen große Mengem CO_2 freigesetzt worden, was deutlich zum menschengemachten Treibhauseffekt beiträgt. Ein Teil des CO_2 wurde von den Ozeanen, Böden und Pflanzen aufgenommen.
Welche Möglichkeiten gibt es, diese CO_2-Mengen und den anthropogenen Treibhauseffekt nachhaltig zu senken?
Welche Maßnahmen kann ich als Schüler treffen?

1. Vergleichen Sie die Ziele des Kyoto-Protokolls mit den bisherigen Erfolgen (M1/ M2, Internet).
2. Erklären Sie das System des Emissionshandels und nehmen Sie Stellung zu der Aussage „Das ist ein Handel mit heißer Luft" (M3/M4).
(W) 3. **A** Stellen Sie in einer Übersicht zusammen, welche Projekte in Ihrem Schulort zur Reduktion von CO_2-Emissionen durchgeführt werden oder geplant sind.
B Nennen Sie Maßnahmen an Ihrer Schule, die zur Reduktion von CO_2-Emissionen durchgeführt werden oder geplant sind.
4. Diskutieren Sie, mit welchen Maßnahmen Sie selbst zum Klimaschutz beitragen könnten. Begründen Sie Ihre Auswahl. Bestimmen Sie dazu mithilfe der Materialien Ihre täglichen/ jährlichen CO_2-Emissionen (M5–M8).
(Z) 5. Bereiten Sie einen Kurzvortrag zu dem Thema „Maßnahmen zum Klimaschutz in Deutschland" vor.

→ CO_2, Emission, Emissionshandel, Emissionsrecht, Kyoto-Protokoll, Nachhaltigkeit

Ziele und Instrumente des Kyoto-Protokolls

Die Industriestaaten verringern im Zeitraum 2008 bis 2012 die Emissionen der sechs wichtigsten Treibhausgase (unter anderem CO_2 und CH_4) gegenüber dem Stand von 1990 um mindestens fünf Prozent. Dabei gelten für die Staaten, je nach wirtschaftlicher Entwicklung, unterschiedliche Reduktionsziele. Für den Staatenbund der EU wurde ein gemeinsames Reduktionsziel festgelegt, die Lasten wurden aber innerhalb der EU unterschiedlich verteilt. Manchen Staaten wurden so zwecks wirtschaftlicher Entwicklung Steigerungen der Emissionen zugestanden. In begrenztem Umfang dürfen die Staaten ihre Verpflichtung auch durch Reduktionsmaßnahmen im Ausland erfüllen. Dies soll den Klimaschutz durch internationale Kooperation fördern. Die Staaten können außerdem, wenn sie höhere Reduktionen der Emissionen als vereinbart erreicht haben, mit diesen überschüssigen Mengen handeln. Hierbei können sowohl Staaten als auch auf nationaler Ebene einzelne Unternehmen einander die Emissionsrechte verkaufen.

M1   Reduktion der Treibhausgase

1992: Rio de Janeiro (Brasilien)
- Reduzierung der FCKW bis 2000 auf Stand von 1990

1997: Kyoto (Japan)
- Reduzierung der Treibhausgase im Durchschnitt von 2008 bis 2012 um 5,2 Prozent im Vergleich zu 1990

2001: Bonn (Deutschland)
- Klimavertrag der Industrieländer; Ausscheren der USA und Chinas, die einen eigenen Weg in Klimafragen gehen

2004: Mailand (Italien)
- Umsetzung des Kyoto-Protokolls
- Festlegung von Fristen für die Reduktion von CO_2
- Beschluss zum Emissionshandel

2008: Posen (Polen)
- Schaffung von Hilfsfonds für die ärmsten Länder zur Anpassung an die Bedingungen des Klimawandels

2009: Kopenhagen (Dänemark)
- Begrenzung des globalen Temperaturanstiegs auf 2 °C
- keine weiteren verbindlichen Beschlüsse

2010: Cancún (Mexiko)
- 100 Mrd. Dollar Fonds für Entwicklungsländer ab 2020
- Kyoto-Protokoll-Mitglieder senken die CO_2-Emissionen um 25 bis 40 Prozent unter den Wert von 1990.

2012: Doha (Katar)
- CO_2-Reduktion: Verlängerung des Kyoto-Protokolls
- Minimalziel erreicht: Einigung von 200 Staaten auf die Verlängerung des Kyoto-Protokolls bis 2020. Der Vertrag betrifft nur 15 Prozent der weltweiten CO_2-Emissionen.

M2   Klimakonferenzen und ihre wichtigsten Ergebnisse

Jeder Staat bekommt von der EU Zertifikate zugeteilt, die ihn für vier Jahre zum Ausstoß einer festgelegten Menge CO_2 und anderer Treibhausgase berechtigt. Der Staat verteilte die Zertifikate am Anfang kostenlos an die Industriebetriebe. Damit ist dem Betrieb eine bestimmte bei der Produktion zu verbrauchende Energiemenge erlaubt. Bei Unterschreitung des erlaubten Verbrauchs können die Betriebe die ungenutzten Zertifikate national und international verkaufen. Gekauft werden die Rechte von Betrieben, die einen zu hohen Ausstoß an Klimagasen haben. Auf den Verkauf wird Umsatzsteuer fällig, daran verdient der Staat. Die Kosten für die Zertifikate werden auf die Endprodukte und damit den Verbraucher umgelegt.

M3   Emissionszertifikate

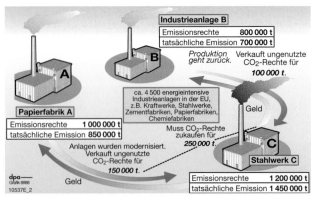

M4   EU-Emissionshandel

Lebensmittel	
Produkt und CO_2-Ausstoß in g/kg Lebensmittel	
Butter	23 800
Rindfleisch	13 300
Käse	8 500
Wurst	8 000
Pommes frites (tiefgekühlt)	5 700
Tomaten (außerhalb der Saison)	3 150
Eier	1 950
Pizza (tiefgekühlt)	1 250
Joghurt	1 250
Marmelade	1 200
Milch	950
Tomaten (während der Saison)	350
Erdbeeren	300

Geräte Stand-by	
Gerät in kg/Jahr	
Satellitenempfänger	90
Musikanlage	62
DSL-Router mit WLAN	34
DVD-Player	33
PC-Monitor	28
LCD-Fernseher	7–27
Notebook	0,9

Elektrogeräte	
Gerät in g/h bei maximaler Leistung	
Dampfbügeleisen	15 530
Friteuse	1 618
Wasserkocher (2,2 kw)	1 423
Fön	1 294
Toaster	712
Mikrowelle	518
Eierkocher	259
MP3-Player	8

Baden und Duschen	
Tätigkeit in g/min. bei 40 °C Wassertemperatur	
Vollbad (120 l)	1 560
Duschen (3 min.)	520
Geschirrspülen	200
Händewaschen	60

Mobilität	
Verkehrsmittel in g/km pro Person	
Pkw	250
U-Bahn	53
Bus	19
Fahrrad	0

M5 CO_2-Rechner

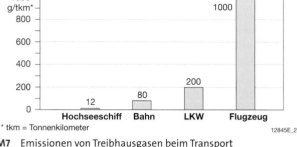

M7 Emissionen von Treibhausgasen beim Transport

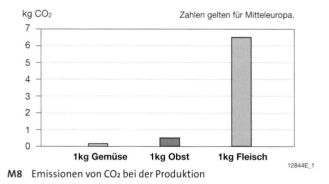

M8 Emissionen von CO_2 bei der Produktion

Was können wir Bürger tun?

Jeder Einzelne sollte sich über die Folgen des eigenen Handelns sowie über Klimaschutzmaßnahmen auf dem Laufenden halten. Jede kleine Aktion, die zum Klimaschutz beiträgt, ist wichtig. In den folgenden drei Bereichen gibt es besonders effiziente Handlungsmöglichkeiten:

1. Einfluss auf die Politik ausüben
Bündnisse und Bürgerinitiativen können die Politik häufig beeinflussen, weil sie entweder ein Gegengewicht oder auch einen Partner staatlichen Handelns darstellen können. Durch die Berücksichtigung von Klima- und Umweltaspekten bei der politischen Wahlentscheidung kann ebenfalls Einfluss auf die Politik genommen werden.

2. Sich vernetzen
Gemeinsam mit anderen Aktiven ist es häufig leichter, einen Beitrag zum Klimaschutz zu leisten. In der kleinen Gemeinde Schönau im Schwarzwald begann zum Beispiel eine private Initiative 1998 mit der Investition in erneuerbare Energien. Anfangs mit Wind- und Solarenergie, später mit Kraft-Wärme-Kopplung und Biomasse konnten sie so viel Energie produzieren, dass sie das örtliche Stromnetz übernahmen und ein eigenes Elektrizitätswerk errichteten.

Nach: www.germanwatch.org

M6 Maßnahmen zum Klimaschutz

3. Nachhaltig konsumieren
Wir Bürger können über unser Konsumverhalten die Lebensqualität steigern und das Klima schonen. Diese Grundregeln helfen, klimafreundlicher und nachhaltiger zu konsumieren:
Informieren und vergleichen vor der Kaufentscheidung:
Mittlerweile gibt es in vielen Bereichen Zertifizierungen, die umweltfreundliche Produkte und Sparmöglichkeiten auszeichnen. An ihnen können Verbraucher z. B. besonders energieeffiziente Geräte erkennen.
Klima-Konsequenzen bei Kaufentscheidungen berücksichtigen:
Wenn Sie regionale Produkte einkaufen, verhindern Sie z. B. lange Transportwege der Produkte.
Einkaufen nach Bedarf:
Häufig wird mehr konsumiert als notwendig. Auch wenn viele Produkte durch neue technische Möglichkeiten beeindrucken, sollten Sie überlegen, welche Funktionen Sie wirklich brauchen. Für viele Geräte gilt: je leistungsstärker, desto höher der Energieverbrauch.
Sinnvoll sparen:
Besonders gespart werden sollte in sehr klimaschädlichen Bereichen und dort, wo es Einsparpotenziale gibt. Den mit Abstand größten Anteil im privaten Bereich am Treibhausgasausstoß haben der Auto- und Flugverkehr, das Heizen sowie die Ernährung.

weblinks
Adressen / Organisationen
- Alfred-Wegener-Institut
- Allianz Umweltstiftung
- Bundesministerium für Umwelt, Naturschutz und Reaktorsicherheit
- Germanwatch
- Greenpeace
- Hamburger Bildungsserver
- IPCC
- WWF Schweiz

Das Wichtigste in Kürze

Im gesamten Klimasystem finden seit Mitte des letzten Jahrhunderts vielfältige Veränderungen statt.

Die weltweite Zunahme klimatischer Extremereignisse und Folgeerscheinungen bringen umfassende Herausforderungen mit sich: Nicht nur der Temperaturanstieg der unteren Atmosphäre, auch die Erwärmung der Ozeane, das Abtauen von Gletschern, die Erwärmung der Permafrostböden und der Meeresspiegelanstieg haben bereits heute spürbare, unmittelbare Auswirkungen für Natur und Gesellschaft sowohl auf der Nord- als auch auf der Südhalbkugel.

Zu den gesicherten Ergebnissen wissenschaftlicher Forschung gehört die Erkenntnis, dass das Klimasystem der Erde sowohl zeitlich als auch regional Schwankungen unterworfen ist.

Umfassendere Beobachtungen zeigen: Die Aktivitäten des Menschen sind mit großer Sicherheit die Hauptursache des aktuellen Klimawandels. Natürliche Faktoren wie Schwankungen der Sonnenaktivität oder Vulkanausbrüche sind zwar auch messbar und haben auch Einfluss auf das Klima, gegenwärtig haben sie auf die langfristige Erwärmung aber nur einen geringen Einfluss.

Vor allem die Verbrennung fossiler Brennstoffe, aber auch die Rodung von Wäldern haben die Konzentration an Treibhausgasen in der Atmosphäre deutlich ansteigen lassen. Die Konzentration von Kohlenstoffdioxid (CO_2) ist in der Atmosphäre heute so hoch wie noch nie zuvor in den zurückliegenden 800 000 Jahren.

Bliebe die derzeitige Emissionsrate unverändert, dann wäre schon Mitte dieses Jahrhunderts so viel Kohlenstoffdioxid in der Atmosphäre, dass die globale Mitteltemperatur über 2 °C gegenüber dem vorindustriellen Niveau ansteigen würde.

Soll die globale Erwärmung auf einem bestimmten Niveau begrenzt werden, so sind dafür erhebliche Reduzierungen der Treibhausgasemissionen notwendig.

Forschungsergebnisse zeigen, dass bei einem Szenario mit einem sehr aktiven Klimaschutz durch eine deutliche Verminderung des Treibhausgasausstoßes die Möglichkeit besteht, die globale Erwärmung unterhalb von 2 °C gegenüber dem vorindustriellen Niveau zu begrenzen. Dazu sind aber große Anstrengungen im Klimaschutz nötig. Zudem ist selbst dann ein Anstieg des Meeresspiegels zu erwarten. Da der Klimawandel schon im Gange ist und sich bestimmte Auswirkungen, wie das Abschmelzen der Gletscher, der Anstieg des Meeresspiegels, nicht mehr verhindern lassen, brauchen wir eine umfassende Anpassungsstrategie insbesondere für die von den Auswirkungen des Klimawandels extrem betroffenen Regionen (M1) und die dort lebenden Menschen.

Mit jedem Jahr, in dem wir ungebremst die Atmosphäre mit langlebigen Treibhausgasen anreichern, wird eine hinreichend wirkungsvolle Antwort auf die Klimafrage schwieriger und teurer.

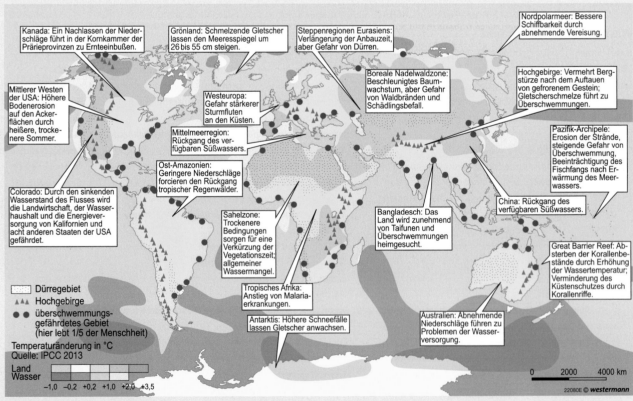

M1 Mögliche Auswirkungen des Klimawandels im Laufe des 21. Jahrhunderts (IPCC, 2013)

Kompetenz-Check

Hier sind alle Kompetenzen, die Sie in diesem Kapitel erwerben konnten, aufgelistet.
Sie können selbst beantworten, ob Sie die Kompetenz sicher beherrschen: *sicher, mäßig oder kaum.*

Sachkompetenz

Kann ich		unsicher? Schlagen Sie nach auf Seite
1.	die Entwicklung regionaler und globaler Temperaturveränderungen beschreiben (SK1)?	194/195
2.	den Zusammenhang zwischen Erderwärmung und Rückgang des Gletschereises erklären und mögliche globale Auswirkungen, die sich daraus ergeben, erörtern (SK1)?	198/199, 204−207
3.	den Zusammenhang zwischen Erderwärmung und Meeresspiegelanstieg erklären und die Auswirkungen des Meeresspiegelanstiegs erörtern (SK1)?	201, 204−207
4.	die Möglichkeiten zur Überwindung der Grenzen zwischen Ökumene und Anökumene, die sich aus den Folgen des Klimawandels ergeben, darstellen (SK1)?	198−200
5.	anthropogene Einflüsse auf gegenwärtige Klimaveränderungen und deren mögliche Auswirkungen unter anderem auf die Zunahme von Hitzeperioden, Waldbränden sowie Starkregen und Sturmereignissen erläutern (SK2)?	202/203, 208/209
6.	die natürlichen und anthropogenen Ursachen des Klimawandels erklären (SK1, SK2)?	204−207
7.	den Einfluss fossiler Energieträger auf den Klimawandel erklären (SK2)?	207−209

Methodenkompetenz

Kann ich		
8.	problemhaltige geographische Sachverhalte identifizieren und entsprechende Fragestellungen zum Klimawandel entwickeln (MK2)?	192−211
9.	unterschiedliche Darstellungs- und Arbeitsmittel, wie z.B. Karten, statistische Daten, Grafiken und Texte, analysieren, um auf dieser Grundlage Fragestellungen zum Klimawandel zu beantworten (MK3)?	194−211
10.	mithilfe von Grafiken den Aufbau der Atmosphäre und den Strahlungshaushalt der Erde erklären (MK3)?	206
11.	mittels geeigneter Suchstrategien im Internet Informationen zu den Spuren des Klimawandels recherchieren und diese fragebezogen auswerten (MK5)?	198−203
12.	Spuren des Klimawandels mündlich und schriftlich unter Verwendung der Fachsprache problembezogen, strukturiert und materialbezogen darstellen (MK6)?	198−203
13.	Aussagen zum Klimawandel durch angemessene und korrekte Materialverweise und Materialzitate belegen (MK7)?	198−203, 206−209
14.	geographische Informationen grafisch beispielsweise als Wirkungsgefüge darstellen (MK8)?	198−203

Urteilskompetenz

Kann ich		
15.	mögliche Auswirkungen des Klimawandels, wie z.B. das Abschmelzen der Gletscher und den Anstieg des Meeresspiegels, kritisch hinterfragen (UK2)?	198−203
16.	natürliche und anthropogene Ursachen von Klimaänderungen gegeneinander abwägen (UK1, UK2)?	204−207
17.	zur Aussagekraft von Klimaszenarien kritisch Stellung nehmen (UK1)?	208/209
18.	Möglichkeiten zur Begrenzung des globalen Temperaturanstiegs vor dem Hintergrund der demografischen und ökonomischen Entwicklung beurteilen (UK3)?	210/211

Handlungskompetenz

Kann ich		
19.	Arbeitsergebnisse zum Klimawandel fachsprachlich angemessen und sachbezogen präsentieren (HK1)?	198−203
20.	Lösungsansätze für mögliche Klimaänderungen entwickeln (HK5)?	210/211
21.	Möglichkeiten zur Reduzierung der CO_2-Emission in der Schule und bei meinem alltäglichen Tun überprüfen und präsentieren (HK6)?	211

Methodenlexikon

Interpretation

Prinzipiell können die meisten der in der Geographie genutzten Materialien (z. B. Tabellen, Diagramme, Karten) nach einem ähnlichen Schema ausgewertet bzw. interpretiert werden (M1). In der Schule ist in der Regel keine umfassende Interpretation eines Materials nötig. Meist steht ein Thema im Vordergrund, sodass nicht alle Inhalte interpretiert werden. Bei der Interpretation von Tabellen und Diagrammen sollte man auf folgende Aspekte besonders achten:

■ **Zeitpunkt der Erhebung** (der Zeitpunkt der Erhebung liegt oft relativ weit zurück, das muss bei Beurteilung und Folgerungen beachtet werden)
■ **Maßeinheiten / Werte:** absolut, relativ (Ew./km²). Vorsicht! Der Trend relativer und absoluter Werte kann scheinbar widersprüchlich sein.
■ **Sonderfall Indexzahlen in Tabellen und Diagrammen**: Mit Indexzahlen können Entwicklungen besonders gut sichtbar und vergleichbar gemacht werden. Die Werte des Basisjahres werden auf hundert gesetzt und die vorhergehenden und folgenden Jahre (prozentual) darauf bezogen. Vorsicht! Indexzahlen erlauben keine Rückschlüsse auf die absoluten Zahlen!

Tabellen und Diagramme

In Tabellen können Mengen und Entwicklungen sehr genau dargestellt werden. Sie dienen oft als Basis zur Erstellung von Diagrammen.

Diagramme setzen die Werte aus Tabellen graphisch um und machen sie damit anschaulicher und leichter fassbar. Vor allem Trends lassen sich damit besser ablesen, besonders da durch graphische Mittel und die Wahl bestimmter Diagrammtypen (Kreis-, Stab-, Säulen, Kurven-, Blockdiagramm u. a.) inhaltliche Betonungen möglich sind. Durch die Aufbereitung wird auch die Vergleichbarkeit erhöht (zum Beispiel beim Klimadiagramm).

Tipp zur Anfertigung von Diagrammen
Die Farbwahl sollte der dargestellten Thematik angemessen sein: Verwenden Sie nach Möglichkeit „sprechende Farben" (zum Beispiel Blau für Wasser oder Kälte; Grün für Landwirtschaft beziehungsweise Vegetation).

VORGANGSWEISE BEI DER INTERPRETATION VON MATERIALIEN

1. Beschreibung

→ **Thema** (Angabe zum Raum, Zeitraum usw.) Achtung: meist nicht identisch mit der Abbildungsbezeichnung!
→ **Gesamttendenz:** grober Überblick über die dargestellten räumlichen, zeitlichen Zustände oder Entwicklungen
→ **Extremwerte**: Nennung der wichtigsten Minima und Maxima (in Karten: besonders Konzentrationen oder das Fehlen bestimmter Strukturen), sie bestätigen oder differenzieren die Tendenz
→ **Ausnahmen**: Angaben, die nicht in die erarbeitete Gesamttendenz hineinpassen
→ **Verknüpfung**: Aufzeigen von Zusammenhängen zwischen einzelnen Werten oder Tendenzen

2. Erklärung (mithilfe des Vorwissens)

→ Erklärung der Gesamttendenz
→ Erklärung der Extremwerte
→ Erklärung der Ausnahmen
→ Erklärung der erarbeiteten Zusammenhänge

3. Bewertung / Folgerungen (mithilfe des Vorwissens)

→ Zusammenfassung der wichtigsten Aussagen, Darstellung der wichtigsten Trends
→ Schlussfolgerungen oder Probleme
→ Kritik an den dargestellten Sachverhalten, evtl. Lösungsvorschläge für aufgezeigte Probleme

evtl.: 4. Kritik der Darstellung

→ *Ist die Darstellung dem Thema angemessen?*
→ *Ist die Darstellung eindeutig, übersichtlich, stimmig? (Sind zum Beispiel die Abstände in Zeitreihen gleich, sind sie sinnvoll gewählt?) Werden durch die Art der Darstellung Inhalte tendenziös dargestellt, verzerrt oder gar verfälscht?*

M1 Schema zur Interpretation von Materialien

Säulendiagramm / Balkendiagramm

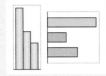

Gut geeignet:

- zur anschaulichen Darstellung statistischer Größen in zeitlicher, räumlicher, sachlicher Folge.

Achtung:

- In vielen Darstellungen beginnt die Skala nicht bei Null. Die Werte werden dadurch auf den ersten Blick verfälscht (z. B. scheinen die Unterschiede zwischen den einzelnen Säulen größer).
- Die Säulen bzw. Balken können in sich noch einmal unterteilt werden, um Teilgrößen zu verdeutlichen.
- Durch unterschiedliche Balken- bzw. Säulendicke kann eine weitere Größe angegeben werden.

Dreiecksdiagramm (Strukturdreieck)

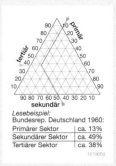

Lesebeispiel:
Bundesrep. Deutschland 1960:

Primärer Sektor	ca. 13%
Sekundärer Sektor	ca. 49%
Tertiärer Sektor	ca. 38%

Gut geeignet:

- zur Darstellung eines Strukturwandels, wenn die Struktur aus drei Teilgrößen einer Gesamtgröße (= 100 %) besteht (z. B. Wirtschaftsstruktur, Erwerbsstruktur, Altersstruktur) und
- zum Vergleich des Strukturwandels in verschiedenen Bereichen/Regionen.

Auswertung

- Aus jedem Punkt im Dreieck lassen sich drei Werte ablesen (die in der Summe 100 % ergeben). Die Werte kann man an den Seiten des Dreiecks ablesen.
- In welcher Richtung man abliest, wird in der Regel durch Pfeile im Diagramm angezeigt.

Flächendiagramm

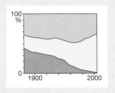

Gut geeignet:

- zur Darstellung von Zeitreihen/Entwicklungen einer Gesamtgröße mit unterschiedlichen Teilgrößen,
- sowohl bei relativen Werten (meist: Summe der Flächen = 100 %), als auch bei absoluten Werten, die oberste Fläche gibt dann den Gesamtwert an.

Achtung:

- Gerade in Computergrafiken werden Liniendiagramme gerne dreidimensional als „hintereinander stehende Flächen" dargestellt. Dann dürfen die Werte natürlich nicht addiert werden.

Kreisdiagramm

Gut geeignet:

- zur Darstellung der Aufteilung einer Gesamtmenge (Kreis = 100 %, 1 % = 3,6°) in Teilmengen,
- zum Vergleich der absoluten Größe verschiedener Gesamtmengen (unterschiedliche Kreisgrößen).

Achtung:

- Werden in einer Darstellung mehrere Kreisdiagramme verwendet, so benutzt man meist die Kreisfläche, um Größen auszudrücken (nicht den Durchmesser).
- Start der Kreissektoren ist nicht immer „12 Uhr".

Konzentrationsdiagramm (Lorenzkurve)

Gut geeignet:

- um darzustellen, wie sich etwas über verschiedene Gruppen verteilt (z. B. Verteilung des Einkommens, des Landbesitzes).

Auswertung:

- Ablesen der Werte wie beim Liniendiagramm

Achtung:

- Konzentrationen werden deutlich, wenn man besonders aussagekräftige Werte gegenüberstellt (Beispiel: In Brasilien haben 20 % der Bevölkerung nur 2 % Anteil am Volkseinkommen, die reichsten 10 % haben dagegen einen Anteil von 47 %.)

Kurvendiagramm (Liniendiagramm)

Gut geeignet:

- zur Darstellung von Zeitreihen und Entwicklungen,
- zum Vergleich verschiedener Zeitreihen und Entwicklungen.

Achtung:

- Durch Stauchung bzw. Zerrung der Abszisse oder der Ordinate können zum Beispiel Tendenzen übertrieben dargestellt beziehungsweise suggeriert werden.
- Der Maßstab bei Abszisse oder Ordinate wird manchmal zur Verdeutlichung logarithmisch gewählt.

Daten kritisch hinterfragen

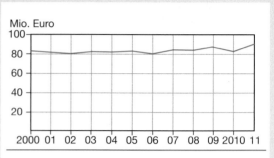

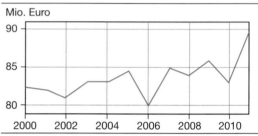

M1   Durchschnittswerte – nicht immer aussagekräftig

In Fachbüchern, den Medien oder dem Internet veröffentlichte Zahlen suggerieren Aktualität und Verlässlichkeit. Doch viele Daten sind fehlerhaft, ungenau oder sogar manipuliert. Folgende Aspekte gilt es zu beachten:

Geschätzte Daten sind in Statistiken keine Ausnahme. So kennt z. B. niemand die augenblickliche Einwohnerzahl Deutschlands, da Bevölkerungszählungen nur selten durchgeführt werden; die letzte fand 2011 statt. Alle aktuelleren Daten werden von Fachleuten „fortgeschrieben".

„Uralte" Daten sind oft die neuesten, die zum Veröffentlichungszeitpunkt zu bekommen sind. Nur wenige Daten werden regelmäßig erhoben und veröffentlicht. Das gilt für die Industrieländer und in besonderem Maße für die Entwicklungsländer.

Unterschiedliche Abgrenzungskriterien führen zu unterschiedlichen Angaben. Bei der Einwohnerzahl von Städten kommt es daher besonders oft zu stark abweichenden Angaben.

Zu genaue Daten sollten auch misstrauisch machen. Oft ergeben komplizierte Rechenwege scheinbar sehr genaue Werte. Die zugrunde liegenden Daten sind dann aber oft nur grob geschätzt oder errechnet.

Die Gefahr der Verfälschung, der Verzerrung, der bewussten oder unbewussten Fehlinformation ist gerade im Internet besonders groß. Viele Seiten sind tendenziös, es soll oft nicht informiert, sondern manipuliert werden.

Tendenziöse graphische Darstellungen sind nicht korrekt, aber durchaus üblich. Um eine bestimmte Tendenz zu betonen, gibt es verschiedene Möglichkeiten (M5):
- durch die Wahl der Abmessungen (Höhe, Breite);
- durch die Eingrenzung der Werteskala;
- durch das Weglassen missliebiger Zeiträume;
- durch Hinzufügen von Schätzungen, die einen gewünschten Trend verstärken.

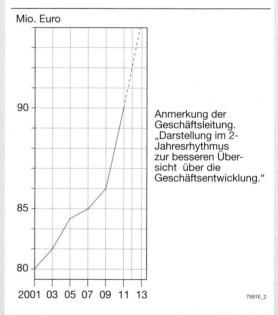

M2   Umsatzentwicklung der Musterfirm-AG – Varianten 1 bis 3

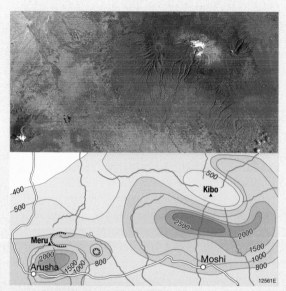

M3 Kilimandscharo: Satellitenbild /
Karte der Niederschlagsverteilung

Karten

Karten gehören zu den wichtigsten geographischen Arbeitsmitteln. Ihre Interpretation gleicht der anderer geographischer Materialien. Es gibt jedoch einige Besonderheiten:
Bei der Beschreibung kann man zwischen zwei Vorgehensweisen wählen:
- **regionaler Zugriff:** sukzessive Beschreibung der einzelnen Teilräume (z. B. Landschaftsräume, Staaten);
- **thematischer Zugriff:** sukzessive Beschreibung einzelner Faktoren (z. B. Gewässernetz, Standorte der Industrie). Dabei wird stets der gesamte Kartenausschnitt betrachtet.

Tipps
- Sichten Sie zunächst in der Legende alle Signaturen und Farben bzw. Farbabstufungen und verschaffen Sie sich damit einen Überblick über die Karteninhalte.
- Bei der Interpretation von Karten geht es meist um die Verteilung von Signaturen, wie eine besondere Häufung (z. B. Verdichtung von Industrie) oder das Fehlen von Signaturen (z. B. siedlungsleere Räume).
- Beides, die Konzentration und das Fehlen von Signaturen, muss erklärt und bewertet werden. Dazu ist es sinnvoll, andere Karten (auch solche mit anderem Maßstab) hinzuzuziehen.

Bilder – Luftbilder – Satellitenbilder

Bilder bieten die Möglichkeit, einen Raumausschnitt genauer zu analysieren – gleichsam als Ersatz für die originale Raumbetrachtung. Aber Vorsicht! Ein Bild stellt nur einen bestimmten Ausschnitt zu einer bestimmten Zeit dar. Grundsätzlich ist daher immer zu berücksichtigen:
- die Tageszeit (z. B. wichtig bei der Interpretation des Verkehrsaufkommens, hilfreich ist oft der Schattenfall) und die Jahreszeit (Bodennutzung, Vegetation),
- die Lage im Raum (ist beispielsweise eine Einordnung möglich?).

Bei den üblichen Fotografien vom Boden aus ist die Gefahr einer Manipulation besonders groß, allein durch die Wahl der Perspektive (zum Beispiel Froschperspektive, Vogelperspektive). Zudem wählt ein guter Fotograf einen Bildausschnitt sehr genau aus. So kann er Unerwünschtes weglassen. Ein Foto ist eben immer nur ein – bewusst gewählter – Ausschnitt der Wirklichkeit.
Bei der Interpretation sollte man sich daher immer fragen, ob es sich bei dem gezeigten Bild um etwas Typisches oder etwas Singuläres handelt – oder ob durch ein gestelltes (oder gar retuschiertes) Foto eine Manipulation zu befürchten ist.
Bei der Interpretation gliedert man ein Bild am besten in Vordergrund, Bildmitte und Hintergrund und geht von den das Bild bestimmenden Strukturen aus.

Schräg- oder **Senkrechtluftbilder** zeigen größere Raumausschnitte. Sie sind nicht selten Grundlage für thematische Karten.
Satellitenbilder werden aus mehreren Hundert Kilometern Höhe aufgenommen. Sie verdichten die Strukturen auf der Erdoberfläche so sehr, dass in der Regel nur grobe Übersichtsstrukturen erkennbar sind.
Die Interpretation von Luft- und Satellitenbildern ist ähnlich der Karteninterpretation.

Tipps
- Die Anfertigung einer Übersichtsskizze mit Signaturen und Schraffuren (zum Beispiel auf Pergamentpapier oder Folie) erleichtert die Interpretation.
- Die Verortung des Bildausschnittes in einer Karte und der Vergleich mit verschiedenen Karten ist hilfreich für die Erklärung und Bewertung.

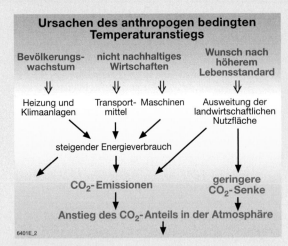

Ursachen des anthropogen bedingten Temperaturanstiegs

Bevölkerungs-wachstum

nicht nachhaltiges Wirtschaften

Wunsch nach höherem Lebensstandard

Heizung und Klimaanlagen

Transport-mittel

Maschinen

Ausweitung der landwirtschaftlichen Nutzfläche

steigender Energieverbrauch

CO_2-Emissionen

geringere CO_2-Senke

Anstieg des CO_2-Anteils in der Atmosphäre

6401E_2

M1   Wirkungsschema

Wirkungsschema und Mindmap – gedankliche Strukturen sichtbar gemacht

Um die für die Geographie typischen komplexen Zusammenhänge darzustellen, eignet sich das **Wirkungsschema** (Kausalkette, Wirkungskette, Flussdiagramm, Wirkungsgeflecht) besonders gut. Dabei werden Folgewirkungen in Stichworte gefasst und mit Linien oder Wirkungspfeilen untereinander verbunden. Die Pfeile haben die Bedeutung „daraus folgt" oder „wirkt auf". Durch unterschiedliche Ebenen können räumliche oder thematische Zusammenhänge (z. B. Zeitabläufe, Hierarchien) angedeutet werden.

Tipps

- Die einzelnen Elemente der Kausalkette können durch unterschiedliche Farbgebung oder Markierung, zum Beispiel durch Einkreisungen, unterschiedlichen Gruppen zugeordnet werden.
- Die Verbindung zwischen einzelnen Elementen kann in Form, Farbe und Strichstärke variiert werden.

Achtung

- Pfeile/Linien gleicher Form oder Farbe müssen dieselbe Bedeutung haben (z. B. „daraus folgt", „wirkt auf").

Auch eine **Mindmap** visualisiert gedankliche Strukturen: Hier steht in der Mitte das Thema. Von dort aus führen einzelne Äste und Nebenäste, sie bilden einzelne Cluster (= 1 Hauptast + Nebenäste).

Die **Concept-Map** (vgl. S.66) geht über die Mindmap hinaus. Sie ähnelt im Aufbau dem Wirkungsschema. Allerdings werden bei der Concept-Map die Pfeile beschriftet.

Sachgerechter Umgang mit geistigem Eigentum

Bei der Verwendung von Materialien aus gedruckten oder elektronischen Medien in schriftlichen Arbeiten muss in jedem Fall die Quelle angegeben werden. Dies ist gerade angesichts der zahlreichen Manipulationsmöglichkeiten, der Unsicherheit hinsichtlich der Autorenschaft im Internet oder auch zur Darstellung unterschiedlicher Fachmeinungen unumgänglich.

Die Form der **Quellenangaben** ist nicht einheitlich geregelt. Wichtig ist, dass bei der eigenen Arbeit (z. B. Referat, Facharbeit) eine einheitliche Form beibehalten wird, zum Beispiel die folgende:

- **Bücher:**
  Autor, Vorname: Titel. Ort der Veröffentlichung Jahr der Veröffentlichung, Seitenzahl
  Beispiel: Scholz, Fred: Entwicklungsländer. Braunschweig 2006, S. 88
- **Zeitschriftenaufsätze:**
  Autor, Vorname: Titel. In: Name der Zeitschrift, Jahrgang, Heftnummer, Seitenzahl
  Beispiel: Scholz, Fred: The Theory of Fragmenting Development. In: GR International Edition 2/2005, S. 4 – 11
- **Internetquellen:**
  Autor, Vorname: Titel der Seite (Überschrift) Entstehungsjahr der Seite o. Aktualisierungsjahr, URL, Datum des Zugriffs
  Beispiel: Max-Planck-Institut für Meteorologie: Einführung in die Erdsystemforschung o.J., www.mpimet.mpg.de/ausbildung/, 2.2.2007
  Achtung! Internetquellen haben oft kein Impressum und machen keine Angaben über den Autor. Solche anonymen Quellen sind jedoch häufig unseriös und sollten nur im Notfall verwendet werden.

Plagiate – Vorsicht!

Gerade das Internet verleitet dazu, Abbildungen und Texte herunterzuladen und zu verwenden, ohne sie als fremdes geistiges Eigentum zu kennzeichnen. Solche Plagiate sind unter Umständen strafbar und werden streng geahndet. In vielen Universitäten werden schriftliche Arbeiten, in denen Plagiate entdeckt werden, nicht oder mit „ungenügend" gewertet. Auch viele Schulen haben für Referate und Facharbeiten diese Regelung übernommen.

Standortfakor	sehr wichtig	wichtig	weniger wichtig	unwichtig
Absatzmarkt				
Nähe zu einem Hauptabnehmer				
günstiger Preis des Ansiedlungs-geländes				
gute Verkehrsanbindung				
qualifizierte Arbeitskräfte				

M2 Gebundene Fragen: Frage- / Auswertungsbogen

Erhebung eigener Daten

Befragung

Das Wichtigste bei einer Befragung ist die Formulierung einer zielgerichteten Frage. Will man die Antworten hinterher auswerten, dann müssen die Fragen auch so gestellt sein, dass sich die Antworten gut weiterverarbeiten lassen.

Gebundene Fragen geben verschiedene Antworten vor und werden oft mit einer Tabelle und Wertungen kombiniert. (Tipp: keine ungerade Anzahl von Wertungen vorgeben, sonst wird gerne die mittlere Zahl, sozusagen das Unentschieden gewählt.) Am Ende jeder der vorgegebenen Fragen sollte man immer noch Platz lassen für zusätzliche Anmerkungen. Diese Art von Antworten lassen sich auch gut miteinander vergleichen, graphisch darstellen und mit Computerprogrammen verarbeiten.

Offene Fragen lassen dem Befragten die Möglichkeit, frei und beliebig lang zu antworten. Diese Antworten lassen sich zwar schwerer auswerten und mit den Antworten anderer Interviewpartner vergleichen, aber sie geben auch Informationen und Anregungen.

Befragungen können sowohl durch Einzelbefragung in Form eines Interviews als auch durch Umfragen – mündlich bzw. schriftlich mit Fragebögen – durchgeführt werden. Wichtig bei schriftlichen Befragungen ist, sich das Ziel der Umfrage zu verdeutlichen.

Bei einem **Interview** ist Folgendes zu beachten:

- Vor einem Interview sollten Sie sich genau über das Thema informieren, nur dann können Sie gute und zielgerichtete Fragen stellen. Und nur dann sind Sie für Ihren Interviewpartner auch ein interessanter Gesprächspartner, bei dem es sich lohnt, ausführliche Antworten zu geben.

- Einen Interviewpartner zu finden, der über eine Thematik viel weiß und sich zudem auch die Zeit nimmt, Ihre Fragen zu beantworten, ist nicht immer einfach.

- Informieren Sie sich zunächst, wer ein geeigneter Ansprechpartner sein könnte (zum Beispiel über das Internet). Firmen haben häufig jemanden, der sich um die Öffentlichkeitsarbeit kümmert.

- Rufen Sie bei der Firma oder Behörde an, stellen Sie sich vor (z. B. Schule, Name) und beschreiben Sie kurz, was Sie genau erwarten. Sollten Sie weiterverbunden werden, notieren Sie die Namen, die man Ihnen nennt.

- Erstellen Sie eine Frageliste mit zielgerichteten Antworten.

- Achten Sie beim Interview auch auf die formalen Rahmenbedingungen (angemessene Kleidung, Aufnahme des Gesprächs nur bei Einwilligung des Interviewpartners).

Kartierung

Durch eine Kartierung kann die Verbreitung bestimmter Phänomene im Raum gut verdeutlicht werden. Folgende Arbeitsschritte sind dabei sinnvoll:

1. Fragestellungen der Kartierung genau formulieren.
2. Den zu kartierenden Raumausschnitt genau festlegen (Ist er repräsentativ? Hat er eine angemessene Größe?)
3. Festlegung der zu kartierenden Themen und daraus resultierend Festlegung der Legende (evtl. Anfertigung einer Mindmap, Erstellung je einer Karte für ein Cluster der Mindmap).
4. Wahl des Kartenmaterials, das als Grundlage dienen soll (in der Regel topographische Karten).
5. Anfertigung mehrerer Kopien der Kartengrundlage (mehrere für die Kartierung, eine für die spätere Reinzeichnung).
6. Durchführung der Kartierung. Hier gilt: Je genauer man die Informationen einträgt, desto weniger Arbeit hat man hinterher. *Tipp:* Auf gut unterscheidbare Farben achten!
7. Reinzeichnung der Ergebnisse in eine weitere Kopie (mit Titel und Legende).

Geographische Informationssysteme (GIS)

Als **G**eographisches **I**nformations**s**ystem (GIS) wird eine Software bezeichnet, mit deren Hilfe man Daten, wie zum Beispiel Strukturdaten (M1), über einen Raum

- mit einer Dateneingabe erfassen,
- in einer Datenbank verwalten,
- über eine Datenauswertung analysieren und
- mit einer Datenausgabe präsentieren kann (Karte).

Zwei unterschiedliche GIS Anwendungen sind zu unterscheiden: In einem **WebGIS** (z. B. www.diercke. de/webgis/, http://webgis.bildung-rp.de) werden Datensätze vorgegeben, die zu Karten verarbeitet, aber nicht verändert werden können. Das wesentlich aufwendigere **Desktop-GIS** wird auf lokalen Rechnern und Netzwerken installiert und bietet die Möglichkeit, eigene Daten einzugeben und auch zum Beispiel eigene Klassifizierungen zu erstellen. Unterschiedliche Formen des Desktop-GIS finden sich in nahezu allen mit Planungsaufgaben befassten Behörden und Firmen sowie in Schulen (z. B. Diercke-GIS, GDV Spatial Commander; siehe CD-Beilage).

Eine GIS-Karte besteht aus verschiedenen Layern (M2). Ein Layer beinhaltet entweder einzelne Punkte, Linien oder Flächen. Jeder dieser Layer kann einzeln sichtbar und aktiv geschaltet werden. Dadurch ist es auf einfache Weise möglich, Karten zu vergleichen, sie neu zu zeichnen sowie Datenbankabfragen durchzuführen, die wiederum sofort in einer neuen Karte dargestellt werden können.

Zudem verfügt jedes GIS über zahlreiche Werkzeuge (Tools). So können über das Tool „i" (für „identifizieren") zusätzliche Daten abgerufen werden (z. B. Wirtschaftssektoren, Bevölkerung). Weitere Tools beinhalten zum Beispiel eine Suchfunktion (Abfragemanager) oder Entfernungsmessungen.

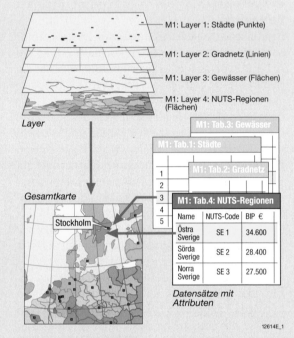

Layer

- M1: Layer 1: Städte (Punkte)
- M1: Layer 2: Gradnetz (Linien)
- M1: Layer 3: Gewässer (Flächen)
- M1: Layer 4: NUTS-Regionen (Flächen)

Gesamtkarte

Stockholm

M1: Tab.4: NUTS-Regionen		
Name	NUTS-Code	BIP €
Östra Sverige	SE 1	34.600
Sörda Sverige	SE 2	28.400
Norra Sverige	SE 3	27.500

Datensätze mit Attributen

12614E_1

M2   Das Prinzip der Layer

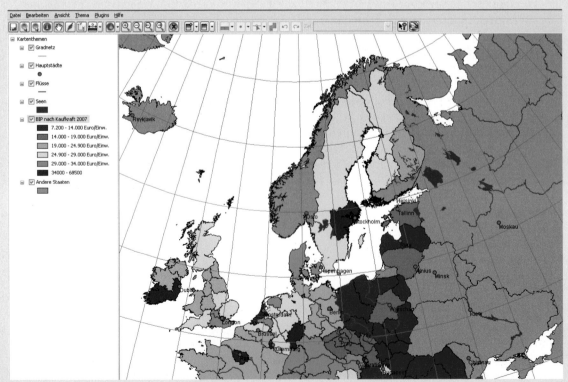

Kartenthemen

- ☑ Gradnetz
- ☑ Hauptstädte
- ☑ Flüsse
- ☑ Seen
- ☑ BIP nach Kaufkraft 2007
  - 7.200 - 14.000 Euro/Einw.
  - 14.000 - 19.000 Euro/Einw.
  - 19.000 - 24.900 Euro/Einw.
  - 24.900 - 29.000 Euro/Einw.
  - 29.000 - 34.000 Euro/Einw.
  - 34000 - 68500
- ☑ Andere Staaten

M1   GIS-Karte: Bruttoinlandsprodukt in der EU 2009 (Web-GIS)

Kompetenzen und Operatoren

Kompetenzen
Kompetenzen sind Fähigkeiten, die man z.B. in der Schule erwirbt und ständig weiter entwickelt. Kompetenzen kann man in den unterschiedlichsten Lebenssituationen nutzen.

- Unter geographischer **Sachkompetenz** versteht man die Fähigkeit, sich geographische Kenntnisse zu erwerben und diese anzuwenden. Hierzu gehören auch Kenntnisse über die Wechselwirkungen zwischen Mensch und Raum sowie damit verbundene Folgen.
- **Methodenkompetenz** zeigt sich vor allem in der Fähigkeit und Fertigkeit, sich räumliche Strukturen und Prozesse selbstständig zu erschließen, z.B. durch die Beschaffung und Auswertung von Informationen oder durch originale Begegnungen wie zum Beispiel Exkursionen.

- **Urteilskompetenz** zeigt sich vor allem in der Fähigkeit, raumbezogene Sachverhalte nach fachlichen Kriterien zu beurteilen, mögliche Belastungen oder Konflikte zu erörtern und Lösungsansätze bezüglich ihrer möglichen Auswirkungen einzuschätzen.
- **Handlungskompetenz** zeigt sich vor allem in zielgerichteten, selbstständigen Handlungen, bei denen die im Unterricht angeeigneten Sach-, Methoden- und Urteilskompetenzen angewendet werden.

In Anlehnung an: Ministerium für Schule und Weiterbildung des Landes Nordrhein-Westfalen: Kernlehrplan für die Sekundarstufe II Geographie. Düsseldorf 2013

Operatoren
Operatoren sind klare, eindeutige Arbeitsanweisungen.

Übersicht über die Operatoren
Operatoren, die vorrangig Leistungen im **Anforderungsbereich I** (Reproduktion) verlangen:
- → **nennen**: Informationen/Sachverhalte ohne Kommentierung wiedergeben
- → **beschreiben**: Materialaussagen/Sachverhalte mit eigenen Worten geordnet und fachsprachlich angemessen wiedergeben
- → **darstellen**: aus dem Unterricht bekannte oder aus dem Material entnehmbare Informationen und Sachzusammenhänge geordnet (grafisch/verbal) verdeutlichen
- → **lokalisieren**: Einordnen von Fall-/Raumbeispielen in bekannte topographische Orientierungsraster

Operatoren, die vorrangig Leistungen im **Anforderungsbereich II** (Reorganisation und Transfer) verlangen:
- → **ein-/zuordnen**: einem Raum/Sachverhalt auf der Basis festgestellter Merkmale eine bestimmte Position in einem Ordnungsraster zuweisen
- → **kennzeichnen**: einen Raum/Sachverhalt auf der Basis bestimmter Kriterien begründet charakterisieren
- → **analysieren**: komplexe Materialien/Sachverhalte in ihren Einzelaspekten erfassen mit dem Ziel, Entwicklungen/Zusammenhänge zwischen ihnen aufzuzeigen
- → **erläutern**: Sachzusammenhänge mit Hilfe ergänzender Informationen verdeutlichen
- → **erklären**: Begründungszusammenhänge, Voraussetzungen und Folgen bestimmter Strukturen und Prozesse darlegen
- → **vergleichen**: Gemeinsamkeiten und Unterschiede zwischen (vergleichbaren) Strukturen/Prozessen erfassen und kriterienbezogen verdeutlichen
- → **anwenden**: Theorien/Modelle/Regeln mit konkretem Fall-/Raumbeispiel/Sachverhalt in Beziehung setzen

Operatoren, die vorrangig Leistungen im **Anforderungsbereich III** (Reflexion und Problemlösung) verlangen:
- → **erörtern**: einen Sachverhalt unter Abwägen verschiedener Pro- und Contra-Argumente klären und abschließend eine schlüssige Meinung entwickeln
- → **(kritisch) Stellung nehmen**: unter Abwägung unterschiedlicher Argumente zu einer begründeten Einschätzung eines Sachverhalts/einer Behauptung gelangen
- → **überprüfen**: (Hypo-)Thesen/Argumentationen/Darstellungsweisen auf ihre Angemessenheit/Stichhaltigkeit/Effizienz hin untersuchen
- → **beurteilen/bewerten**: auf der Basis von Fachkenntnissen/Materialinformationen/eigenen Schlussfolgerungen unter Offenlegung/Reflexion der angewendeten Wertmaßstäbe zu einer sachlich fundierten, qualifizierenden Einschätzung gelangen/eine begründete, differenzierte eigene Meinung entwickeln

Lokalisieren, beschreiben, darstellen und *vergleichen* sind Operatoren, die je nach Komplexität des zu bearbeitenden Materials/der Zielrichtung der Teilaufgabe auch auf Leistungen im nächst höheren Anforderungsbereich zielen können."

Quelle: Ministerium für Schule und Weiterbildung des Landes Nordrhein-Westfalen: http://www.standardsicherung.schulministerium.nrw.de/abitur-gost/ vom 18.11.2005

Hilfen und Impulse zu den Materialien

Geographie = Erd – Kunde
Unsere Erde – schützenswert!

S. 6/7
M3
Struktur: Muster, Gefüge, Merkmale; *Sozialwissenschaften:* beschäftigen sich mit dem gesellschaftlichen Zusammenleben der Menschen, auch „Gesellschaftswissenschaften"; *Geomorphologie:* beschäftigt sich mit den Oberflächenformen der Erde und deren Entstehung

M4
Handlungskompetenz: die Fähigkeit, bewusst und überlegt zu handeln, auch hinsichtlich der Folgen des eigenen Tuns

S. 8/9
M1
Beachten Sie die möglichen Wechselwirkungen und die Stellung des Menschen innerhalb des Systems.

I Zwischen Ökumene und Anökumene

S. 14/15
M6
Stichworte: Nährstoffe, Ausschwemmung durch Starkregen, verästeltes Wurzelsystem, große Oberfläche, Mykorrhiza, „Nährstofffalle"

S. 18/19
M5
Hier ein Beispiel:
Luftmassen werden durch die Oberfläche beeinflusst, über die sie wehen. So haben Meere ausgleichenden Einfluss, Wüsten trocknen die Luft aus und heiße Gebiete erwärmen die Luft.

S. 20/21
M5/M8
Nachhaltigkeit umfasst die Eignung der Anbauform für heutige und zukünftige Generationen.
Die Dimensionen, die hier überprüft werden müssen:
Ist die Anbauform:
- wirtschaftlich
- sozialverträglich (hier: armutsmindernd)
- ökologisch angepasst (Erhalt der Biodiversität, umweltschonend, ressourcenschonend, bodenschonend)

S. 22/23
M5
Überlegen Sie, was mit der Hadley-Zirkulation (S. 17) passiert, wenn sich der Zenitstand der Sonne nach Norden bzw. nach Süden verlagert.

S. 24/25
M3
Die ablenkende Kraft der Erdrotation führt auf der Nordhalbkugel zu einer Ablenkung nach rechts (von der Bewegungsrichtung her gesehen) und auf der Südhalbkugel nach links.

S. 26/27
M3
Bohrt man eine wasserführende Gesteinsschicht an, in der das Wasser unter Druck steht und die von einer wasserundurchlässigen Gesteinsschicht abgedichtet wird, so steigt das Grundwasser nach dem Prinzip der kommunizierenden Röhren hoch.

S. 28/29
M2
Hinweise zum Lesen von Thermoisoplethediagrammen finden Sie auf S. 216

S. 36/37
M4
Mit der Trockengrenze ist die Trockengrenze des Regenfeldbaus gemeint. Sie liegt in den Prärien bei ca. 500 mm Niederschlag im Jahr, d.h. in den angegebenen Jahren fielen westlich weniger als 500 mm, östlich mehr als 500 mm Niederschlag.

M7
Die Bodenerosion, d.h. die Abtragung des Bodens, die über den Umfang der natürlichen Abtragungsprozesse hinausgeht, kann durch Wind oder Wasser erfolgen. Überlegen Sie, welche dieser Abtragungsarten in den Great Plains eine Rolle spielt. Die Art der Bodenbewirtschaftung kann die Bodenerosion begünstigen oder auslösen.

M9
oC = organischer Kohlenstoffgehalt. Die Humusqualität ist umso höher, je höher der oC-Wert ist.

II Lebensgrundlage Wasser

S. 50/51
M3
Nehmen Sie sich die Signaturen der Legende nacheinander vor und beschreiben Sie das Ausmaß der Desertifikation nacheinander. Erst wenn Sie das erledigt haben, sollten Sie überprüfen, ob es Räume gibt, die besonders bzw. durch mehrere Naturereignisse gefährdet sind.

S. 54/55
M1
Es sind mehrere Umweltprobleme gelistet, die zum Themenfeld Desertifikation gehören.
M4
Im oberen Bildteil sind unterschiedliche Ursachen der Desertifiktion aufgelistet, im unteren Teil die Folgen.

S. 56/57
M1
Untersuchen Sie die Veränderungen zunächst im Sudan. Richten Sie erst später den Blick auf den gesamten Sahel.

M5
Zählen Sie, wie viele Siedlungen sesshaft gewordener Nomaden im Kartenausschnitt sind und verbinden Sie dies mit der Aussage aus M6.

S. 58/59
M4
Vergleichen Sie die Tragfähigkeit mit dem aktuellen Bestand. Folgern Sie daraus auf die Überlastung des Bodens.

M5
El Fasher liegt innerhalb der dürregefährdeten Zone. Über die Farbe erhalten Sie Auskunft darüber, wie vulnerabel der Raum gegenüber Desertifikation ist. Beachten Sie danach auch die Entwicklung der Ackerbaufläche in der Sahel-Zone (M5 Diagramm unten rechts).

S. 60/61
M3
Die Abbildung zeigt Bereiche, in denen aufgrund des vorherrschenden Niederschlagsvolumens die jeweilige Nutzungsform betrieben werden kann.

M4
Beachten Sie im unteren Teil der Abbildung die Niederschlagsvariabilität. Überlegen Sie, welche Auswirkungen dies auf die Verlässlichkeit von Erntemengen hat.

S. 62/63
M1
Der mittlere Wert errechnet sich aus dem effektiven Wert und glättet die Extremata auf diese Weise.

S. 64/65
M6
detrimental = schädlich
sustainable = nachhaltig
contribute = etw. beisteuern

mitigation = Linderung
adaptation = Anpassung
resilience = Widerstandskraft
improvement = Verbesserung

S. 70/71
M7
Achten Sie auf Formulierungen, die eine Stimmung beschreiben. Welche Stimmung soll der Leser nachempfinden?

S. 72/73
M1
Gehen Sie schrittweise vor: Vergleichen Sie Gefälle und Wassermenge im Fluss und verdeutlichen Sie sich die Wechselwirkungen. Beachten Sie die Einteilung in Flussabschnitte und die Informationen zu Erosion und Sedimentation (Akkumulation).

S. 74/75
M6
Verfolgen Sie die Flutwelle von Karlsruhe bis Köln anhand der angegebenen Daten. Achten Sie auf die Höhe der Flutwelle bzw. der Flutwellen. Wie können Sie sich die unterschiedlichen Höhen erklären? Beziehen Sie M8 mit ein und suchen Sie in der Karte nach Erklärungen.

S. 76/77
M7
Bedenken Sie, dass beim Anstieg des Wassers im Fluss auch der Grundwasserspiegel steigt. Achten Sie außerdem auf den Druck, den das Wasser ausübt.

S. 78 /79
M3
Achten Sie auf Hinweise im Bild zu Erosion und Akkumulation sowie auf die Vegetation.

S. 82/83
M2
Die mit Feuchtigkeit gesättigte Luft über dem warmen Wasser der tropischen Meere erwärmt sich und steigt auf. In der Höhe beginnt die Feuchtigkeit zu kondensieren, wodurch Energie freigesetzt wird. Da ständig von unten neue Luft nachströmt, baut sich nach und nach ein gewaltiges Sturmsystem auf. In der Höhe strömt die Luft auseinander. Erst durch die Erdrotation entsteht die typische Drehbewegung des tropischen Wirbelsturms. Je schneller die Drehbewegung ist, desto stärker werden die Luftmassen nach außen gedrückt. Im Inneren des Hurrikans entsteht eine ruhige Zone, das sogenannte „Auge des Sturms". Dort herrscht absteigende Luftbewegung mit Wolkenauflösung.

S. 84/85
M5
capacity = Kapazität
curfew = Ausgangssperre
to devaste = verwüsten
disaster = Katastrophe
flood waters = Hochwasser
flooded = überfluten
to make landfall = auf Land treffen
levee = Damm, Deich
levee failure = Deichbruch
impact = Auswirkung
inundation = Überschwemmung
preliminary estimate = vorläufige Schätzung
properly = genau
storm surge = Sturmflut

III Leben mit endogenen Kräften der Erde

S. 90/91
M4
Auswirkungen des Tsunami in Japan
Begriff „Kaskade": Eigentlich ein stufenartiger Wasserfall. Hier: Kette aufeinander aufbauender Ereignisse.
Machen Sie sich zunächst klar, inwiefern hier von „kaskadenhaften" Vorgängen gesprochen werden kann.

S. 94/95
M6
Die Diskontinuitäten werden in M7 und M8 näher erläutert.
Hilfreich ist die Verwendung von Methaphern: Der Schalenaufbau der Erde kann zum Beispiel mit dem Aufbau einer Zwiebel verglichen werden.

S. 96/97
M1
Erläutern Sie den Zusammenhang von Wellenhöhe und Wassertiefe sowie Geschwindigkeit der Welle. Stellen Sie Wellenhöhe und Wellenlänge in Abhängigkeit von der Wassertiefe und Geschwindigkeit in einem geeigneten Diagramm dar und erklären Sie.

S. 98/99
M2
Zeichnen Sie in eine Kopie von M2 die konstruktiven, destruktiven und Transformgrenzen in unterschiedlichen Farben ein.
Berechnen Sie den Zeitraum in dem zum Beispiel zwischen Südamerika und Afrika 100 m neue Erdkruste entsteht. Wie lange hat es gedauert, bis die heutige Entfernung der beiden Küsten erreicht war?

M3
Kristallingestein: Gestein aus kristallisiertem Material, wie Granit im Erdinnern aus Magma entstanden; Sediment: Von Wasser, Wind oder Eis abgelagertes Material; invers: umgekehrte
Das Magnetfeld umgibt die Erde. Es ist gerichtet, das bedeutet eine Kompassnadel zeigt heute immer nach Norden. Wenn sich das Magnetfeld umkehrt wird die Nadel nach Süden zeigen.

M4
Legen Sie zum Vergleich der beiden Kollisionstypen eine Tabelle an.
Fügen Sie der Tabelle eine Zeile mit Beispielen an (Atlas).

S. 106/107
M2
Mercalli-Skala: Anders als die Richter-Skala werden dabei alle denkbaren Sachschäden der Erdbebenstärke zugeordnet.
Achten Sie auf Zusammenhänge zwischen Lage der Erdbebenherde und geologischem Profil.

M5
Rechnen Sie die Gesamtzahl der jeweiligen Einrichtungen hoch.

IV Förderung und Nutzung fossiler Energieträger

S. 110/111
M1
Beachten Sie, dass die Grafik Prozentzahlen ausweist und ein Szenario von 2006 darstellt. Dagegen werden in der zu vergleichenden Grafik M2 absolute Zahlen angegeben und ein Szenario von 2012 dargestellt.

S. 112/113
M3
Das Diagramm zeigt Indexzahlen, die in Bezug gesetzt sind zu einem Vergleichswert 100,0 Indexpunkte, der annähernd 1990 Bestand hatte. Wichtig sind die Zusatzinformationen, dass es eine Kopplung zwischen Gas- und Ölpreis in der Bundesrepublik gibt.

S. 114/115
M5
Schauen Sie sich zunächst die Lagerstätten der einzelnen Kohleschichten an. Insbesondere die Fettkohleschicht spielte während der Industrialisierung eine große Rolle, da diese gut für die Koksprozesse in der Eisen- und Stahlindustrie einsetzbar war. Beachten Sie die zunehmende Mächtigkeit des Deckgebirges, indem Sie sich den Maßstab der Schichtdicke ansehen.

S. 116/117
M3
Achten Sie bei der Auswertung auf die Größenordnung (in 1000) und auf die vergleichsweise geringen Zeiträume auf der X-Achse. Formulieren Sie zunächst einen Satz zur allgemeinen Entwicklung der Graphen und stellen Sie dann exemplarisch einzelne Beobachtungen dar. Überlegen Sie, warum die Zahl der Beschäftigen in der australischen Kohleindustrie immer höher sein muss als die Zahl der Beschäftigten in den Kohleminen.

S. 118/119
M7
Werten Sie die Graphik chronologisch aus und betrachten Sie die Entwicklung in den einzelnen Tagebauen. Legen Sie exemplarisch eine Art Querschnitt an ein bestimmtes Jahr an. Etwa: „1975 gab es sechs Tagebaue, die insgesamt 120 Mio. t Braunkohle förderten. [...]". Stellen Sie zum Schluss die heutige Situation dar.

S. 122/123
M1, M2, M6, M9, M10, M13
Welche Strategie steckt hinter den Investitionen in speziellen Bereichen – wie zum Beispiel in Tourismus, Handel oder Verkehr?

S. 124/125
M1
Beachten Sie die Lage der Erdölfelder und die nach der roten Liste geschützten Gebiete!

M4, M5
Yasuni-ITT-Initiative und REDD-Modell: zwei unterschiedliche Ansätze, um CO_2 zu reduzieren.

S. 126/127
M8
Beschreiben Sie zunächst den bisherigen Verlauf der Förderung des konventionellen Erdöls. Beachten Sie dabei die Einheit (Gt). Anschließend nehmen Sie die Szenarien nacheinander in den Blick.

S. 128/129
M1
Arbeiten Sie die Legende von oben nach unten ab. Beschreiben Sie als erstes die Rohstoffreserven, indem Sie die Lage der Lagerstätten von Erdöl und Erdgas lokalisieren. Stellen Sie dann die regionalen Unterschiede dar. Dazu vergleichen Sie sehr rohstoffreiche Länder mit Ländern, die nach der Karte über keine Reserven verfügen. Nehmen Sie dann das Pipelinenetz in den Blick und beachten Sie die Zusatzgraphik links unten.

S. 130/131
M5
Auswertung:
Schritt 1: Analyse und Darstellung der Informationen zur Kernenergie in Deutschland.

Schritt 2: Vergleich mit ausgewählten Nachbarstaaten, Herausarbeitung von Gemeinsamkeiten und Unterschieden.
Schritt 3 (Zusatzaufgabe): Einbezug von Staaten wie den USA, Russland oder China in den Vergleich.

S. 134/135
M4
Beschreiben Sie bei der Kartenauswertung die Lage des geplanten Kohlekraftwerkes im Hinblick auf die Entfernung zu den nächsten Siedlungen. Nehmen Sie dann die infrastrukturelle Anbindung an verschiedene Verkehrswege in den Blick.

V Neue Fördertechnologien

S. 142/143
M1
Die Fördergebiete müssen mit ihren Fördermaxima zeitlich gestaffelt dargestellt werden.

M4
Vor dem Beschreiben der Transportwege müssen die Förderregionen sowie die Länder des höchsten Verbrauchs identifiziert werden.

S. 146/147
M8
Besonders beachten und erläutern: Pfeilrichtung zu den Importen der USA

S. 148/149
M2
Zur Beantwortung der Fragen thematische Atlaskarten, speziell zur Bevölkerungsdichte, heranziehen.

S. 150/151
M4
Schweden ist Mitglied im Arktischen Rat, meldet aber keine Gebietsansprüche an der Arktis an. Woran könnte das liegen (Atlas)?

M4, M5
Gebietsansprüche an der Arktis auf der einen Seite und Zusammensetzung des Arktischen Rates auf der anderen Seite: Was fällt auf?

S. 152/153
M4
Kosten und Sicherheit der CO_2-Einlagerung folgen einer Regel, die etwas mit der Einlagerungstiefe zu tun hat!

M5
Gashydrat-Lagerstätten und die naturgeographischen Gefahren an den geotektonischen Plattengrenzen: Warum ist ein besonders behutsames Vorgehen bei der Gashydratförderung so wichtig?

M7

Analysieren Sie im Atlas die Meerestiefe an den deutschen Küsten. Warum kann Deutschland voraussichtlich selbst kein Gashydrat fördern?

VI Regenerative Energien

S. 160/161
M4

„Installierte Leistung" bedeutet die maximale Leistung aller Anlagen. Die energetische Jahresabgabe ins Netz wird also nicht angegeben. Dennoch können Sie die Entwicklung beschreiben und die Bedeutung durch einen Vergleich der erneuerbaren Energien angeben.

S. 162/163
M5

Achten Sie zum einen darauf, wie mithilfe der Turbine und des Generators Strom erzeugt wird. Einen Generator können Sie mit einem Fahrrad-Dynamo vergleichen: Bewegungsenergie wird in elektrische Energie umgewandelt. Bedenken Sie dann den Begriff „Pumpspeicher"-Kraftwerk.

S. 164/165
M1

Bezüglich der ökonomischen Dimension finden Sie weitere Informationen auf der Atlaskarte. Für die Betrachtung der ökologischen Dimension sollten Sie auch die Maßstabsleiste berücksichtigen. Hinweise bezüglich der Analyse der sozialen Dimension gibt Ihnen die Legende zur Karte. Vergleichen Sie zum Beispiel auch die Flächen.

S. 166/167
M4

Der Unterschied zwischen Solarmodulen (Photovoltaik) und Sonnenkollektoren (Solarthermie) ist an den Flächen zu erkennen.

M6

Bei der Auswertung der Karte sollten Sie die Entwicklung (beide Säulen) in den Bundesländern getrennt von der Bedeutung im Ländervergleich (Säule für 2010) betrachten.

M10

Betrachten Sie die Tagesbelastung an einem Tag und überlegen Sie, welche Gründe es für die unterschiedliche Tagesbelastung gibt. Vergleichen Sie dann die Tagesbelastung im Sommer und im Winter.

S. 168/169
M1

Wenden Sie die „Lupenmethode" bei der Auswertung der Karte an: Konzentrieren Sie sich auf die Signaturen, die sich auf die Solarenergie beziehen.

S. 170/171
M7

„Installierte Leistung" bedeutet die maximale Leistung aller Anlagen. Die energetische Jahresabgabe ins Netz wird also nicht angegeben. Achten Sie auch auf die Möglichkeit des Repowering.

S. 172/173
M1

Werten Sie die Grafik schrittweise aus: Stromtransport, Vergleich der Standorte Nordsee und Ostsee, Vergleich nach Größe, Vergleich nach Leistung, Anlagen in Betrieb und Anlagen im Bau.
M9

Verfolgen Sie die Stromtrassen (Ausbaustrecken) auf einer physischen Karte und ggf. auch anderen Karten. Suchen Sie nach Gründen für den Streckenverlauf.

S. 174/175
M1

Vergleichen Sie die Standorte der Biogasanlagen, insbesondere die Konzentrationen in bestimmten Regionen, mit der landwirtschaftlichen Nutzung in diesen Gebieten. Werten Sie eine entsprechende Atlaskarte diesbezüglich aus.

M6

Werten Sie das Diagramm schrittweise aus: Entwicklung der Biogasanlagen (Anzahl), Entwicklung der installierten Leistung, Vergleich Anzahl und Leistung früher und heute.

S. 176/177
M3

Die Angaben zum Anbau beziehen sich auf die Anbaufläche in Mio. ha. Die Werte sind an der rechten Skala abzulesen. Die Bestände sind in Säulen dargestellt, die Werte sind links abzulesen.

M8

Werten Sie die Grafik schrittweise aus. Die Entwicklung der Bestände und der Erzeugung weltweit können Sie auch mit der Entwicklung in den USA (M3) vergleichen.

M10

Strukturieren Sie Ihre Auswertung. Beschreiben Sie zunächst die Darstellung, gehen Sie dann auf die Bedeutung der Bildelemente ein und kommen Sie abschließend zu einer Bewertung der Darstellung.

S. 178/179
M2

Verfolgen Sie in der Abbildung den Weg des Wassers. Sie können auch den Text zu Hilfe nehmen.

M4

Verfolgen Sie den Weg des Thermalwassers von der Förderung zur Nutzung. Achten Sie auf die Kraft-Wärme-Kopplung.

M6
Vergleichen Sie die Karte mit einer geologischen Karte im Atlas.

S. 180/181
M6
Ziehen Sie zum Vergleich und zur Erklärung der Standorte eine Karte der Schwächezonen der Erde heran.

S. 182/183
M3
Werten Sie das Energieflussdiagramm „von oben nach unten" aus.

M8
Beginnen Sie bei der Auswertung im Zentrum der Abbildung.

S. 184/185
M5
Die Grafik enthält viele Informationen. Gehen Sie schrittweise vor.

VII Das Klima im Wandel

S. 204/205
M7
Durch die Verschiebung des Erdmagnetfeldes, durch veränderte Erdbahnparameter und plattentektonische Bewegungen, d.h. langsame Verschiebungen von Teilen der Erdkruste durch die Bewegung des darunter liegenden Magmas, veränderte sich im Laufe der Erdgeschichte kontinuierlich die Weltkarte, wie z.B. die Anordnung der Kontinente und Ozeane oder die Lage des Nord- und Südpols.

S. 206/207
M5
Helle Oberflächen, zum Beispiel Schnee oder auch Sand, reflektieren sehr stark, dunkle Flächen absorbieren die auftreffende kurzwellige Strahlung und wandeln sie in langwellige Strahlung um. Das Verhältnis von reflektierter zu einfallender Strahlung wird als Albedo einer Oberfläche bezeichnet.

S.208/209
M4
CO_2 ist langlebig und wird für viele Jahrhunderte in der Atmosphäre bleiben. Damit wird die Temperatur voraussichtlich auf der Erde noch für ein Jahrhundert oder länger steigen.

Maßeinheiten

Energieeinheiten		
1 Joule (J)	=	1 Wattsekunde (Ws)
1 Megajoule (MJ)	=	10^6 Joule (J)
1 Petajoule (PJ)	=	10^{15} Joule (J)
1 Exajoule (EJ)	=	10^{18} Joule (J)
1 Megawatt (MW)	=	10^6 Watt (W)
1 Terawatt (TW)	=	10^{12} Watt (W)
1 Kilowattstunde (kWh)	=	3,6 Megajoule (MJ)
1 Kilogramm Steinkohleeinheit (kg SKE)	=	29,31 Megajoule (MJ)
1 Kilogramm Öleinheit/Rohöleinheit (kg ÖE/RÖE)	=	1,43 Kilogramm Steinkohleeinheit (kg SKE)
1 Kilokalorie (kcal)	=	4186,8 Joule (J)
Volumeneinheit		
1 Barrel (bbl.)	=	159 Liter (l)

M1   Energie- und Volumeneinheiten

	kJ	kcal	kWh	kg SKE	kg ÖE/RÖE	m³ Erdgas
1 kJ	1	0,2388	0,000278	0,000034	0,000024	0,000032
1 kcal	4,1868	1	0,001163	0,000143	0,0001	0,00013
1 kWh	3 600	860	1	0,123	0,086	0,113
1 kg SKE	29 308	7 000	8,14	1	0,7	0,923
1 kg ÖE/RÖE	41 868	10 000	11,63	1,428	1	1,319
1 m³ Erdgas	31 736	7 580	8,816	1,083	0,758	1

M2   Umrechnungsfaktoren verschiedener Energieeinheiten

Register

Glossar

Abholzung (S. 78) Flächenhaftes Fällen der Bäume eines Waldes bzw. Waldbestandes.

Abraum (S. 120) Über fossilen Rohstoffen liegende Erd- und Gesteinsschichten, die abgetragen werden müssen, bevor die darunterliegenden Rohstoffe wie z.B. Braunkohle gefördert werden können.

absolute Feuchte (S. 28) Wasserdampfgehalt in der Luft, angegeben als Wasserdampfmenge in g/m³ Luftvolumen. → S. 28, M4

Absorption (S. 206) Prozess des In-Sich-Aufnehmens (z. B. von Strahlung).

Aerosol (S. 204, 206, 208) Feste Bestandteile der → Atmosphäre, die als feinste Partikel in der Luft schweben.

Agroforstwirtschaft (S. 20) Nachhaltige Landbaumethode, die Elemente der Forstwirtschaft aufgreift und v.a. in den immerfeuchten Tropen Anwendung findet. Es werden dabei Feldfrüchte unter Bäumen angebaut. Die Bäume dienen als Schattenspender und Starkregenschutz, verringern dadurch die Bodenerosion und die Verdunstung.

agronomische Trockengrenze (S. 36, 60) → S. 36 → S. 60

Akkumulation (S. 72, 78) Ablagerung von Abtragungs- und Bodenmaterial.

Albedo (S. 198, 206) Anteil der kurzwelligen (Sonnen-)Strahlung, die von einem Körper oder der Erdoberfläche reflektiert wird. Sie kann Werte zwischen 0 und 1 annehmen und ist umso größer, je höher der Anteil der reflektierten Strahlung ist (z. B. dunkles Gestein < 0,05, Neuschnee bis zu 0,90).

Anökumene (S. 13) → S. 13

anthropogen (S. 206) Durch menschliches Handeln direkt oder indirekt geschaffen, geprägt oder beeinflusst.

arid (S. 18) Geographische Räume, Klimate oder Zeitabschnitte eines Jahres, in denen die → potenzielle Landschaftsverdunstung die mittlere Niederschlagsmenge übersteigt. Klimadiagrammauswertung → S. 18/19, → humid

artesische Quelle (S. 26) Natürliche Quelle, an der → Grundwasser durch Überdruck an die Oberfläche gelangt. Voraussetzung ist das Vorhandensein einer Tallage und eine wasserführende Schicht zwischen zwei wasserundurchlässigen Schichten.

Atmosphäre (S. 206) Gasförmige, mehrschichtige Hülle um einen Himmelskörper, speziell die sich bis zu einer Höhe von ungefähr 1000 km erstreckende Erdatmosphäre. Sie ist entscheidend für die Existenz von Leben, da sie gefährliche Strahlungsbestandteile der Sonne abhält und die Temperatur auf der Erde reguliert (natürlicher → Treibhauseffekt).

Atomenergie, Kernenergie (S. 130) Entsteht bei der Spaltung des Atomkerns des chemischen Elements → Uran. Die dabei freiwerdende Wärmeenergie wird vor allem zur Stromerzeugung genutzt. Zum Unterschied Atomenergie - Kernenergie → S. 130, M1

Atommüll (S. 132) Radioaktiver Abfall.

Beleuchtungszone (S. 16) Die Erde wird aufgrund unterschiedlicher Sonneneinfallswinkel in drei große Beleuchtungszonen gegliedert: Polarzone (flacher Einfallswinkel, → Polartag, → Polarnacht), Mittelbreiten und Tropen (steiler Einfallswinkel bis hin zum → Zenitstand).

Bergbau (S. 114) Gewinnung und Förderung von Bodenschätzen (→ Lagerstätte) aus der oberen Erdkruste.

Bergrecht (S. 120) Rechtliche Bestimmungen und Vorgaben beim Abbau von Bodenschätzen. → S. 120, M2

Bergschaden (S. 114) An der Erdoberfläche auftretender Schaden als Folge des Untertagebaus. Bergschäden zeigen sich in Form von Rissen und Absenkungen von Bauwerken, Rohrleitungen und Verkehrswegen.

Bergsenkung (S. 114) Absenkung und Einsturz der Erdoberfläche durch Bergbau in Bergwerken.

Bewässerungsfeldbau (S. 32) Form der landwirtschaftlichen Bodennutzung, bei der den Nutzpflanzen in niederschlagsfreien oder -armen Zeiten der → Vegetationsperiode durch geeignete technische Maßnahmen ausreichende Wassermengen zugeführt werden. Bei unsachgemäßer Bewässerung in Trockengebieten besteht die Gefahr der → Bodenversalzung.

Biodiversität, auch **biologische Vielfalt** (S. 14, 124) → S. 124

Biogas (S. 174) → regenerativer Energieträger, der in Biogas- und Kläranlagen durch bakterielle Zersetzung organischer Abfälle unter Luftabschluss entsteht.

Biomasse (S. 174) Menge der lebenden organischen Substanz (Pflanzen, Mikroorganismen, Tiere) zu einem bestimmten Zeitpunkt und an einem bestimmten Ort.

Biosphäre (S. 132) Teil der Landschaftshülle der Erde, der von lebenden Organismen bewohnt wird.

Biotreibstoff (S. 176) Aus → Biomasse (z. B. Getreide, Ölpflanzen, Zuckerrohr) gewonnener Kraftstoff.

Blockheizkraftwerk (S. 134) → S. 135, M5

Bodendegradation (S. 32) Verschlechterung des Bodens durch landwirtschaftliche Übernutzung oder durch natürliche Einflüsse. Bodendegradation führt zur Veränderung der Struktur und stofflichen Zusammensetzung des Bodens sowie zum Nachlassen der → Bodenfruchtbarkeit. → Degradation

Bodenerosion (S. 36) Abtragung des Bodens durch Wasser und/oder Wind, wenn die schützende Pflanzendecke zerstört ist. Sie wird häufig vom Menschen durch unsachgemäße Behandlung der Böden, z.B. durch Rodung von Wäldern, das Umpflügen von Grassteppen oder Überweidung, begünstigt oder ausgelöst.

Bodenfruchtbarkeit (S. 20) Bodenfruchtbarkeit ist bedingt durch die natürliche Bodenbildung und -erhaltung sowie die Kultivierung des Bodens. Sie ist abhängig von der Menge und Vielfalt der für die Pflanzen verfügbaren Mineralstoffe und der → Kationenaustauschkapazität.

Bodenversalzung (S. 32) Durch Verdunstung bewirkte Anreicherung von Mineralien, besonders Salzen, im Oberboden oder an der Erdoberfläche. Dieser in → ariden bis semiariden Klimaten natürliche Prozess wird dort bei der Landnutzung durch Bewässerung verstärkt.

Brache (S. 60) Ackerbaulich genutzte Fläche, die ein Jahr oder auch mehrere → Vegetationsperioden nicht bearbeitet wird bzw. unbestellt liegengelassen wird.

Braunkohle (S. 118) → fossiler Energieträger, der durch Druck und Luftabschluss, in Deutschland vornehmlich im Tertiär, aus organischer Substanz entstanden ist. Durch ihr geologisch junges Alter liegt die Braunkohle in Deutschland relativ oberflächennah, so dass diese heute ausschließlich im → Tagebau abgebaut wird und der Stromerzeugung dient. Ihr Heizwert liegt deutlich unter dem von Steinkohle.

Bürgerinitiative (S. 148) Eine Bürgerinitiative ist der Zusammenschluss von Bürgerinnen und Bürgern zur Durchsetzung ihrer Interessen, meist aus Unzufriedenheit über politische, soziale oder ökologische Entwicklungen. Mit ihrer Arbeit nehmen Bürgerinitiativen Einfluss auf die öffentliche Meinung und auf staatliche Einrichtungen oder Parteien.

Carter-Doktrin (S. 122) → S. 123

Cash Crop (S. 58) → S. 58

CO_2, Kohlenstoffdioxid (S. 120, 152, 206, 210) Farbloses, geruchloses und ungiftiges Gas in der → Atmosphäre, das aus natürlichen Quellen und → anthropogenem Ausstoß stammt. Eine Erhöhung des → CO_2-Gehaltes in der Erdatmosphäre gilt als eine Ursache des → Treibhauseffekts und der damit verbundenen Erwärmung der Erdatmosphäre.

CO_2-Emission (S. 118) Natürlicher und → anthropogener Ausstoß von Kohlenstoffdioxid (→ CO_2).

Corioliskraft (S. 82, 84) Aus der Erdrotation resultierende Scheinkraft, die u.a. Winde und → Meeresströmungen auf der Nordhalbkugel nach rechts und auf der Südhalbkugel nach links ablenkt. Die Stärke der Ablenkung nimmt dabei vom Äquator zu den Polen hin zu.

Degradation (S. 56, 62) Verschlechterung der Umwelt oder eines → Ökosystems und damit der Geopotenziale durch natürliche oder → anthropogene Einflüsse. Meistens in Bezug auf Böden verwendet → Bodendegradation.

Deich (S. 76, 78) Künstlich aufgeschütteter Damm an Meeresküsten oder Flussufern zum Schutz des dahinter liegenden Landes vor Überflutung oder zur Neulandgewinnung durch Eindeichung.

Demographie (S. 56) die Wissenschaft von der Struktur, Verteilung und Entwicklung der Bevölkerung.

Desertec (S. 168) Desertec Foundation, gemeinnützige Stiftung, die Konzepte zur Erzeugung von Ökostrom an energiereichen Standorten der Welt und dessen Übertragung zu Verbrauchsregionen entwickelt und durchführt. Ein Projekt in der → MENA-Region zielt auf die Nutzung der Sonnenenergie durch Solarthermische Kraftwerke.

Desertifikation (S. 54) → S. 54

Divergenz (S. 82, 84, 98) Das seitliche Auseinanderströmen von Luftmassen. Divergenz in der → Plattentektonik: Auseinanderstreben der Platten → S. 98, M1

Eisschild, auch **Inlandeis** (S. 198) Flächenhafte Vergletscherung auf einem Festlandsockel von kontinentalem Ausmaß. Eisschilde sind aufgrund ihrer Größe dem Relief übergeordnet, d.h. das Relief hat keinen entscheidenden Einfluss auf diese.

Emission (S. 206, 208, 210) Ausstoß von festen, flüssigen oder gasförmigen Schadstoffen aus Anlagen (z.B. Kraftwerken), technischen Abläufen (z.B. bei Kraftfahrzeugen) und natürlichen Quellen. → CO_2-Emission

Emissionshandel (S. 210) Handel mit → Emissionsrechten. Staaten oder Unternehmen können → Emissionsrechte kaufen oder verkaufen. Reduziert ein Staat oder Unternehmen seine → Emissionen mehr als erforderlich, kann dieser Überschuss an Staaten oder Unternehmen verkauft werden, die zu viele → Treibhausgase ausstoßen. Ziel des Emissionshandels ist es, die Emissionseinsparung unter wirtschaftlichen Gesichtspunkten möglichst effizient zu gestalten.

Emissionsrecht (S. 210) Handelbares Recht bzw. Zertifikat zum Ausstoß von → Treibhausgasen (z. B.→ CO_2). → Emissionshandel

Endlagerung (S. 132) Definitive, endgültige Lagerung von radioaktivem Abfall ohne Absicht der Rückholung oder Bergung.

Energieeffizienz (S. 182) → S. 183

Epizentrum (S. 92) Der senkrecht über dem → Hypozentrum liegende Punkt auf der Erdoberfläche. Hier finden bei einem → Erdbeben die stärksten Erschütterungen und Zerstörungen statt.

Erdbahn (S. 204) Umlaufbahn der Erde um die Sonne.

Erdbeben (S. 92, 178) Erschütterung der Erdoberfläche, die durch Kräfte im Erdinneren verursacht wird. Erdbeben entstehen meist durch die ruckartige Verschiebung der Platten der → Lithosphäre.

Erdgas (S. 128) Brennbares Gas, das zu den fossilen Energieträgern gehört und oft gemeinsam mit → Erdöl in dessen → Lagerstätten vorkommt.

Erdkern (S. 94) Innerster Bereich des Erdkörpers von ca. 7 000 km Durchmesser. Man unterscheidet zwischen einem äußeren (wahrscheinlich flüssigen) und einem inneren (wahrscheinlich festen) Kern.

Erdkruste (S. 94) Äußere verfestigte Schale der Erde, die 5 bis 80 km mächtig sein kann. Man unterscheidet dabei zwischen → ozeanischer Kruste und → kontinentaler Kruste.

Erdmantel (S. 94) Zwischen der Erdkruste und dem Erdkern gelegener ca. 2 900 km mächtiger, aus zum Großteil zähflüssigem Magma bestehender Bereich des Erdkörpers.

Erdöl (S. 126) Natürlich vorkommendes Gemisch verschiedener Stoffe, das aus organischem Material entstanden ist und vornehmlich als fossiler Energieträger und in der chemischen Industrie Verwendung findet.

Erneuerbare-Energien-Gesetz, EEG (S. 166, 174) → S. 166

Erosion (S. 62, 64, 72, 78) → S. 62

Eruption (S. 100) Erscheinungsform des Vulkanismus, die das Aufdringen und den Ausbruch von Magma und Gasen an die Erdoberfläche bezeichnet.

Exploration (S. 148)
Aufsuchen und Erforschen von → Lagerstätten.

Faltengebirge (S. 98) Durch Auffaltung der → Erdkruste bei der Kollision von Erdplatten entstandenes Gebirge

Feinstaub (S. 120) Kleine Staubpartikel, die meistens über eine Partikelgröße von < 10 μm definiert werden.

Fertilität (S. 56) Fruchtbarkeit, d.h. die Fähigkeit eines Lebewesens, Nachkommen hervorzubringen, bezogen auf die Gesamtpopulation und/oder ein Areal. Gemessen wird häufig die Fertilitätsrate, auch Fruchtbarkeitsrate genannt. Die Fertilitätsrate ist die Anzahl der Lebendgeborenen pro Frau im gebärfähigen Alter (i. d. R. 15 – 45 Jahre). → Mortalität

Fjord (S. 162) Durch Gletscher überformtes Tal, das im Zuge des späteren Meeresspiegelanstiegs überflutet wurde.

Flussaue (S. 76) → S. 76

Flussbegradigung (S. 74) Vom Menschen vorgenommener Eingriff in den Verlauf des Flusses z. B. durch Durchstechen eines oder mehrerer í Mäander, um den Flusslauf zu begradigen.

Food Crop (S. 58) Grundnahrungsmittel (agrarische Anbauprodukte) die überwiegend für die Ernährung der einheimischen Bevölkerung genutzt werden.

fossile Energieträger (S. 110) Stoffe oder Quellen, die nutzbare Energie enthalten und durch technische Verfahren abgeben können. Energieträger, die durch biologische und physikalische Vorgänge wie Veränderungen des Erdinneren und der Erdoberfläche über sehr lange Zeiträume entstanden sind, werden fossile Energieträger genannt. Diese sind endlich, da sie sich erheblich langsamer erneuern, als sie bei der Nutzung zur Energiegewinnung verbraucht werden.

Fracking (S. 142, 146, 148)
Gewinnungsverfahren für Gase und Flüssigkeiten im Untergrund, bei dem Wasser, Sand und Chemikalien unter hohem Druck in das Bohrloch gepumpt werden, um im Gestein Risse zu erzeugen, durch die die Gase und Flüssigkeiten in die Bohrleitung zurückströmen und an der Erdoberfläche aufgefangen werden können.

Gashydrat (S. 152) → S. 153, M6

GAU (S. 130) Abkürzung für „Größter Anzunehmender Unfall".

Geologie (S. 132) Wissenschaft von der Zusammensetzung, dem Bau und der Entwicklungsgeschichte der → Erdkruste und dem Schalenbau der Erde sowie jener Kräfte und Prozesse, unter deren Einwirkung sich die → Erdkruste entwickelt.

geologisches Profil (S. 114) Querschnitt durch den oberen Bereich der → Erdkruste, der für die jeweilige Fragestellung relevant ist.

Geostrategie (S. 150) Geostrategie ist ein Teilbereich der Geopolitik eines Staates oder Staatenbündnisses, der sich mit strategischen Maßnahmen (politisch, wirtschaftlich, militärisch) befasst, deren Konzeption auf der Einschätzung des geographischen Raumes (z. B. → Ressourcen, Lage) und den Interessen des Staates oder Bündnisses (z. B. Ressourcensicherung) beruht.

Geothermie (S. 178, 180) Natürliche, sich erneuernde Wärmeenergie (→ regenerative Energieträger), die aus der → Erdkruste gewonnen werden kann. An geologischen Störungszonen kann diese Energie zur Warmwasserversorgung, als Heizwärme und zur Stromerzeugung genutzt werden.

Golfregion (S. 122) Region bzw. Anrainerstaaten des Persischen Golfs.

Graue Energie (S. 110) Energie, die notwendig ist, um ein Produkt herzustellen, dem Verbraucher bereitzustellen und es zu entsorgen bzw. wiederzuverwerten.

Grundwasser (S. 30) Entsteht durch das Versickern von Niederschlagswasser und dem Eindringen von Flusswasser in Hohlräume von Lockersedimenten und Gesteinen. Das Grundwasser unterliegt dem Einfluss der Gravitation und des hydrostatischen Druckes.

Grüne Revolution (S. 24) Kombination biologisch-technischer Maßnahmen (z. B. → HYV, Pflanzenschutzmittel) mit dem Ziel der Produktivitätssteigerung in der Landwirtschaft v. a. in Entwicklungsländern, um die Ernährungssicherheit sicherzustellen. Neben Erfolgen auf dem Gebiet der Ernährungssicherheit gibt es auch kritisch zu hinterfragende Begleiterscheinungen v. a. im Bereich der Ökologie.

Hadley-Zirkulation, auch Hadley-Zelle (S. 16) Meridionaler Luftmassenaustausch zwischen der → ITCZ (Innertropische Konvergenzzone) und den subtropischen Hochdruckzellen. Die an der ITCZ aufsteigenden Luftmassen fließen in der Höhe polwärts ab, sinken im Bereich der subtropischen Hochdruckzellen nieder und fließen als → Passate äquatorwärts.

Hochertragssorte, HYV (S. 24) Kulturpflanzen, die auf Neuzüchtungen zurückgehen und unter bestimmten Bedingungen (Bewässerung, Düngemittel, Pflanzenschutz) überdurchschnittliche Erträge abwerfen. Im Zuge der → Grünen Revolution wurden diese HYV (High Yielding Varieties) in Forschungsprogrammen gezielt entwickelt, um die Ernährungssicherheit in Entwicklungsländern zu gewährleisten.

Hochwasser (S. 70) → S. 70

Hot Spot (S. 102) → S. 102

humid (S. 18) Geographische Räume, Klimate oder Zeitabschnitte eines Jahres, in denen die mittlere Niederschlagsmenge die → potenzielle Landschaftsverdunstung übersteigt. Klimadiagrammauswertung → S. 18/19, → arid.

Huminstoffe (S. 20) Braun bis schwarz gefärbte, hochmolekulare organische Stoffe mit einer sehr großen spezifischen Oberfläche, womit sie Ionen und Wassermoleküle austauschbar anlagern können (→ hohe Kationenaustauschkapazität). Dadurch haben sie eine große Bedeutung für den Stoffhaushalt und die → Bodenfruchtbarkeit.

Humus (S. 20) Bei der Umwandlung und Zersetzung von abgestorbenem organischem Material im Boden wird durch die Neubildung von Stoffen Humus produziert. Dieser Prozess wird durch Bodenlebewesen, die den Boden durchmischen und das Material abbauen, begünstigt. Humus beeinflusst durch sein Wasserhaltevermögen und seinen Nährstoffgehalt die ökologischen Funktionen des Bodens.

Hypozentrum (S. 92, 178) In der → Lithosphäre gelegener Entstehungsort eines → Erdbebens, auch Erdbebenherd genannt.

indigene Bevölkerung (S. 164) → indigenes Volk

indigenes Volk (S. 124, 144) Minderheit, die sich aus Nachfahren der Erstbesiedler einer Region zusammensetzt. Der Begriff wird heute häufig statt der früher üblichen Begriffe Ureinwohner, Eingeborener oder Naturvolk verwendet.

Inselbogen (S. 102) Bogenförmig angeordnete Kette von Inseln (→ Inselkette), die typischerweise entlang von → Subduktionszonen entstehen, an denen zwei ozeanische Platten aufeinandertreffen. Sie zeichnen sich durch eine hohe seismische Aktivität aus.

Inselkette (S. 98) Häufig als Überbegriff für → Inselbogen, der an → Subduktionszonen entstehen kann, sowie Aneinanderreihung von Inseln vulkanischen Ursprungs, die über einem → Hot Spot entstehen, verwendet. Teilweise auch synonym zu → Inselbogen gebraucht.

installierte Leistung (S. 170) Leistung, die ein Kraftwerk maximal durch die installierten Generatoren erbringen kann.

IPCC (S. 208) Abkürzung für Intergovernmental Panel on Climate Change. Wissenschaftlicher, zwischenstaatlicher Ausschuss für den → Klimawandel, der Bürgern und Staaten unabhängige Informationen zum → Klimawandel liefern möchte.

ITCZ/ITC (Innertropische Konvergenzzone; S. 16) Die äquatoriale Tiefdruckrinne zwischen den Passatzonen wird auch als innertropische Konvergenzzone bezeichnet, weil hier die Passate der Nord- und Südhalbkugel zusammentreffen/konvergieren (→ Konvergenz). Die ITCZ wandert mit dem Sonnenhöchststand.

Jahreszeitenklima (S. 16) Klima, für dessen Ausprägung jahreszeitliche Schwankungen der → Klimaelemente von höherer Bedeutung sind als die täglichen Veränderungen (→ Tageszeitenklima).

Karst (S. 30) Gebiet, das von Lösungsverwitterung (bei wasserlöslichen Gesteinen z.B. Kalk, Gips) und vorwiegend unterirdischer Entwässerung geprägt ist. Aus der Lösungsverwitterung resultieren Hohl- und Auswaschungsformen wie Höhlen und unterirdische Flüsse. Der Name Karst stammt ursprünglich von den Kalksteinhochflächen im westlichen Slowenien.

Kationenaustauschkapazität (KAK) (S. 20) Die in cmol pro kg Boden gemessene Summe der basisch wirkenden Kationen Ca, Mg, K und Na an den Austauscherplätzen im Boden (z.B. an → Tonmineralen und→ Huminstoffen). Sie ist die Fähigkeit des Bodens Nährstoff im Boden zu Binden und wieder an die Pflanzen abzugeben.

Klima (S. 18, 164) Das Klima beschreibt die für einen Ort typischen Zustände der erdnahen Atmosphäre. Meteorologen beobachten die Wetter- und Witterungsvorgänge, sammeln Klimadaten und bestimmen die Durchschnittswerte im langjährigen Mittel (mindestens 30 Jahre). Beeinflusst wird das Klima nicht nur von der Breitenlage, sondern auch von der Höhenlage, der Entfernung vom Meer und der Lage zu Gebirgen (→ Klimafaktoren).

Klimadiagramm(S.18)EsstelltfüreinenOrtdieKlimaelemente Temperatur und Niederschlag im Verlauf eines Jahres übersichtlich dar. Klimadiagrammauswertung → S. 18/19.

Klimaelement (S.18) Messbare meteorologische Erscheinung in der → Atmosphäre, die in ihrem Zusammenwirken mit anderen Klimaelementen das→ Klima ausmacht. Klimaelemente sind z.B. Strahlung, Luftdruck, Luftfeuchtigkeit, Temperatur, Wind, Verdunstung, Niederschlag, Bewölkung. Die Klimaelemente beeinflussen die Zugehörigkeit eines Gebietes zu einer bestimmten Klimazone.

Klimafaktor (S.18) Eigenschaft eines Raumes, der das Klima beeinflusst (z.B.Breitenlage, Hauptwindrichtung, Höhenlage).

Klimamodell (S. 208) Mathematisches Hilfsmittel zur Vorhersage künftiger klimatischer Entwicklungen des globalen → Klimas. → Modell

Klimaschutz (S. 124) Maßnahmen, die durchgeführt werden, um den → Klimawandel zu bekämpfen und nach Möglichkeit abzumildern.

Klimawandel (S. 150, 202, 206, 208) Sammelbegriff für die Veränderungen des globalen → Klimas unter Einbezug aller → Klimaelemente.

Kondensation(S. 82, 84) Übergang des Wasserdampfes vom gasförmigen in den flüssigen Zustand, wobei sich in der → Atmosphäre Wolken bilden.

kontinentale Kruste (S. 94) Teil der Erdkruste, der die Kontinente und Schelfbereiche bildet. Die kontinentale Erdkruste ist im Durchschnitt 35 km mächtig, unter Gebirgen sogar bis zu 80 km. → ozeanische Kruste

Konvektion (S. 82, 84, 98) In der → Atmosphäre vertikale Bewegung von Luftmassen, verursacht durch Einstrahlung. Im Bereich des → Erdmantels Bewegungen, die durch Wärmeströme aus dem Erdinnern hervorgerufen werden.

Konventionelle Förderung (S. 142) → S. 142

Konvergenz (S. 82, 84, 98) Das seitliche Aufeinandertreffen verschiedener Luftmassen, welches zu Turbulenz, Durchmischung und Auflösung der Strömungen führt. Konvergenz in der → Plattentektonik: Kollision von Platten→ S. 98, M1

Kraft-Wärme-Kopplung (S. 134) → S. 135, M5

kurzgeschlossener Nährstoffkreislauf (S. 14) Typischer Kreislauf des → tropischen Regenwaldes, bei dem die abgestorbenen Pflanzenteile am Boden zersetzt und über die Wurzeln von den Pflanzen sofort wieder aufgenommen werden. Die mineralstoffarmen, austauschschwachen tropischen Böden spielen als Nährstofflieferant eine stark untergeordnete Rolle.

Küstenwüste (S. 28) Extrem niederschlagsarmer, relativ schmaler Küstenstreifen im Bereich des subtropisch-randtropischen Hochdruckgürtels, mit vorgelagerter kalter → Meeresströmung, die zu Hochnebelbildung und Unterbindung der → Konvektion führt. → Wüste

Kyoto-Protokoll (S. 210) Übereinkunft der 1997 von den Vereinten Nationen in Kyoto (Japan) durchgeführten Klimakonferenz, den Ausstoß von → Treibhausgasen in Industrieländern zu reduzieren. Das Protokoll ist 2005 in Kraft getreten und stellt weltweit den ersten völkerrechtlich verbindlichen Vertrag zur Eindämmung des → Klimawandels dar.

Lagerstätte (S. 110, 128) Abbauwürdige Anreicherung von nutzbaren Mineralien, Gasen, Ölen und Gesteinen.

Lahar (S. 102) Vulkanischer Schlammstrom aus wassergesättigtem Material.

Land Grabbing (S. 116) Unrechtmäßige Aneignung von Land durch mächtige und einflussreiche Akteure wie Konzerne, Regierungen und Einzelpersonen. V.a. für die Aneignung großer Landflächen in Entwicklungs- und Schwellenländern durch internationale Konzerne und Regierungen verwendet.

Lava (S. 100) Heiße Gesteinsschmelze (→ Magma), die beim Austritt an die Erdoberfläche als Lava bezeichnet wird.

Leewüste (S. 28) → Wüste, die im Lee von Gebirgen entsteht. Feuchte Luftmassen kondensieren beim feuchtadiabatischen Aufstieg (S. 29, M10) im Luv des Gebirges und erwärmen sich beim trockenadiabatischen Abstieg (S. 29, M10).

Lithosphäre (S. 94) Gesteinshülle der Erde. Zur Lithosphäre gehören die Erdkruste und die obere, feste Schicht des Erdmantels.

Mäander (S. 72) Bäche und Flüsse bilden bei mäßiger Fließgeschwindigkeit Flussschlingen mit mehr oder weniger regelmäßig schwingenden Krümmungen.

Magma (S. 100) Heiße Gesteinsschmelze im Erdinneren (untere → Erdkruste und → Erdmantel).

Magmakammer (S. 102) In Schwächezonen der → Erdkruste entstehende Anreicherung von → Magma aus dem → Erdmantel.

Magnitude (S. 92) Die Magnitude gibt die Intensität eines Erdbebens an.

Meeressediment (S. 152) Gesteine, die aus Ablagerungen (→ Akkumulation, → Sedimentation) in einem Meer entstanden sind.

Meeresspiegelanstieg (S. 208) Anstieg des Meeresspiegels, bedingt durch Abschmelzen von Eisschilden und Gletschern und der Ausdehnung von Wasser aufgrund der Erwärmung.

Meeresströmung (S. 198) Beständige, horizontale und vertikale Transportbewegung von Wassermassen in den Meeren.

MENA-Region (S. 168) Abkürzung für Middle East and North Africa. Die Abgrenzung der Region ist unscharf und wird von verschiedenen Institutionen unterschiedlich vorgenommen.

Methanhydrat (S. 152) → Gashydrat, in dem Methan (als Gas) eingelagert ist.

Mittellauf (S. 72) Der mittlere Laufabschnitt eines Flusses auf dem Weg von der Quelle bis zur Mündung. In diesem Abschnitt lässt allmählich die Fließgeschwindigkeit nach.

Modell (S. 80) Ein Modell versucht, durch vereinfachte Darstellung der Wirklichkeit, deren Strukturen und Prozesse aufzuzeigen, komplexe Zusammenhänge darzustellen und Gesetz- oder Regelhaftigkeiten abzuleiten. Ein Modell ist demnach keine exakte Kopie der Realität, sondern nur ein vereinfachtes Abbild.

Monsun (S. 24, 78) Beständig wehende Winde, die ihre Richtung im Jahresverlauf um ca. 180° ändern. Auslöser ist das große Luftdruckgefälle zwischen Meer und Festlandsinnern. Die Winde sind allerdings keine rein regionale Ausgleichsströmung zwischen Land und Meer, sondern vor dem Hintergrund der jahreszeitlichen Verschiebung der → ITCZ zu sehen.

Mortalität (S. 56) Individuenmenge der Population eines Areals, die während einer definierten Periode stirbt. Die Mortalitätsrate oder auch Sterberate gibt die Gestorbenen pro Jahr pro 1000 Einwohner für eine definierte Region an. → Fertilität

Mykorrhiza (S. 14) Im → tropischen Regenwald weit verbreiteter Pilz, der mit höheren Pflanzen in Symbiose lebt. Der mit dem Wurzelsystem verwachsene Pilz übernimmt dabei teilweise oder vollständig die Versorgung der Pflanze mit Wasser und Nährstoffen (vor allem Stickstoff und Phosphat), dafür erhält er organische Stoffe (Kohlenhydrate) von der Pflanze. → kurzgeschlossener Nährstoffkreislauf

nachhaltige Entwicklung (S. 64) Sie bezeichnet eine Entwicklung, die den Bedürfnissen der jetzigen Generation entspricht, ohne die Möglichkeiten künftiger Generationen zu gefährden, ihre eigenen Bedürfnisse zu befriedigen. → Nachhaltigkeit

Nachhaltigkeit (S. 8, 64, 174, 210) → S. 8 → nachhaltige Entwicklung

Naher Osten (S. 122) Politisch-geographischer Sammelbegriff für die Länder Vorderasiens. Dazu werden in der Regel die arabischen Staaten Westasiens - Bahrain, Irak, Jemen, Jordanien, Katar, Kuwait, Libanon, Oman, Saudi Arabien, Syrien, VAE - und Israel zum Nahen Osten gerechnet. Vielfach werden aber auch die Türkei, der Iran und Ägypten in diese Gliederung einbezogen.

Naturereignis (S. 70, 78) Vorgang in der Natur, der ohne Zutun des Menschen naturgesetzlich abläuft, z. B. Blitzschlag, Erdbeben, Überschwemmung. → Naturkatastrophe

Naturkatastrophe (S. 70, 78, 202) → S. 70

Niederschlagsvariabilität (S. 36) Veränderung der Niederschlagsmenge von Jahr zu Jahr.

Nomadismus (S. 34, 36) Eine der ältesten Wirtschaftsformen, die durch die regelmäßige Wanderbewegung ganzer sozialer Gruppen gekennzeichnet ist. Der Nomadismus ist durch ständiges, meist saisonbedingtes zyklisches Wandern ganzer Stämme von Viehhaltern unter Mitnahme des beweglichen Besitzes zum Zwecke der Weidenutzung gekennzeichnet. Traditionell verbreitet ist der Nomadismus in den → Steppen und Halbwüsten von Zentralasien bis Nordafrika.

Oberlauf (S. 72) Der erste Laufabschnitt eines Flusses auf dem Weg von der Quelle bis zur Mündung. Hier besitzt der Fluss – bedingt durch das große Gefälle – eine hohe Fließgeschwindigkeit. Der maßgebliche Formungsprozess ist die í Erosion.

Offshore-Windpark (S. 172) Größere Anzahl von großen technischen Anlagen zur Nutzung der natürlichen Energie der Luftströmungen für die Stromerzeugung im Meer in Küstennähe.

ökologischer Rucksack (S. 172) → S. 173, M6

Ökumene (S. 13) → S. 13

Ölsand (S. 142, 144)
Gemisch aus Sand, Wasser und mehr oder weniger stark verfestigtem → Erdöl bzw. Erdölbestandteilen (z. B. Bitumen).

Onshore-Windkraftanlage (S. 170) Technische Anlage zur Nutzung der natürlichen Energie der Luftströmungen für die Stromerzeugung. Die Anlagen befinden sich im Binnenland í Offshore-Windpark

OPEC (S. 122, 124) → S. 122

ozeanische Kruste (S. 94) Teil der → Erdkruste, der sich unter den Ozeanen befindet. Sie ist ca. 3 bis 15 km mächtig und dichter als die von kontinentaler Kruste. → kontinentale Kruste

Parabolrinnen-Kraftwerk (S. 168) Typ eines Solarwärmekraftwerks (→ Solarthermie), bei dem gewölbte Spiegel die Wärmestrahlung der Sonne auf einem horizontalen, mit einem Übertragungsmedium gefüllten Rohr, bündeln.

Passat (S. 16, 22) Beständig wehender Wind, dessen Ursache im Druckausgleich zwischen subtropisch-randtropischen Hochdruckzellen und äquatorialer Tiefdruckrinne zu suchen ist.

Passatwüste (S. 28) → Wüste, die im Bereich der Wendekreise liegt und deren Trockenheit auf die dort absteigenden Luftmassen (trocken) und die daraus resultierenden → Passate zurückzuführen ist.

Peak Oil (S. 126, 142) Gibt den Zeitpunkt des Ölfördermaximums einer Bohrung, eines Erdölfeldes, einer Region oder weltweit an. Nach dem Peak nimmt die Fördermenge sukzessive ab.

Permafrost (S. 40, 152, 200) Tiefgründig, ganzjährig gefrorener Untergrund der → polaren, → subpolaren und borealen Zone sowie der Hochgebirge, der nur in den Sommermonaten oberflächlich auftaut. Aufgrund der stauenden Wirkung des Bodeneises im Untergrund ist die Auftauschicht in den Sommermonaten stark versumpft. Prägend ist der Permafrost v. a. für die → Tundra.

Photovoltaik (S. 166) Methode, um aus der Lichtenergie der Sonne elektrische Energie zu gewinnen. Dies geschieht mithilfe von Fotoelementen in Solarzellen.

Pipeline (S. 128) Rohrleitung zur Beförderung von Gasen und Flüssigkeiten über große Entfernungen hinweg.

Plattentektonik (S. 204) Theorie über den Krustenbau der Erde sowie die Entwicklung der Kontinente und Ozeane. Sie beinhaltet die Theorie der Kontinentalverschiebung (→ S. 90, M2). Die Theorie der Plattentektonik geht davon aus, dass die → Erdkruste in verschieden große, relativ starre Platten gegliedert ist, die sich u. a. aufgrund von Strömungsprozessen im → Erdmantel langsam passiv bewegen.

Plume, auch **mantle plume/Manteldiapir** (S. 102) Pilzförmig aufsteigende Ströme heißer Tiefenmagmen, die von der Erdkern-Erdmantel-Grenze in ca. 2900 km aufsteigen. Sie sind Quellgebiete für → Magmen, die innerhalb von Platten an die Erdoberfläche gelangen, wie bei der Entstehung von → Hot Spots. polare Zone (S. 38, 40) Zone zwischen dem Polarkreis und dem Pol (Nord- und Südhalbkugel). Dort herrschen → Polartag und → Polarnacht.

Polarnacht (S. 38) Naturerscheinung zwischen Pol und Polarkreis (Nord- und Südhalbkugel). Als Polarnacht wird eine Zeitspanne bezeichnet, in der es Tag und Nacht dunkel ist. Die Sonne geht in dieser Zeit nicht auf. An den Polen dauert die Polarnacht etwa ein halbes Jahr, an den Polarkreisen 24 Stunden. → Polartag

Polartag (S. 38) Naturerscheinung zwischen Pol und Polarkreis (Nord- und Südhalbkugel). Polartag ist die Zeit des Jahres, in der die Sonne Tag und Nacht scheint. An den Polen dauert der Polartag etwa ein halbes Jahr, an den Polarkreisen 24 Stunden. → Polarnacht

Polder (S. 76, 78) Ursprünglich eingedeichtes, neugewonnenes Marschland an der Nordseeküste. Heute auch für eingedeichte Flusslandschaften verwendet, die bei → Hochwasser als Ausgleichsflächen geflutet werden, um flussabwärts Hochwasserspitzen abzumildern.

Potenzielle Landschaftsverdunstung, pLV (S. 18) Die maximal mögliche Verdunstung einer Landschaft, unter der Annahme, dass zu jedem Zeitpunkt ausreichend Wasser zur Verfügung stehen würde.

Prärie (S. 36) Steppen (Lang- und Kurzgrassteppe) im zentralen Teil Nordamerikas, vorwiegend westlich des Mississippi bis zu den Rocky Mountains (ungefähr zwischen 55° und 30° nördlicher Breite).

Primärenergie (S. 110) Diejenige Energie, die in den natürlichen Energieträgern gespeichert ist.

Prozessenergie (S. 134) Energie, die im industriellen Produktionsprozess eingesetzt wird.

Pumpspeicherkraftwerk (S. 162) → S. 163

pyroklastischer Strom (S. 102) Ein Feststoff-Gasgemisch, das bei explosiven vulkanischen Eruptionen auftritt und sich mit einer sehr hohen Geschwindigkeit – bis zu 700 km/h – hangabwärts bewegt.

regenerative Energieträger (S. 110) Energieträger, die in vom Menschen erfassbaren Zeiträumen nahezu unbegrenzt zur Verfügung stehen (z. B. Sonne) oder sich innerhalb kurzer Zeitabstände erneuern (z. B. Ölpflanzen).

Regenzeit (S. 22) Durch starke Niederschläge gekennzeichnete Jahreszeit in den Tropen und Subtropen. Je nach Breitenkreislage einer Region kann es im Jahresverlauf ein oder zwei Regenzeiten geben. Die Regenzeit folgt dabei mit leichter Verzögerung dem Zenitstand der Sonne. → Trockenzeit

regionale Entwicklung (S. 113) → S. 113

Rekultivierung (S. 120) → S. 120

relative Feuchte (S. 28) Die relative Feuchte drückt das Verhältnis zwischen der in der Luft enthaltenen und der, bei gegebener Temperatur maximal möglichen, Wasserdampfmenge aus. → S. 28, M4

Reliefenergie (S. 162) Die Reliefenergie bezeichnet den Höhenunterschiedsbetrag, d.h. den Differenzbetrag zwischen dem höchsten und dem tiefsten Punkt eines definierten Raumes oder durch den Winkel der Hangneigung → S. 163.

Renaturierung (S. 120) → S. 120

Reserve (S. 110, 116, 128) Teil der Gesamtmenge/→ Ressource eines Rohstoffes, der mit den heutigen Mitteln wirtschaftlich gewonnen werden kann.

Ressource (S. 110, 142, 152) Geschätzte oder vermutete Gesamtvorratsmenge eines Rohstoffes, einschließlich des Anteils, der unter heutigen technischen Voraussetzungen nicht wirtschaftlich gefördert werden kann. → Reserve

Restrisiko (S. 130) Noch verbleibendes Risiko, nach Berücksichtigung und/oder Beseitigung aller denkbaren Risiken einer Risikobetrachtung von Naturgefahren oder technischen Systemen wie Kernkraftwerken.

Retentionsfläche (S. 76) Flächen, die vorgehalten werden, um bei → Hochwasser große Mengen Wasser zurückzuhalten und damit Hochwasserspitzen abzufangen.

Riftzone (S. 98) → S. 98

Rohstoffvorkommen (S. 112) Natürliches Rohstoffpotenzial bzgl. lokaler, regionaler oder nationaler Maßstabsebene

Savanne, Feucht-, Trocken-, Dornstrauchsavanne (S. 22) Hauptvegetationsform der wechselfeuchten Tropen und Subtropen mit getrennter → Regenzeit (bzw. Regenzeiten) und → Trockenzeit sowie weitgehender Frostfreiheit. Unterschieden werden die Feuchtsavanne (hohe Gräser und Bäume), die Trockensavanne (Gräser, Sträucher sowie vereinzelt Bäume) und die Dornstrauchsavanne (kurze Gräser, Dornsträucher).

Schieferöl (S. 146) Im Untergrund in Ölschiefern (Sedimentgesteinen) vorkommende erdölähnliche Substanz.

Schiefergas (S. 146, 148) im Untergrund in Schiefer, Ton, Kalkstein u. a. Sedimentgesteinen vorkommendes Gas.

Schwarzerde, auch Tschernosem (S. 36) Zu den Steppenböden gehörender, mächtig humoser Ah-C-Boden auf kalkhaltigem Lockersediment (v.a. Löss). Besonders gut bildet sich die Schwarzerde unter kontinentalen Klimaverhältnissen heraus. Schwarzerden sind sehr gut für die Landwirtschaft geeignet. → S. 37, M7

Sedimentation (S. 72, 164) Ablagerung von verwittertem Gesteinsmaterial verschiedener Größe.

Smart Grid (S. 182, 184) Intelligentes Stromnetz, das mittels Informations- und Kommunikationstechnologien (IKT) Stromerzeuger und -verbraucher besser vernetzt, stärker erneuerbare Energien berücksichtigt und damit einen Beitrag zur Ressourceneinsparung und Verringerung der → CO_2-Emissionen liefert.

Smart Meter (S. 184) „Intelligenter" Zähler, der den Energieverbrauch (z. B. Strom) und die Zeit des Energieverbrauchs anzeigt und an den Versorger weitersenden kann. Aktuelle Smart Meter können über zahlreiche Zusatzfunktionen verfügen (z. B. grafische Aufbereitung, Fernsteuerung).

Smart Mobility (S. 182) Intelligente Vernetzung der Verkehrsangebote → S. 183, M6.

Solarkonstante (S. 204) Bezeichnung für die Strahlungsleistung der Sonne. Die Solarkonstante beträgt 1368 W/m² und gibt die Strahlungsleistung an, die auf einem m →, bei senkrecht einfallender Strahlung, am Rand der → Atmosphäre auftrifft. Die durchschnittliche Bestrahlungsstärke liegt aufgrund der rotierenden Kugelgestalt bei einem Viertel (342 W/m²) der Solarkonstanten. → Strahlungsbilanz

Solarthermie (S. 166) Methode, um Wärme aus der Sonnenstrahlung zu gewinnen und nutzbar zu machen, indem die Strahlung der Sonne in Sonnenkollektoren ein Übertragungsmedium (meist auf Wasserbasis) erhitzt.

Sonnenfleck (S. 204) → S. 205, M5

Steppe (S. 34) → S. 35

Stockwerkbau (S. 14) Vertikale Anordnung verschiedener Pflanzengesellschaften, insbesondere in den → tropischen Regenwäldern. Im → tropischen Regenwald bildet die Vegetation je nach Höhe verschiedene Schichten aus: Über der Krautschicht befindet sich die Strauchschicht, darüber die Baumschicht, und darüber hinaus ragen die Wipfel der Urwaldriesen.

Strahlungsbilanz (S. 206) Die ausgeglichene Gesamtstrahlungsenergie des Systems Erde, eines Teilbereichs oder eines Standortes. Für das System Erde werden die einzelnen „Posten" der Strahlungsbilanz, ausgehend von der einfallenden kurzwelligen Sonnenstrahlung (342 W/m², → Solarkonstante), aufgegliedert und letztlich die einfallende der ins Weltall austretenden Strahlung gegenübergestellt.

Subduktionszone (S. 98) → S. 98

subpolare Zone (S. 38) Zwischen der → polaren und der gemäßigten Klimazone liegende Klimazone mit sehr kalten, niederschlagsarmen Wintern.

Subsistenzwirtschaft (S. 58) Wirtschaftsweise mit dem Ziel der Selbst- bzw. Eigenversorgung. Die Subsistenzwirtschaft ist nicht arbeitsteilig organisiert.

Szenario (S. 208) In einem Szenario wird ein mögliches Bild von zukünftigen Ereignissen oder Zuständen prognostiziert.

Tagebau (S. 114, 116, 118, 144) Methode des Bergbaus zum Abbau von dicht unter der Erdoberfläche lagernden Rohstoffen (z. B. Kohle, Kies, Sand), ohne dass Schächte und Stollen gebaut werden müssen. Der Tagebau ist deutlich kostengünstiger als der Untertagebau.

Tageszeitenklima (S. 16) Klima, für dessen Ausprägung tägliche Schwankungen der → Klimaelemente von höherer Bedeutung sind als die jahreszeitlichen Veränderungen (→ Jahreszeitenklima).

Taupunkt (S. 28) Zustand, bei dem eine feuchte Luftmasse voll gesättigt ist, also eine → relative Luftfeuchte von 100 % aufweist

Thermoisoplethendiagramm (S. 16) → S. 16

Tiefseebergbau (S. 126) → S. 126, M5

Tonminerale (S. 20) Für den Stoffhaushalt und die Fruchtbarkeit eines Bodens wichtige Silikate, die das Ergebnis von Verwitterungsprozessen darstellen und deren Einzelpartikel nicht größer als 0,002 mm sind.

Tragfähigkeit (S. 58, 62) → S. 58 → S. 62

Treibhauseffekt (S. 152, 206) Der Erwärmungseffekt der → Atmosphäre. Er resultiert daraus, dass kurzwellige Sonnenstrahlung an der Erdoberfläche in langwellige Wärmestrahlung umgewandelt wird. Diese wird nach Abstrahlung in Richtung Weltall bevorzugt von Wasserdampf- und Kohlenstoffdioxidmolekülen (→ Treibhausgase) in der → Atmosphäre auf die Erde zurückreflektiert. Dadurch wird die globale Mitteltemperatur in Bodennähe auf 15 °C angehoben (natürlicher Treibhauseffekt). Werden die → Treibhausgase durch den Menschen vermehrt, sodass die Temperatur weiter ansteigt, wird dies als → anthropogener Treibhauseffekt bezeichnet.

Treibhausgas (S. 164, 206, 208) Gase in der Erdatmosphäre, die die Wärmestrahlung der Erde aufnehmen und wieder zur Erde abstrahlen, anstatt sie in den Weltraum entweichen zu lassen (z. B. Wasserdampf, → CO_2 und Methan). Sie tragen so zur Erwärmung der → Atmosphäre und der Erdoberfläche bei. Die Treibhausgase können natürlichen oder → anthropogenen Ursprungs sein. → Treibhauseffekt

Trockenzeit (S. 22) Niederschlagsarme oder niederschlagsfreie Jahreszeit in den wechselfeuchten Tropen und Subtropen. → Regenzeit

tropischer Regenwald (S. 14) Immergrüner Wald der immerfeuchten Tropen. Das Klima des Regenwaldes zeichnet sich durch → Tageszeitenklima aus. Charakteristisch sind Artenvielfalt (→ Biodiversität) und → Stockwerkbau.

tropischer Wirbelsturm – Hurrikan, Taifun, Zyklon, Willy-Willy (S. 82, 84, 202) Rotierender, wandernder, frontenloser Luftwirbel mit extremem Unterdruck im Zentrum, dem Auge, und orkanartigen Windgeschwindigkeiten im Rotationsring. Tropische Wirbelstürme entstehen über warmen Meeresgebieten (> 26,5°C) im Bereich der ITC, mindestens 5–8 Breitengrade vom Äquator entfernt (ausreichende Wirkung der → Corioliskraft) → S. 82, M3/ M4

Troposphäre (S. 206) Unterste Schicht der Atmosphäre auf der Erde, die an den Polen bis in 8 km und am Äquator bis in 18 km Höhe reicht. In der Troposphäre spielt sich das Wettergeschehen ab.

Tsunami (S. 96) Durch Seebeben, Vulkanausbrüche und Hangrutschungen ausgelöste Wellen, die im Flachwasser an Höhe gewinnen (5 bis 40 m) und große Zerstörungskraft haben.

Tundra (S. 40, 200) Baumfreie bis baumarme niedrige Vegetation der Subpolargebiete, die von Moosen, Flechten, Gräsern und Zwergsträuchern gebildet wird. Charakteristisch sind kurze → Vegetationsperiode und → Permafrost. → S. 41, M7

Umsiedlung (S. 120) Die auf gesetzlichem bzw. vertraglichem Wege eingeleitete Wohnsitzverlagerung geschlossener Bevölkerungsgruppen. In Bezug auf den Bergbau kommt es durch Abbauvorhaben (→ Tagebau) zu Umsiedlungen.

Umweltverträglichkeitsprüfung, UVP (S. 148) Vorbeugendes Instrument der Umweltpolitik, um Umweltschutz zu praktizieren. Es soll alle denkbaren Umweltauswirkungen von Planungsmaßnahmen zeigen und ökologisch begründete Alternativen darstellen.

Unkonventionelle Förderung (S. 142) → S. 142

Unterlauf (S. 72) Der letzte Laufabschnitt eines Flusses auf dem Weg von der Quelle bis zur Mündung. Infolge der abnehmenden Fließgeschwindigkeit kommt es zur Bildung von → Mäandern. Wegen der abnehmenden Transportkraft kommt es in größerem Umfang zur Ablagerung von mitgeführtem Material (→ Akkumulation, → Sedimentation).

Uran (S. 112) Natürliches radioaktives Element, das als → Primärenergieträger in Kernkraftwerken Verwendung findet.

Urananreicherung (S. 130) Vorgang, bei dem aus (Natur-)Uran, unter dem Einsatz verschiedener Verfahren, → Uran mit erhöhtem Anteil des Isotops Uran 235 erzeugt wird.

Vegetationsperiode (S. 18) Zeitraum eines Jahres, in dem pflanzliches Wachstum möglich ist, also Pflanzen blühen, fruchten und reifen. Klimatisch wird die Anzahl der Tage mit Mitteltemperaturen über 5 °C als Vegetationsperiode definiert. Die Vegetationsperiode wird auch von Trockenheit und winterlicher Schneebedeckung begrenzt.

Verdunstung (S. 18, 72) Übergang eines Stoffes vom flüssigen in den gasförmigen Zustand.

Versiegelung (S. 72, 74) Durch den Bau von Straßen, Parkplätzen, Industrieanlagen und Wohngebieten kommt es zur Versiegelung großer Flächen, d. h. sie werden asphaltiert oder betoniert. Der Grad der Versiegelung ist von der Wasser- und Luftdurchlässigkeit des Belagmaterials abhängig.

Virtuelles Wasser (S. 52) Wassermenge, die zur Herstellung eines Produktes verwendet, verschmutzt oder verbraucht wird.

Vulkan (S. 102, 204) Bereich der Erdoberfläche, an dem → Lava oder vulkanisches Lockermaterial aus dem Erdinneren an die Erdoberfläche tritt oder getreten ist.

Vulnerabilität (S. 50 im Text, 82, 84, 91) Die Vulnerabilität beschreibt die Anfälligkeit bzw. Empfindlichkeit oder auch Verletzbarkeit von Mensch, Gesellschaft und Infrastruktur eines Lebens- und Wirtschaftsraumes. Man spricht von ökologischer, sozialer und technischer Vulnerabilität. Anfälligkeit gegenüber einem Naturereignis → S. 91

Wasserkreislauf (S. 80) Ständiger Kreislauf des Wassers vom Meer zum Land und von dort wieder zurück ins Meer. Wesentliche Bestandteile des Kreislaufes sind → Verdunstung, Niederschlag und Abfluss.

Wasserstoff (S. 180) Farb- und geruchloses Gas, das als Energieträger genutzt werden kann. Der Wasserstoff muss dazu aus einem → Primärenergieträger gewonnen werden.

Wasserverfügbarkeit (S. 52) Verfügbare Menge an Süßwasser in m³, die eine Person im Jahr nutzen kann.

Wetter (S. 18, 202) Das Wetter ist der Zustand der → Atmosphäre zu einem bestimmten Zeitpunkt an einem bestimmten Ort auf der Erde und ist gekennzeichnet durch messbare meteorologische Größen wie Lufttemperatur, Niederschlag, Strahlung oder Windrichtung. → Klima

Wiederaufbereitung (S. 132) Vorgang der Wiedernutzbarmachung von in Abfällen verschiedener Herkunft (u.a. auch radioaktiv) enthaltenen Substanzen.

Wirkungsgrad (S. 118, 120, 134) In der Energiewirtschaft das Maß für die Wirksamkeit eines Energieumwandlungsprozesses und bestimmbar durch das Verhältnis von abgegebener Energie/Leistung/Arbeit zur aufgenommenen Energie/Leistung/Arbeit in Prozent.

Wirtschaftsmigrant (S. 144) Person, die aus wirtschaftlichen Gründen (z.B. Arbeitsplatz) langfristig ihren Wohnsitz ändern.

Wüste (S. 54) Gebiet, das stark vom Klima geprägt ist und sich durch Vegetationsarmut oder Vegetationslosigkeit auszeichnet, die durch Wärme, Trockenheit und/oder Kälte bedingt wird. → Küstenwüste → Leewüste → Passatwüste

Zeche (S. 114) Bergwerksanlage (Abbau von Bodenschätzen unter Tage). Der Begriff Zeche ist v.a. im Ruhrgebiet üblich.

Zenitstand (S.22) Der Einfallswinkel der Sonne beträgt 90°.

Bildquellenverzeichnis